교육과정의 실제와 이론

학생 중심 초등 전문가 양성

김평국 지음

아카데미프레스

머리말

　　이 책은 주로 초등학교 교사를 지망하는 대학생들을 위하여 집필된 것이다. 중등학교 교사를 지망하는 대학생들에게도 도움이 될 만한 것이 있겠으나, 그 초점은 초등학교 교사에게 있음을 밝힌다.

　　현재까지 중등 또는 초 · 중등 교사를 위한 교육과정 교재들이 많이 출판되어 사용되어 왔다. 초등 교사를 위한 교재로는 교육대학 교직과 교재 편찬위원회에서 1963년에 출판한 「교육과정」 이외에 지속적으로 교육과정 관련 개정, 증보판을 출판하면서 1998년에는 「신간 교육과정과 수업」을 출판하였고, 그 외에 교육부의 지원하에 2005년과 2006년(2판)에 이원희 외의 「교육과정과 수업」이 출판되었다. 그러나 이 교재들 중 시간이 경과한 것들에는 최근의 연구 결과가 충분히 반영되지 않은 경우도 있었다. 그리고 공동 저작인 경우 교육과정을 전공하는 여러 다양한 세부 전공 교수들의 글을 종합한 것으로서 초등 예비 교사들이 학습하기에 다소 어려운 내용도 담겨 있었다. 이는 교육과정학 영역의 지식이 초등이나 중등을 구분하지 않고 일반적으로 적용될 수 있다는 사고에 토대를 둔 것으로 볼 수 있다. 다른 한편으로는 초등 교사 양성기관에서 교육과정을 강의하는 교수나 강사들이 주로 중등 교사 양성 기관에서 학업한 배경도 영향을 미친 것으로 보인다. 따라서 필자가 만나는 예비 교사들에게 필요한 하나의 일관성 있는 교재는 아님을 확인하고 새로운 교재의 필요성을 느꼈다.

　　교육과정학의 지식이 일반적인 성격을 지닌다고 할지라도 예비 교사 및 현직 교사들이 이를 배우고 현장에 적용하기 위해서는 초등 교육 현장의 특수성을 고려하는 것이 필수적이다. 따라서 교육과정학 지식 그 자체의 학습과 이해뿐만 아니라 그 지식의 현장 적용을 위한 세부 지식에 대한 학습과 이해의 필요성을 절감하였다.

　　따라서 필자가 다양한 예비, 현직 교사들을 대상으로 가르치는 과정에서 초등 교육의 특수성을 고려하여 초등 교사의 교육과정학으로의 입문 과정을 도와줄 필요성을 느꼈다. 초등학생의 특수성을 고려하여 초등 교사의 교육과정 전문성은 중등과 차별화할 필요가 있다는 것이다.

중등의 경우 하나의 교과를 가르치지만, 초등의 경우 거의 모든 교과를 가르친다. 초등학생의 발달 단계를 고려하여 이에 맞는 교육의 방향성과 목적의 설정, 교육 목표의 진술, 교육 내용의 선정과 조직, 초등학생의 개인차에 부응하는 다양한 교수 · 학습 활동의 계획과 운영이 필요하다.

필자가 새로운 교재 저술에서 염두에 둔 대학생이 도달할 주요 목표를 진술하면 다음과 같다.

1. 교육과정의 개념에 대한 기초적인 이해에 도달한다.
2. 교과 중심 교육과정과 경험 중심 교육과정의 차이를 (1) 기본 관점, (2) 시대적 · 이론적 배경, (3) 목적과 내용, (4) 수업과 평가의 세부 영역별로 이해한다.
3. 교육과정 개발 및 설계에 대하여 기초적인 이해에 도달한다.
4. 교육 목표와 교육 내용에 대하여 기초적인 이해에 도달한다.
5. 국내 교육과정의 역사적 변천에 대한 기초적 이해에 도달한다.
6. 경험 중심 교육과정 운영에 필요한 프로젝트 학습의 일환으로 2개 이상의 교과를 통합한 교과 중심 통합 단원이나 학생의 생활 속에서 발굴한 주제에 따른 경험 중심 통합 단원을 설계할 수 있다.
7. 학교 현장 교사의 도움을 받아 특정 영역의 교육과정 운영 실태(장점 포함)를 확인하고 그 문제점을 밝히며 개선 방안을 제시할 수 있다.

계양산 자락에서
저자 김평국
경인교육대학교 교수

차례

◇◇◇◇◇◇◇◇◇
제2부
경험과 교과의 관계

◇◇◇◇◇◇◇◇◇
제3부
교육과정의 두 가지 큰 흐름

◇◇◇◇◇◇◇

제 4 부
비교과 교육과정

◇◇◇◇◇◇◇◇

제5부
교육과정의 계획 및 실행

제1부

교육과정의 기초

제1장

교육과정의 다양한 개념 이해

제1절 초보자를 위한 교육과정 개념 정의

　　교육이 있는 곳에 교육과정이 있다. 이는 동서고금을 막론하고 나타났던 현상으로 볼 수 있다. 또한 교육 현상은 학교 안에서뿐만 아니라 학교 밖에서도 일어난다. 따라서 교육과정의 현상 또한 학교 안에서뿐만 아니라 학교 밖에서도 일어난다.

　　이러한 교육 상황 속에는 가르치는 자와 배우는 자가 있다. 가르치는 자와 배우는 자는 개인이 될 수도 있고 집단이 될 수도 있다. 따라서 개인이 개인을, 개인이 집단을, 집단이 집단을 가르치고 배우는 상황을 상상해 볼 수 있다. 이러한 교육 상황에서 교육과정이 무엇인지에 대하여 초보적인 이해를 시도한다고 가정해 보자. 이러한 교육과정에 대한 초보적인 이해를 위하여 매우 단순한 교육 상황을 가정할 때, 교육 상황에는 가르치는 자와 배우는 자를 개인 대 개인으로 한정해 볼 수 있다.

　　이 때, 가르치는 자의 예를 사회의 여러 영역에서 발견할 수 있다. 예술 영역에서는 연주자, 성악가, 화가, 서예가, 판소리 명창, 곡예사 등을 발견할 수 있다. 과학 기술 영역에서는 과학자(물리, 화학, 생물, 지구과학, 응용과학 등) 연금술사, 건축가, 항해사, 조리사 등을 발견할 수 있다. 의학 영역에서는 (한)의사, 치의사, 수의사, 약사 등을 발견할 수 있다. 종교 영역에서는 승려, 신부/수녀, 목사 등을 발견할 수 있다. 직업 영역에서는 제과/제빵사, 미식가, 와인 감정사 등 모두 나열하기 어려울 정도로 다양한 예를 발견할 수 있다.

교육과정은 이러한 가르치는 자와 배우는 자 사이의 관계 속에서 발견되는 것이라고 볼 수 있다. 즉 "가르치는 자(교수, 교사, 부모, 장인 등)와 배우는 자(학습자, 학생, 자녀, 도제 등)의 상호 작용 속에서 오고가는 그 어떤 것"이다. 여기에서 그 어떤 것은 일반적으로 교육 내용이라고 일컫는 것에 해당하는 것으로 볼 수 있는데, 이 교육 내용의 의미를 교과 속에 담긴 지식이라는 좁은 범위에 국한하지 않고 더 넓은 범위의 것으로 볼 수 있다. 이렇게 할 때, 교육 내용에는 인지적(cognitive) 영역에 속하는 사실, 정보, 개념, 법칙, 원리, 이론 등과 정의적(affective) 영역 또는 덕목 영역에 속하는 태도, 정서, 감정(감성), 성향, 가치(정직, 책임, 성실 등) 등과, 심동적(psycho-motor) 영역에 속하는 반사적 운동, 초보적 기초 동작, 운동 지각 능력, 신체적 기능, 숙련된 운동 기능, 동작적 의사소통 등 다양한 능력과 기능이 포함된다.

그런데 넓은 의미의 교육과 학교 교육은 구분할 필요가 있다. 고대 시대에 교육은 귀족 계급의 전유물이었다고 말할 때, 이때의 교육은 넓은 의미의 교육이라기보다는 교과 중심의 학교 교육을 일컫는다고 볼 수 있다. 그러나 이런 고대 시대에도 넓은 의미의 교육은 귀족이 아닌 서민 계층에게도 제공되었다고 볼 수 있다. 비형식적 가정교육, 도제 교육 등이 그것이다(한기언, 1983: 135-137).

제2절 학교 교육과 교육과정

1. 중앙 집권적 교육과정과 교사의 역할

과거 중앙 집권적 교육과정 체제 속에서 교사들은 주로 교사용 지도서를 참고하여 교과서를 가르치는 데 전념하였다. 그러나 교과서 집필의 밑그림인 교육과정에는 무관심하였다. 이는 과거 우리나라 국가 교육과정이 중앙 집중적으로 개발된 것과 깊은 관련이 있다. 즉 중앙 집중적 교육과정 개발 체제에 따라 전문가 중심으로 국가 교육과정을 개발하고 이를 하위 기관에 하달하는 데 초점을 두었다. 그러한 체제에서는 지역의 시·도 교육청이나 학교에 교육과정 개발의 권한을 이양하지 않았고, 하위 기관은 하달받은 교육과정을 시행하는 기관으로 보았기 때문이다.

2. 지방 분권적 교육과정 체제의 도입에 따른 교육과정에 대한 교사의 역할 변화

그런데 제6차 교육과정 시기(1982~1997)부터 지방 분권적 교육과정 개발 체제를 일부 도입하면서, 시·도별 교육청에 국가 교육과정을 기준으로 삼아 지역의 특색을 반영한 '교육과정 편성 및 운영 지침'을 개발할 권한을 부여하였고, 학교 수준에서는 국가 교육과정과 시·도별 교육청의 '교육과정 편성 및 운영 지침'을 근거로 삼아 '학교 교육과정'을 편성하여 운영할 권한을 부여하였다. 이에 따라 학교 수준에서 교사의 교육과정 편성 및 운영에 대한 전문성 요구가 높아지고 있다. 예를 들어, 경기도 교육청은 각 개별 교사에게 담당 학급을 위한 '학급 교육과정의 편성 및 운영'을 요구해 오고 있다.

3. 교육과정 계획과 운영의 다양성

이에 따라 교사는 학교 수준에서 동학년 교사들 사이의 수업은 집단 숙의를 통해 학년별 교육과정을 함께 개발하고 이를 재구성하거나 독립적으로 학급 교육과정을 개발하여 계획을 세우고, 이를 밑그림이나 토대로 삼고 매일 매일 여러 교과의 수업을 진행해 간다. 수업의 경우도 수업지도안(교수·학습 과정안)이라는 계획과 밑그림에 따라 이루어지며 이 수업지도안은 (문서로서의) 교육과정(학교, 지역, 국가)에 근거한다. 이를 대본과 배우라는 비유를 들어 이해해 볼 수 있다. 작가는 어떤 작품을 창작하여 이를 대본의 형태로 배우에게 전달한다. 배우는 이 대본에 충실하게 영화, 드라마, 연극 등에서 자신의 역할을 수행하면서 연기한다. 그런데 이 대본은 마치 춘향전이라는 이야기에 여러 원본이 있듯이, 계획으로서 또는 문서로서의 교육과정의 원본에도 여러 가지가 있다. 또한 배우가 춘향전 이야기의 한 등장인물이 되어 연기를 수행할 때에도 그 작품을 어느 시대에, 어떤 형식(영화, 연극, 오페라, 마당극 등)으로 공연하느냐에 따라 세부적으로 나타나는 이야기는 실로 다양하게 전개된다고 볼 수 있다.

4. 교사의 교육과정에 대한 이해와 안목(문해력)의 필요성

교사가 이러한 학교 및 학급 교육과정을 편성하고 운영하는 직무를 전문적이고 체계적으로 수행할 수 있으려면 교육과정 전문성이나 교육과정 문해력을 갖출 필요가 있다. 김경자(2004: 188-190)는 교육과정 이해의 필요성에 대해 언급하면서, 교육과정에 대한 안목을 갖춘다는 것의 의미를 네 가지로 정리하여 제시하였다.

첫째, 교육과정의 여러 하위 영역들에 관련된 핵심적인 질문에 답하는 데 필요한 지식을 갖춘다는 것이다. 이는 교육과정 개발 및 운영에서 교과, 사회, 학습자에 대한 이해, 이러한 이해의 기반이 되는 교육학적 지식과 교육과정 개발 및 운영에 대한 다양한 연구 결과에 대한 이해를 포함한다. 이러한 이해와 안목을 갖출 때 그런 성과들을 학교 현장에 체계적으로 적용할 수 있다.

둘째, 교육과정에 대한 이해와 안목을 갖출 때, 교사는 교육과정 개발 및 운영에서 전문성을 발휘할 수 있고, 학생들에게 필요한 것과 그렇지 않은 것을 구별하여 선택하고 배제할 수 있으며, 이에 토대를 두고 자율성을 발휘할 수 있다.

셋째, 교육과정에 대한 이해와 안목을 갖추고 자율적으로 학습자에게 최선인 교육과정을 결정하는 교사는 궁극적으로 학생의 성장을 돕는다. 학생은 곧 미래 사회의 주인공이므로 학생의 성장은 미래사회의 발전을 가져올 수 있다.

넷째, 교육과정에 대한 이해와 안목에 토대를 두고 현장의 문제를 해결하는 데 실험 정신을 발휘하면서 궁극적으로 교육과정의 진보를 가져올 수 있다.

5. 학교 수준에서 교육과정의 편성 및 운영의 필요성

중앙 정부가 개발된 국가 수준 교육과정을 토대로 교사들이 학교 교육과정을 편성하고 운영할 수 있는 권한을 이양하면서, 학교 수준 학교 교육과정의 편성 및 운영의 필요성에 대하여 설명하였는데, 이는 교육과정 총론 해설서에서 발견할 수 있다(교육과학기술부, 2008: 16).

이 해설서는 그러한 필요성의 하나로 교원의 자율성(autonomy)과 전문성(professional expertise)의 신장을 위해서 학교 교육과정이 필요하다고 지적하였다. 학생들의 능력과 욕구를 가장 잘 이해하고 학교의 지역적인 특성을 잘 알고 있는 교사들이 학교 교육과정 편성 · 운영의 과정에 능동적으로 참여함으로써 자율성과 전문성을 신장할 수 있는 기회를 가질 수 있다는 것이다. 교사가 학교 교육과정을 편성 · 운영할 수 있기 때문에 교직을 전문직이라고 하는 것이며, 이 업무를 수행하는 일은 교사의 고유하고 전문적인 영역이다. 또한, 지역이나 학교의 실정에 따라 특색 있게 운영하도록 자율 · 재량의 권한이 부여되어 있기 때문에 교사는 자율성을 발휘할 수 있고 국가와 교육청은 이를 보장하고 지원할 의무가 있다.

6. 교육과정 운영 관점에 따른 교사의 역할과 교육과정 전문성

교사들이 학교 현장에서 교육과정을 어떻게 운영하는가에 대하여 세 가지 관점이 제시되었다(성경희 등, 2003: 22-23; Snyder, Bolin, & Zumwalt, 1992: 418).

첫째, 충실도의 관점으로 국가 수준의 교육과정이 개발되고 고시된 이후에 교육과정에 처방된 대로 해당 교과에서 정해진 주제를 일정한 계열을 따라 교육과정을 운영한다고 보는 관점이다. 이에 따르면 교육과정의 내용은 전문인들에 의해 선정되며 교사는 이를 학생들에게 전달하는 역할을 수행한다고 본다. 이러한 충실도의 관점에서는 교육과정의 변화를 선형적인 것으로 파악하며, 평가는 교사들이 교육과정 개발자가 본래 의도한 것을 얼마나 충실히 수행하였는지를 확인하는 과정이 된다.

둘째, 조정의 관점에 따르면, 교육과정 운영의 양상은 미리 결정될 수도 없고 미리 결정되어서도 안 되는 것으로서, 사용자가 주어진 맥락에서 최적의 것을 결정해 나가는 과정이라고 본다. 이때 조정의 정도에 따라, (1) 충실도의 개념에 가까운 '부분 조정(minor adaptation)', (2) 외부에서 개발된 교육과정이 사용자에게 영향을 미치며, 동시에 사용자도 주어진 교육과정을 자신의 상황에 맞게 어느 정도 수정하거나 재구성하는 '상호 조정(mutual adaptation)', (3) 사용자가 주도적으로 자신들의 관심과 맥락에 맞도록 직접 창출하며 실행하는 '점진적 구성(evolutionary changes)' 등으로 나누어 볼 수 있다.

셋째, 생성의 관점에 따르면, 교육과정은 학생과 교사가 창출하는 경험으로 이해된다. 이 관점에 따르면, 교육과정 지식은 개인적 기준과 외적 기준에 반응하면서 개인적으로 구성한 것이다. 따라서 교육과정 지식은 개별화된다. 그러나 중심이 없는 상대성의 바다에서 허우적거리지 않는다. 외부에서 개발된 교육과정 자료는 학생과 교사가 교실에서의 경험을 구성해 가는 과정에서 활용하는 자료로 여긴다. 마음은 외부 전문가의 지식이 채워질 용기가 아니라 붙이면 타오를 소재이다. 변화는 외적으로 관찰되는 행동뿐만 아니라 개별적 발달 과정이다. 교육과정 운영은 학생과 교사의 개별적인 발달 과정이다. 이것이 성공적으로 일어나기 위하여 교육과정 운영에 참여하는 학생과 교사의 개별적 특성에 대한 이해와 인정이 필요하다. 교사의 역할은 교육과정 개발자이며, 교사는 학생들과 함께 긍정적인 교육 경험의 구성에서 그 전문성이 지속적으로 신장한다. 외부 교육과정 전문가의 역할은 교사들의 교사이다. 전문가가 교사의 마음에 불을 붙이고, 교사는 다시 학생의 마음에 불을 붙인다. 이리하여 불꽃을 더 키워간다.

교사들이 위의 세 가지 관점 중 어느 관점에 더 부합하는 방향으로 학교 현장에서 교육과정을 운영하는지는 교육과정 운영에 대한 통제권을 교사가 전적으로 행사하는지, 아니면 외부의 통제를 받으면서 운영하는지에 따라 달라질 수 있고, 또한 교사가 지닌 교육과정 전문성과 교직에 임하는 태도 등에 따라서도 달라질 수 있다. 일반적으로 말하여, 교육과정 운영에 대한 요구와 여건이 충실도 관점에서 조정 관점으로 조정 관점에서 생성 관점으로 옮겨 갈수록 교사에게 요구되는 교육과정 전문성은 그만큼 더 높아진다고 볼 수 있다.

우리나라의 경우 제6차 교육과정 시기에 교육과정 체제의 지방 분권화 도입 이후 교육과정 운영 관점은 충실도 관점에서 조정 관점으로 옮겨졌다고 볼 수 있고, 이에 따라 교사에게 요구되는 교육과정 전문성 수준은 높아졌으며, 앞으로는 점진적으로 더욱 높아질 것으로 예상한다. 이는 주로 공립학교에 해당하는 변화인데, 대안 학교와 같이 국가 교육과정의 틀에 따른 제약을 받지 않고 교육과정을 운영하는 학교에서는 교사들이 이전부터 생성 관점에 따라 교육과정을 운영해 오고 있다고 말할 수 있다.

교사는 학교, 교육청, 국가 수준에서 장학사 등 행정가와 함께 일하는 전문가 집단의 일원으로 인정된다. 교사는 교육과정을 전체로 보고, 다양한 지점에서 자료 제공자와 주체자(행위자)의 역할을 수행해야 한다. 즉 위원회 안에서 교육과정을 개발하고, 그 교육과정을 교실에 적용하며, 전문가 집단의 일원으로서 교육과정을 평가한다. 교사는 과목과 학년별로 교육과정의 계속성, 계열성, 통합성을 확보하고 유지하기 위하여 교육과정에 능동적으로 관여해야 한다. 교수 및 학습, 학생의 요구와 관심, 그리고 현실적인 내용, 방법 및 자료에 대해 광범위하고도 깊은 이해력을 가진 교사가 경험 있는 교사다. 이론의 영역 밖에서 교육과정을 구성하고. 그 교육과정을 실제적으로 유용한 것으로 번역할 수 있는 최적의 기회를 가진 사람도 행정가가 아닌 바로 교사다 (장인실 등, 2007: 57; Ornstein & Hunkins, 2004)

7. 교사가 갖추어야 할 지식의 범주

미국의 교육학자 Shulman(1987: 8)은 잘 가르치기 위하여 교사가 갖추어야 할 지식의 범주로 7가지를 제시하였는데 이들은 다음과 같다.

(1) 교과 내용 지식(content knowledge)
(2) 일반 교수법 지식(general pedagogical knowledge)
(3) 교육과정 지식(curriculum knowledge)

(4) 교수 내용 지식(pedagogical content knowledge)

(5) 학습자에 대한 지식(knowledge of learners and their characteristics)

(6) 교육적 맥락에 대한 지식(knowledge of educational contexts)

(7) 교육 목적과 가치에 대한 지식(knowledge of educational ends, purposes, and values)

이러한 지식의 항목들은 우리나라 교육과정의 총론과 각론을 모두 포함하여 이를 전문적으로 잘 활용하면서 운영하고 가르치는 데 필요한 넓은 의미의 교육과정에 관련된 지식이라고 볼 수 있다. 따라서 교사가 갖추어 나가야 할 전문성에 포함되는 지식의 핵심에 교육과정에 관련된 지식이 놓여 있음을 말해 주고 있다.

이상과 같이 교사에게는 학교 교육과정을 편성하고 운영할 수 있는 권한과 자율성이 부여되었고, 교사는 교육과정에 대한 이해와 안목(문해력)을 토대로 이 전문성과 자율성을 신장할 기회를 누릴 수 있다. 따라서 이러한 전문성과 자율성을 신장하기 위하여 예비 교사는 먼저 교육과정에 대한 지식을 확대하고 이해와 안목을 길러나갈 필요가 있을 것이다. 그 지식과 이해와 안목이 폭넓고 깊을수록 교사의 전문성과 자율성의 수준은 높아질 것이다. 그러한 교육과정 전문성과 자율성의 수준이 높을수록 교사에게 배우는 학생은 더 알차고 의미 있는 성장을 경험하게 될 것이다.

제3절 시간 순서(계열)에 따른 교육과정의 의미

교육과정의 다양한 개념에 대해 설명하면서 Jackson(1992: 9)은 시간 순서(계열)에 따른 차이를 기준으로 교육과정의 개념은 세 가지로 구분된다고 말하였다. 첫째는 공식적(official) 교육과정으로 이는 개설 계획인 교과목의 목록이나 교사가 사용하는 교과서나 지도서라고 볼 수 있다. 둘째는 실행된(enacted) 또는 전달된(delivered) 교육과정으로, 개설이 계획된 교과목이 실제로 운영되어 학생이 수강하거나, 교사가 교과서나 지도서의 내용을 실제로 실천에 옮겨 수업 시간에 다루고 학생도 참여한 교육과정으로 볼 수 있다. 셋째는 학생이 전달받은(received) 교육과정 또는 경험한(experienced) 교육과정으로, 학생이 수업 활동에 참여하여 실제로 이해하고 획득한 것으로 볼 수 있다. 시간의 경과에 따라 학생이 경험한 교육과정도 얼음이 녹듯이 조금씩 줄어들고 학생이 장기적으로 기억하는 지식이나 기술만 남을 것이다.

김호권 등(1981: 109-117)은 교육과정 전개의 의미와 관련된 일반적인 하나의 개념 모형을 제시하였는데, 이는 세 가지 수준의 개념을 보여준다. 이들은 의도된 교육과정(공약된 목표로서의 교육과정), 전개된 교육과정(수업 속에 반영된 교육과정), 실현된 교육과정(학습 성과로서의 교육과정)이다. 김재춘 등(2017: 15-18)은 이 세 가지를 문서로서의 교육과정, 실천으로서의 교육과정, 성과/산출로서의 교육과정이라고 불렀다. 이와 같은 개념 구분에 따라 세 가지로 구분하여 시간 순서에 따른 교육과정을 정리하면 다음과 같다.

1. 문서로서의 교육과정(의도된/계획된 교육과정)

이 개념에 따라 교육과정은 왜, 무엇을, 어떻게 가르칠 것인가에 대한 의도한 또는 미리 세운 계획을 담고 있는 문서를 일컫는 용어로 사용된다. 이는 학생이 어떤 교과와 어떤 비교과를 배우게 하고 학생이 배울 각 교과의 성격은 어떠한 것인가, 학생이 공교육 12년 전체 기간 동안, 학교 급별(초등학교, 중학교, 고등학교)로 그리고 각 교과 및 비교과별로 어떤 목표를 달성하게 할 것인가, 각 교과 및 비교과에서는 어떤 내용을 어떻게 가르치고 학습하게 할 것이며, 어떻게 학생을 평가할 것인가 등에 대한 대답을 담고 있다. 이 외에 국가와 교육청은 학교가 이러한 교육과정을 높은 수준으로 운영하는 것을 돕기 위해 무엇을 지원할 것인가에 대한 대답도 담고 있다.

우리나라의 경우, 편성하고 운영하는 주체나 수준에 따라 국가 교육과정, 지역 교육과정, 학교 교육과정이라는 세 종류로 구분된다. 국가 교육과정은 중앙 정부가 교육과정 전문가들에게 의뢰하여 일정한 기간 동안 개발하고 검토하고 수정한 이후에 교육부 장관의 이름으로 고시하는 '초ㆍ중등학교 교육과정' 문서를 의미한다(김재춘 등, 2017: 15). 이 문서는 해방 이후 중앙 정부 주도 아래 여러 차례에 걸쳐 중앙 집중적 방식으로 개발하였고, 이를 교과서와 교사용 지도서의 형태로 구체화하여 일선 학교에 보급하였다. 따라서 이 문서는 국내 모든 학교에 적용되는 일반적인 기준이었지만, 제6차 교육과정에서 교육과정의 분권화를 도입하기 이전까지 교사들은 주로 교과서를 가르치는 역할을 요구받았으므로 국가 교육과정 자체에는 거의 관심을 기울이지 않았다. 교육과정 고시문을 크게 두 가지로 구분하면, 일반적인 지침인 '총론'과 각 교과의 성격, 목표, 내용, 교수ㆍ학습 방법, 평가를 보여주는 '각론(교과별 교육과정)'으로 구분된다.

중앙 집중적 교육과정 개발 체제 아래에서는 지역 교육과정이라고 할 만한 것이 없었다. 그만큼 중앙 정부가 국가 교육과정 개발을 주도하였을 뿐만 아니라 그 문서의 현장 실천을 위한 세부적인 지침을 제시하는 일까지 주도하였으므로 교육청은 주로 국가 교육과정을 시행하는 하위 기관의 역할을 수행하였다고 볼 수 있다. 그런데 제6차 지방 분권형 교육과정 개발 체제의 도입에 따라 국가 교육과정에 지역의 특색을 반영하여 운영하기 위한 지역 교육과정의 개발이 허용되기 시작하였다. 이 시기부터 지역 교육과정은 고시된 국가 교육과정을 토대로 17개 시·도(1특별시, 6광역시, 1행정중심복합도시, 9도) 교육청이 마련한 '교육과정 편성·운영 지침'을 의미한다. 이 지침은 각 학교 급별로, 즉 유치원, 초등학교, 중학교, 고등학교, 특수학교의 교육과정 편성·운영 지침으로 구분하여 개발한다.

학교 교육과정은 국가 교육과정과 지역 교육과정을 토대로 삼아 전국의 모든 초등학교·중학교·고등학교가 편성하여 문서의 형태로 작성한 '학교 교육과정' 또는 '학교 교육과정 운영 계획' 또는 '학교 운영 계획' 또는 '학교 교육 계획'이다. 이는 학교별로 지역 사회의 실정과 학생의 특성 등을 반영한 것이므로 서로 다르며, 그 문서의 분량도 서로 달라서 한 권의 책으로 만들거나 여러 책으로 만들기도 한다. 서울시 한 학교의 문서를 예로 들면, 학교 교육과정 운영 계획 수립의 기저, 학교 교육 목표, 학교 경영 조직, 교육과정 편성 계획, 교육 활동 계획, 학교 경영 평가 계획, 부서별 추진 계획, 주요 행사 및 활동 계획, 교육과정 중심의 교원 조직 및 업무 분장표, 전체 시간표 등을 담고 있다(제10장 '교육과정의 개발 및 설계' 참조).

위에서 제시한 세 수준의 문서로서의 교육과정을 요약하여 표로 나타내면 **〈표 1-1〉**과 같다.

이와 유사한 교육과정 개념 모형을 김종서(1985)가 제시한 바 있다. 그는 교육과정을 세 가지 수준으로 분류한 교육과정 개념 모형을 제안하면서 국가 및 사회적 수준의 교육과정, 교사 수준의 교육과정, 학생 수준의 교육과정으로 나누어 제시하였다(김

〈표 1-1〉 교육과정 개발 수준과 문서의 종류

수준	문서의 종류
교육부	전국 학교에 적용되는 기준인 국가 수준 교육과정
시·도 교육청	지역 특색을 반영한 교육과정 편성·운영 지침
학교	각 학교 학생들을 위한 학교 교육과정

출처: 김재춘(2017: 16)의 표를 수정, 변형하여 제시하였음.

종서, 1985: 56-58).

2. 실천(운영)으로서의 교육과정(전달된/전개된 교육과정)

교육과정은 학교에서 실제로 운영되고 실천되고 전달되고 전개되는 교과 및 비교과의 교육 내용, 교육 활동, 교사와 학생의 상호 작용을 일컫는 용어로 사용되기도 한다. 국가 교육과정과 지역 교육과정을 토대로 삼아 교사들이 지역 사회의 특징과 실정, 학생의 다양한 특성을 고려하면서 집단적 또는 개별적 숙의를 통해 계획하는 과정에서 교사들은 자신들의 신념과 가치 체계를 담은 교육관(platform)(제10장의 Walker의 자연주의적 교육과정 개발 모형 참조), 교육 경력에 따라 누적된 다양한 경험에 따른 학생에 대한 이해 등을 바탕으로 재구성한다.

이렇게 재구성하여 작성한 학교 교육과정이 있으나 교사들이 이를 매주 수업으로 옮기면서 1년 동안 다양한 외부의 영향으로 계획한 대로 운영되지 않기도 하고 계획에 담기지 않았던 방향으로 교육과정이 운영되기도 한다. 최근 전 세계적으로 강타한 예상하지 못한 감염병의 유행으로 대면 수업을 예상하여 계획한 문서의 상당 부분이 실천(실행, 운영)되지 못하였다. 이에 따라 가르칠 내용이 일부 축소되거나 대체되거나 생략되기도 하고, 새롭게 비대면 상황에서 수업을 전개하면서 계획과 다른 새로운 교수 · 학습 방법을 배워 운영하는 모습이 나타났다. 또는 2014년 세월호 사건으로 인하여 '계기 교육'에 따라 계획에 없던 생존 수영 등 안전 교육을 실시하기도 하였다. 2016년 경주에서 지진이 발생하였을 때, 지진의 피해를 받은 학교의 교육과정은 계획된 대로 운영되지 못하고 그 일부가 축소, 대체 또는 생략되기도 하였다. 그 밖에 황사 현상이 발생할 때에는 계획된 외부 활동이 실행에 옮겨지지 못하고 실내 활동으로 전환되면서 계획과 다른 수업을 진행하기도 하였다.

이처럼 외부 환경의 변화에 따라 학교 교육과정이 계획된 대로 운영되지 않는 다양한 상황들이 발생할 뿐만 아니라, 학교의 구성원인 교원 사이의 문화적 풍토, 학부모, 학생의 기대와 요구 등에 따라 세부적인 측면에서 계획된 문서의 내용에 일부 변경이 이루어지기도 한다. 그 밖에 학교가 보유하고 있는 과학실, 컴퓨터실, 멀티미디어실 등의 시설과 각종 악기나 미술 재료 등을 포함하는 기자재와 교수 · 학습 자료 등의 유무나 오래된 것인가 최신의 것인가의 여부 등, 다양한 교수 · 학습 환경이나 조건에 따라 계획된 교육과정에 변화가 발생하기도 한다(제12장의 교과 내용의 재구성 참조).

이 외에 교사들은 학급 학생들의 다양한 가정 배경, 학습 양식, 지능, 능력, 학습 준비도, 학습 동기 등 계획 단계에서 확인하지 못하였던 학생들의 특징이나 상태를 운영 중 발견하기도 한다. 이에 따라 새롭게 확인한 학생의 요구에 부응하기 위하여 계획된 문서에 세부 조정을 하기도 하면서 이를 반영한 새로운 교수·학습 과정안(수업 지도안)을 작성하거나 새롭게 문서에 기록하지 않아도 두뇌 속에서 변화를 주어 운영하기도 한다. 또한 교사는 교수·학습 과정안이라는 계획된 문서를 바탕으로 수업을 진행하면서도 그날그날 학생들의 수업 중 반응에 따라 세부적인 조정을 한다. 이렇게 교사가 수업 중 학생들과 다양한 상호 작용을 하면서 숙의하는 행위를 '행위 중 반성(reflection in action)'이라고 부른다.

3. 결과/성과/산출로서의 교육과정(실현되고 경험된 교육과정)

교사가 교과 및 비교과 영역에서 수업을 포함하여 다양한 교육 활동을 진행하면서 학생과 상호 작용한 결과 학생이 결과적으로 경험하여 다양한 사실, 정보, 개념, 공식, 법칙, 원리 등 교육 내용을 획득할 수 있다. 또는 학생이 글을 읽게 되거나, 주제를 파악하게 되거나, 역할극을 하거나, 발표하거나, 계산하거나, 공식에 따라 문제를 풀거나, 토론하거나, 지역을 탐방하여 자료를 수집하거나, 특수한 사례들에서 공통점을 발견하거나, 생활 도구를 만들거나, 요리를 하거나, 실험을 하거나, 자료를 검색하거나, 프로젝트를 수행하거나, 악기를 연주하거나, 그림을 그리거나, 미술 작품을 만들거나, 운동을 하거나, 영어로 말하게 되거나, 동료와 협동하게 되거나, 지도자의 역할을 수행하게 되는 등 다양한 기능이나 기술이나 능력을 얻을 수 있다. 또한 학생이 만나는 교사의 세부 심화 전공 영역, 교육 경력, 신념과 가치 체계를 담은 교육관, 반성을 통해 얻은 실천적 지식, 학생에 대한 지식, 교육 목적에 대한 지식, 교육과정에 대한 이해와 안목(문해력), 교육 내용에 대한 지식, 교수법에 대한 지식, 지역 사회 및 학교의 내부 상황에 대한 지식 등의 차이에 따라 학생은 서로 다른 경험/결과/성취/성과/산출을 얻게 된다. 그리고 같은 교사의 지도를 받았지만, 학생의 가정 배경, 과거의 경험, 인지적 발달 단계, 도덕적 발달 단계, 정서, 학습 양식, 표상 양식, 적성, 성격, 관심, 흥미, 학습 준비도, 학습 동기 등 다양한 특징과 상태에 따라 서로 다른 학습 결과를 보인다. 이같이 학생의 입장에서 교육 활동에 참여한 결과 얻은 경험, 결과, 성취, 성과, 산출을 결과/성과로서의 교육과정이라고 일컫는다.

위에서 알아본 시간 순서/경과에 따라 구분되는 교육과정을 그들의 상호 관계를

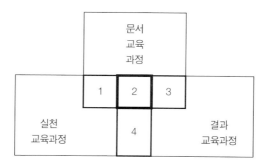

1번: 문서 교육과정에 나타난 내용이 실천 교육과정에도 나타남.
2번: 문서 교육과정에 나타난 내용이 실천 교육과정에 나타나고 결과 교육과정에도 나타남.
3번: 문서 교육과정에 나타났으나 실천 교육과정에서는 나타나지 않고 결과 교육과정에 나타남. 이는 학생이 독학으로 또는
   학교 밖에서 학습한 내용임.
4번: 문서 교육과정에 없던 내용이 교사 재량에 따라 실천 교육과정에 나타나고 결과 교육과정에 나타남.

[그림 1-1] 문서, 실천, 결과 교육과정 상호 관계

출처: 김재춘 등(2017: 18)의 그림을 수정, 변형하여 제시하였음.

중심으로 그림으로 나타내면 **[그림 1-1]**과 같다.

❖ 이해도 점검을 위한 심화 학습

다음의 인용문은 김호권 등(1981)의 교육과정 개념 모형과 관련하여 제시된 것들이다. 이들은 위에 제시한 것들 중 어떤 의미를 강조하는가?

(1) 교육과정이란, 구조화된 일련의 의도하는 학습 성과를 말한다. 교육과정은 수업의 결과를 처방(또는 적어도 기대)하고 있다. 그것은 그러한 결과를 달성하기 위하여 사용해야 할 수단, 즉 활동이나 교재나 또는 수업 내용을 처방하는 것은 아니다(Johnson, 1967).

(2) 교육과정은 한마디로 말하여 어떤 목적을 위해서 무엇을 가르칠 것이냐에 대한 일련의 의사 결정이라고 말할 수 있다(이상주, 1974: 59).

(3) 교육의 목표에 관한 수많은 논쟁은, 적절한 수단에 의하여 도달해야 할 교육목표라는 뜻에서의 '목표'에 관한 것이라기보다 교육 방법의 원칙에 관한 것이다. 이른바 '목표'라고 하는 것은, '교육'이라는 일반적인 개념에 속하는 여러 가지 교육 방법, 즉 훈련이나 수업이나 권위의 행사나 시범에 의한 지도법이나 논리적 설명과 같은 방법 속에 내장되어 있는 서로 다른 가치 판단 중의 어느 하나를 이미 선택하고 있는 셈이다(Peters, 1965: 47).

(4) 교육과정은 오직 어린이의 경험 속에서만 존재할 뿐이다. 그것은 교과서 속에,

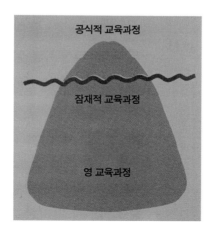

[그림 1-2]　공개 정도(공식화)에 따른 교육과정 분류

출처: 홍후조(2016: 41).

교수요목 속에, 또는 교사의 계획이나 의도 속에 존재하는 것도 아니다. 교육
과정은 학습 내용 속에 들어 있는 것도 아니다. 쓸모 있고 정확한 내용을 선정
하는 일은 교사의 중요한 책임의 하나이지만, 그러나 그것이 어린이의 경험의
일부분이 되기까지는 아직도 교육과정이 아니다(Ragan, 1960: 4).

제4절 공개 정도(공식성) 또는 수직적 층위에 따른 교육과정의 의미

　　모든 학교에서 나타나는 세 가지 종류의 교육과정을 소개하면서 Eisner(1994b:
87)는 이들을 공식적 또는 표면적 교육과정, 잠재적 교육과정, 영 교육과정으로 구분
하여 제시하였다. 홍후조(2016: 41)는 이 세 가지 교육과정들 사이의 관계를 빙산에
비유하여 **[그림 1-2]**에서 수직적으로(층위로) 표현하였다.

1. 공식적/공개된/표면적 교육과정

　　이는 용어에 차이가 있을 뿐 앞에서 살펴본 문서(계획)로서의 교육과정과 동일하
다. 국가 수준에는 국가 교육과정이, 지역 수준에는 지역의 특색을 반영한 학교 급별
교육과정 편성·운영 지침과 교육지원청의 실천 중심 장학 자료가, 학교 수준에는 학
교 교육과정이 문서로 존재하며, 이는 관심을 가진 학부모나 시민이라면 열람할 수 있

는 공개되고(public) 공식화된(official) 교육과정이다. 학교 수준에서 이 문서화된 교육과정에는 어떤 교과와 비교과를 학생들에게 가르칠지에 대한 내용이 상세하게 기록되어 있다. 그 안에는 각 교과별로 그리고 비교과에서 어떤 목표를 달성하기 위하여 어떤 내용을 어떤 교수 · 학습 방법으로 가르치고 어떻게 평가할지에 대한 공식적이고 표면적인(explicit)인 계획이 제시되어 있다. 이런 학교 교육과정은 교과서를 포함하여 여러 학습 자료에 구체화되고 학생들은 수업을 통해 자신이 배우는 교과와 비교과가 어떤 것이고 그 안의 내용은 어떤 것인지 보고 경험하게 되는 것이다.

2. 의도되지 않은 산출로서의 교육과정(잠재적 교육과정)

학교 안에서는 단지 교육적인 요소들뿐만 아니라 비교육적인 요소들도 발견된다. 즉, 학교는 학생들의 바람직한 성장을 돕는 순기능을 수행하면서 때로는 성장을 저해하는 역기능도 수행한다는 사실이 밝혀졌다(김종서, 1985: 236). 이와 같이 학교 교육의 결과는 항상 의도하고 계획한 대로 나타나지 않는다. 이렇게 학교가 공식적으로 의도하지도 않았고 계획하지도 않았지만, 학생들이 배우게 된 결과를 잠재적(latent, 숨겨진 hidden, 비공식적 unofficial) 교육과정이라고 부른다. 이 잠재적 교육과정은 교과 지식의 학습 그 자체보다는 그러한 학습 과정에 동반하는 사회적 관계와 관련이 많다. 따라서 이는 공식화되지도 않고 공공연하게 공개되지도 않았지만, 학부모, 학생 교사는 직관적으로 이를 인식한다(Eisner, 1994b: 97)(잠재적 교육과정에 대한 상세한 내용은 이 책의 제9장 참조).

잠재적 교육과정에 관하여 연구한 여러 학자들 중 일부는 사회학의 기능론적 관점에서 교실과 학교의 문화가 학생에게 학교가 지닌 규범과 가치를 습득하도록 사회화한다고 말하였다. 미국의 교육과정 학자 Jackson은 이러한 잠재적 교육과정을 군집성(crowds), 상벌(praise), 권력(power)이라는 개념으로 제시하였다(김종서, 1985: 258).

첫째, 학교는 학생들에게 남과 어울리면서도 자기 일에만 열중하는 태도를 배우도록 하며, 질서를 위하여 자신의 욕구를 억제하면서 기다리는 것을 배우도록 하고, 통솔자인 교사의 명령에 복종하는 것을 배우도록 요구한다(김종서, 1985: 258). 둘째, 학교에서는 아동 상호 간에 또는 교사에 의하여 계속해서 여러 가지 형태로 늘 어떤 평가를 받는다. 이를 통해서 아동들은 경쟁, 시기, 질투 등의 방법을 배우고 긍정적 또는 부정적 자아 개념을 형성하기도 한다(김종서, 1985: 258-259). 셋째, 아동들은 학교

생활에 적응하기 위하여 교사의 권위에 순종하는 것을 배우면서 조직이 갖는 권위에 적응하는 방법을 배운다(김종서, 1985: 259).

이처럼 잠재적 교육과정은 학교에 의해 의도되지 않았지만 학교생활을 하는 동안에 은연중에 배우게 되고, 주로 비지적이고 정의(감정)적인 영역과 관련이 있으며, 주로 교사의 인격적인 감화와 관련이 있다. 또한 잠재적 교육과정은 주로 학교의 문화 풍토와 관련이 있고, 장기적이고 반복적으로 배우며 보다 항구성을 지니고, 바람직한 것뿐만 아니라 바람직하지 못한 것도 포함한다(김종서, 1985: 251-257).

미국의 사회학자 Dreeben은 학생이 가정을 떠나 학교에서 겪는 사회적 경험을 통해 성인의 직업 생활과 사회생활 등 공적인 삶의 여러 측면들에 들어 있는 규범들을 학습할 기회를 얻는다고 지적하였다(Dreeben, 1967: 220; Dreeben, 1968: 65; Lynch, 1989: 2 재인용). 독립성(independence)에 관하여, 학생은 학교가 요구하는 조건인 과제를 독립적으로 수행해야 한다는 것을 배운다. 성취(achievement)에 대하여, 모든 학생은 주어지는 학업 과제를 성취해야 하며, 그 성취 수준은 탁월성의 기준에 따라 평가되고 비교된다. 경쟁에서 승리할 경우 성취감을, 실패할 경우 굴욕이나 절망을 느낀다(Dreeben, 1967: 226). 보편성(통일성)(universalism) 및 특수성(개별성)(specificity)과 관련하여, 보편성은 학생이 특정 범주의 한 구성원으로 대우받는 것으로, 학교에서의 활동은 모든 학생에게 획일적으로 적용되는 것으로, 학생은 통일성에 맞추기 위하여 차이점을 희생하는 법을 배운다는 것이다(Campbell, 1970: 206). 범주화의 비인격적이고 비인간적인 측면은 소외 문제와 관련하여 비판을 받지만, 동시에 공평의 아이디어와 관련이 있어, 족벌주의, 편파성, 독단성과 대비할 때에는 좋은 것으로 간주된다(Dreeben, 1967: 227-228). 특수성은 학생이 개인적인 관심의 범위를 좁은 영역의 특징이나 문제에 국한하면서 이에 해당하는 활동에 참여하는 것으로, 학생들은 시간이나 노력의 일부만을 투자하면서 다양한 학우들과 다양하고 단기적이고 분절적인 비공식적 소모임의 활동에 참여할 기회를 얻는다(Dreeben, 1967: 232).

둘째, 사회학의 갈등론적 관점에서 접근하는 학자들은 학교를 사회의 일부로 보고 사회 체제의 맥락에서 잠재적 교육과정을 조명하였다. Giroux는 잠재적 교육과정을 학교 교육의 보이지 않는 구조를 통해 학생에게 전달되는 규범, 가치, 신념이고 사회 불평등의 재생산에 기여하는 것으로 정의하였다(Giroux, 1978: 148).

경제적 측면에 초점을 둔 학자들은 학교생활의 사회적 관계와 일터의 사회적 관계 사이에는 구조적 대응 관계가 존재한다고 주장하였다(Bowles & Gintis, 1976: 131). 경제적 재생산 과정에서 중요하다고 생각하는 사회적 관계를 닮은 것은 학교에서 교사와 학생 사이의 위계적인 노동 분업과 학생의 학습 활동은 소외되어 있다는 것과 학습 활동이 분절되어 있다는 것이다. 이들은 학생들 사이의 경쟁에 반영되어 있고, 이 경쟁은 지속적이면서 표면적으로 능력주의적인 서열과 평가 속에서 이루어진다. 교육 기간(학력)의 차이는 노동 시장에 서로 다른 수준의 노동자를 공급한다고 주장하였다(Bowles & Gintis, 1976: 132). 학생들은 교육 기간에 따라 서로 다른 규범적 분위기를 접한다. 낮은 수준의 학생에게는 규칙 준수를, 중간 수준의 학생에게는 의존성을, 높은 수준의 학생에게는 기업 규범의 내면화를 기대한다(Bowles & Gintis, 1976: 132). 학교의 위계적인 노동 분업은 온순함과 순종(순응)의 태도를 촉진한다는 것이다. 교육과정의 차이와 시험을 통한 지속적인 학습 활동의 분절과 학생 평가는 그들의 장래 위계화된 조직 구조 지위에 대비하게 하고 분화와 대립을 촉진한다고 언급하였다.

문화적 측면에서 불평등의 재생산 문제를 다룬 프랑스의 Bourdieu는 사회를 지배 권력 관계로, 개인들과 집단들 사이의 상호관계를 상징적 권력 투쟁 과정으로 이해함으로써 오늘날 고도 산업 사회의 고학력화 현실 속에서 다양한 계급 분파들의 재생산 전략을 해명하는 가능성을 넓혀 놓았다. Bourdieu의 이론을 통해 지식과 정보의 구분이 모호해지고 전 지구적으로 벌어지고 있는 무한경쟁의 세계화 현실 속에서도 왜 특정한 지식과 학력수준이 여전히 국가 수준과 사회 계급 분류의 준거로 통용되고 있으며 이것을 자연스러운 것으로 인정하고 있는지를 이해할 수 있게 된다(이건만, 2006: 112-113).

포스트모던 시대의 미디어를 연구한 Kincheloe는 문화적인 영역에서 지배 헤게모니(지배 계급이 지닌 피지배 계급에 대한 정치, 경제, 사회, 문화 등 모든 영역에서의 보이거나 보이지 않는 영향력, 지배력, 통치력)는 다양한 형태로 표현되고 있다고 비판하였다. Kincheloe는 각종 미디어에 나타나는 초현실성의 존재에 대해 민감한 교사 교육 프로그램은 예비 교사가 정보의 본질에 대해 연구하도록 요구한다고 말하였다. 역사적으로 정보는 여러 양식에 담겨 있었다. 전자 이미지 이전에 정보는 연설, 집필, 인쇄물, 그림으로 나타낸 이미지를 통해 의사소통되었다. 우리의 사고의 본질은 정보를 전달하는 지배적인 담론(담화) 양식에 의해 부분적으로 형성되어 왔다는 것이다 (Kincheloe, 1993: 92).

3. 배제로서의 교육과정(영 교육과정)

Eisner(1994b)는 학교에서 가르치지 않는 것, 즉 영(null, 비어 있는)(수학에서 말하는 영) 교육과정도 학교에서 가르치는 것만큼 중요하다고 말하였다. 이는 학생들의 삶에 큰 영향을 미칠 수 있는 중요한 내용이라는 것이다. 이는 무지 또한 사람이 고려하고 검토할 수 있는 선택지나 대안, 그리고 어떤 상황이나 문제를 바라볼 관점에 매우 중요한 영향을 미치기 때문이라고 말하였다. 이러한 선택지나 대안이나 관점의 부재나 어떤 맥락을 평가(사정)할 능력이 없는 것은 사람이 고려할 수 있는 증거를 왜곡한다. 편협한 관점이나 단순한 분석은 무지에서 나타난 것이라는 것이다(Eisner, 1994b: 97).

영 교육과정을 검토할 때, 두 가지 차원이 있다. 첫째, 학교가 강조하고 소홀히 하는 지적인 과정이다. 둘째, 학교 교육과정에 존재하고 존재하지 않는 교과 영역이나 내용이다. Eisner는 영 교육과정의 예로 학교 교육과정에 존재하지 않아 학생들이 선택할 수 없는 다양한 선택지들, 관점들, 개념이나 기술 등과, 경제학, 법률학, 민간(대중) 예술, 예술 전반, 의사소통, 인류학을 들었다.

1) 소홀히 하는 지적인 과정

과거에 특히 그리고 현재도 학교 교육의 목표는 지나칠 정도로 사고에 해당하는 지적인 과정 또는 인지적인 과정을 강조한 경향이 있었거나 있다. 그리고 그 한계를 극복하기 위하여 느낌에 관련되는 정의적 측면과 활동이나 운동 기능 수행에 관련되는 운동기능적인 측면으로 보완하였다. 그러나 이 세 가지가 엄밀하게 분리되지 않지만 분리되는 것으로 가정하면서 목표를 설정한다. 뿐만 아니라 세 영역 각각의 목표설정이 행동적 목표로 제한되는 경우, 그 범위는 매우 제한적이다. 더욱이, 실제로 교육과정을 운영하여 학생이 이러한 목표들에 도달하는 것은 더더욱 제한적이다(Eisner, 1994b: 98).

'인지적(cognitive)'이라는 용어는 본래 어떤 과정을 의미하는데, 이를 통해 유기체(사람)은 환경에 대해 의식하게 된다. 이는 앎에 관련된 모든 과정을 일컫는다. 이것은 사물을 즉각적으로 지각하는 것에서부터 시작하여 모든 형식의 추론(reasoning)으로 확장된다. 그러나 교육의 문헌에서 이 용어의 범위가 축소되었다. 학교 교육과정은 매우 제한된 의미의 사고의 발달을 강조하는 경향이 있다. 그러나 대부분의 생산적인 사고 양식은 비언어적이고 비논리적이다. 이 양식은 시각적 · 청각적 · 비유적 · 공감각적인 방식으로 작동하며, 논리적으로 처방된 기준이나 담화적이거나(discursive) 수학적인 사고 형식의 한계를 훨씬 뛰어넘는 개념과 표상 양식을 사용한다(표상 양식과 관련하여, 제10장의 'Eisner의 예술적 교육과정 개발 모형' 참조). 이러한 사고의 지적인 과정 또는 양식에 대한 관심이 부족할 때, 그들이 학교 안에서 발달하기는 어렵고, 아마도 학교 밖에서 발달할 가능성은 있다. 그러한 사고 양식과 표상 양식이 학교 교육과정에 없거나 소홀히 여길 때 그 결과는 심각하다. 지적인 능력의 평가 기준은 사용 가능한 범위 안에 있고 두드러지는 사고와 경험에 초점을 두어야 한다. 따라서 비담화적 지식의 형식이 학교에 없거나 이를 소홀히 여길 때, 학교에서 알게 되고 표현하는 것을 왜곡하며, 인간의 능력과 지성을 평가하는 기준도 왜곡한다(Eisner, 1994b: 98-99). 우리가 인간이 행사할 수 있는 모든 범위의 지적 과정을 바라보는 관점으로 학교의 교육과정을 검토할 때, 이러한 과정의 극히 일부만 강조된다. 뇌 과학 영역에서의 연구 결과에 따르면, 좌우 두뇌는 서로 다른 기능을 수행하며 사용하거나 사용하지 않는 정도에 따라 강화되거나 감퇴한다. 이를 고려하면 정의적 과정이라고 잘못 부르는 것을 소홀히 여길 때 그 결과는 심각하다. 19세기부터 좌뇌는 언어 기능을 수행하는 것으로 잘 알려졌다. 그리고 우뇌의 기능은 부수적인 것이라고 알려졌는데 최근에는 그렇지 않음이 확인되었다. 우뇌는 시각화 과정을 담당하며, 비유적이고 시적인 사고 기능을 하고, 낱낱의 정보나 사실 조각들의 구조를 발견해 가는 지적인 기능을 수행하는 것으로 알려졌다. 즉 좌뇌는 관련된 언어적 범주에 따라 분류하는 기능을 수행하며, 우뇌는 각각 흩어져 있는 사물들을 연결하는 기능을 수행한다(Rico, 1976; Eisner, 1994b: 99 재인용).

이러한 관점으로 학교의 교육과정을 바라볼 때, 무엇을 강조하고 무엇을 소홀히 여기는지 알 수 있다. 우리가 창의적 사고와, 그리고 사고 범위의 제한을 벗어나 이를 극복하고 확장하는 데 관심을 가질 때, 우리는 이러한 과정을 학생들이 경험할 기회를 제공할 수 있다. 그런데, 학교가 학생들에게 이런 다양한 지적인 과정을 가르치지 않을 때 그것은 학생들의 삶에 지대한 영향을 미친다(Eisner, 1994b: 100).

2) 존재하지 않는 교과 영역이나 내용

영 교육과정으로 학교가 소홀히 하는 교과 영역으로, 첫째, 경제학과 경제학 이론을 들 수 있다. 국가가 제공하는 경제적 기회를 고려할 때, 사회의 경제적 구조, 자본을 이용하여 수익을 창출하는 방법, 주식 시장 보고서를 읽는 방법 등 가용한 자원을 가지고 최대의 결과를 얻는 방법을 배우는 것은 매우 유익하다.

둘째, 법률학을 들 수 있다. 일반 시민은 자신의 권리, 우리의 법률 체제가 작동하는 방식, 계약서 작성에 따른 권리와 의무, 체포의 의미, 형사 소송과 민사 소송의 차이점, 불법 행위와 범죄의 성립 조건 등을 배울 필요가 있다.

셋째, 민간(대중) 예술을 들 수 있다. 우리 사회에서 다양한 시각적 양식은 가치를 형성하고 야망을 자극하고, 사람들이 어떤 일을 하고 하지 않는 동기를 부여하는 데 사용된다. 쇼핑 센터의 디자인, 전시 형식, 대중 매체, TV, 영화에 나타나는 이미지는 우리의 문화에서 잠재적(숨겨진) 설득자(hidden persuaders)이다. 이들은 어떻게 작동하며 어떻게 우리의 의식에 영향을 미치는가? 우리는 이러한 이미지들이 보내는 메시지를 무시할 수 있는가 아니면 그렇게 사고하도록 착각하게 되는가? 이러한 이미지들에 문법이나 문맥과 같은 것이 있는가? 이러한 대중 이미지들과 민간 예술을 공부할 때, 이들을 비판적으로 검토할 수 있는 비판적 사고 능력을 기를 수 있다.

넷째, 예술을 들 수 있다. 학교에서 예술적으로 깊은 안목과 높은 수준의 예술적 자질을 가진 전문가들이 많지 않아 학생들에게 훌륭한 예술의 정교한 형식을 의미 있게 대할 수 있는 능력을 길러주지 못하고 있다. 유명한 작가들의 음악, 영화, 건축 작품, 미술품, 조각, 무용 등을 배우는 데는 비용이 소요된다.

위의 설명은 1970년대 미국의 학교 교육과정을 토대로 한 Eisner의 설명으로 그 이후 미국에서 학교 교육과정으로 포함되거나 배제된 교과들에는 많은 변화가 있었다. 이와 같은 맥락에서 경제학이나 법률학은 현재 한국의 경우 고등학교 선택 교과로 채택되어 운영되고 있다. 또한 이러한 관점을 그의 연구 이후 진척된 잠재적 교육과정에 대한 연구 결과에 반영하면, 그 예로 미국의 사회 및 역사 교과서가 최근까지 흑인이나 인디언 등 소수인 문화와 그들의 미국 역사에서의 공헌을 제대로 기술하지 않은 것을 들 수 있다. 이는 사회의 지배 계급과 피지배 계급 사이의 불평등 체제 속에서 지배 계급이 피지배 계급에 대해 정치, 경제, 사회, 문화 등 다방면에서 영향력을 행사하면서 자신들의 이익을 유지하는 가운데 나타나는 현상으로 설명한다. 이를 한국 상황에 적용해 볼 때, 이는 이데올로기적 차이와 관련된 것으로 볼 수 있다. 예를 들어, 1960년대 북한이 남한보다 경제적으로 앞섰을 때, 남한에서는 북한의 실정을 가르치지 않았다. 남한의 살림살이가 월등히 나아진 이후 북한에서는 남한의 실정에 대해 올바로 전해 주지 않았다(홍후조, 2016). 이 외에 국방의 중요성이 강조되던 군사 독재 시절에, 고등학교에는 교련이라는 교과가 개설되어 운영되면서 전역한 장교들에게 일자리를 제공하기도 하였으나 군사 독재 시절이 종료된 이후에는 시대의 요구가 변화하면서 폐지되고 그 필요성이 더 높은 교과가 강조되었다.

이처럼 영 교육과정으로 학교 교육과정에서 가르치지 않거나 제한적으로 가르치던 교과가 새롭게 학교 교육과정에 포함되기고 하고 학교 교육과정에 포함되어 있던 교과가 폐지되기도 하는 등 시대적·사회적 변화에 따라 영 교육과정 그리고 공식적/표면적 교육과정에도 변화가 나타났다. 또한 시대가 변하여 현대와 같은 포스트모던 시대, 그리고 4차 산업 혁명 시대에는 사회와 문화를 바라보는 관점이 변하고 가치관이나 지식관이 변하면서 다문화주의나 포스트 식민주의로 이행하면서 소수인의 문화를 존중하는 방향으로 나아가고 있다. 이에 따라, 가치 있고 중요한 교과 영역이나 지식이나 사고 능력 등에 대한 관점이 변하면서 교육과정에 포함하거나 배제하는 기준이 변해 가고 있고 이에 따라 학교 교육과정에 또 다른 변화가 나타나고 있다.

제5절 교육과정의 다양한 이미지 또는 개념

여러 교육과정 학자들이 교육과정에 대한 정의, 성격, 이미지에 대하여 제시하고 설명하였다. 이들을 아래와 같이 몇 가지로 범주화하여 정리할 수 있다. 여기에서 제시하는 각각은 하나의 어떤 사물의 명칭에 대한 의미를 규정하는 정의라는 용어보다는 더 광범위한 의미를 전달하는 이미지나 성격으로 볼 수 있다(Schubert, 1986: 26).

1. 교육과정은 교과나 그것에 담긴 내용이다

이는 교육과정에 대한 가장 전통적인 이미지로서 고대 서양의 7자유학과인 3학(trivium)(문법, 수사학, 변증법)과 4학(quadrivium)[산수, 기하학, 천문학, 음악(화성학)], 동양의 4서(논어, 맹자, 중용, 대학) 3경(시경, 서경, 주역)으로 거슬러 올라간다. 여기서 교육과정은 학교에서 가르치는 교과(subjects)와 동일시된다.[1] 국어, 도덕, 사회, 수학, 과학, 실과, 체육, 음악, 미술, 영어와 같은 교과이며, 더욱 구체적으로는 교과의 내용 또는 개설된 강좌명이나 강의 요목으로 표현된다(Schubert, 1986: 26).

---

1) 국가 교육과정 문서에서 '교과'와 '과목'은 구분된다. 국민 공통 기본 교과라고 할 때 '교과'라는 용어를 사용하고, '과목'은 '교과'의 하위 영역을 일컫는다. 예를 들어, 과학은 '교과'에 해당하고 그 하위 영역인 물리, 생물, 화학, 지구과학 같은 것은 과목이라고 부른다. 교과와 과목을 묶어서 표현할 때 교과목이라고 말한다.

이 이미지는 교과목에 지나치게 관심을 쏟아 교과목의 학습 활동 이외에 비교과 영역인 창의적 체험 활동이나 학교에서 학생들이 경험하는 계획되거나 계획되지 않은 여러 활동들에 대해 적절하게 설명하지 못한다. 이는 주로 가르치는 주제에 대해서만 설명하고, 인지발달, 창의적 표현, 인격의 성장과 같은 중요한 문제들을 소홀히 여긴 다(Schubert, 1986: 26-27).

2. 교육과정은 계획된 활동이다

학생들에게 전달되는 계획된 모든 활동(planned educational activities)이라는 개 념은 읽고, 쓰고, 토론하고, 실험하고, 프로젝트를 수행하는 등 학습을 촉진하기 위해 의도적으로 계획하여 학교에서 학생들이 하게 되는 온갖 활동이다. 이 개념은 Saylor, Alexander와 Lewis(1981)가 제시하였다. 이러한 계획된 활동은 교사의 교수 · 학습 과 정안이나 교사용 지도서, 학교 수준, 지역 수준, 국가 수준 교육과정 등의 문서에 나타 난다. 여기에는 일반적 목적 및 구체적 목표, 가르칠 교과의 범위와 계열, 사용할 교재, 교수 · 학습 자료, 보충 자료, 시설과 설비, 외부 자원 등이 나타날 뿐만 아니라, 교수 방법 및 모형, 동기 유발 전략, 평가 방식 등 미리 계획할 수 있는 활동들이 담겨 있다. 계획에는 문서화된 계획(Beauchamp, 1982; Schubert, 1986: 27 재인용)과 교육자들의 생각 속에는 있지만 문서화되지 않은 계획이 있다(Taylor, 1970; Schubert, 1986: 27 재 인용).

이 개념은 내재적인 발달보다는 외적인 활동과 그에 따른 결과를 가치 있게 여기 면서 학습 과정은 무시한다. 교사들이 학생의 활동에 대한 계획이 실천되는 것에 지나 치게 관심을 쏟는 경우, 그 활동 자체가 목적이 되기도 하면서 이 활동을 통해 성취하 고자 하는 목적을 소홀히 하게 된다. 그에 따라 그런 활동을 수행하는 목적, 즉 그것들 이 학습 과정이나 학생이 얻는 개인적 의미 등에 미치는 영향 같은 것에 대해서는 소 홀히 여긴다(Schubert, 1986: 27-28).

3. 교육과정은 의도한 학습 결과이다

계획된 활동 그 자체보다도 의도한 학습 결과(intended learning outcomes)에 초점 을 두어야 한다고 주장하는 학자들(Johnson, 1977; Posner, 1982)은 강조점을 수단에서 목적으로 옮긴다. 의도한 학습 결과는 목적을 세분화하는 편리한 방법이다. 이 관점에 따르면, '문화유산에 대한 감상'과 같은 보편적인 미사여구에 그치는 목적으로 남을 수 없다. 대신에 구조화되고 계열화된 일련의 학습 결과로 표현된다. 모든 학생 활동, 교수 활동, 환경의 설계 등이 세분화된 목적 달성에 기여하게 한다. 의도한 학습 결과가 곧 교육과정은 아니며, 오히려 교육과정은 의도한 학습 결과를 촉진하는 의도성의 영역에 속한다(Schubert, 1986: 28-29).

이렇게 의도한 학습 결과에 초점을 둠으로써 의도하지 않은 학습 결과에 대한 관심에서 멀어진다. 많은 학자들이 의도하지 않은 학습 결과가 학생의 삶에 더 강력한 영향을 미친다고 주장하는데, 이는 학교의 문화 또는 잠재적 교육과정의 산물이다. 학급의 모든 학생이 의도한 학습 결과를 성취하였다는 것을 보여줄 수 있다고 하더라도 그 성취의 결과는 학생마다 크게 다를 수 있다. 어떤 학생이 지닌 인지적·정의적 목록과 결합하여 도움을 주는 지식은 그 학생에게는 깨달음을 줄 수 있지만, 동일하게 의도한 학습 결과가 다른 학생에게는 해가 될 수도 있다. 조직의 환경과 교수법이 미치는 영향은 덜 해로우면서도 강력함 힘을 행사한다. 같은 학습 결과라 할지라도 탐구법, 시뮬레이션, 강의법 등 어떤 방법에 따라 가르치느냐에 따라 크게 달라질 수 있다. 즉 의도한 결과를 성취한 듯이 보이는 학생 집단 내에서도 의도한 결과와 실제로 획득한 결과는 다를 수 있다(Schubert, 1986: 29).

4. 교육과정은 각각의 과제들과 개념들이다

교육과정이란 미리 상세화된 목적 달성을 위하여 숙달해야 할 한 묶음의 과제(a set of tasks to be mastered)로 간주된다. 일반적으로 그러한 목적은 초등학교 수준이나 직업 훈련에서 수학적 알고리즘이나 문법 규칙이나 발음 규칙이나 서체 등을 습득한다든지, 사무실에서 새로운 서류철 정리 체계 학습, 컴퓨터의 프로그램 조작, 새로운 군용 차량 운전, 문구 공장에서 봉투 접는 새 기계 조작, 최근의 예로 동영상 제작 및 유튜브 업로드 작업, 온라인 교수·학습 자료 및 수업 제작, 인공 지능 소프트웨어 제작 등 새로운 과제를 수행한다든지, 과거의 과제를 더 잘 수행한다든지 하는 구체적인 행동 목표로 세분화된다. 이러한 접근은 기업이나 산업체 또는 군대 등의 훈련 프로그램에서 유래한다.

그런데 과제를 세부적으로 분석하고 그 하위 기능들을 기계적으로 학습하는 경우에도 한 묶음의 과제 그 자체는 부분들의 총합 그 이상이다. 따라서 기계적인 학습의 절차를 따르는 것이 어떤 기술을 잘 학습한 것처럼 보일 수 있지만, 그것만으로는 급변하는 세상의 복잡한 문제를 해결하거나 다양한 과제를 수행하는 데 충분한 능력을 기르기 어렵다. 이를 위해서는 개별적인 기능이나 개념이 아니라 이들을 포괄하면서 그들의 관계를 설명하는 원리에 대한 지식이 필요하다. 어떤 사람들은 훈련을 통해서 더 정교한 지식과 감상력을 얻을 수 있다고 주장하는데, 여기에는 더 큰 문제가 있다. 고대 그리스에서는 절차적 지식을 techné로, 수월성, 미덕, 선의 추구를 aréte로 구분하였다(Schubert, 1986; 31-32).

5. 교육과정은 학생이 겪는 경험이다

　　교육과정을 한 묶음의 활동(수단)으로 보거나 사전에 결정된 목적으로 보는 견해에 대해 John Dewey는 비판하였는데, 그는 수단과 목적을 연속선상에서 보아야 한다고 주장하였다. 이런 관점에서 교육의 수단과 목적은 하나의 과정, 즉 경험을 이루는 부분들이다. 즉 한 개인이 자신의 경험을 성찰하고 자신의 사고와 행동의 결과에 대해 그들이 가져올 좋은 것(the good)이라는 기준에 비추어 예측하면서 이들을 추적하는 것이 계속적으로 발전해 가는 교육과정이다. 교사는 학생의 경험(students' experiences)이 성장하게 돕는 촉진자이며, 교육과정은 교사와 학생 사이의 대화에서 따라 나오는 의미와 방향을 경험하는 과정이다(Schubert, 1986; 30).

　　학습자는 무한한 가능성을 지니고 있다고 본다. 각 학습자는 독특하고 가치 있는 존재라고 여긴다. 여러 학자들이 교사와 학생이 가치 있는 활동을 선정하는 것의 중요성에 대해 논의하지만, 활동이라는 개념은 경험이라는 개념만큼 중요하지 않다. Ralph Tyler(1949)는 학습 경험을 교과 내용 및 활동과 대조하였다. 학습 경험이란 학생이 실제로 알게 되고 깨닫게 되는 교육과정이다. 학습 경험은 목적, 내용 또는 활동, 학생의 조직 형태, 수업 자료, 수업의 운영, 평가 양식, 교육자의 희망과 기대와 철학 등의 함수이다. 그러나 학습 경험은 이들 중 어느 것과도 동일하지 않다. 이는 그것들이 최종적으로 학습자의 과거 경험의 목록과 만날 때 학습 경험이 형성되기 때문이다. 동일한 계획이라 할지라도 그것이 실천에 옮겨질 때 서로 다른 학습자의 지식, 기술, 태도, 가치에 따라 매우 다른 결과를 가져온다(Schubert, 1986; 30).

　　각 학생이 교사, 다른 학습자, 교과, 환경과 상호 작용하여 학생 자신의 인성, 성격, 관점, 신념, 행위 등에 어떤 결과를 가져올지 충분히 알 수 있을 정도로 교사가 각 학생의 내면에 이르는 것은 어려운 일이다. 이는 교사가 많은 학생을 지도할 경우 특히 그러하다. 이에 따라 교사가 학생의 개인적 경험과 성장을 도와주기 위한 개별화된 교육과정을 구성하는 일이 쉽지 않다(Schubert, 1986: 31). 따라서 교사는 우선 학생들의 의견을 존중하면서 함께 협력하되 집단적인 활동을 계획하고 진행하기 위해 노력할 필요가 있다. 이런 과정에서 교사는 학생들이 자신들에게 필요한 학습 활동을 계획하는 능력을 기르고 학습을 진행하기 위한 학습 방법과 학습 기능을 익히며 학생 스스로 평가할 능력을 갖추도록 지속적인 훈련 과정을 제공하면서 도울 필요가 있다 (Dewey의 경험에 관한 더 자세한 내용은 제7장 '경험 중심 교육과정' 참조).

6. 교육과정은 문화적 재생산의 도구이다.

어떤 사람은 어떤 사회나 문화를 막론하고 교육과정이란 바로 그 문화를 반영한 것이며 또한 반영해야 한다고 주장한다. 즉 학교 교육을 통해 후세대에 특정 지식이나 가치를 전달해야 한다는 것이다. 가르쳐야 할 기술이나 지식이나 감상력이나 가치의 세부 내용이 무엇이어야 하는가를 결정하는 데 국가나 지역 사회는 선도적인 역할을 담당한다. 여기에는 언어, 역사상 애국적인 사건들, 정치 · 경제 체제, 유형 및 무형의 문화적 유산, 지켜야 할 덕목 등이 포함된다(Schubert, 1986; 29).

이러한 주장은 사회가 평등하고 문화적 · 사회적 개선이 필요하지 않을 경우 설득력이 있다. 그러나 Apple(1979), Anyon(1980), Giroux(1983) 등이 주장하듯이, 사회에는 지속적으로 정의롭지 않은 위계질서와 결합된 집단적인 불평등이 존재한다. 교육자들이 문화적 · 사회적 변화에 영향을 미칠 힘이 없다는 것을 가정할 때 이들은 현재의 불의와 불평등을 재생산하는 데 기여할 수 있다(Schubert, 1986; 30).

7. 교육과정은 사회 개선을 위한 프로그램이다

학교는 과연 새로운 사회 질서를 수립할 수 있는가? 이는 Dewey의 교육 철학에 공감하였던 사회 재건주의 교육 철학의 아버지들 중 한 사람인 Counts(1932)의 책 제목이다. 또한 그의 뒤를 이어 1940년대와 1950년대에는 Brameld 등이 주장한 것이다. 이들은 학교가 학생들로 하여금 사회와 문화적 기관들을 개선하도록 이끄는 지식과 가치를 제공해야 하며, 이를 뒷받침하는 신념과 활동을 제공해야 한다고 주장하였다. 학생들은 토론을 통해 학교의 목적과 그 목적을 실천에 옮길 계획을 수립할 수 있고 이를 함께 비판적으로 검토할 수 있다. 또한 학생들은 국가적 이슈나 국제적 이슈를 규명하고 연구하는 일에 참여하고, 그 결과 적극적 실천가가 될 수 있다. 이처럼 무엇을 어떻게, 왜, 개선해야 하는지 교육자와 학생이 함께 논의하면서 비판적인 사고와 행동하려는 열정을 가질 수 있다. 이런 활동 속에서 학교의 목적은 사회를 개선하는 것이다. 즉 학생이 졸업 후 부유한 집단, 중간 집단, 노동자 집단, 극빈자 집단 사이의 인종적 평등과 공평, 상호 간의 공감적 이해를 증진하는 데 기여하도록 준비하는 것이다(Schubert, 1986; 32).

그러나 학교는 사회의 일부로서 사회의 변화를 가져올 정치적 영향력을 충분히 가지고 있다고 보기 어렵다. 만약 학교가 정치적인 영향력을 가지고 있다고 하더라도 자칫 교육자가 학생을 대상으로 정치적 신념을 주입하는 위교(indoctrination)와 같은 것이 나타날 수 있다. 따라서 학생을 교육하는 기관으로서 학교가 직접 사회의 개선에 기여할 수 있다고 보기는 어렵다(Schubert, 1986: 32). 그러나 사회의 개선이 필요하다는 것을 배운 학생이 학교를 졸업하고 성인으로서 폭넓은 안목을 가지고 사회의 개선에 기여할 여지는 있다.

8. 교육과정은 개인의 생활 경험에 대한 해석이다

가장 최근에 나타난 입장 중의 하나로 자신의 자서전을 재개념화할 수 있는 능력을 강조한다. 개인은 현재의 사건들 속에서 의미를 찾고 과거로부터 기원을 찾아 재구성하며 자신의 미래의 가능한 방향을 상상하거나 창출한다(Pinar & Grumet, 1976). 유사한 이해를 추구하는 타인과 자서전적 설명을 공유하는 것에 바탕을 두고, 교육과정은 삶에 대한 관점의 재구성이 된다(Grumet, 1980). 그것은 또한 상호 간의 재개념화를 통해 자신, 타인, 세계에 대해 더 넓고 깊게 이해해 가는 사회적 과정이 된다. 이때 상호 작용은 바로 근접한 사람들과의 상호 작용뿐만 아니라 현존하는 지식의 획득 또는 문학적 · 예술적 표현을 감상하고 익히는 것도 포함한다. 재개념화의 목적은 사회의 부당한 관습, 이데올로기, 심리학적 일차원성 등의 구속에서 개인이 해방되는 것이다. 그것은 상호 간의 재개념화를 통해 다른 의미 있는 것들을 탐색하고, 가능성을 내다보고, 자신, 타인, 세계에 대한 새로운 방향을 구성하는 것이다(Schubert, 1986: 33).

이러한 재개념화를 돕기 위해 별도의 교육과정을 계획하고 운영할 필요가 있다. 이런 일을 위해 정신과 의사, 심리분석가 또는 다른 치료사의 전문적인 식견이 필요하다. 따라서 별도의 교육과정을 운영하는 것이 가능하다고 하더라도 그것은 한 문화의 지식, 기술, 가치의 전달이라는 학교의 교육 목적 범위를 벗어나기 때문에 어렵다. 학생들에게는 객관적인 지식이 필요하다. 자기 이해는 부모나 개인의 책임이며, 학교를 지원하는 정부나 다른 기관의 책임이 아니다(Schubert, 1986: 33).

제6절 교육과정 관점의 다양성

1. 사회의 변화를 바라보는 관점

사회의 변화를 바라보는 학자들의 관점은 크게 두 가지로 나누어 볼 수 있다. 즉 사회의 변화보다는 안정과 유지가 중요하다는 (기능론적) 관점이 있고, 현재 사회의 안정과 유지보다는 변화와 발전이 더 중요하다는 관점이 있다. 이 중에서 후자는 다시 두 가지로 구분된다. 즉 사회의 변화가 중요하지만 현재 사회를 유지하는 데 문제점(장애물)이 되는 것을 찾아 그 문제의 근원을 분석하면서 이를 해결하기 위해 점진적으로 개선해 나갈 필요가 있다는 관점이 있다. 다른 하나는 현재 사회의 유지를 위해 일부 문제점을 찾아 개선하더라도 더욱 근본적인 문제를 찾아 해결하지 않으면 장기적인 관점에서 사회는 발전하기 어렵다고 본다. 이 관점은 사회의 겉으로 보이는 피상적인 문제점이 아닌, 깊이 숨겨져 일반인이 발견하기 어려운 구조적 문제점(사회의 불평등)을 찾아 그 근본적인(radical) 해결책을 강구하는 것이 사회의 장기적인 발전을 도모하는 것이라고 본다(갈등론적 관점).

2. 교육과정을 바라보는 관점

위와 같은 관점들은 사회의 여러 기관들 중의 하나로서 사회의 유지나 발전에 참여하고 기여한다고 보는 학교와 교육과정에 대해서도 동일한 관점을 확장하여 적용한다. 이에 따라 사회의 유지를 위해 기여하는 교육과정은 보수주의적 교육과정으로 볼 수 있고, 사회의 변화에 기여하는 교육과정은 진보주의적 교육과정과 급진주의적 교육과정으로 나누어 볼 수 있다. 그리고 사회의 점진적 변화에 기여하는 것은 진보주의적 교육과정으로 볼 수 있고, 사회의 급진적 변화에 기여하는 것은 급진주의적 교육과정으로 볼 수 있다. 이들 각각에 대해 살펴보면 다음과 같다.

가. 보수주의적 교육과정(교과/학문 중심 교육과정)

보수주의자들은 교육을 현 사회 성인 또는 인류의 지식, 기술, 가치, 덕목 등을 가치 있다고 여겨 이들을 학생들에게 전달하는 과정으로 본다. 이에 따라 학교는 주로 후세대의 사회화 또는 문화화에 기여하는 기관으로 본다. 이러한 학교 교육을 통하여 학생들이 사회에 잘 적응할 수 있을 정도로 성장하여 기존의 사회 체제에 자연스럽게 입문하게 하고자 노력한다. 이러한 보수주의적 관점을 따라 인류의 축적된 경험과 지혜라고 볼 수 있는 문화유산을 가치 있다고 여기고 그중에서 핵심적인 것을 찾아 학생들이 학습할 수 있도록 체계적인 지식의 조직 형태인 교과로 번역하여 교육과정을 구성하고 이를 체계적인 절차에 따라 후세대에 전달하여 줌으로써 사회를 안정적으로 유지하는 데 기여한다. 보수주의적 교육과정은 대체로 전통적으로 가르쳐오던 교과와 새로운 지식의 발달을 반영한 새로운 교과를 포함하는 교과 중심의 교육을 중시하며, 학생들을 본능적이고 미발달된 수준의 삶에서 인류의 문화유산으로 문명화된 삶의 수준으로 이끌어 올리기 위해서 가능하면 엄격하게 다루면서 개인의 사적인 본능이나 욕구는 억제하면서 집단이나 사회의 규율을 지키기 위해 인내하고 교사의 권위에 복종하도록 훈육해야 할 상대로 간주하는 경향이 있었다(김재춘 등, 2017: 21).

　　보수주의적 교육과정에서 교수 · 학습 활동은 주로 전달 활동(transmission)으로 간주하였다. 이는 교사와 학생의 권위와 지위의 차이가 명확하게 구분된 것에 바탕을 둔 것이었다. 교사는 한 사회 또는 인류를 대표하는 성인으로서 가치 있는 지식을 보유한 매우 권위가 높은 사람으로 간주되었다. 이것은 시대적 · 사회적 분위기와도 관련이 있는 것으로, 과거 우리나라에서 일제의 잔재와 조선 시대의 계급 구조의 유산이 남아 있던 시기에는 계급 구조상의 상급자와 연장자의 권위가 강조되면서 하급자와 연하자는 상급자와 연장자에 대하여 무조건적인 존중과 복종을 강조하던 시대상과 맥락을 같이한다. 우리나라의 경우 과거 흔히 사용하던 '군사부일체(임금, 스승, 부친은 하나이다)'라는 표현이나 '스승의 그림자도 밟지 말라'는 표현은 이를 잘 말해 준다. 그만큼 스승은 숭고하고 신성시해야 할 정도로 지고지순하고 가치 있는 지식을 지닌 권위 있는 사람으로서 추앙받았고, 학생은 자신을 위대하고 높은 경지의 문명화된 세계로 입문하게 해줄 이렇게 신성한 지식을 받아들기 위하여 극도의 겸양과 겸손의 태도로 높이 추앙받는 스승님의 앞에 앉아 그가 가르치는 한마디 한마디를 조사 하나 빠뜨리지 않고 받아들여 소화해야 할 존재로 여겼다. 이 과정에서 학생이 교사의 권위에 도전하거나 그가 가르치는 신성한 지식에 이의를 제기하거나 비판하는 등의 불손한 태도를 보이는 것은 용납되지도 않았고, 이는 학생이 그만큼 아직 높은 경지에 이르지 못하고 낮은 수준에 머물러 있기 때문에 보이는 모습 정도로 치부하였다. 따라서 학생들은 스스로 학습 능력을 발휘하여 능동적이고 적극적으로 학습해 가면서 지식을 구성할 줄 안다고 여기기보다 미숙하여 분별력이 없고 그들의 머리는 거의 비어 있다고 생각하였다. 이런 교사와 학생의 관계 속에서 교사는 가치 있다고 여기는 내용을 일방적으로 전달하는 것이 스승의 도리이고 임무를 최선으로 완수하는 길이고 후세대인 학생에게 모범을 보이는 길이라고 여겼다. 학생 또한 일방적인 가르침에 절대적 순종과 복종과 존중의 태도를 보이면서 학습하는 것이 스승의 가르침을 잘 받으면서 자신이 성장하여 숭고하고 가치 있는 문명의 세계에 입문하는 길이라고 생각하였다.

한편, 이러한 가르침을 받아 배우는 핵심적인 내용은 지식이었으되, 이를 받아들이는 과정에서 겸양, 자제, 배려 등의 태도나 가치의 형성이나 인성의 함양이 동시에 일어나고 지식을 이해하려는 노력 속에 관련된 학습 기술 등이 함께 획득되는 것으로 간주되었다. 따라서 지식을 중심으로 다른 관련 요소들이 획득된다고 보았으므로 이런 다른 것들의 학습에 별도의 많은 시간과 관심을 투자할 필요성을 크게 느끼지 않았다.

나. 진보주의적 교육과정(경험/인간 중심 교육과정)

서양에서 오랜 기간에 걸쳐 귀족 계급 중심의 교육에 기원을 두었던 7자유교과 중심의 인문 교과 교육(이 책의 제6장 참조)을 이어오는 동안에 새롭게 등장한 중산 계급의 교육 요구에 부응하지 못하면서 형식적으로 운영하는 등 여러 가지 문제점이 드러났다. 이와 함께, 아동의 자연적인 본성을 존중하는 교육 사상이 등장하면서 교과 지식 중심 교육에서 탈피하여 이성만이 아닌 아동의 감각과 경험의 발달을 중시하는 교육이 이루어지기 시작하였다. 이 과정에서 가치 있는 지식에 대한 관점이 변하고 아동 연구에 바탕을 둔 교육이 시도되었다. 이러한 흐름이 유럽에서 시작하여 미국으로 확산되었고, 미국에서는 이를 이어받으면서 Dewey를 중심으로 확대 발전된 형태로 진보주의적 교육과정을 운영하기 시작하였다.

진보주의적 교육과정은 학생을 단지 수동적으로 지식을 전수받아야만 할 대상으로 보기보다 아동의 여러 발달 단계에서의 행위에 대한 심리학적 연구 결과에 따라 이해하게 된 자연적인 발달 순서에 따라 무엇을 가르칠지 결정하였다. 이런 교육과정은 아동의 지성 개발보다 자유로운 성장과 아동의 자발성을 강조하였다. 이에 따라 획일적이고 표준화된 지식 중심의 교육이 아닌 다양한 아동의 자발적인 변화를 돕는 교육을 중시하는 흐름이 나타났다. 이러한 흐름의 교육에서 교사는 학습의 주체가 되는 학생에 대해 깊이 이해하여 학생의 성장을 도우려고 한다. 따라서 교사는 학생들의 다양한 특성에 대해 연구하는 자세를 가지고 학생의 학업 성취 수준, 관심, 흥미, 이전의 경험, 개인의 성장 과정, 인지 양식, 학습 스타일 등을 이해하려고 노력한다.

진보주의적 교육과정에서 교사는 지식 전달을 우선순위에 두기보다 학생에 대한 이해를 토대로 학생과의 상호 작용(transaction)을 중시한다. 보수주의적 교육과정은 지식을 가르친다는 표현을 사용하였으나 진보주의적 교육과정은 학생을 가르친다는 표현을 사용하였다. 이런 교육과정에서는 사전에 정해진 지식 중심의 교육 내용을 순서대로 학습해 가기보다 교사와 학생이 많은 집단적 · 개인적 논의와 대화를 통해 학생이 관심을 가지는 다양한 학습 주제의 결정, 다양한 학습 활동 방법, 학습 결과에 대한 평가 등을 함께 계획하고 실행해 간다. 이런 과정에서 학생은 능동적으로 학습하고자 하는 태도와 동기를 세울 수 있다고 본다. 이에 따라 교사와 학생은 지역 사회에서 다양한 사회적 · 자연적 현상이나 문제 등을 확인하고 해결책을 모색하는 활동을 포함하는 다양한 교육의 내용과 방법을 함께 협력하여 결정하고 진행해 나간다. 이러한 진보주의적 교육과정의 관점에서 이루어지는 교육이 경험을 강조하는 경향이 있으나, 이들 중 아동의 관심과 흥미에만 우선순위를 두면서 교과를 무시하였던 아동 중심 교육은 많은 비판을 받았다. 이를 극복하기 위한 Dewey의 경험 중심 교육은 아동과 교과를 모두 중시하였다(이에 대한 더 자세한 설명은 제7장 참조)(Dewey, 1902a, 1916; 김재춘 등, 2017).

다. 급진주의적 교육과정(변혁 중심 교육과정)

급진주의적 교육과정은 학교 교육의 정치적인 성격에 주목한다. 여기에서 정치의 의미는 국가의 운영 또는 국가의 운영에 영향을 미치는 활동이라기보다는 모든 인간관계에 내재하는 권력 관계로 이해할 필요가 있다. 이는 포스트모더니즘의 영향으로 1980년대 이후 등장한 연구 경향에서 특히 강조하였다. 학교 교육은 진공 상태에서 일어나는 것이 아니다. 어떤 국가나 사회를 막론하고 학교 교육의 방향과 내용과 방법에 대한 의사 결정에서 권력을 행사하는 집단이 있고, 그 영향을 받는 집단이 있다. 권력을 행사하는 집단과 그 지배를 받는 집단 사이에는 권력과 의견의 차이로 인한 갈등이 있을 수 있다. 따라서 학교 교육 또는 교육과정과 관련된 정치는 학교 교육 또는 교육과정에 대한 이해관계를 지니는 정부, 정당, 교사, 학부모, 시민, 출판사, 학생 등 여러 집단들의 학교 교육 또는 교육과정을 둘러싼 의견과 권력의 차이로 인한 갈등 관계로 볼 수 있다. 이러한 관계 때문에 학교 교육과 교육과정은 항상 정치적인 성격을 띨 수밖에 없고 급진주의적 교육과정은 바로 이러한 교육의 정치성에 주의를 기울인다. 즉 특정 교육 활동이나 교육과정이 어떤 정치적 색채를 띠는가 또는 어떤 갈등 관계를 보이는가에 주목한다. 학교 교육 또는 교육과정에서 정치성을 배제할 수 없다면, 사회적 약자의 입장에 서서 교육의 내용과 방법 속에 가정된 지배적인 정치 이념을 들추어 내면서 대항 헤게모니(counter-hegemony)를 형성함으로써 더욱 인간적이며, 정의롭고 평등한 사회의 건설에 기여할 수 있도록 노력할 필요가 있다고 본다(Apple, 1979; Giroux, 1983; 김재춘 등, 2017: 23).

이러한 급진주의적 교육과정을 운영한 학교의 사례로 미국에서 1920년대에 급진주의자들이 세운 '일요학교(sunday school)'를 들 수 있다. 이들은 공교육이 엘리트 집단을 위한 교육이라고 보면서 노동자 자녀들을 위한 급진적 교육의 필요성을 강조하였다. 공교육이 자본주의 체제의 수단이 되어 개인주의와 경쟁을 지나치게 강조하는 것에 실망하고 급진적인 실험학교인 이 학교를 세워 학생들에게 개인주의와 경쟁을 강조하는 대신에 사회의식을 불러일으켜 더욱 평등한 사회를 건설하는 데 기여하고자 하였다(Stanley, 1992: 김재춘 등, 2017: 149-150 재인용).

◈ 조별 활동

"한국의 대학 입시가 학교 교육과정 운영에 영향을 미친다."라는 주장에 대한 찬성 의견과 반대 의견을 초등학교 교육과정 운영의 구체적인 사례와 함께 공유해 봅시다.

구체적인 사례의 예시: 인천 ○○ 초등학교 1학년 국어 교육과정 운영, 경기 □□ 초등학교 2학년 수학 교육과정 운영, 서울 △△ 초등학교 음악 교육과정 운영

제2장

교육과정 개념의 역사적 변천

제1절 20세기 이전

교육과정은 영어의 커리큘럼(curriculum)의 번역어이며, 커리큘럼(curriculum)은 라틴어인 '쿠레레(currere)'에서 유래한 것으로, 경마장에서 말이 달리는 길(course of race)'을 뜻하였다. 이것이 교육적 맥락에 적용되어, 교육과정은 '교수요목'으로서 공부하는 학생들이 '마땅히 따라가야 할 길이나 코스 또는 배워야 할 교육 내용들의 항목'을 의미하였다(Jackson, 1992: 5).

옥스퍼드 영어 사전(Oxford English Dictionary, OED)에서는 커리큘럼(curriculum)을 다음과 같이 정의하였다. "A course; spec. a regular course of study or training, as at a school or university(The recognized term in the Scottish Universities)." 위와 같은 정의에 따른 교육과정이라는 용어는 1582년 Leiden 대학교의 라틴어로 발행된 문헌에서 사용되었다(Hamilton, 1989: Jackson, 1992: 5 재인용). 교육과정의 영어 표현은 J. Russell이 1824년에 작성한 독일 대학에 대한 보고서에 처음으로 나타났다. 이때 그는 '독일 학생이 그의 교육과정을 마쳤을 때(When the German student has finished his curriculum)'라는 표현을 사용하였다(Jackson, 1992: 5).

Cassell의 라틴어-영어 사전(Cassell's Latin-English Dictionary)에 따르면 교육과

정은 달리기, 말이 뛰는 길, 전차(running, a race course, and chariot) 등을 일컫는다.
그렇다면 체육 행사에 관련된 이 용어가 어떻게 교육계에 도입되었는가? 16세기 후
반 유럽에서 국가의 세력이 강화되고 종교 개혁 운동이 전개되면서 대학에 대한 행정
적 통제를 더욱 강화할 필요성에 따라 대학의 학업이 표준화되었다. 교육 프로그램이
체계화되면서 학업의 과정에 관한 단계별 틀이 형성되고 전체적인 구조를 이루게 되
었다. 학교에서의 제반 활동에 질서를 부여하기 위해서 당국자들이 부여한 '조직적 구
조'라는 아이디어가 교육과정이라는 용어의 교육적 의미의 핵심을 차지하였다(Hamil-
ton, 1989: 45; Jackson, 1992: 5).

　　요약하면, 19세기 중반까지 교육과정은 교수요목을 의미하는 용어로 어느 정도
확립되었고, 이는 대학뿐만 아니라 그 이하 단계에까지도 적용되었다.

제2절 20세기 이후

　　20세기에 들어서 교육과정의 개념적 의미는 확장되었다. 현대적 학문 영역으로
서의 교육과정의 아버지라 불리는 Bobbitt(1918)는 과학적 방법을 활용, 일상의 생활
에서 사람들이 당면하는 사태와 사회 속에서 성인들이 수행하는 활동을 조사하고 분
석한 후에 이를 교과의 형태로 조직하였다. 그는 언어/건강/시민/직업 활동 등 10개
영역으로 구분하고 각각을 다시 세분화하여 총 821개의 하위 목표를 이끌어냈으며,
이들을 실현하는 데에 활용될 교과를 만들었다. Bobbitt는 학교에서 가르쳐야 하는 교
육 내용, 즉 교육과정을 어떻게 구성하여야 하는가에 관심을 가진 연구를 바탕으로 교
육과정의 개념을 상정하였다(이원희 등, 2005: 17).

　　Tyler(1949)에 따르면, 교육과정은 네 가지 기본적인 요소가 단계적으로 연결되
는 과정(교육 목표 설정, 학습 경험 선정과 조직, 평가)의 순환으로 이루어진다. Tyler
는 교육과정을 교육 내용뿐만 아니라 수업 그리고 그 결과의 평가에 이르기까지 교육
과정의 범위를 확장하였다.

　　Bruner(1960)는 교과를 배우는 일은 중간 언어에 머물러서는 안 되며, 그것이 겨
냥하는 이상적인 경지인 지식의 구조(structure of knowledge)로 나아가야 한다고 하였
다. 지식의 구조라는 것은 학습자가 학자와 동일한 일을 하면서 배울 때 그 학습자가
배우는 교과를 가리킨다(이홍우, 1985: 160).

　　Peters(1966)와 Hirst(1974)는 인간은 공적 개념 구조와 공적 기준을 특징으로 하

는 지식의 형식(forms of knowledge), 곧 공적 전통에 입문함으로써 주위의 여러 경험이나 현상을 의미 있게 해석할 수 있다고 하였다. 지식의 형식 속에 이미 그것에 대한 정당화가 붙박혀 있다(이원희 등, 2005: 21-22).

Pinar(2000)를 중심으로 하는 재개념주의자들은 '교육과정의 개발'에 관심을 두는 전통적 관점을 포용하면서도 '교육과정의 이해'를 강조하는 새롭고 다양한 관점들을 제시하면서 교육과정에 관한 이론적 관점과 실제적 관점을 동시에 존중하는 새로운 관점을 제시하려고 노력하였다.

제3장

우리나라 교육과정의 역사적 변천

제1절 해방 전

1. 삼국, 고려, 조선 시대

우리나라 교육과정의 기원을 찾아 거슬러 올라가면 삼국 시대에 이른다. 고구려는 기원전 2세기 이전부터 중국의 한자를 사용하기 시작한 것으로 보이며, 기록에 의한 최초의 형식적 학교로 372년 태학이 설립되었다. 태학은 관학으로서 귀족 자제의 교육 기관이면서 관리 양성 기관이었고, 중국의 대학에서 가르치던 유교의 경전을 가르쳤다. 경전 서적으로 오경(시전, 서전, 춘추, 예기, 주역)과 삼사(사기, 한서, 후한서), 그리고 삼국지, 진춘추를 가르쳤고, 그 외에 역서, 의학, 산학, (음)악서, 병서도 가르쳤으리라 본다. 고구려에서 최초의 사학은 '편당'이었으며, 일반 평민과 지방부호의 미혼 자제들이 이곳에서 공부하였다. '편당'에서는 독서, 활쏘기를 배웠으며, 오경, 사기, 한서, 후한서, 삼국지, 춘추, 옥편, 학통, 학림, 문선을 공부하였다(한기언, 1983: 26-27).

백제의 경우 학교를 세웠다는 기록은 없으나, 4세기부터 교육 사업이 전개되었다고 보며, 일본에 학자를 파견하여 논어와 천자문을 가르쳤다. 640년에는 신라와 함께 당에 유학생을 보냈다(한기언, 1983: 27-28).

신라에서는 682년 신문왕(31대) 2년에 예부에 속하는 '국학'을 세웠다. 관리 양성의 목적을 지녔고, 유학과와 기술과를 나누어 가르쳤다. 유학에는 당나라의 주역, 상서, 모시, 예기, 춘추좌씨전, 문선을 두 과목씩 나누어 가르치고, 논어와 효경은 필수로 가르쳤다(한기언, 1983: 28-30).

고려에는 중앙에 국자감과 동서학당(후에 오부학당)이 있었으며, 지방에 향교가 있었다. 사학으로서 최충도를 비롯한 12도와 서당이 있었다. 당의 학제를 본뜬 국자감은 992년(성종 11년)에 세워졌다. 이는 6학으로 이루어졌고, 문무관 즉 양반 계급의 자제를 대체로 네 계급으로 나누어 교육하였다. 가장 높은 것은 국자학, 다음은 태학, 사문(초등학교), 그리고 율, 서, 산의 기능적 학부이다(한기언, 1983: 111-113).

조선의 교육 형태는 성균관, 오부(사부)학당, 향교 등 관학과 서원과 서당 같은 사학 두 가지로 나눌 수 있다. 관학의 졸업생들은 정부의 인재 등용법인 과거 제도를 통해 관직에 진출할 수 있었다. 향교의 교과서는 소학, 사서, 오경이 주를 이루었고, 근사록, 제사 등도 가르쳤다(한기언, 1983: 199-203).

위와 같이 삼국시대, 고려, 조선에 이르기까지 중국의 학교 제도를 따라 학교를 설립하였고 교육과정은 중국의 유교 경전이 중심을 이루었음을 알 수 있다.

갑오개혁(1894)을 중심으로 근대적 학교 교육을 구분해 볼 수 있다. 갑오개혁 이전에 근대 학교의 선구적 형태로 소수의 관립 학교와 기독교계 사립 학교가 있었고, 갑오개혁 이후에는 국가적 차원에서 법령이 제정되면서 관립 학교가 세워졌다(유봉호, 1992: 45).

2. 근대 학교 시도기(1883~1903)

이 시기에 관·민립 학교에는 원산학사, 동문학, 육영공원이 있었다. 원산학사는 지방민의 성금으로 세워져 신분의 제한 없이 입학이 허용되었던 우리나라 최초의 근대식 교육 기관으로 평가된다. 원산학사의 문예반에서는 경의를, 무예반에서는 병서를 주된 교과로 가르치면서, 공통 과목으로 산술, 격치(물리), 농업, 양잠, 채광 등을 가르쳤으며, 점점 외국어, 법률, 지리, 만국공법 등으로 과목수를 늘려갔다. 동문학은 한미통상조약 체결 이후 서양어의 통역원이 필요하여 정부가 1883년 설치하였다가 1886년에 폐지하였다. 체계적인 근대 학교의 체제를 갖추지는 못하였으나 관학의 원류를 이루었다. 교육 연한은 1년이었고, 영어를 주로 가르치면서 구미식 필산도 가르쳤다. 육영공원은 고종 23년(1886)에 정부가 설립하였는데, 각국과의 교섭에 필요한 통역원의 양성을 목적으로 삼았다. 귀족 자제들에게 입학이 허용되었고 관립 학교로서는 최초로 서양식 교육과정에 준하고 있었다. 우리나라 최초의 근대식 학교 규칙인 '육영공원 설학절목'에는 역사, 습자, 학해자법, 산학, 사소습산법(寫所習算法), 지리, 학문법, 대산법, 각국 언어, 제반학법, 첩경역학자, 격치만물(의학, 지리, 천문, 화훼, 초목, 농리, 기기, 금수), 각국 역대정치 등의 교과목이 명시되어 있었다. 이들은 읽기, 쓰기, 셈하기, 문법, 그리고 수학, 외국어, 농업기술 등 실용 학문과 자연 과학 과목, 지리학, 세계정치사 등으로 구성된 것이었다. 이 학교에서는 영어와 만국공법, 정치경제학을 가르쳐 개국 후 정부에 필요한 국제적 시야를 가지고 영어를 말할 줄 아는 고급관리 양성을 목적으로 삼았다. 수업은 주로 미국인 교사가 영어로 진행하였다(유봉호, 1992: 46-47).

기독교계 사립 학교에 광혜원, 배재학당, 이화학당, 언더우드학당, 정동여학교, 광성학교가 있었다. 광혜원은 1885년 의료 선교사 알렌이 세운 병원이었고, 의료 사업 외에 서양의법을 가르쳤다. 여기에서 1886년 3월 16명의 학생을 선발하여 서양의학을 가르치면서 세브란스 의학전문학교가 되었고 나중에는 연세대학교가 되었다. 배재학당은 최초의 기독교계 학교였으며, 1885년 8월 2명의 학생에게 선교사 아펜젤러가 영어를 가르치기 시작하였다. 배재학당의 목적은 한국 학생들에게 서구의 과학과 문학에 대한 훈련을 제공하는 것이었고, 영어를 매체로 하지만 중국 고전을 중심으로 삼았다. 1889년 교육과정은 영어, 지리, 산수, 맹자, 물리, 화학으로 구성되었다. 1890년에 제정된 규칙에는 한문(경서, 사기), 영어, 천문, 지리, 생리, 수학, 수공, 성경 등이 명시되어 있다. 1901~1904년 중등 교육에서는 영어, 국사, 교회사, 천문학, 박물학, 초등 및 고등 산술, 물리학, 화학, 대수, 성서 등을 가르쳤다. 이화학당은 1885년 내한한 여선교사 스크랜턴 부인이 1886년 5월 여학생 한 명을 대상으로 학교를 시작하였다. 처음에 영어만을 가르치다가, 성경, 언문, 생리 등을 가르쳤다. 1908년 학생 모집 광고란에 명시된 중등과 과정은 성경, 한문, 수신, 지지(地誌), 본국 국사, 산술, 영어, 생일, 위생, 동물학, 식물학, 도화, 이과, 부기, 대수, 초보 체조였다(유봉호, 1992: 48-50).

언더우드는 1886년 정동 자택에 고아원 형식의 학교인 언더우드학당을 세웠는데, 이것이 경신중·고등학교의 전신이다. 배재학당과 함께 신문화 도입의 선도적 역할을 하였고, 1890년 교육과정은 영어, 성경, 오락, 습작, 한문 등으로 구성되었고, 한문 공부에 중점을 두었다. 한문은 주로 천자문, 동몽선습, 통감을 가르쳤다. 정동여학교는 1887년 앨러스 선교사가 세웠고, 나중에 정신여학교로 교명을 바꾸었다. 1887년 성경과 산술을 가르치다 1890년 한문, 역사, 지리, 미술, 습자, 체조, 음악, 가사 등으로 확대하였다. 광성학교는 평양에 파송된 선교사 홀이 1894년 2월에 시작하였으며, 한글, 한문, 기독교 교리를 가르쳤다(유봉호, 1992: 50-51).

3. 신학제 수립기(1894~1904)

갑오개혁(1894) 이후 교육 제도의 개편이 진행되었다. 고종은 교육입국의 대방침으로 덕양, 체양, 지양을 선포하였고, 정부는 그에 따라 새로운 학제 개혁을 실시하였다(유봉호, 1992: 52).

1885년 7월 19일 소학교령에 의하여 최초의 초등학교 관제가 정해졌다. 소학교의 학령은 8~15세였고, 수상과(壽常科) 3년, 고등과 2년 또는 3년으로 규정하였다. 설립 주체에 따라 관립, 공립, 사립으로 구분하였다. 소학교령 제8조에 나타난 수상과 교과목은 수신, 독서, 작문, 습자, 산술, 예조(禮操), 경우에 따라 체조, 그리고 본국지리, 본국 역사, 도화, 외국어의 1과 또는 수과(數科), 이외에 여학생을 위한 재봉이 있었다. 고등과의 교과목은 수신, 독서, 작문, 습자, 산술, 본국 지리, 본국 역사, 외국 지리, 외국 역사, 이과, 도화, 체조, 그리고 여학생을 위한 재봉, 외국어 1과, 그 외에 외국 지리, 외국 역사, 도화 1과 또는 수과로 구성되었다(유봉호, 1992: 53-54).

1899년 4월 4일 공포된 중학교 관제는 수업 연한을 7년으로 하고 초기 4년은 심상과를 졸업하고 후기 3년은 고등과를 졸업한다는 학제를 제시하였다. 1900년 9월 4일 공포된 중학교 규칙은 중학교의 심상과로 수신(인륜도덕), 독서, 작문, 역사, 지리, 산술, 경제, 박물(동식물), 물리, 화학, 도화, 외국어, 체조로 구성되었고(제1조), 중학교의 고등과는 독서, 산술, 경제, 박물, 물리, 화학, 외국어, 법률, 정치, 공업, 농업, 상업, 의학, 측량, 체조로 구성되었는데(제2조), 제1조와 제2조 각각 1, 2과목을 증감할 수 있게 하였다(유봉호, 1992: 55-56).

교사 양성을 목적으로 삼았던 사범학교의 학령은 본과 20~25세, 속성과 22~35세로 규정하였다. 본과는 수신, 교육, 국문, 한문, 역사, 지리, 수학, 물리, 화학, 박물, 습자, 작문, 체조로 구성되었다. 경우에 따라 한 과목 또는 몇 개 과목을 줄일 수 있게 하여 융통성을 보였다(유봉호, 1992: 56-57).

제2절 해방 후

1. 국가 교육과정의 초석 형성 및 발전

제1부 교육과정의 기초에서 교육자들의 교육과정에 대한 관점이 변해 갔고 이에 따라 개념 정의도 변해 가면서 다양한 개념들이 등장하였다는 점을 학습하였다. 이런

〈표 3-1〉 초등학교 과목과 시수(1945. 9. 22.)*

과목 / 학년	1~3	4	5~6	고등과
공민	2	2	2	2
국어	8	7	6	6
지리 · 역사	1	1	2	2
산술	5	4	3	2
이과	1	3	2	2
음악 · 체육	3	3	3	3

*'당면한 교육 방침'에서 1주 6일간의 학년별 수업시간을 제시하였다.

변화가 해방 이후 국내 교육에도 전파되었다. 해방 이후 미군이 우리나라의 국정을 담당하게 되었고, 미군정청(재조선미육군사령부미군정청, United States Army Military Government in Korea, USAMGIK) 학무국에서 교육과정 업무를 담당하였다. 미군정청 학무국은 일본 제국주의의 잔재를 청산하기 위해 일련의 조치들을 발표하였다. 일반 명령 제4호 '신조선의 조선인을 위한 신교육 방침'을 각도에 지시하였고(〈매일신보〉, 1945. 9. 18.), '당면한 교육 방침'(〈표 3-1〉 참고)을 정하였으며(〈매일신보〉, 1945. 9. 22.), 군정청 법령 제6호 '교육의 조치'를 발표하였고(Arnold, 1945. 9. 29.), '중등학교 교과과정'(〈표 3-2〉 참고)을 결정하였다(〈매일신보〉, 1945. 9. 30.). 그 후 학무 통첩 352호 '학교에 대한 설명과 지시'를 발표하였다(Arnold, 1945. 10. 21.). 그러나 이 '과목 및 시수'는 일제 강점기 말기의 심상소학교의 교과목 및 수업 시수표를 토대로 임시로 개정한 것이었다(교육부, 2016: 12).

그 후 1년이 지난 1946년 9월에 미군정청 문교부(명칭을 변경함)는 초 · 중등학교에서 학년별로 배우는 여러 과목의 각 단원명과 단원에서 다루는 몇 가지 주제들을 담은 초 · 중등학교 각과 교수요목집을 발표하였다. 해방 직후 매우 간략한 교육 방침들을 몇 페이지의 분량으로 제시한 수준에서 한 걸음 나아가 이 교수요목집은 초 · 중등학교의 과목별로 배울 주제들을 82쪽에 걸쳐 (1), (2), (3), (4)로 나누어 제시하였다. 이 교수요목집은 미국의 아동 중심 교육 사조가 반영되기 시작하였음을 보여준다. 즉 (4) '공민', '역사', '지리'를 통합한 '국민[초등]학교 사회생활과'를 새롭게 제시하여 통합 교육과정을 도입한 것이다(교육부, 2016: 13).

〈표 3-2〉 중등학교 교과 과정표(1945. 9. 30.)

학년	과목	공민	국어	역사지리	수학	물리화학생물	가사	재봉	영어	체육	음악	습자	도화	수예	실업	계
제1학년	중학*	2	7	3	4	4	-	-	5	3	1	1	1	-	1	32
	고녀**	2	7	3	3	3	2	2	4	2	2	1	1	1	-	33
제2학년	중학	2	7	3	4	4	-	-	5	3	1	1	1	-	1	32
	고녀	2	7	3	3	3	2	3	4	2	2	-	-	1	-	32
제3학년	중학	2	6	4	4	5	-	-	5	3	2	-	1	-	2	34
	고녀	2	6	3	2	4	4	4	5	2	2	-	1	1	1	35
제4학년	중학	2	5	4	4	5	-	-	5	3	2	-	-	-	3	33
	고녀	2	5	3	3	4	4	4	5	2	2	-	1	1	1	36

*중학=남자 중학교, **고녀(고등여학교)=여자 중학교

그 후 우리 손으로 만든 최초의 체계적인 교육과정인 '제1차 국가 교육과정' 시기에 '교육과정'이라는 용어와 함께 이에 대한 정의가 나타났다. 이 시기에 교육법에 근거하여 문교부령 제35호(1954. 4. 20.)로 공포된 '초등학교·중학교·고등학교·사범학교 교육과정 시간 배당 기준령'에서 '교육과정'을 "각 학교의 교과목 및 기타 교육 활동의 편제를 말한다"라고 규정하였다(제1장 총칙의 제2조). 이 기준령과 함께 '교과 과정'이 공포되었는데(1955. 8. 1.), 이렇게 교육과정의 명칭 그 자체를 오늘날 사용하는 교육과정이라는 용어 대신에 '교과 과정'이라는 용어로 표현한 것은 오늘날의 표현에 따르면 교과 교육과정이었다고 볼 수 있다(교육부, 2016: 4, 14, 15). 이러한 교과 과정을 의미하는 용어를 미국 등 영어권에서는 course of study로 표현한 것을 볼 때, 서양에서 사용되는 용어와 그에 대한 의미(언어학에서 말하는 내포)를 국내에서 그대로 수용한 것으로 볼 수 있다. 즉, 이 개념 정의는 과거 서양에서 오랜 기간에 걸쳐 사용되고 확산된 '학생이 학습할 어떤 정해진 교과나 내용'이라는 의미를 지니는 것이다.

그 이후 교육과정에 대한 개념 정의는 큰 변화를 겪는다. 이런 변화는 문교부령 제119호(1963. 2. 15.)로 공포된 제2차 교육과정에서 나타나는데, 이 교육과정에서는 교육과정을 "학생들이 학교의 지도하에 경험하는 모든 학습 활동의 총화"를 의미한다고 하였다(제2장 교육과정 구성의 일반 목표). 이러한 변화의 씨앗은 해방과 함께 미군정청이 통치하면서 미국 본토에서 나타난 변화를 반영한 교육 정책의 수립 및 집행과 함께 뿌려졌다고 볼 수 있다. 즉 20세기 전반기에 미국의 학교 교육에 이미 상당한

영향을 미치면서 확대되어 갔던 아동 중심 또는 경험 중심 교육 사조를 미군정청이 해방 직후 발표한 일련의 조치들과 교수요목집에 반영하는 과정에서 그 씨앗이 뿌려졌다고 볼 수 있다. 그 후 1952년 내한한 미국 교육사절단은 경험 중심 교육과정을 소개하면서 그 뿌려진 씨앗에 물을 주어 싹이 돋아나게 하였다. 대한민국 정부 수립과 함께 통치권을 물려받은 이후에는 우리의 교육과정 관계자들이 주체적으로 이 싹을 키워 비로소 꽃을 피우게 되었다고 볼 수 있다.

　　서양 교육사에서 이러한 개념 정의의 변화가 몇 세기에 걸쳐 이루어졌던 것을 감안하면 우리나라에서는 불과 10년이 채 지나지 않은 짧은 기간에 나타난 것이다. 이는 20세기 전반기 일제의 지배 속에서 해방된 후 새로운 국가 교육과정의 기틀을 형성해 가는 과정에서 또 다른 외세인 미군정청의 영향 속에서 미국 중심의 교육 정책의 도입에 따른 것으로 해석할 수 있다. 즉 당시까지 미국에서 수십 년에 걸쳐 이루어진 변화를 단기간에 수용한 결과라고 볼 수 있다. 이는 교육과정 영역 후속 세대의 관점에서 볼 때, 마치 서구 선진국에서 여러 세기에 걸쳐 일구어낸 민주주의 제도를 헌법상 도입하였으나 그것이 토착화되는 데 수십 년의 세월과 많은 희생이 뒤따랐던 역사적 사실과 유사한 점이 있다. 즉 역사적인 관점에서 이러한 외부에서 만들어진 제도의 법률적·형식적 도입은 그 내실 있는 운영 측면에서 준비가 부족한 상황이어서 자체적인 내부 모순을 포함한다는 의견이 많았다. 이를 감안하면, 학생의 경험을 중심으로 교육과정의 개념을 정의하는 것은 국가가 주도하는 큰 변화의 시작점을 제공하였으나, 그 내실을 갖추어가는 데는 내적 모순의 극복을 위해 수많은 긴장과 갈등의 대립과 해소의 과정이 필요하였다는 해석을 내릴 수 있다.

　　이러한 이유로 제2차 교육과정 시기에 경험 중심 교육과정을 강조하는 교육과정의 이상적 방향 설정은 문서상에 나타날 뿐, 그것이 학교 현장에 뿌리를 내리는 일은 아직 요원한 일이었다. 이에 따라 제2차 교육과정이 공포된 이후 2021년 현재에 이르는 58년 동안에 학교 교육과정의 운영은 경험 중심보다 교과 중심이었다고 볼 수 있다. 이와 같은 국가 문서상의 교육과정과 학교 현장에서 실천되는 교육과정 사이의 괴리로 인하여 학교 교육이 사회의 전반적인 변화에 따른 요구에 부응하지 못하는 한계를 보여주었다.

　　이러한 한계에도 불구하고, 시대의 변화는 직접적이든 간접적이든 지속적으로 학교 교육에 도전하였고, 앞서가는 교육자들은 서서히, 그러나 끊임없이 학교 현장의 변화를 추구하였다. 이러한 학교 현장에서의 변화는 제도로서의 민주주의를 생활 속에서 실천하는 과정에서 발견할 수 있었던 것과 마찬가지로, 항상 대규모적인 것이었다기보다 소규모적인 변화가 누적되면서 그것이 일정한 시기가 지난 후에 다소 대규모적인 변화를 낳는 방식으로 전개되었다. 이러한 교육 혁신의 과정에 등장한 주요 용어로 열린 교육, 교육과정의 자율화, 학생 중심 교육과정, 구성주의, 학교 중심 교육과정, 교육과정 재구성, 혁신 학교, 대안 학교, 작은 학교 연대, 교육 시장의 개방, 교육과정 거버넌스(curriculum governance), 역량, 융합 교육, 고교 교육 정상화 기여 대학, 평생 교육, 입학 사정관, 대학의 구조 조정, 자유학년제, 과정 중심 평가, 해외 실습, 사이버 대학, 온라인 교수 · 학습, AI 교사, 메타버스 등이 나타난다. 최근에도 지속되고 있는 사회의 변화 요구와 이에 부응하려는 여러 교육 관계자들의 다방면에 걸친 시도들은 공교육에서 경험 중심 교육과정의 운영 반경 확대와 그 취지의 실현에 기여하고 있다. 이로 인하여 오늘날 초등학교에서 교과 중심 교육과정 일변도에서 경험 중심 교육과정의 수용이나 병행이 많이 확산된 모습을 보이고 있다. 그럼에도 불구하고 대학의 입학 전형 제도의 느린 변화로 인하여 초등학교에 비하여 중학교에서의 경험 중심 교육과정의 수용은 매우 제한적이고, 고등학교에서는 더욱 제한적이다.

그런데 오늘날 우리의 초등학교에서 보이는 경험 중심 교육과정 요소들의 도입은 과거 미국에서 아동 중심 교육과정이 학생의 흥미에 토대를 두고 고등 사고 활동이 필요하지 않은 조작 활동 위주로 전개되어 아동 중심 교육과정의 확산이 중지되고 다시 교과를 강조하는 학문 중심 교육과정이 등장하기도 하였던 전철을 밟고 있는 듯한 형국이다. 이에 따라 Dewey가 경험 중심 교육과정은 교과와 아동의 연속성을 강조하며 교과를 배제하지 않는다고 역설한 바 있다.

이러한 아동 중심 교육과정의 운영에서 나타나는 대표적인 두 가지 경향은 다음과 같다. 첫째, 교과 중심 교육과정의 틀을 유지하되 그 구체적인 교수 · 학습 활동에서 학생의 고등 사고 능력의 신장과 무관하게 학생의 흥미를 반영하면서 높은 수준의 사고 작용이 필요하지 않은 저급한 조작 활동을 지도하면서 경험 중심 교육과정을 운영하고 있다고 생각하는 경향이다. 둘째, 경험 중심 교육과정의 운영은 그동안 강조해 오던 교과를 철저하게 배제한 채 학생의 흥미와 생활과 경험만 강조해야 한다고 생각하는 흐름이다. Dewey의 설명에 따라 이러한 흐름의 문제점을 극복하는 대안 모색이 필요하다. 즉 경험 중심 교육과정을 운영하되 아동과 교과를 모두 중요하게 여기는 것이다.

이와 함께 학교 현장에서는 학생의 발달 단계에 비춘 경험 중심 교육과정의 필요성이나 장점을 깊이 이해하지 못하거나, 이를 이해한다고 하더라도 이에 대한 운영 경험이 없거나 그 운영에 필요한 교육이나 연수를 충분히 받지 못한 상황에서 섣불리 운영하기란 어렵다. 더욱이 국내외에서 경험 중심 교육과정이라는 이름으로 운영하는 가운데 나타난 여러 가지 문제들에 대하여 듣는 경우 쉽게 자신의 학교나 학급에 도입하는 것을 꺼릴 수 있다. 이에 따라 자신에게 익숙한 교과 중심 교육과정을 운영하면서 그 장점에만 의존하는 경향도 있다. 이는 Dewey가 말하는 아동과 교과 중에서 아동을 철저하게 배제한 상태에서 교과 위주의 교육과정을 운영하는 방식이다.

　위와 같이 교과나 아동 중에서 어느 한쪽에 치우쳐 교육과정을 운영하는 경향들은 Dewey가 말하는 경험 중심 교육과정에 대한 이해가 부족하여 나타난다고 볼 수 있다. 이에 따라 Dewey가 말하는 교과와 아동의 연속성을 이해하여 교과와 아동의 조화를 이루는 진정한 의미의 경험 중심 교육과정을 운영하기 위해서는 우선 경험의 의미에 대한 재고찰이 필요하다. 이는 학생이 개별적으로 신체를 움직여 겪는 것을 개인의 직접적인 경험으로 보고, 과거 학교가 그토록 중요하게 여기고 오랜 기간 운영해 온 교과를 학생의 경험과 대립되는 것으로 보기보다는 누적된 인류의 경험이라고 보는 것이다. 이에 대해 제4장 및 제7장에서 좀 더 상세하게 설명할 것이다.

2. 초등학교 교육과정의 변천

가. 교육에 대한 긴급 조치의 시기(1945)

　위의 '1. 국가 교육과정의 초석 형성 및 발전'에서 확인한 바와 같이 교육에 대한 긴급 조치의 시기(1945년)에 미군정청 학무국이 조치들을 발표하였다. 이 시기의 교육과정은 새로운 민주 시민 양성을 위해 수신과를 폐지하면서 공민과를 개설하였고, 일본어를 우리의 말과 글 중심의 국어로 바꾸었고, 일본 역사를 우리 국사로 대체하였다. 이를 통해 '일본 제국주의적 색채를 없애고 신생 국가로서의 교육 내용'을 다루고 있다. 이러한 교과 편제 및 시간 배당은 광복 직후 초등학교를 개교하기에 앞서 긴급하게 결정되었고 이후 수정되었다. 이전에 비해 교과 편제에는 습자, 요리, 재봉, 도화, 공작 및 실과가 추가되어 시간 배당이 늘었고, 4, 5, 6학년은 교과 편제와 시간 배당이 남녀별로 차이가 있었다(**<표 3-3>** 참고)(교육부, 2016: 12).

　해방 직후 시급하였던 교과서 편찬을 위하여, 조선어학회(현 한글학회)에서 9월 2일 국어 교과서 편찬위원회를 발족하고, 1945년 9월에 발표된 교과 편제에 따라 '한글 첫걸음'(초·중등학교 전 학년용)(1945. 11. 20. 펴냄)과 '초등 교육독본'(초등학교 1~6학년용)(1946. 1. 펴냄) 등 12종의 책을 편찬하였다. 진단학회에서는 역사 교과서로 '국사'(초등학교 5~6학년용, 1945. 10. 15. 탈고), '국사'(중등학교용, 1945. 12. 11.

〈표 3-3〉 국민학교 과목 및 교수 시수표(1945. 10.)

교과 \ 학년	1학년	2학년	3학년	4학년	5학년	6학년
공민	2	2	2	2	2	2
국어	8	8	8	7	6	6
역사	-	-	-	-	2	2
지리	-	-	-	1	2	2
산수	6	6	7	5	5	5
이과	-	-	-	3	3	3
체조	4	4	5	3	3	3
음악	-	-	-	2	2	2
습자	-	-	1	1	1	1
요리 · 재봉	-	-	-	여3	여3	여3
도화 · 공작	2	2	2	남3 여2	남4 여3	남4 여3
실과	-	-	-	남3 여1	남3 여1	남3 여1
계	22	22	25	30	33	33

출처: 문교부(1990: 3). 「편수 자료 I: 교육과정 변천 및 편수 일반」.

탈고)를 편찬하였다(유봉호, 1992: 285).

나. 교수요목의 시기(1946~1954)

이 시기에는 교수요목과 교육과정을 엄격하게 구별하지 않았으며, 교수요목이란 교과별로 가르칠 내용의 주제 또는 제목을 열거한 정도의 것이었다. 이 시기 교수요목은 교과의 내용을 상세히 표시하고 기초 능력의 함양을 강조하였고, 교과는 분과주의를 지향하였으며 체계적인 지도 및 지력의 함양에 중점을 두었다. 또한 우리나라의 교육 목표인 '홍익인간'의 정신에 토대를 둔 애국·애족 교육을 강조하였다(교육부, 2016: 13).

이 시기 교과별 교수요목의 특징은 다음과 같았다. 첫째, 교수요목의 진술 체제가 교과별로 통일되어 있지 않았고 대부분의 교과가 단원 또는 제재명과 내용 요소만을 제시하였다. 둘째, 매 교과마다 단원 또는 제재별로 이수할 시간 수를 나타냈다. 셋째,

〈표 3-4〉 교수요목 시기의 국민학교 교과목 및 연간 수업 시간표(1946. 9.)

교과 ＼ 학년	1학년	2학년	3학년	4학년	5학년	6학년
국어	360	360	360	360	320	320
사회생활	160	160	200	200	남 240 여 200	남 240 여 200
이과	-	-	-	160	160	160
산수	160	160	200	200	200	200
보건	200	200	200	200	200	200
음악	80	80	80	80	80	80
미술	160	160	160	160	남 160 여 120	남 160 여 120
가사	-	-	-	-	여 80	여 80
계	1,120(28)	1,120(28)	1,200(30)	1,360(34)	1,360(34)	1,360(34)

※ 시간은 1년을 40주로 하여 교과별 주간 이수 시간을 나타낸 것임.
출처: 함종규(1983: 189). 「한국 교육과정 변천사 연구(전편)」.

교과별 내용 요소의 진술 형식이 설문 또는 단순한 내용 요목 등으로 서로 달랐다. 넷째, 교과의 편제는 실과가 없어진 것을 제외하고 대체로 현재와 유사하였다. 다섯째, 가장 두드러지는 것은 '사회생활과'의 등장으로, 공민, 역사, 지리, 직업, 자연 관찰(1~3학년)을 종합적으로 편성하였으며, 사회생활의 영위에 필요한 기본적인 교양을 다루었고, 민주 시민을 기르는 데 초점을 두었다. 이과 시간을 1, 2, 3학년에 배정하지 않으면서, 그 내용을 사회생활과에서 '자연 관찰'이라는 이름 아래 학년별로 연간 38시간씩 이수하게 하였고, 실과의 내용은 남자는 5, 6학년 사회과와 미술과에서, 여자는 가사과에서 함께 다루게 하였다(〈표 3-4〉 참고)(교육부, 2016: 13).

　　이 시기 교과서와 관련된 자료는 주로 미국의 교육 내용을 모방한 것으로 보인다. 「민주주의 교수법」, 「미국 콜로라도주 초등학교 교수요목」, 「미국 캘리포니아주 국어 교수요목」 등의 원서를 번역하기도 하였다. 1948년 6월까지 편찬 발행된 교과서에는 한글 첫걸음, 초등 국어(임시), 공민, 중등 공민(임시), 초등 셈본, 노래책(임시), 농사짓기, 이과, 우리나라의 발달, 국사교본(임시), 사회생활, 중등 국어(임시), 독본, 글씨본, 가사 등이 있었다. 미군정이 끝난 이후 국어과 12권 한 질의 교과서가 갖추어졌고, '바

둑이와 철수'라는 교과서는 미국 교과서의 'Come Come Stop'을 번안한 것으로 보인다. 이 외에 6대 교과의 교재가 편찬되는 등 변화가 나타났다(유봉호, 1992: 306-308).

다. 제1차 교육과정의 시기(1954~1963): 교과 중심 교육과정

교육법에 근거한 '교육과정 시간 배당 기준표'와 '교과 과정'은 우리 손으로 만든 최초의 체계적인 교육과정이라는 점에서 '제1차 교육과정'으로 불린다. 교육과정의 명칭 자체도 법적으로는 처음으로 교육과정이라는 용어를 사용하였으나, 교육과정이라는 용어 대신에 '교과 과정'이라는 용어를 사용한 점에서 교과 교육과정이었음을 알 수 있다. 그리고 그 의미는 여전히 '가르칠 내용의 열거'라는 요수 요목으로 간주한 한계를 벗어나지는 못하였다. 당시의 교육과정은 '교과 중심'이었으나 미국 진보주의 교육의 영향으로 교과서는 '생활 중심'을 지향하고 있었으며, 교육과정 편제에서 최초로 교과 외에 특별 활동이 편성되어 전인 교육을 강조하였다. 또한 광복 후의 사회적 혼란과 6·25 전쟁으로 인한 도덕적 타락이 현저하게 나타남에 따라 반공 교육, 도의 교육, 실업 교육을 강조하였다(교육부, 2016: 14).

이 시기의 교육과정 시간 배당 기준령과 교과 과정은 1952년 내한한 미국 교육사절단의 영향을 받았다. 미국 교육사절단은 1952년부터 1962년까지 4차례에 걸쳐 내한하여 한국의 교육 문제에 대해 조언하였는데, 특히 제3차(1954. 9.~1955. 6.)는 교육과정 개선에 대한 문제만을 다루었다. 제4차(1956. 10.~1962. 6.)는 조지 피바디 사범대학 교육사절단 일행이었고 교사 양성 및 현직 교육 개선에 대해 조언하면서 이에 대한 원조 문제를 다루었다(유봉호, 1992: 319-320).

이 시기에 학교 현장에서는 시간 배당 기준을 잘 지키지 않았다. 중·고등학교 입학시험 합격률을 높이기 위해 그 비중이 높은 영어와 수학에 많은 시간을 할애하고, 예능, 실과, 체육에는 시간을 적게 배정하거나 형식적으로 배정하였다(**<표 3-5>** 참고)(유봉호, 1992: 324).

라. 제2차 교육과정의 시기(1963~1973): 경험 중심 교육과정

제1차 교육과정에서 각각 나누어 공포하였던 '교육과정 시간 배당 기준령'과 '교과 과정'을 통합하여 체계를 갖춘 교육과정을 공포하였다. 교과 활동뿐만 아니라 학교 교육의 전 활동과 관련된 계획이라는 것을 분명히 나타내고자 '교과 과정' 대신에 '교육과정'이라는 명칭을 사용하였다. 이 시기에는 생활 중심 교육과정의 성격을 표방하였

〈표 3-5〉 제1차 교육과정 시기의 국민학교 교육과정 시간 배당 기준표(1954. 4. 20.)

교과＼학년	1학년	2학년	3학년	4학년	5학년	6학년
국어	25~30% (240~290분)	25~30% (240~300분)	27~20% (290~220분)	20~23% (220~260분)	20~18% (240~220분)	20~18% (250~220분)
산수	10~15 (100~140)	10~15 (100~150)	12~15 (130~160)	15~10 (170~110)	15~10 (180~120)	15~10 (190~120)
사회생활	10~15 (100~140)	10~15 (100~150)	15~12 (160~130)	15~12 (170~130)	15~12 (180~140)	15~12 (190~150)
자연	10~8 (100~80)	10~8 (100~80)	10~15 (110~160)	13~10 (140~110)	10~15 (120~180)	10~15 (120~190)
보건	18~12 (170~120)	15~12 (150~120)	15~10 (160~110)	10~12 (110~130)	10~12 (120~140)	10~12 (120~150)
음악	12~10 (120~100)	15~10 (150~100)	8~10 (90~110)	8~5 (90~60)	8~5 (100~60)	8~5 (100~60)
미술	10~8 (100~80)	10~8 (100~80)	8~10 (90~110)	7~10 (80~110)	10~8 (120~100)	10~8 (120~100)
실과	-	-	-	7~10 (80~110)	7~10 (80~110)	7~10 (90~130)
특별 활동	5~2 (50~20)	5~2 (50~20)	5~8 (50~80)	5~8 (60~100)	5~10 (60~120)	5~10 (60~120)
계	100% (960분)	100% (1,000분)	100% (1,080분)	100% (1,120분)	100% (1,200분)	100% (1,240분)
연간 총 수업시간수	840시간 (24)	875시간 (25)	945시간 (27)	980시간 (28)	1,050시간 (30)	1,085시간 (31)

① 백분율은 각 교과 및 특별 활동의 1년간 수업 시간에 대한 학년별 시간 배당을 표시함.
② ( ) 안의 숫자는 매주 평균 수업 시간을 표시함.
출처: 문교부(1954. 4. 20.: 4). 국민학교 교육과정 시간 배당 기준표. 문교부령 제35호, 「국민학교 · 중학교 · 고등학교 및 사범학교 교육과정 시간 배당 기준령」, 별표 1.

다. 교육과정 내용 면에서는 자주성, 생산성, 유용성을 강조하고, 교육과정 조직 면에서는 합리성, 교육과정 운영 면에서는 지역성을 강조하여 경험 중심, 생활 중심 교육과정의 성격을 명백하게 드러냈다. 학교 급 간의 연계성과 교과 간의 통합성을 강조하였는데, 특히 국민학교의 1, 2학년에서 각 교과의 관련성을 고려하여 종합(통합) 지도

〈표 3-6〉 제2차 교육과정 시기 부분 개정된 국민학교 교육과정 시간 배당 기준(1969. 9. 4.)

교과	학년	1학년	2학년	3학년	4학년	5학년	6학년
교과	국어	6~5.5	6~7	6~5	5~6	6~5.5	5~6
	산수	4~3	3~4	3.5~4.5	4.5~4	4~5	5~4
	사회	2~2.5	3~2	3~4	4~3	3~4	4~3
	자연	2~2.5	2~2.5	3.5~3	3~3.5	4~3	4~3
	음악	1.5~2	2~1.5	2~1.5	1.5~2	2~1.5	1.5~2
	체육	2.5~3	3~2.5	3~3.5	3.5~3	3~3.5	3~3.5
	미술	2~1.5	2~1.5	2~1.5	1.5~2	2.5~1.5	1.5~2.5
	실과	-	-	-	2~1.5	2.5~3	2.5~3.5
반공 · 도덕		2	2	2	2	2	2
계		22	23	25	27	29	29
특별 활동		1.5~	1.5~	2~	2~	2.5~	2.5~

출처: 문교부(1963. 2. 15.: 12).「국민학교 교육과정」. 문교부령 제119호 별책.

가 가능하도록 하고, 특별 활동의 시간 배당을 학교의 실정에 맞게 운영할 수 있게 융통성을 부여하였다. 국민학교 교육과정의 편제는 교과 활동, 반공 · 도덕 생활, 특별 활동의 세 영역으로 나누었으며, 학교 수업 일수는 연간 35주를 기준으로 단위 수업 시간은 40분이나 각 학교의 실정에 맞게 조정할 수 있는 재량권을 학교장에게 부여하였다(교육부, 2016: 15).

1969년 부분 개정에서는 반공 · 도덕 생활을 강화하고 특별 활동을 체계화하고 강조하였으며, 국어과에서 완전한 한글 전용 실시를 위하여 한자 교육을 하지 않도록 하였다(교육부, 2016: 15). 시간 배당에서 이전에 총 이수 시간에 대한 백분율과 연간 이수 시간수를 표시한 것과 달리 교과별 주당 이수 시간으로 표시하고, 특별 활동은 총 이수 시간의 백분율로 표시하였다. 학년별로 주당 총 이수 시간 수를 1시간 정도 줄였다. 국민학교는 8교과로 하였고, '사회생활'을 '사회'로 명칭을 변경하였다(〈표 3-6〉 참고)(유봉호, 1992: 328).

마. 제3차 교육과정의 시기(1973~1981): 학문 중심 교육과정

제3차 교육과정은 1968년 선포된 국민 교육 헌장의 이념과 1960년대에 미국에서 새롭게 대두된 '학문 중심 교육과정'의 사조를 기반으로 개정되었다. 국민 교육 헌장 이념 구현을 기본 방향으로 삼고 국민적 자질의 함양 및 인간 교육의 강화, 지식·기술의 쇄신 등을 기본 방침으로 정하여 자아실현(개인)과 국가 발전 및 민주적 가치 함양(사회)을 교육 목표로 제시하였다(교육부, 2016: 16).

교육과정 편제에서 '반공·도덕 생활'이 사라지고 '도덕'과가 독립된 교과가 되어 교과와 특별 활동의 이원적 구조를 갖추게 되었으며, 교과는 총 9개가 되었다. 중등학교에서는 '도덕'과와 함께 '국사'도 독립된 교과가 되었으나, 국민학교에서는 이전대로 사회과 내의 국사 분야로 유지되었는데, 5, 6학년에서 국사 부분의 내용을 별도로 편성하고 교과서도 별도로 편찬하게 하였다(교육부, 2016: 16).

시간 배당에서 국민학교의 경우 이전과 달리 교과별·학년별로 연간 최소 시간(단, 괄호 안에 주당 시간 표시)으로 단일화하였다(교육부, 2016: 16). 이는 이전의 교육과정에서 이수의 폭을 두었으나 학교 현장에서는 여유의 폭이 좁고, 학년별 수업 시수의 합계가 고정되어 여유의 폭이 거의 없었고, 담임이 전 교과를 하나의 국정 교과서로 가르치므로 그 폭에 별 의미가 없었기 때문이었다(유봉호, 1992: 355-356). 또한, 수업 시간 단위를 40분 또는 45분으로 하였는데, 이것의 취지는 1~6학년의 성장 조건 등을 감안하여 융통성 있게 활용하기 위한 것이었다. 특히 교육 내용에서 국민학교 1학년부터 '집합'의 개념이 도입된 것은 이전의 생활 수학에서 벗어난 획기적인 일이었다. 제1차와 제2차 교육과정과 마찬가지로 1, 2학년의 학습 활동은 '가급적 관련 있는 교과를 통합하여 종합적'으로 지도하도록 명시하였다. 특별 활동의 영역은 학급 활동, 클럽 활동, 아동회 활동, 학교 행사의 네 영역으로 구성하였고, 학교 행사의 시간은 따로 확보하도록 하였다(교육부, 2016: 16).

제3차 교육과정을 현장에서 운영할 때에는 여러 문제가 나타났다. 첫째, 새 교육과정 이론에 대한 현장 교사의 지식과 가르치는 방법이 미숙하여 이론에 잘 따르지 못하였고, 둘째, 학교의 시설 및 교구가 잘 갖추어지지 못하였으며, 셋째, 새로운 학습 용어들이 일상 용어와 달라 생소한 느낌을 주었다. 학문 중심 교육과정 이론은 수학, 과학, 사회에서는 어느 정도 적용될 수 있었으나, 지식 체계가 덜 갖추어진 도덕과, 국어과, 예능과에서는 적용하기 어려웠다. 이는 규범적·심미적 교과는 인지적 영역 외에 정의적·행동적 영역에 관련되었기 때문이었다.

제4차 교육과정에서 지적한 제3차의 문제점으로, ① 학습 내용의 과다, ② 학습하기 어려운 교육 내용, ③ 교과목 위주의 분과 교육, ④ 기초 교육, 일반 교육의 소홀, ⑤ 전인 교육, 인간 교육의 미흡이 있었다. 학문적 구조와 발견·탐구 학습을 강조하여 수학, 과학에서 어렵다는 지적이 있었다. 저학년의 경우, 기본적인 지식의 제시 없이 어려운 개념과 탐구 학습을 제시한 결과로 지적되었다. 이와 함께 실용적 측면인 일상생활의 개인적·사회적 문제 해결을 소홀히 하였다는 지적을 받았다. 학문 중심 교육과정은 지식의 전문화를 강조하여 일반 교육을 무시하였다는 지적이 있었다. 학문적 지식을 지나치게 강조하였고 교과의 수준이 획일화되어 학생의 능력에 맞는 프로그램을 선택하기 어려웠고, 그 결과 도덕적·심미적 교과와 특별 활동을 소홀히 하여 전인 교육, 인간 교육을 경시하였다는 지적이 있었다(**〈표 3-7〉** 참고)(유봉호, 1992: 367-368).

바. 제4차 교육과정의 시기(1981~1987): 인간 중심 교육과정

제4차 교육과정은 1980년대 정치적·사회적 특수 상황과 7·30 교육 개혁 조치에 따라 한국교육개발원에서 위탁받아 개발하였다. 1980년대의 교육 개혁 조치들로 인한 변화로 첫째, 유치원 취원율이 높아졌다. 둘째, 중학교 의무 교육이 부분적으로 시행되었고, 고등학교 교육 기회가 확대되었다. 셋째, 대학 교육에 변화가 있었다. 1981년부터 대학별 본고사를 폐지하고 내신과 예비고사 성적만으로 선발하였으며, 1981학년도부터 졸업정원제를 실시하였다. 넷째, 기간 학제의 학교 외에 방계 학제 학교들을 확대하여 교육 기회를 넓혔다. 이러한 변화를 반영한 새로운 교육과정의 필요에 의하여 제4차 교육과정 개정이 이루어졌다(유봉호, 1992: 379-380).

이 교육과정은 민주 사회, 고도 산업 사회, 건전한 사회, 문화 사회, 통일 조국 건설에 필요한 건강한 사람, 심미적인 사람, 능력 있는 사람, 도덕적인 사람, 자주적인 사람을 길러내는 것을 목적으로 삼았다. 교육과정을 '문서화된 계획'으로 보았고, 한 사조나 이념에 편중하지 않고 종합적이고 복합적인 성격을 가진 미래 지향적 교육과정을 표방하였다(교육부, 2016: 17).

기본 편제는 교과와 특별 활동의 두 영역으로 나누었으며, 교과 교육과정은 도덕, 국어, 사회, 산수, 자연, 체육, 음악, 미술, 실과의 9개 교과로, 특별 활동은 어린이회 활동, 클럽 활동, 학교 행사의 세 영역으로 편성하였다. 1~2학년에서 교과 간의 통합을 시도하여 '바른 생활'(도덕+국어+사회), '즐거운 생활'(체육+음악+미술), '슬기로운 생

〈표 3-7〉 제3차 교육과정 시기의 국민학교 교육과정 시간 배당 기준(1973. 2. 14.)

교과＼학년	1학년	2학년	3학년	4학년	5학년	6학년
도덕	70(2)	70(2)	70(2)	70(2)	70(2)	70(2)
국어	210(6)	210(6)	210(6)	210(6)	210(6)	210(6)
사회	70(2)	70(2)	105(3)	105(3)	140(4)	140(4)
산수	140(4)	140(4)	140(4)	140(4)	175(5)	175(5)
자연	70(2)	70(2)	105(3)	140(4)	140(4)	140(4)
체육	70(2)	105(3)	105(3)	105(3)	105(3)	105(3)
음악	70(2)	70(2)	70(2)	70(2)	70(2)	70(2)
미술	70(2)	70(2)	70(2)	70(2)	70(2)	70(2)
실과	-	-	-	70(2)	70(2)	105(3)
계	770(22)	805(23)	875(25)	980(28)	1,050(30)	1,085(31)
특별 활동	35~ (1~)	35~ (1~)	52.5~ (1.5~)	52.5~ (1.5~)	52.5~ (1.5~)	52.5~ (1.5~)

※ 사회과 5, 6학년 시간 배당 140(4) 중, 70(2)시간은 해당 학년의 국사 부문에 배당한다.

⑴ 이 기준표는 교과 활동과 특별 활동의 지도를 위한 연간 최소 시간량을 나타낸 것이다. ( ) 안은 35 주일 경우의 주당 평균 시간량을 나타낸 것이다.

⑵ 이 기준표에 표시된 특별 활동 시간은 학교 행사를 제외한 최소 시간량이다.

⑶ 1시간의 교과 수업 시간은 40분 또는 45분으로 한다. 다만, 학교에서는 기후, 계절, 어린이의 발달 정도, 학습 내용의 성질 등을 고려하여 학교의 실정에 알맞도록 1시간의 교과 수업 시간을 조절할 수 있다.

⑷ 각 학교에서는 이 시간 배당 기준에 의거하여 어린이 및 향토 사회의 특수성에 적합한 시간 계획 을 다음 사항에 유의하여 수립하여야 한다.

　㈎ 이 시간 배당 기준의 한도 내에서 연간, 학기 간, 계절 간, 주 및 일일 시간 계획을 수립한다.

　㈏ 연간 계획 수립에 있어서는, 시간량은 기준표의 시간량과 각 교과 간의 시간량 비율에 부합되 도록 한다.

　㈐ 주간 계획의 수립에 있어서는 이 기준표의 주당 평균 시간량을 참작하여 일일별 교과의 배당 이 균형을 이루도록 한다.

출처: 문교부(1973. 2. 14.: 6).「국민학교 교육과정」. 문교부령 제310호, 별책 1.

활'(산수+자연)이라는 통합 교과서를 발간하였고, 이들 2~3 교과를 묶어서 시간을 배 당하는 큰 변화를 주었다. 1, 2학년에서의 교과 간 통합 시간 배당은 제5차 교육과정에 서 통합 교과 설정의 길을 열었다. 또한 교과 활동 총 이수 시간 중 5%의 시간을 감축 운영할 수 있도록 재량권을 부여하였고, 1~3학년의 국어 시간을 1시간 늘리고, 특별 활동 시간을 3학년부터 배당하였다(교육부, 2016: 17).

제4차 교육과정은 미래 사회의 인간상을 그리면서 전인 교육, 과학 교육을 강조하였으나, 교육 실제에서 큰 변화를 이끌어내지는 못하였다. 학생의 부담을 줄이기 위해 학과목을 축소하였고, 주당 수업 시간 수도 줄였으나 학교 현장에서는 입시 과목을 위주로 교육과정을 운영하였고, 고등학교의 경우 '자율 학습'의 명목으로 밤늦게까지

〈표 3-8〉 제4차 교육과정 시기의 국민학교 교육과정 시간 배당 기준(1981. 12. 31.)

구분	학년	1학년	2학년	3학년	4학년	5학년	6학년
교과	도덕	374(11)	374(11)	68(2)	68(2)	68(2)	68(2)
	국어			238(7)	204(6)	204(6)	204(6)
	사회			102(3)	102(3)	136(4)	136(4)
	산수	204(6)	136(4)	136(4)	136(4)	170(5)	170(5)
	자연		68(2)	102(3)	136(4)	136(4)	136(4)
	체육	204(6)	238(7)	102(3)	102(3)	102(3)	102(3)
	음악			68(2)	68(2)	68(2)	68(2)
	미술			68(2)	68(2)	68(2)	68(2)
	실과				68(2)	68(2)	68(2)
	계	782(23)	816(24)	884(26)	952(28)	1,020(30)	1,020(30)
특별 활동				34~(1~)	68~(2~)	68~(2~)	68~(2~)
총 계		782 (23)	816 (24)	918~ (27~)	1,020~ (30~)	1,088~ (32~)	1,088~ (32~)

① 이 표에 배당된 총 시간 수는 연간 34주를 기준으로 한 최소 시간량이고, ( ) 안은 주당 평균 시간 수이다.
② 1, 2학년의 경우, 2~3 교과를 합쳐서 시간을 배당한 것은 통합 교과용 도서 및 자료를 활용하여 해당 교과를 통합 운영하는 것을 나타낸 것이다.
③ 1시간의 수업은 40분을 원칙으로 한다. 다만, 기후, 계절, 학생의 발달 정도, 학습 내용의 성격 등을 고려하여, 이를 실정에 알맞도록 조절할 수 있다.
④ 학교의 특수한 여건이나 교무 형편상 부득이한 사유로 시간 배당 기준에 의한 시간 수를 충당할 수 없을 경우에는, 감독청의 승인을 받아 교과 활동 총 이수 시간의 5%에 해당하는 시간을 감축, 운영할 수 있다.

출처: 문교부(1981. 12. 31.: 5). 「국민학교 교육과정」, 문교부 고시 제442호, 별책 2.

학교에 남아야 하였고, 고교 내신 성적이 30% 이상 대학 입시에 반영되어 고교 과정부터 성적 경쟁이 치열하였다. 학교 현장 교사들의 교육과정에 대한 연수도 부족하였고, 수업 환경도 열악하여 전인 교육, 적성 교육, 과학 탐구 교육은 구호에 그쳤다(〈표 3-8〉 참고)(유봉호, 1992: 403).

사. 제5차 교육과정의 시기(1987~1992)

제5차 교육과정은 이전과 다르게 교육과정 및 교과용 도서 중 개선이 필요한 부분만을 개정한다는 것을 기본 원칙으로 삼았으며, 개인적·학문적·사회적 적합성을 고루 갖추도록 하면서 교과, 생활, 학문 중심과 같은 어떤 사조를 따르기보다 종합적 접근 방식을 취한 것은 제4차와 같았다. 개정 방침을 교육과정의 적정화, 내실화, 지역화에 두었으며, 개정의 전략으로 지속성, 점진성, 효율성을 제시하였다. 개정의 중점을 기초 교육의 강화(1, 2학년 국어·산수과 독립), 통합 교육과정 구성, 정보화 사회 대응 교육 강화(컴퓨터 교육, 경제 교육), 교육과정의 효율성 제고(교육과정 해설서 발간) 등에 두었다(교육부, 2016: 18; 유봉호, 1992: 407).

1, 2학년은 제4차의 통합 교과서 발간에서 한 발 더 나아가 통합 교육과정 체제로 바꾸었고, 언어 및 수리 기능의 집중적 지도를 위해 '국어'와 '산수'는 통합 교과서에서 분리하였다. 또한 '우리들은 1학년'을 별도의 교과로 편성하고 70시간을 배정하여 연간 수업 시간 수가 제4차에 비해 증가하였다. 특별 활동 시간 운영의 현실화를 위해 1~2학년은 시수를 다시 배정하고 3학년 시수는 추가하였다(교육부, 2016: 18).

교육과정 사상 처음으로 1교과 다중 교과서를 도입해(국어: 말하기·듣기, 쓰기, 읽기, 산수: 산수, 산수 익힘책 등) 교과서의 종류 및 책 수가 늘었으며, 최초로 초등 사회과 4학년 지역별(시·도 단위) 교과서를 개발하게 하여 교육과정의 지역화가 분명하게 드러나게 하였다. 이 외에 1, 2학년의 경우 학생의 활동 상황, 진보의 정도, 특징 등을 문장으로 기술하도록 한 것과 심신 장애자를 위한 특수 학급의 교육과정 운영 지침을 추가하였고, 시간 배당 기준을 이원적으로 제시하면서, 1, 2학년의 교과 편성을 분명하게 하였다(〈표 3-9〉 참고)(교육부, 2016: 18).

아. 제6차 교육과정의 시기(1992~1997): 지방 분권적 교육과정

제6차 교육과정은 정부의 지방 자치화 흐름에 따라 '중앙 집권형 교육과정'을 '지방 분권형 교육과정'으로 전환하여 시·도 교육청과 학교의 자율·재량 권한을 확대

〈표 3-9〉 **제5차 교육과정기의 국민학교 교육과정 시간 배당 기준(1987. 6. 30.)**

구분	학년	1학년		2학년
교과 활동	국어	우리들은 1학년 70	210(7)	238(7)
	산수		120(4)	136(4)
	바른 생활		120(4)	136(4)
	슬기로운 생활		60(2)	68(2)
	즐거운 생활		180(6)	238(7)
특별 활동		30(1)		34(1)
계		790(24)		850(25)

구분	학년	3학년	4학년	5학년	6학년
교과	도덕	68(2)	68(2)	68(2)	68(2)
	국어	238(7)	204(6)	204(6)	204(6)
	사회	102(3)	102(3)	136(4)	136(4)
	산수	136(4)	136(4)	170(5)	170(5)
	자연	102(3)	136(4)	136(4)	136(4)
	체육	102(3)	102(3)	102(3)	102(3)
	음악	68(2)	68(2)	68(2)	68(2)
	미술	68(2)	68(2)	68(2)	68(2)
	실과	-	68(2)	68(2)	68(2)
특별 활동		68(2)	68(2)	68(2)	68(2)
계		952(28)	1,020(30)	1,088(32)	1,088(32)

① 이 표에 배당된 총 시간 수는 연간 최소 시간량이고, ( ) 안은 34주를 기준으로 한 주당 평균 시간 수이다.
② 다만, 1학년에 있어서, '우리들은 1학년'의 배당 시간은 3월 한 달 동안에 이수하여야 할 수업 시간 수이며, 그 이외의 교과 활동 및 특별 활동에 배당된 시간 수는 30주를 기준으로 한 것이다.
③ 1시간의 수업은 40분을 원칙으로 한다. 다만, 기후, 계절, 학생의 발달 정도, 학습 내용의 성격 등을 고려하여 실정에 알맞도록 조절할 수 있다.
④ 1, 2학년의 특별 활동에 배당된 시간은 교과 활동의 배당 시간과는 다르게 학교 실정에 알맞도록 융통성 있게 운영할 수 있다.

출처: 문교부(1987. 6. 30.: 6). 「국민학교 교육과정」, 문교부 고시 제87-9호. 제5차 교육과정.

하였고, 교육과정 편성 및 운영에서 중앙 · 지방 · 학교의 역할과 책임을 분담하는 새로운 체제를 도입하였다. 교육과정 결정의 분권화(교육 내용의 획일성, 경직성, 폐쇄성 해소, 자율 재량 확대), 교육과정 구조의 다양화(다양한 이수 과정 및 선택 확대, 시대적 요구 반영), 교육과정 내용의 적정화(학습 부담 경감, 학습량 및 수준 조정, 이수 내용의 성차별 철폐), 교육과정 운영 효율화(학생의 적성 · 능력 · 진로 중시, 교육 방법 및 평가의 개선) 등 네 가지를 중점으로 삼았으며, 추구하는 인간상은 건강한 사람, 자주적인 사람, 창의적인 사람, 도덕적인 사람으로 설정하였다(교육부, 2016: 19).

　기본 편제는 학교 재량 시간을 신설하여, 교과, 특별 활동, 학교 재량 시간의 세 영역으로 구성하였으며, 입학 초기 학교 적응 활동(우리들은 1학년)의 교육과정 편성 · 운영 및 교재 개발을 시 · 도 교육청에 위임하여 학교 교육과정 편성 · 운영의 지역화, 자율화, 다양화의 토대를 마련하였다. 이 외에 기본 생활 습관과 예절 교육 강화, 저학년 통합 교과의 합리적 조정, 고학년의 수업 시간 감축, 생활 기초 기능과 태도 교육 강화, 학교 재량 시간의 신설, 산수를 수학과로 명칭 변경 등이 있다. 그리고 1995년 부분 개정하여 국민학교에서 영어를 정규 교과로 신설하고 3~6학년에 주당 평균 2시간의 수업 시간을 배정하여 외국어 교육의 기회를 확대하였다(**〈표 3-10〉** 참고)(교육부, 2016: 19).

자. 제7차 교육과정의 시기(1997~2007)

　제7차 교육과정은 대통령 자문 기구인 교육개혁위원회의 교육 개혁 방안의 토대 위에 이루어졌고, 21세기 세계화 · 정보화 시대를 주도할 자율적이고 창의적인 한국인 육성으로 기본 방향을 설정하였다. 추구하는 인간상은 '복합적이고 다면적인 인간상'으로서 전인적 성장의 기반 위에 개성을 추구하는 사람, 기초 능력을 토대로 창의적인 능력을 발휘하는 사람, 폭넓은 교양을 바탕으로 진로를 개척하는 사람, 우리 문화에 대한 이해의 토대 위에 새로운 가치를 창조하는 사람, 민주 시민 의식을 기초로 공동체 발전에 공헌하는 사람이었다(교육부, 2016: 20).

　이 시기에 초 · 중 · 고등학교의 학교 급별 구분을 없애면서, 1학년부터 10학년(고등학교 1학년)까지 10년을 국민 공통 기본 교육 기간으로 설정하였다. 그리고 학년제 또는 단계 개념에 기초를 두고 교육 내용의 중복, 비약을 피하여 기본 교과 중심의 일관성 있는 교육과정을 수립하였다. 또한 학생의 필요, 능력, 적성, 흥미에 대한 개인차를 최대한 고려한 수준별 교육과정을 도입하였으며, 재량 활동을 신설하여 학생의 자

〈표 3-10〉　제6차 교육과정 시기의 국민학교 교육과정 시간 배당 기준(1992. 9. 30.)

구분	학년	1학년	2학년	3학년	4학년	5학년	6학년
교과	도덕	바른 생활 60	68	34	34	34	34
	국어	210	238	238	204	204	204
	수학	120	136	136	136	170	170
	사회	슬기로운 생활		102	102	136	136
	자연	120	136	102	136	136	136
	체육	즐거운 생활 180	238	102	102	102	102
	음악			68	68	68	68
	미술			68	68	68	68
	실과	-	-	34	34	34	34
특별 활동		30	34	34	68	68	68
학교 재량 시간		-	-	34	34	34	34
연간 수업 시간 수		790(70)	850	952	986	1,054	1,054

① 이 표의 시간 수는 34주를 기준으로 한 연간 최소 시간 수임(1학년은 30주로 함).
② 1단위 시간은 40분을 원칙으로 함.
③ 1학년 연간 수업 시간 수 790시간 중 (70)시간은 입학 초기 학교 적응 활동(3월)에 배당하여야 함.
출처: 교육부(1992. 9. 30.: 4).「국민학교 교육과정」교육부 고시 제1992-16호.

기 주도적 학습을 촉진하고 학교의 자율적이고 창의적인 교육과정 편성・운영이 가능하게 하였다(교육부, 2016: 20).

초등학교 교육과정에서 기본적 언어 능력, 수리적 사고 능력, 기초 체력, 탐구력과 창의성, 기본 생활 습관 등 기초・기본 교육의 충실에 중점을 두었다. 1, 2학년의 통합 교과는 교과와 교과 간의 통합 개념에서 탈피하여 활동 중심 주제에 토대를 두고 융통성 있게 운영할 수 있도록 통합 교과 개념을 재정립하였다. 학년제와 과목군 개념 도입으로 '자연'과 '영어' 교과는 '과학'과 '외국어(영어)'로 명칭을 변경하였으며, 실과 교육을 실습 중심으로 강화하기 위해 시간을 5, 6학년에 집중적으로 배정하였다. 특별 활동은 자치 활동, 적응 활동, 계발 활동, 봉사 활동, 행사 활동의 5개 영역으로 구분하고 영역별 목표를 설정하였다(〈표 3-11〉 참고)(교육부, 2016: 21).

〈표 3-11〉 제7차 교육과정 시기의 초등학교 교육과정 시간 배당 기준(1997. 12. 30.)

구분	학년	1학년	2학년	3학년	4학년	5학년	6학년
교과	국어	국어		238	204	204	204
	도덕	210	238	34	34	34	34
	사회	수학		102	102	102	102
	수학	120	136	136	136	136	136
	과학	바른 생활		102	102	102	102
	실과	60	68	-	-	68	68
	체육	슬기로운 생활		102	102	102	102
	음악	90	68	68	68	68	68
	미술	즐거운 생활		68	68	68	68
	외국어 (영어)	180	204	34	34	68	68
		우리들은 1학년					
		80	-				
재량 활동		60	68	68	68	68	68
특별 활동		30	34	34	68	68	68
연간 수업 시간 수		830	850	986	986	1,088	1,088

① 이 표의 국민 공통 기본 교육 기간에 제시된 시간 수는 34주를 기준으로 한 연간 최소 수업 시간 수이다.

② 1학년의 교과, 재량 활동, 특별 활동에 배당된 시간 수는 30주를 기준으로 한 것이며, '우리들은 1학년'에 배당된 시간 수는 3월 한 달 동안의 수업 시간 수를 제시한 것이다.

③ 1시간의 수업은 초등 학교 40분을 원칙으로 한다. 다만, 기후, 계절, 학생의 발달 정도, 학습 내용의 성격 등을 고려하여 실정에 알맞도록 조절할 수 있다.

출처: 교육부(1997. 12. 30.: 9). 「초등학교 교육과정」. 교육부 고시 제1997-15호.

차. 2007 개정 교육과정의 시기(2007~2009)

2007 개정 교육과정은 제7차 교육과정의 기본 철학과 체제를 유지하면서 이전의 비효율적인 일시적 · 전면적 교육과정 개정 방식을 벗어나 사회의 다원화 및 급격한 변화에 대응하여 교육 내용을 지속적으로 개선하기 위해 새로 도입된 수시 개정 체제에 따라 개정하였다. 특히 제7차 교육과정의 주요 특징 중 하나인 수준별 교육과정의 경우 단계형 수준별 교육과정은 재이수(유급) 및 월반 등이 허용되지 않아 현실성이 부족하였으며, 학교별로 각 수준에 대한 학력 기준이 다른 문제점을 개선하고자 하

였다. 이에 따라 수준별 교육과정은 폐지하되, 수준별 수업은 유지하면서 그 내실화를 도모하였다(교육부, 2016: 22).

수요자 중심, 단위 학교에서 만들어가는 교육과정, 추구하는 인간상, 교육 목표 등과 국민 공통 기본 교육과정, 선택 중심 교육과정 등 기본적 틀을 유지하되, 교과 내용 개선에 초점을 두었다. 개정의 중점에는 단위 학교별 교육과정 편성·운영의 자율권 확대, 국가·사회적 요구 적극 반영, 수준별 교육과정을 수준별 수업으로 전환, 고등학교 선택 중심 교육과정 개선, 교과별 교과 내용 적정화, 월 2회 주5일 수업제 실시를 위한 수업 시수 일부 조정 등이 포함되었다(교육부, 2016: 22).

교육과정 편제와 시간 배당에서 학교 교육과정 운영의 자율성 확대를 위해 34주를 기준으로 교과, 재량 활동, 특별 활동 및 학년별 수업 시간 수를 연간 총 수업 시수로 나타냈다. 3~6학년의 연간 총 수업 시수를 제7차보다 34시간 감축하면서 학교에서는 교과 수업 시간 수 중 연간 34시간의 범위 내에서 감축하여 운영하게 하였다. 학생의 직접적 체험 활동 강화를 위해 교과 수업 시수의 조정 운영이 가능하게 하였다. '우리들은 1학년' 교과의 담임교사 재량에 따른 융통성 있는 시간 운영을 가능하게 하였고, 중학교와 고등학교는 교과 재량 활동을 운영하되, 초등학교 재량 활동은 창의적 재량 활동으로만 운영하게 하였다. 특별 활동의 영역별로 학교의 실정을 반영할 수 있게 시간 배정 결정권을 단위 학교에 부여하여 융통성 있는 운영이 가능하게 하였다(〈표 3-12〉 참고)(교육부, 2016: 22).

카. 2009 개정 교육과정의 시기(2009~2015)

교육과학기술부가 '국가교육과학기술자문회의 교육과정특별위원회'의 '미래형 교육과정 구상안'을 바탕으로 다양한 의견 수렴 과정을 거쳐 개정하였다. 추구하는 인간상은 전인적 성장의 기반 위에 개성의 발달과 진로를 개척하는 사람, 기초 능력의 바탕 위에 새로운 발상과 도전으로 창의성을 발휘하는 사람, 문화적 소양과 다원적 가치에 대한 이해를 바탕으로 품격 있는 삶을 영위하는 사람, 세계와 소통하는 시민으로서 배려와 나눔의 정신으로 공동체 발전에 참여하는 사람이었다(교육부, 2016: 23-24).

개정의 방향으로 학기당 이수 교과목 축소를 통한 학습의 효율성 제고, 창의적 체험 활동(자율 활동, 동아리 활동, 봉사 활동, 진로 활동) 도입을 통한 교과 외 활동 강화, 고등학교 선택 과목의 수준별·영역별 재구조화, 교과(군)별 20% 자율 증감 운영을 통한 학교 교육과정 자율권 확대 등을 제시하였다. 주요 개정 내용은 '국민 공통 기

〈표 3-12〉 2007 개정 교육과정 시기의 초등학교 교육과정 시간 배당 기준(2007. 2. 28.)

구분	학년	1학년	2학년	3학년	4학년	5학년	6학년
교과	국 어	국어		238	204	204	204
	도 덕	210	238	34	34	34	34
	사 회	수학		102	102	102	102
	수 학	120	136	136	136	136	136
	과 학	바른 생활		102	102	102	102
	실 과	60	68	-	-	68	68
	체 육	슬기로운 생활		102	102	102	102
	음 악	90	102	68	68	68	68
	미 술	즐거운 생활		68	68	68	68
	외국어 (영어)	180	204	34	34	68	68
		우리들은 1학년					
		80	-				
재량 활동		60	68	68	68	68	68
특별 활동		30	34	34	68	68	68
연간 수업 시간 수		830	850	952	952	1,054	1,054

① 이 표의 국민 공통 기본 교육 기간에 제시된 시간 수는 34주를 기준으로 한 연간 최소 수업 시간 수이다. 단, 3~6학년의 연간 총 수업 시간 수는 주5일 수업에 따라 감축된 시간 수이므로 학교에서는 교과 수업 시간 수 중 연간 34시간의 범위 내에서 감축하여 운영한다.
② 1학년의 교과, 재량 활동, 특별 활동에 배당된 시간 수는 30주를 기준으로 한 것이며, '우리들은 1학년'에 배당된 시간 수는 3월 한 달 동안의 수업 시간 수를 제시한 것이다.
③ 1시간의 수업은 초등학교 40분, 중학교 45분, 고등학교 50분을 원칙으로 한다. 다만, 기후, 계절, 학생의 발달 정도, 학습 내용의 성격 등을 고려하여 실정에 알맞도록 조절할 수 있다.
출처: 교육인적자원부(2007. 2. 28.: 6). 「초 · 중등학교 교육과정」. 교육인적자원부 고시 제2007-79호. 별책 1.

본 교육과정'을 '공통 교육과정'으로 변경하면서 중학교 3학년까지 9년으로 축소하여 의무 교육 기간과 일치하게 하였고, 교과군(사회/도덕, 과학/실과, 음악/미술)과 학년군(초등 1~2학년, 3~4학년, 5~6학년, 중학교 1~3학년) 제도를 도입하여 집중 이수를 실시할 수 있게 하였다. 그리고 재량 활동과 특별 활동을 통합하여 창의적 체험 활동을 신설하였고, 학습 부진아, 다문화 가정 자녀 등에 대한 특별 지원 강화, 초등학교 1~2학년 부진 학생에 대한 별도의 프로그램 운영을 통한 기초 · 기본 교육 강화, 지역

〈표 3-13〉 2009 개정 교육과정 시기의 초등학교 교육과정 시간 배당 기준(2009. 12. 23.)

구분		1~2학년	3~4학년	5~6학년
교과(군)	국어	국어 448	408	408
	사회/도덕		272	272
	수학	수학 256	272	272
	과학/실과	바른 생활 128	204	340
	체육	슬기로운 생활 192	204	204
	예술(음악/미술)		272	272
	영어	즐거운 생활 384	136	204
창의적 체험 활동		272	204	204
학년군별 총 수업시간 수		1,680	1,972	2,176

① 이 표에서 1시간 수업은 40분을 원칙으로 하되, 기후 및 계절, 학생의 발달 정도, 학습 내용의 성격 등과 학교 실정을 고려하여 탄력적으로 편성·운영할 수 있다.
② 학년군 및 교과(군)별 시간 배당은 연간 34주를 기준으로 한 2년간의 기준 수업 시수를 나타낸 것이다.
③ 학년군별 총 수업 시간 수는 최소 수업 시수를 나타낸 것이다.
④ 3~4학년의 국어과 기준 수업 시수는 주5일 수업에 따라 감축된 시간 수이므로 학교에서는 442시간을 기준 수업 시수로 운영할 수 있다.
⑤ 실과의 수업 시간은 5~6학년 과학/실과의 수업 시수에만 포함된 것이다.
출처: 교육과학기술부(2009. 12. 13.: 4).「초·중등학교 교육과정 총론」. 교육과학기술부 고시 제 2009-41호.

사회 및 학교의 여건에 따라 저학년 돌봄 활동 지원 강화, 통합 교과인 '우리들은 1학년'을 폐지하고 창의적 체험 활동에 포함하여 입학 초기 적응 활동으로 운영하게 하였다(〈표 3-13〉 참고)(교육부, 2016: 24).

타. 2015 개정 교육과정의 시기(2015~현재)

2015 개정 교육과정은 '문·이과 통합'을 화두로 삼아 '창의 융합형 인재 양성'을 위한 방안과 우리 교육의 개선 방안을 모색하였다(김경자 등, 2015: 15-16; 교육부, 2016: 25 재인용). 교육과정 개정의 기본 방향은 6가지였다.

첫째, 초·중등학교 전 교육 기간을 통하여 인문·사회·과학 기술에 대한 기초 소양이 균형 있게 개발되도록 하였다. 초등학교의 경우 기존의 교육과정 편제를 유지하는 가운데 교과 교육과정 및 창의적 체험 활동을 통해 독서 교육, 연극 교육 강화 등 기초 소양을 함양하도록 하였다. 둘째, 기초 소양을 바탕으로 학생 개개인의 꿈과 끼를 키워주는 학생 맞춤형 수업이 이루어질 수 있게 하였다. 셋째, 종전의 인간상의 큰 틀을 유지하면서 미래 사회가 요구하는 창의 융합형 인재가 갖추어야 할 핵심 역량을 제시하였다. 이들은 자기 관리 역량, 지식 정보 처리 역량, 창의적 사고 역량, 심미적 감성 역량, 의사소통 역량, 공동체 역량의 6가지이다. 단순한 지식 습득에서 벗어나 실제적인 역량의 함양이 가능하도록 교과 교육과정을 핵심 개념 중심으로 구조화하고 협력 학습, 토의·토론학습 등의 학생 참여 중심 수업과 과정 중심 평가를 확대하는 등의 구체적인 수업 개선 방향을 제시하였다. 넷째, 교육 내용 적정화를 위해 단순히 양을 축소하는 것에서 벗어나 소수의 핵심 개념[1]을 중심으로 교과 교육과정을 재구조화하였다. 교과 교육과정의 교육 내용 구조화는 우선 교과의 전체적인 구조를 보여줄 수 있는 근본적인 아이디어에 해당하는 핵심 개념을 결정하고, 전체 학교 급을 관통하는 일반화된 지식과 기능을 선정하였다. 일반화된 지식이란 핵심 개념이라는 큰 그림 속에서 학습자들이 이해해야 하는 원리나 일반화를 의미한다. 기능이란 지식을 습득할 때 활용하는 탐구 및 사고 기능이면서, 동시에 학습의 결과로서 학생들이 '할 수 있는' 능력이다. 이렇게 하여 교과별 내용 체계를 영역, 핵심 개념, 일반화된 지식, 내용 요소, 기능으로 제시하였다. 교육 내용을 이와 같이 구조화하여, (1) 교과별 세부 학습 내용들을 아우르는 큰 그림을 보여줌으로써 세부 내용들 간의 관련성과 그 의미를 깊이 있게 이해하게 하였다. (2) 교과 내 지식과 기능, 교과 내 영역 간, 교과 간 내용의 연결성을 드러내어 교과 지식의 통합을 가능하게 하고 학생들의 융합적 사고를 돕게 하였다(교육부, 2016: 28-30).

다섯째, 교육 내용, 교수·학습, 평가가 일관성 있게 이루어지도록 하였다. 핵심 역량을 갖춘 창의 융합형 인재를 기르기 위해서 교육 내용, 교수·학습, 평가가 일관성 있게 이루어지게 하였다. 평가가 교수·학습의 일부분으로 이루어지도록 과정 중심의 평가를 강조하였다. 여섯째, 총론 차원에서는 범교과 학습 주제의 구조화, 창의적 체험 활동에서의 단위 학교 자율성 강화, 안전 교육 강화 등을 제시하였다. (1) 범교

---

1) 핵심 개념이란 교과의 성격을 드러내는 기초 개념과 원리를 포함하는 근본적인 아이디어이다. 이는 학습 내용의 구조를 드러내며 그 교과에서 가장 핵심적인 아이디어가 무엇인지를 보여준다. 일반적 아이디어(general ideas), 빅 아이디어(big idea)와 유사한 의미라고 할 수 있다.

과 학습 주제를 2009 개정 교육과정의 39개에서 10개의 대주제로 범주화하였다. (2)
기존 창의적 체험 활동의 4개 영역 구성은 유지하되 단위 학교의 자율권을 더욱 확대
하였다. (3) 안전 교육을 위해 체육, 기술 · 가정(실과), 과학, 보건 등 관련 교과(목)에
안전 단원을 신설하여 이론과 실천 · 체험을 체계적으로 다루며, 이를 통해 궁극적으
로 안전을 생활화하도록 하였다(교육부, 2016: 31).

특히 초등학교 교육과정의 주요 개정 방향으로 다음과 같이 5가지를 제시하였다
(교육부, 2016: 32-34).

첫째, 2009 개정 초등학교 교육과정의 기본 체제를 유지하면서, 학년군, 교과군,
교과(군)별 20% 범위 내 증감 허용, 교과 집중 이수[2] 등은 유지되었고, 이 외에도 창의
적 체험 활동 하위 4개 영역(자율 활동, 동아리 활동, 봉사 활동, 진로 활동) 및 입학 초
기 적응 활동, 정보 통신 활용 교육, 보건 교육, 한자 교육 강화 등의 사항도 그대로 유
지되었다.

둘째, 만 3~5세를 대상으로 하는 유치원의 누리과정과 초등학교 교육과정의 연
계성을 강화하였다. 먼저, 누리과정과의 연계성을 위해 바른 생활, 슬기로운 생활, 즐
거운 생활 교과에서 생활 도구의 활용, 자연 탐구 활동 및 신체 활동을 강조하여 몸으
로 할 줄 아는 역량을 키우게 하였다. 또한, 우리말과 글자에 대한 누리과정에서의 학
습 경험 위에 1~2학년에서 한글을 완전히 깨우칠 수 있도록 27차시(2009 개정)에서
62차시 내외(2015 개정)로 확대하였다.

셋째, 1~2학년군의 수업 시수를 64시간(주당 1시간 기준) 순증하여 창의적 체험
활동 시간에 신설한 체험 중심의 '안전한 생활' 교육과정을 운영하게 하였다. '안전한
생활' 교육과정은 2016년 2월에 일선 학교에 보급된 안전 교육 7대 표준안 및 5세 누리
과정과의 연계성 등을 고려하여 개발하였다. 이를 '바른 생활'과, '슬기로운 생활'과, '즐
거운 생활'과의 영역(대주제)과 연계하여 지도할 수 있게 하였다. 3~6학년에서는 체
육, 실과 등의 관련 교과에 안전 대단원을 신설하였고, 모든 교과 활동 과정에서 관련
되는 체험 중심의 안전 교육을 실시하거나, 필요한 경우 창의적 체험 활동 시간을 활
용하여 체험 중심의 안전 교육이 이루어지도록 하였다.

넷째, 창의적 체험 활동의 종전 하위 영역은 유지하되 학교 수준에서 교육과정 편
성 · 운영 자율권을 발휘하고 학교의 특색을 살리는 방향으로 영역의 선택과 집중이

---

2) 초등학교에서의 교과 집중 이수는 학년별, 학기별 집중 이수보다는 특정 교과 내용을 특정 시기에 집중
적으로 학습함으로써 교육의 효과성을 높이는 방안으로 활용될 수 있다.

〈표 3-14〉 2015 개정 교육과정 시기의 초등학교 교육과정 시간 배당 기준(2015. 9. 23.)

구분		1~2학년	3~4학년	5~6학년
교과(군)	국어	국어 448	408	408
	사회/도덕	수학 256	272	272
	수학		272	272
	과학/실과	바른 생활 128	204	340
	체육	슬기로운 생활 192	204	204
	예술(음악/미술)		272	272
	영어	즐거운 생활 384	136	204
소계		1,408	1,768	1,972
창의적 체험 활동		336 안전한 생활 64	204	204
학년군별 총 수업 시간 수		1,744	1,972	2,176

① 이 표에서 1시간 수업은 40분을 원칙으로 하되, 기후 및 계절, 학생의 발달 정도, 학습 내용의 성격, 학교 실정 등을 고려하여 탄력적으로 편성 · 운영할 수 있다.
② 학년군 및 교과(군)별 시간 배당은 연간 34주를 기준으로 한 2년간의 기준 수업 시수를 나타낸 것이다.
③ 학년군별 총 수업 시간 수는 최소 수업 시수를 나타낸 것이다.
④ 실과의 수업 시간은 5~6학년 과학/실과의 수업 시수에만 포함된 것이다.
출처: 교육부(2015. 9. 23.: 8). 「초등학교 교육과정」 교육부 고시 제2015-74호, 별책 2.

가능하도록 창의적 체험 활동의 지침을 개선하였다.

    다섯째, 과학 기술 소양 함양 교육의 일환으로 소프트웨어(SW) 교육을 강화해야 한다는 국가적 · 사회적 요구를 반영하기 위해 5, 6학년 실과의 ICT 활용 중심의 정보 단원을 소프트웨어(SW) 기초 소양 중심의 대단원으로 구성하여 소프트웨어(SW) 도구를 활용함으로써 놀이처럼 재미있게 17시간 이상 학습하도록 하였으며, 저작권 보호 등 정보 윤리 내용도 포함하였다(〈표 3-14〉 참고).

제2부

경험과 교과의 관계

제2부는 제3부에 대한 깊이 있는 이해를 위한 초석을 제공할 것이다. 제2부에서는 경험과 교과의 관계를 상반적이거나 대립적인 것으로 보고 이들의 차이를 드러내면서 각각의 특징에 대해 설명하는 관점과 대비되는 것으로서 경험과 교과는 상호 조화를 이룰 수 있는 것으로 보는 관점에 대해 살펴보고자 한다. 이 둘을 이렇게 조화로운 관계로 보는 관점을 따를 때, 경험을 강조하는 경험 중심 교육과정과 교과를 강조하는 교과 중심 교육과정에 대해 새롭게 이해할 수 있고, 이런 이해에 토대를 두고 교육과정의 편성 및 운영에 변화를 가져올 수 있다. 이는 초등 교사들의 교육과정에 대한 이해와 안목에 토대를 둔 교육과정 전문성 신장에 도움을 줄 수 있을 것이며, 궁극적으로 효과적인 교육과정의 운영에 따라 학생의 전인적 성장에 기여할 수 있을 것이다.

제 4 장

경험과 교과의 관계

제1절 경험 대 교과

경험 대 교과(경험 대 지식 또는 학습 활동 대 교과 지식)와 관련하여, 초등학교 교육과정 조직이나 개발에서 '경험 중심 교육과정(experience curriculum)'과 '교과 중심 교육과정(subject matter curriculum)'이라는 용어가 매우 자주 사용된다. 경험이라는 개념이 학생의 총체적 경험을 의미하고, 교과라는 개념이 논리적으로 잘 조직된 교과 지식을 의미한다면 두 개념 모두 타당성을 지닌다. 그러나 그들은 종종 서로 다른 교육과정 조직 유형으로 이해된다. 이는 "경험 중심 교육과정이 학습자의 경험을 포함하고 교과 중심 교육과정은 그렇지 않다"라고 하고, "교과 중심 교육과정이 교과를 포함하고 경험 교육과정은 그렇지 않다"라고 함을 암시한다. 그러나 그런 암시는 근거가 매우 약하다(Caswell & Foshay, 1957: 250)

모든 교육과정은 경험을 포함하고, 이 경험은 교과를 포함한다. 둘 다 도외시한 채 교육과정을 개발하는 것은 거의 불가능하다. 더욱이, 어떤 교육과정에서도 둘 다 모두 매우 중요하다. 경험의 중요성과 가치는 경험의 성장을 위해 활용하는 교과가 어떤 것이냐에 따라 크게 영향을 받는다. 비슷하게, 교과의 의미와 중요성은 교과에 담긴 자료를 어떤 경험에 활용하느냐와 함수 관계에 있다. 따라서 경험 중심 교육과정을 옹호하면서, 교과 중심 교육과정이 경험을 포함하지 않는다고 말하는 것은 오류이고, 교과 중심 교육과정을 옹호하면서 경험 중심 교육과정은 교과를 포함하지 않는다고 말하는 것도 오류이다. 중요한 것은 교육과정 운영에서 학생에게 제공하는 경험의 질이다(Caswell & Foshay, 1957: 250).

학생이 겪는 총체적인 경험에 초점을 두는 교육과정에 비하여 교과 지식의 학습을 주된 목적으로 삼는 교육과정은 학생에게 가치 있는 경험을 덜 가져온다는 충분한 증거가 있다. 그러나 한 단원을 읽고 그 안의 사실들을 암기하는 것은 현장 학습을 가는 것이나 어떤 문제에 대해 학급에서 발표하는 것과 마찬가지로 경험이다. 따라서 교육과정의 조직 문제는 경험과 교과를 대비해서 해결되지 않는다. 그보다는 학생에게 제공되는 경험이 가능한 한 질적으로 가장 가치 있는 것이 되게 교육과정을 개발하는 데 관심을 두어야 한다. 질적인 가치는 경험을 위해 어떤 교과를 어떻게 사용하는가에 따라 달라진다. 항상 학생의 총체적인 경험에 초점을 두어야 하지만, 이 초점이 교과와 갈등 관계에 놓인다는 뜻으로 해석되어서는 안 된다(Caswell & Foshay, 1957: 250-251).

제2절 두 가지 종류의 경험

학교가 제공하는 모든 활동은 교육과정에 포함된다. 학교는 이러한 활동들을 통해서 학교의 철학과 목표가 학생의 행위에서 실현되기를 희망한다. 따라서 학교가 어떤 '종류'의 활동을 어떻게 '조직'하여 제공하는지에 대해 관심을 기울이는 것이 중요하다(Alberty & Alberty, 1962: 155).

이 절에서는 교육과정의 범위와 계열에 지대한 영향을 미쳐온 학습 경험에 관한 두 가지 대조되는 입장을 살펴본다. 첫째, 학생의 직접적이고 개인적인 경험이 교육과정에서 지배적인 역할을 담당해야 한다는 입장이다. 둘째, 유구한 역사에 빛나는 개념으로 논리적인 체계를 갖춘 지식이 교육과정의 토대가 되어야 한다는 입장이다. 첫째에 초점을 두는 것은 경험 중심 교육과정이고, 둘째에 초점을 두는 것은 교과 중심 교육과정이다.

1. 경험에서 배운다는 것의 의미

교육적인 관점에서, John Dewey는 우리가 경험에 대하여 유익한 관점을 얻게 도움을 주었고, 학교 교육과정과 관련하여 경험에 대한 유용한 개념을 얻는 데 도움을 주었다. 학습 경험에 관하여 Dewey는 다음과 같이 말한다.

> "경험에서 배우는 것(learn from experience)"은 우리가 사물에 행하는 일과 그 결과로 사물을 즐기거나 사물로부터 고통을 받는 것 사이에 앞으로(전방으로) 그리고 뒤로(후방으로) 연결을 짓는 것이다. 그러한 조건 아래에서 행하는 것(doing)은 해보는 것(trying)이 된다. 세상에 대하여 그것이 어떤 것인지 알아보는 실험이 된다. 당하는 것(undergoing)은 배움이 된다. 즉 사물들 사이의 연결을 발견하게 된다.(Dewey, 1916: 163-164; Alberty & Alberty, 1962: 156-157)

또는 사물들 사이의 관련을 알게 되는 것이다(이홍우, 2016: 227-228). 이에 관한 예로, Dewey는 한 어린이가 자신의 손가락을 불에 넣기만 할 때 그것은 경험이 아니라고 말한다. 그런 동작이 그 결과로 그가 당하는 고통과 연결될 때 그것은 경험이 된다. 그것이 경험이 된 이후부터 불에 손가락을 넣는 것은 화상을 의미한다. 화상을 입는 것은 그것이 어떤 다른 행동의 결과로 인식되지 않는다면, 그것은 하나의 나무막대가 불타는 것과 마찬가지로 단순한 신체적 변화라는 것이다(Alberty & Alberty, 1962: 156).

간결하게 표현하면, 경험은 유기체(아동)와 환경 사이의 역동적인 상호 작용에서 시작한다. 유기체는 행동하고 환경은 이에 반응한다. 유기체가 둘 사이의 상호 관련을 알게 될 때, 어떤 경험을 얻었다고 말한다. 아동과 불의 사례에서와 같이 상호 관련을 발견하기는 어렵지 않다(이는 Dewey의 상호 작용의 원리이며 제7장에서 더 상세하게 다룰 것이다). 이 경우 경험은 매우 단순한 것이다. 그러나 행동이 복잡해지고 환경적 측면들이 복잡해지면, 혼동이 생기고 해석이 어려워진다. 그 해석이 추가적인 관찰이나 추가적인 행동에 의하여 의문 또는 가설을 해결하는 것일 때 우리는 '반성적 경험'을 얻었다 또는 반성적 사고를 하게 되었다고 말한다. 그때 우리는 갈림길에 서게 된다. 행동은 일시적으로 중단된다. 과거의 경험 또는 추가적인 행동에서 추론이 생겨나고 이 추론은 추가적인 행동에 의해 검증된다. 그때 우리는 경험의 재구성이 이루어졌다고 말한다. 불꽃은 위험, 따뜻함, 아름다움을 의미하게 되는데, 기술적으로 말하면 산화를 의미하게 된다. 불에 대한 새로운 경험은 과거의 경험에 비추어 해석된다. 전

반적인 상황에 따라 불꽃은 타기도 하고, 즐거움을 주기도 하는 것이 된다(Alberty &
Alberty, 1962: 157). 이러한 과정을 통해 학생은 계속적으로 경험에서 배우며 또한 이
경험은 지속적으로 누적되고, 확대되고, 발전되며, 성장한다(이는 Dewey의 '계속성'의
원리이며 제7장에서 더욱 상세하게 다룰 것이다).

2. 개인의 직접 경험의 예시

예를 들어, 골프하기를 경험하는 것은 그것에 관하여 책에 적힌 내용을 읽는 것이
아니라 실제로 경기에 참여하는 것이다. 골프채로 골프공을 칠 때 골프채의 머리를 '느
끼는 것'은 적절한 자세, 스윙의 호, 적절한 그립 등에 대하여 듣는 것과 다르다. 물론
이것은 말하며 가르치는 것이 도움을 주지 않는다고 말하는 것이 아니다. 그러나 "실
제로 경기를 해볼 경험적 기회와 함께 성공적인 행위를 지속적으로 강화하는 기회를
제공하지 않으면서 말로만 가르치는 것"은 상대적으로 비효과적이라는 말이다(Alber-
ty & Alberty, 1962: 157-158).

3. 인류의 경험으로서의 교과

우리가 인류의 경험이 체계적으로 조직된 지식을 생각할 때, 우리는 대개 학문
(disciplines)이나 교과(subjects)를 떠올린다. 하나의 교과를 가장 단순하게 표현하면,
"교육 기관에서 배우는 지식의 갈래들 중 하나(one of the branches of learning studied
in an educational institution)"이다. 그것은 또한 새로운 경험을 효과적으로 해석할 수
있도록 조직한 인류의 경험이다. 우리가 인류의 경험의 조직에 대해 말할 때, 우리는
간접적인 인류의 경험을 엮은 '체계(system)'를 일컫는다. 이 체계는 전문가들이 세우
며, 논리적인 관계라는 본질적으로 지니는 특징에 따라 세운다. 예를 들어, 물리 교과
의 토대를 형성하는 사실, 기본 법칙, 원리는 여러 세기 동안 힘써 축적되었으며, 각 과
학자는 전임자가 중단한 바로 그 자리에서 시작하며, 새로운 문제를 발견하고, 시험하
고, 증명하며, 최종적으로 새로운 발견을 기존의 논리적인 체계의 일부로 결합한다.
때때로 새롭게 발견된 사실이나 원리는 기존의 체계를 뒤집으며, 그 경우 지식의 분류
를 위한 더 좋은 구조를 형성하는 새로운 체계가 세워져야 한다. 예를 들어, Torricelli,
Pascal 등이 비어 있는 관에서 액체의 상승에 대해 실험한 결과는 기압에 대한 중요한
발견으로 귀결되었다. 이 시기 이전에는 비어 있는 관에서 액체의 상승에 대해 "자연
은 진공을 싫어한다"라고 설명하였다. 새롭게 발견된 사실과 원리는 일반적인 압력과

액체의 중량의 법칙과의 관련 속에서 그리고 마지막으로 기체의 운동과의 관련 속에서 분류되어야 하였다. 비슷하게 과거 50년 동안 원자 이론의 형성과 이 분야에서 이루어진 방대한 연구로 인하여 우리의 지식은 크게 증가하였고, 물리와 화학의 본질에 대한 우리의 개념에 혁명을 가져왔다(Alberty & Alberty, 1962: 171-172).

이와 관련하여 고려할 중요한 점은, 물리 교과의 핵심은 체계적인 조직이라는 것이다. 근대의 어떤 물리 교과서를 보더라도 이런 종류의 조직을 얼마나 엄밀하게 따랐는지를 확인할 수 있다. 화학, 천문학 등 다른 지식의 체계들도 모두 축적된 사실과 원리가 체계적으로 조직되어 있다는 특징을 보여준다(Alberty & Alberty, 1962: 172).

과학이 아닌 분야에서도 조직의 일반적인 토대는 같다. 지리 분야에서, '자전(earth-round)'이라는 개념, 지역주의(regionalism), 또는 다른 많은 통합하는 아이디어들을 중심으로 체계가 구성될 수 있으나, 본질적으로 결과는 같다. 교과는 경험하기(experiencing)의 순서보다는 자료의 관련성을 기준으로 조직된다. 역사에서도 사건들은 주로 연대순으로 조직되는데, 사건들의 정확한 발생 순서는 때때로 큰 흐름이나 시대 속에서 지켜지지 않을 수 있다. 이것이 체계를 구성하는 다른 하나의 방법이지만 관련된 원리는 같다. 수학 과목들에서도 상황은 본질적으로 다르지 않다. 기하학의 공리들은 모두 관련된 전체에 들어맞는다. 이 전체는 변덕이나 개인적 경험하기가 아닌 전문가가 정한 그리고 교과 자체의 본질에 따라 정해진 논리적 관련에 따라 결정된다(Alberty & Alberty, 1962: 172-173).

학교는 이런 논리적인 지식의 체계를 학습을 위한 교과로 받아들여 사용한다. 이것은 이 자료를 학습자의 능력, 성숙도, 경험에 비추어 단순화해야 한다는 것을 의미한다. 능력과 관심이 다양한 많은 학생들이 학습할 수 있어야 한다. 교과서는 교과 중심 교육과정을 학습자에게 알맞게 단순화하고 예시하고 재구성한, 가장 널리 인정받은 수단이다.

제 5 장

초등학생을 위한 교육과정 설계에서
전인 교육의 영역별 우선순위

    교사가 학생의 전인적 성장을 돕기 위해서는 위에서 확인한 바와 같은 개인의 직접적인 경험과 인류의 경험으로서의 교과를 모두 존중할 필요가 있다. 이에 대한 상세한 내용은 제3부에서 다룰 것이다. 그런데 초등 교사는 이러한 두 가지 측면을 존중하면서도 초등학생의 즐겁고 풍요롭고 원만한 전인적 성장과 발달을 지원하기 위해서는 초등학생의 발달 단계를 고려하여 전인 교육(정서, 신체, 지력)의 영역별 우선순위에 대한 안목을 지닐 필요가 있다. 이러한 안목을 제공하는 몇몇 자원에는 다음과 같은 것들이 있다.

제1절 고대 그리스 시대의 교육

    플라톤과 아리스토텔레스의 교육 계획에서 초등학교 학생 연령 단계에서는 체육과 음악 과목이 중시되었다. 그리고 7자유학과(교과)를 중점적으로 공부하는 시기는 오늘날 대학생이라고 볼 수 있는 20세(플라톤) 또는 21세(아리스토텔레스) 이후로, 대학 및 대학원 교육에서 주로 실시하는 것이었다.

    플라톤의 교육 계획은 통치자 계급을 선발하고 양성하기 위한 것이었다. 아동은

6세가 될 때까지 신체적·보건적 습관을 기르고 운동, 놀이, 노래 등을 배우며, 6세가 되어 제1기의 정규 교육이 시작되면 초보적인 군사 훈련과 산수 교육을 받는다. 이들은 17~18세가 될 때까지 남자 여자 모두 체육과 음악을 배운다. (여기서 '음악'은 어머니의 무릎에서 듣는 신화나 옛날이야기에서 시작하여 나중에 시인의 작품을 본격적으로 연구하는 것에 이르기까지 일체의 문학적, 예술적 관심사를 포함하며 심지어 특별한 취향이 있는 학생을 위해서는 과학의 초보적인 단계도 포함한다.) 제2기의 교육은 17~20세 사이에 신체 단련과 군사 훈련을 주된 내용으로 한다. 이 시기 2년 동안 당시의 관례인 에페보스(18~20세 사이 군사 훈련을 받는 청년―저자 주) 훈련과 유사한 종류의 신체 훈련을 받는다. 여기에서 성적이 불량한 자는 생산자 계급으로 배치된다. 제3기의 교육은 20~30세 사이에 형이상학의 예비적 교과인 대수학, 기하학, 천문학, 음악 이론 등을 수업하고, 여기서 성적이 불량한 자는 방위자 계급으로 배치된다. 제4기인 30~35세 사이에는 '형이상학, 변증법' 등을 학습하여 사물의 실상을 의미하는 이데아를 탐구할 수 있게 된다. 제5기인 35~50세 사이에는 '군사와 정치의 실무를 맡아 실습하고', 그 이후 모든 이데아의 통일 원리인 "'선'의 이데아(the Idea of the Good)를 탐구하며 교대로 정치를 관장하고 후진을 교육한다"(이돈희, 1992: 66-67; 이홍우 등, 1994: 67).

아리스토텔레스는 출생에서부터 5세가 되기까지는 어떤 체계적인 학습도 제공하지 않는 것이 좋으며 단지 '놀이'를 즐기게 하는 것으로 족하다고 보았다. 7세부터 본격적으로 실시되는 교육은 사춘기에 이르게 될 때까지 주로 신체의 훈련이며 후속되는 교육 활동의 예비적 단계이다. 사춘기에서 21세까지의 교육은 주로 욕정이나 영혼의 비이성적 부분에 관한 것이며, 21세 이후의 교육을 준비하기 위한 것이다. 아리스토텔레스는 21세를 매우 중요한 연령으로 보았고, 이 시기의 교육은 대체적으로 7년을 생각하였던 것 같다. 그는 마음의 교육, 즉 이성을 위한 교육은 충분히 성숙된 상태에서 이루어져야 한다고 보았고, 이것이 '자유 교육'이다(이돈희, 1992: 68).

플라톤과 아리스토텔레스의 교육에 관한 저서들은 이론적인 계획을 보여주지만, 그들은 본질적으로 그들이 생존하던 시대 그리스 교육의 실제 모습을 나타낸다. 그들은 7자유교과에 대해 당시 그리스의 지배적인 아이디어를 모두 수용한 것으로 보인다(Abelson, 1906: 3).

제2절 독일 발도르프 교육

1919년 독일에 설립된 이래 세계적으로 확산되는 중인 발도르프 대안 학교는 전인 교육, 학생의 발달 단계에 따른 교육, 교육을 예술의 경지로 올린 교육과정 운영 등으로 잘 알려졌다. 이 학교는 학생의 경험을 중시하면서 학생의 발달 단계에 따른 교육을 특별히 강조하는데, 이는 발도르프 학교의 설립자 독일의 Rudolf Steiner의 인지학적 발달론과 3단계 교육론에 따른 것이다. 이에 따라 Steiner는 유아기(0~7세)에는 의지, 아동기(7~14세)에는 감정, 청년기(14~21세)에는 사고의 발달에 교육의 역점을 두어야 한다고 말하였다.

제3절 학년별 교육과정 내용 조직

초등학교 1학년부터 고등학교 3학년(12학년)까지 학년별 교육과정 내용 조직에 관하여 2005학년도 교육학 임용 시험 문제는 다음과 같은 예시를 보여주었다. 이는 학생의 발달 단계에 따른 교육과정 내용 조직은 학년에 따라 어떤 차이가 있는지 잘 보여준다.

> ※ 다음 그림은 학교 교육과정의 내용 조직에 관한 특정한 관점을 제시한 것이다. 이 그림이 나타내는 것은?

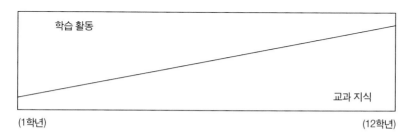

① 저학년일수록 분과적 접근이 강조된다.
② 저학년일수록 추상적 과제의 학습이 강조된다.
③ 고학년으로 갈수록 활동 주제 중심의 학습이 강조된다.
④ 고학년으로 갈수록 지식 획득 중심의 학습이 강조된다.

위의 여러 사례들은 초등학생을 지도할 때 초등 교사들은 지식 교육보다는 초등

학생의 정서 함양에 도움을 주는 예술 교과, 그리고 신체 단련을 위한 체육 교과에 많은 관심과 시간을 투자할 필요가 있음을 시사한다.

제3부

교육과정의 두 가지 큰 흐름

제3부에서는 역사적으로 현재까지 교육과정의 실제와 이론 면에서 두 가지 큰 흐름을 이어온 지식 중심 교육과정과 경험 중심 교육과정에 대하여 학습한다.

첫째, 지식 중심 교육과정은 지식을 강조하는 교육과정으로, 주로 교과 중심 교육과정을 의미한다. '교육과정'이라는 용어가 등장하기 이전부터 교육 활동은 곧 교과를 학습하는 것을 의미하였다. 이처럼 교과를 배우는 것이 교육과 동의어로 사용될 정도로 교과는 교육 활동에서 교육 내용의 핵심으로 자리를 잡고 있었다. 그리고 이 교과 안에는 가치 있는 지식이 담겨 있다고 믿었다. 이 교과 안에 담긴 지식을 중요하게 여겼다는 의미에서 지식 중심 교육과정으로 부를 수 있고, 또한 교과를 학습하였다는 의미에서 교과 중심 교육과정으로 부를 수 있다. 그런데 20세기 후반 미국에서 학문 중심 교육과정이 등장하였다. 이 학문 중심 교육과정은 오랜 기간 유지되어 온 교과 중심 교육과정의 문제점을 지적하며 이를 개선하려는 노력의 결과로 등장한 교육과정이다. 학문 중심 교육과정은 많은 낱낱의 정보나 사실을 학습하기보다, 몇 개 이내의 지식의 구조를 학습할 것을 강조하였다. 그럼에도 불구하고 학문 중심 교육과정은 여전히 지식을 강조하였다는 점에서 크게 보아 지식 중심 교육과정의 범주 안에 포함된다.

둘째, 경험 중심 교육과정은 역사의 흐름 속에서 귀족 계급에 대항하여 중산층이 세력을 확장하면서 싹이 트기 시작하였다. 중산층은 주로 귀족 계급이 누렸던 교육에 참여하기 시작하였고 그 규모는 점차 확대되었다. 그 과정에서 생산 활동에 종사하지 않았던 귀족 계급을 위한 교육과정은 생산 활동에 종사하는 중산층을 위한 교육과정으로 부적합하다는 주장이 지속적으로 제기되었다. 이것이 누적되면서 지식 중심 교육과정의 대안으로 학생의 경험을 강조하는 경험 중심 교육과정이 등장하였다.

제6장

지식 중심 교육과정

🦋 **탐구 문제**

✱ 교과 중심 교육과정에서 혜택을 더 많이 받을 학습자는 초등학생인가, 중·고등
학생인가?

✱ 7자유학과에서 혜택을 더 많이 받을 학습자는 초등학생인가, 중등학생인가, 대
학생인가?

🦋 **학습 내용의 흐름**

✱ 지식 중심 교육과정의 근원은 플라톤, 아리스토텔레스로 거슬러 올라간다. 이들
은 본질주의를 강조하면서 이성을 강조하였다. 이를 합리주의 철학을 내세운 데
카르트가 이어받았다. 그 후 감각과 경험을 중시하는 경험주의가 등장하였고 베
이컨이 대표적인 철학자이다.

✱ 경험주의를 이어받은 것이 미국의 진보주의 교육에서 강조한 아동 중심 교육과
정이다. 아동 중심 교육과정은 교과를 무시하였다.

* 이러한 이성주의와 합리주의에 토대를 둔 교과 교육과정은 학문적 가치를 강조하지만 교육적 가치를 무시하여 학문적 이론으로 볼 수 있으나 교육학적 이론으로 보기 어렵다.
* 이것만으로는 부족하므로 Peters의 교육 목표관이 필요하다. 이는 교육 과정 전반에 대한 종합적인 이론이 필요함을 시사한다.
* Dewey는 이러한 이성과 경험을 종합한 경험 중심 교육과정 이론을 제시하였다. 한편으로 교과와 학문적 가치를 강조하면서, 다른 한편으로 아동과 교육적 가치를 강조하였다.
* 교과 중심 교육과정으로는 부족하므로 여기에 아동(활동/체험) 중심 교육과정을 접목할 필요가 있다. 그것이 곧 Dewey의 경험 중심 교육과정이다.

✿ 예습을 위한 포인트

• 예습 활동 이후 아래 빈칸을 채울 수 있을 정도로 학습한다.

구분 \ 요소	교육 내용	교육 방법
교과 중심 교육과정		
학문 중심 교육과정		

제1절 교과 중심 교육과정

1. 기본 관점

학교는 개인 및 사회 생활에 필요한 기본적인 것을 가르치는 것을 주된 임무로 삼는 사회적 기관이다. 읽기, 쓰기, 계산 기능의 숙달, 기본적인 사실과 전문 용어에 대한 지식, 선량한 시민이 되는 데 필요한 공통되고 기본적인 지식을 가르쳐야 한다(홍후조, 2016: 138).

오늘날 많은 학자들이 전통적 교육이라 부르는 것은 역사 속에서 당시의 문제에 대한 응답이었다. 미국에서 19세기 동안 문제는 점점 도시화가 진행되는 사회에서 다루기 힘든 대중 교육이었다(Cremin, 1975: 20). 당시 St. Louis 교육구의 교육감이자 박식한 철학자였고, 15인 위원회의 위원장이었고 연방 교육부 장관이었던 William Torrey Harris(1835~1909)는 교육은 서양 문명의 유산을 전달하는 데 초점을 두어야 한다고 믿었다. Harris(1897)에게 교육은 "개인을 인류의 (문화유산) 수준으로 끌어올리기 위한 과정"이었

William T. Harris
(1835~1909)

다. 따라서 Harris에 따르면 교육과정은 인류의 축적된 지혜를 모든 학생들이 접하게 하는 것이어야 한다. 교과서는 공통의 사실들을 모든 학생들이 평등하게 접하게 하는 수단으로서 당시 사실보다 의견이 지배적이었던 신문 기사를 대체하는 역할을 수행해야 한다. 강의법-암송법을 사용하는 교사는 그 과정의 주도자이고, 학생들이 읽은 것에 대해 사고하게 할 책임을 지닌다. 시험은 학생들이 학년별 교육 시스템을 거쳐가는 동안에 학생들을 추적하고 분류하는 역할을 수행한다(Posner, 1995: 46-47 재인용).

이에 대한 비판론자들 중 주도적인 인물이었던 Dewey는 전통적 교육을 다음과 같이 기술하였다. "교육에서의 교육 내용은 과거에 발견된 정보와 기능들로 구성되어 있었다. 학교의 주된 업무는 그들을 새로운 세대에게 전달하는 것이었다"(Dewey, 1938: 17-18). 전통적 관점에 대한 현대적인 옹호론자들 중 주도적인 사람으로서 인문학 교수인 E. D. Hirsh, Jr.는 다소간 다른 용어를 사용하였으나 본질적으로는 동일한 말을 하였다. 즉, "하나의 인간 공동체에서 교육의 기본 목표는 문화화, 즉 그 공동체의 성인이 공유하는 특정 정보를 아동에게 전달하는 것이다"(Hirsh, 1987: xvi; Posner, 1995: 47-48 재인용).

아마도 그들이 교육을 주도하였기 때문에, Harris의 뒤를 이은 전통적 교육론자들은 그들이 지닌 가정들을 명료하게 표현할 필요가 없었다. 즉 최근까지도 그들은 학습 이론, 동기 이론, 지식 이론, 그리고 학교와 사회에 관한 이론을 명료하게 드러내어 밝힐 필요가 없었다. 오늘날 전통적 관점은 정치학자 Allan Bloom(1987), 역사학자 Diane Ravitch(1985), 인문학자 겸 교육학자인 Hirsh(1987), 그리고 전 교육부 장관 겸 미국 인문학 협회(National Endowment for the Humanities)의 의장이자 조지 부시 대통령의 약물 반대 캠페인 의장이었던 William Bennett(1984, 1988) 등이 옹호하였다. Hirsh와 Bennett은 계획적이고 의도적이고 설득력 있게 체계적으로 이 관점을 표현하였고 그것을 초등 및 중등 교육과정에 반영하기를 원하였기 때문에 이들은 현대의 전통주의자로 불린다(Posner, 1995: 48).

1983년에 출판되어 널리 읽혀진 "Cultural Literacy"라는 제목의 논문과 같은 제목의 책에서 Hirsh는 "문화적으로 문해력이 있다는 것은 오늘날 세상에서 성공적으로 살아가는 데 필요한 기본적인 정보를 소유하고 있다는 것이다"라고 주장하였다(Hirsh, 1987: xiii). 그 기본 정보는 문해력이 있는 미국인들이 소유하고 있는 사실들—그들이 소유해야 할 사실이 아니라 실제로 소유하고 있는 사실들—로 구성되어 있다. 문해력을 지니기 위하여 학습 기술(learning skills) 이상의 것이 필요하다. "특정한 정보를 초기에 그리고 그 이후 지속적으로 전달하는 것"이 필요하다(Hirsh, 1987: xvii). 이러한 정보가 없으면, 사람들은 상호 간에 의사소통을 할 수 없다. "특정의, 그리고 공유되는 정보를 축적해 나감으로써 아동들은 공동체 속의 다른 구성원들과 복잡한 협동 활동에 참여할 수 있다"(Hirsh, 1987: xv: Posner, 1995: 48-49 재인용).

비록 Bennett이 특정한 정보에 대한 Hirsh의 강조에 동의하는 것처럼 보이지만, Bennett은 더 일반적으로 수용되는 전통적인 관점을 표현하였다. 이는 교육 목표로서 "가치 있는 지식"뿐만 아니라 "중요한 기능과 건전한 이상"을 포함한다(Bennett, 1988: 6). Hirsh와 다른 전통주의자들처럼, Bennett은 핵심(core) 교육과정, 즉 "어떤 사회가 소유하고 있는 공통의 내용(common substance)으로서 더 이상 축소할 수 없는 핵심(irreducible essence)"이 담긴 교육과정이 필요하다고 믿었다(Posner, 1995: 49).

전통주의자들이 20세기 전반부에 진보적 교육자들에게 주도권을 빼앗겼지만, 최근 전통주의자들의 관점이 누리는 새로운 인기는 이 전통적 관점의 회복력을 보여준다. 다른 대부분의 교육과정 관점은 전통적 교육에 대한 반응으로 나타난 것으로 이해할 수 있다. 이 반응들은 대항적 관점을 나타내므로, 그들은 자신들의 이론을 적극적으로 설명하였다(Posner, 1995: 49).

2. 역사적 배경

가. 교과 중심 교육과정의 전신인 7자유교과

서양 문명의 유산을 전달하는 데 초점을 두어야 한다는 전통적 관점의 근원을 찾아 역사를 거슬러 올라가면 고대 그리스 교육에 이른다. 그 근원인 7자유교과(7자유학과)에 대해 몇 가지 탐구 질문을 던져볼 수 있다. 7자유교과(7자유학과)는 누구에 의해 언제 어디에서 왜 어떻게 등장하였는가? 7자유교과의 등장에 결정적인 역할을 수행한 자는 누구인가? 7개의 교과가 일시에 등장하였는가, 아니면 점진적으로 등장하였는가? 하나하나의 독특한 발전 과정을 거쳤는가, 동일한 발전 과정을 거쳤는가? 당시, 모든 학교에서 동일하게 통일된 교육과정(교과)으로 사용되었는가? 학생들의 성장 및 발달과 무관하게 모든 연령층에서 이 모든 교과들을 반복적으로 학습하였는가?

이러한 질문들에 대한 탐구 결과는 대략 다음과 같다. 7자유교과는 귀족 계급이라고 볼 수 있는 자유인의 교육을 위한 교과로 이해할 수 있다. 인간의 본질적 특성을 이성의 소유자라는 데에 두고, 이성의 작용을 뜻하는 사유의 경지는 그 자체가 목적이며 어떤 다른 것을 위한 수단도 아니라고 보고, 자유 교육은 바로 그러한 이성적 활동의 과정으로서 오직 여가를 소유한 자유인의 전유물일 수밖에 없다는 것, 이것이 바로 귀족주의적 자유 교육관의 특징이다. 이러한 귀족주의적 자유 교육의 사상은 인간의 마음이 이론적 활동에 종사하고 있을 때 실현되는 것이므로 그 특징이 주지주의(主知主義, intellectualism)[1]적이라고 할 수 있다. 특히, 플라톤과 아리스토텔레스의 교육 이론이 지닌 두드러진 특징은 인간의 정서적 · 의지적 · 감정적 측면에 별로 교육적 가치를 두려고 하지 않는다는 것이다.[2] 그리고 고전적 자유 교육의 사상에서는 교육—지식을 탐구하는 행위의 범주에 속하는 개념—은 그 자체가 목적일 뿐이라고 주장한다는 점에서 도구주의적 교육관[3]과는 그 특징에서 대조적인, 즉 어떤 의미의 본질주

---

1) 지성 또는 이성이 의지나 감정보다도 우위에 있다고 생각하는 철학 입장. 인간의 마음은 지(知) · 정(情) · 의(意)로 구성되었으며, 이 중에서 지적인 것, 즉 지성 · 이성 · 오성(悟性)이 지니는 기능을 감정이나 의지의 기능보다도 상위에 있다고 보는 입장이다. 감정을 상위에 두는 주정주의(主情主義:情緒主義)나 의지를 상위에 두는 주의주의(主意主義)와 대립된다((주)두산, 2000).

2) 플라톤에 따르면, 인간의 심성은 욕정(epithymia), 기개(용기와 굳은 절개)(thymos), 이성(ratio)의 세 가지로 구성되어 있다. 욕정은 비합리적인(비이성적인) 요구를 하는 쾌락이나 만족을 추구하며 애정, 기갈(배고픔과 목마름) 등과 같은 육욕의 근원이 된다. 이에 비하여 이성은 지혜를 추구하고 진리를 사랑하는 마음의 본체이다. 기개는 이 욕정과 이성의 중간에 위치하는 것으로 모든 고귀한 격정을 생산하는 원천이 된다. 명예심이나 용기는 바로 이 기개의 기질이 작용한 결과이다. 기개가 야심이나 경쟁심의 원천이라는 점에서 다소 욕정을 닮았으나, 불의에 저항하고 정의에 복종하는 심성적 특징을 나타낸다는 점에서 이성과 밀착된다고 볼 수 있다. 플라톤은 기개가 이성을 등지고 욕정에 가담하지는 않는다고 생각하였다. 플라톤의 이상 국가는 이러한 심성적 구조의 삼분법으로 설명된다. 그는, 이상 국가에서는 욕정에 대응하는 생산자 계급, 기개에 대응하는 방위자 계급, 이성에 대응하는 통치자 계급이 제각각의 본분과 역할을 다한다고 하였다(이돈희, 1992: 62).

3) (1) 도구주의(instrumentalism)는 실용주의(pragmatism)로 볼 수 있다. 실용주의에는 두 가지 일반적 특징이 있다. 첫째, 어떤 사상의 진리 여부는 그 사상을 만들어낸 행위의 결과에 의해 결정된다. 둘째, 진리는 이미 있는 것이 아니라 만들어지는 것으로 본다. F. C. S. Schiller는 순수한 이론적 가치의 존재를 인정하지 않고 모든 가치는 실천적 가치라고 말하였다(서울대학교 교육연구소, 2011: 430-431).

의(essentialism)[4]적 특징을 지니고 있다(이돈희, 1992: 69).

초기 아테네인들이 균형과 조화의 인간을 교육적 이상으로 하고 있을 때에는 이지적(理智的) · 신체적 · 도덕적 · 심미적 측면이 균형을 이루었다. 그러나 대체로 말해서 헬레니즘(Hellenism)[5]의 분위기가 지배하기 시작하면서부터 주지주의적 경향이 강하게 대두되었고 이지적 측면의 교과를 위주로 교육의 내용이 조직되기 시작하였다. 그것은 이성 그 자체가 활동하기 위한 도구로서 자유 교육적 교과를 필요로 하였기 때문이다. 이러한 주지주의적 교과들로는 프로타고라스(Protagoras, 기원전 481~411)의 시대부터 부분적으로 전해져 오던 7자유교과(Seven Liberal Arts)라는 것이 있었다. 문법, 논리학, 수사학, 대수학, 기하학, 천문학, 음악(화성학)이 그것이다(이돈희, 1992: 69-70).

Plato
(기원전 428/427
또는 424/423~
348/347)

플라톤의 저서 「국가론」에 등장하는 소크라테스는 이상 국가에서의 통치자들을 위한 교육의 단계와 내용을 소개한다. 이 과정

---

(2) Dewey는 실용주의(도구주의)에 토대를 둔 교육관을 제시하였는데, 그는 교육을 사회적 과정으로 보았고 학교는 사회적 기관의 하나로 보았다. 민주주의 사회에서 교육의 목적은 개인으로 하여금 자기 자신의 교육을 계속하도록 하는 데에 있으며, 학습의 목적과 보람은 성장의 능력이 계속 증대하는 데에 있다고 보았다. 그는 지식의 탐구 그 자체보다는 아동 경험의 계속적인 성장을 교육의 목적으로 보았다. 지식과 경험은 대립되기보다 양립 가능하며, 경험을 체계화한 것이 지식이라고 보았으며, 지식은 경험에 들어 있는 의미를 증대하는 등 경험의 계속적 성장에 도움을 준다고 보았다(Dewey, 1916; 이홍우, 2016: 170, 171, 402, 485).

4) (1) 무엇이 되는 데 그것이 없으면 안 되는, 무엇을 규정하는 근본적인 속성들이 있다고 보는 관점이다. 한국인이나 일본인에 변하지 않는 고유한 속성이 있다고 본다면, 그것이 바로 본질주의이다. 또 본질주의는 여성과 남성의 정체성이 생물학적 · 심리적 · 사회적으로 '고정되어' 있거나 '결정되어' 있다고 보는 전통적인 생각을 말하는 것이기에, 페미니스트들은 본질주의에 단호히 반대한다. 본질주의는 상대주의와 마찬가지로 자주 딜레마 상황을 야기한다(강준만, 2007).

(2) 진리 담론을 욕망하는 서구 철학에서 나타난 관념이다. 좁은 의미로는 플라톤류의 형상 이론(이데아론)에서 연원한 이데올로기를 의미한다. 플라톤(Plato)은 다양한 모사물(模寫物)이 존재하는 현실계가 대응 이데아가 존재하는 형상계에 종속된다고 보았다. 여기서 형상(形相)이란 '본질'이자 어떠한 우유성(偶有性)으로도 귀속되지 않는 '실재'이다(한국문학평론가협회, 2006).

5) 알렉산드로스 대왕의 제국 건설 이후 고대 그리스의 뒤를 이어 나타난 문명이다. 헬레니즘이라는 말은 1836년 독일의 Johann G. Droysen(1808~1884)이 자신의 저서 「헬레니즘사(史)」에서 처음으로 사용하였다. 이 말은 그리스 문화, 그리스 정신을 가리키는 경우도 있다. 이 시대의 특징에 관해서도 여러 가지 설이 있다. 그리스 문화의 확대 · 발전으로 보는 견해, 반대로 오리엔트 문화를 통한 그리스 문화의 퇴보로 보는 견해도 있으나, 그리스 문화와 오리엔트 문화가 서로 영향을 주고받아 질적 변화를 일으키면서 새로 태어난 문화로 보는 것이 타당하다((주) 두산, 2000).

에서 동굴의 비유를 사용하는데, 동굴 안은 눈에 보이는 현상 세계를, 동굴 밖은 지성으로 알 수 있는 실재 세계를 가리킨다. 소크라테스는 동굴에서 빠져나와 이러한 실재 즉 이데아를 인식하는 단계에 이르기 위한 중간 과정에서 탐구할 학문으로 수학, 기하학, 천문학, 변증론에 대하여 설명한다(이환, 2014: 204-215).

Socrates
(기원전 470~399)

소크라테스와 7자유교과

동굴에서 빠져나오기 위해 필요한 학문: 수학, 기하학, 천문학, 변증론

출처: 플라톤(이환, 2014: 204-215), 「국가론」.

소크라테스: 이제 우리가 건설하려는 국가의 수호자에 대해 얘기해 보세. 우리는 뛰어난 자질을 타고난 사람을 선별해 우리가 최대의 것이라고 증명한 지혜를 터득하도록 강제해야 하네. 선을 향해 나아가도록 하되 결코 중도에 포기하도록 해선 안 되지. 그러나 그들이 다 올라가고 충분히 보았을 때는 그대로 머물러 있도록 해서는 안 되네.

글라우콘: 무슨 말씀이신지요?

소크라테스: 위에서 내려오도록 해야 한단 말이네. 동굴로 돌아와 동료들과 함께 명예와 노고를 나누도록 해야 하네.

글라우콘: 그건 또 무슨 말씀이십니까? 훌륭한 삶을 버리고 열악한 환경으로 내려와야 한다고 말씀하고 계시니.

소크라테스: 자네는 잊었나 보군. 국가의 법률은 어느 한 계층만을 위해 입법된 것은 아니네. 모든 사람을 위한 것이며 국가 전체의 행복을 도모하기 위해 만들었지. 즉 모든 국민을 결속시켜 공공의 선에 이바지하도록 함으로써 각자가 잘 살도록 하자는 것이었네. 이 목적을 위해서 수호자들을 기른 것이지 그들 자신을 위해 기른 것이 아니었네.

글라우콘: 깜박했습니다.

소크라테스: 이보게, 글라우콘. 수호자들에게 그런 의무를 지운다고 해서 서운해할 것은 없네. 그것은 정당한 요구이기 때문이네. 국가로부터 아무런 혜택도 받지 못한 자들이라면 모르지만 우리가 세운 국가에서는 다르네. 우리는 그들에게 뛰어난 교육을 실시했고 철학과 실무의 경험을 쌓게 했네. 그러므로

당연히 아래로 내려가 국민들과 동고동락하며 어둠 속의 사물을 잘 분별할 수 있는 눈을 키워야 할 걸세. 이미 진리를 목격한 그들의 혜안으로 국가를 다스린다면 그 어떤 국가가 우리를 따라오겠는가? 틈만 나면 권력욕에 눈멀어 당파싸움이나 일삼는 그런 나라와는 비교가 되지 않을 걸세.

부유한 자란 재물이 많은 자가 아니라 덕과 지혜가 풍부한 자를 의미하지. 하지만 그렇지 못한 사람이 국가를 지배하게 되면 그들의 사적 이익을 추구하는 데 혈안이 돼 있어 국가의 기강은 무너지고 정치는 실종될 걸세. 그렇게 되면 그들 자신은 물론 나라도 망하겠지.

〈 중략 〉

소크라테스: 어떻게 하면 그들을 발굴하고 교육해 낼 수 있을지 알아봐야겠네. 어떻게 하면 어두운 동굴에서 천상의 빛으로 그들을 인도할 수 있는지 말이네. 이는 진정한 의미에서 철학을 습득하는 과정이기도 하네.

〈중략〉

소크라테스: 하지만 체육과 음악에는 그러한 지식이 없네.

글라우콘: 그렇다면 어디에서 그 지식을 찾아야 합니까?

소크라테스: 특수한 것에서는 찾기 어려우니 보편적인 것에서 가져와야겠네.

글라우콘: 그게 무엇인가요?

소크라테스: 이를테면, 하나 둘 셋 하는 것이지. 수학의 세계가 그것이네. 수학은 모든 학문과 기술의 공통된 언어라고 할 수 있지.

〈중략〉

소크라테스: 감각의 대상에는 두 종류가 있네. 어떤 대상은 감각만으로 판별할 수 있어 지성이 필요 없지만, 어떤 대상은 지성이 있어야만 판별할 수 있네.

〈중략〉

소크라테스: 그럼 이제 크기와 관련해서 알아보세. 이 손가락과 저 손가락 중에 어느 것이 긴 것인지를 판별하기란 어렵지 않네. 두 손가락을 대보면 알 테니까 말이네. 하지만 상대적으로 보면 이 손가락은 저 손가락보다 클지언정,

모든 손가락 중에 제일 크다고 말할 수는 없네. 그것을 우리의 감각만으로 판별할 수는 없다는 말일세. 촉각의 입장에서 봐도 마찬가지라네. 이 손가락이 딱딱한지 부드러운지, 딱딱하다면 어느 정도가 딱딱하고 부드럽다면 어느 정도가 부드러운 것인지, 우리의 촉각으로서는 답을 내릴 수가 없다네. 무겁고 가벼운 것도 같은 이치이지. 이럴 때 우리의 마음은 당황하지 않겠나?

글라우콘: 그렇습니다.

소크라테스: 이런 경우 어떤 지적 활동의 도움을 받아야 하지 않겠나? 이것과 저것을 계산해 본다든지 하는?

글라우콘: 그렇습니다.

소크라테스: 이리하여 감각적인 것과 이성적인 것이 구별되네.

〈중략〉

소크라테스: 일리 있는 말이네. 그러나 내가 말하고자 하는 기하학은 그런 차원이 아니야. 이 분야는 선의 이데아를 파악하는데 유용한 기회를 제공해 줄 걸세. 기하학을 상투적으로 이해해서는 곤란하네. 사각형을 만들고 평행선을 긋는 정도의 지식은 기하학의 필연성에 비하면 대단히 좁은 개념이지. 기하학은 영혼을 진리로 이끌어 철학에 관한 정신을 창조하네. 그리하여 실추된 철학적 기능을 회복하도록 하네.

〈중략〉

소크라테스: 참된 천문학이라면 별의 움직임에서 기하학의 느낌을 가져야 한다고 보네. 조물주가 그린 밤하늘의 아름다움은 그것대로 존중하면서 말이네. 그래서 아름다움을 조율해 내는 관계들, 즉 해와 달의 관계라든지 별과 별 사이의 반짝임을 항구적 관계로 오인하지 않으면서 기하학처럼 연구할 수 있어야 하네.

〈중략〉

소크라테스: 우리가 이제까지 얘기한 모든 학문은 유기적으로 관련돼 있는 것이네. 그래서 서로 영향을 주고받으면서 함께 나아가야만 연구의 목적을 이룰 수 있네. 그러자면 추리적 소양을 계발해야만 하지. 그러니 글라우콘! 이제

> 우리는 변증론에 대해 말할 차례가 된 것 같네.
>
> **글라우콘:** 변증론이라! 그렇군요.
>
> **소크라테스:** 변증론은 지성에 의지해 연주되는 곡이라 할 수 있지. 감각의 도움 없이 오로지 순수한 사유에 의지해. 절대 선을 향해 나아갈 때 필요한 학문이 이것이지.

본래 앞의 3과(trivium)는 아테네에서 시민들이 정치적 활동을 할 때 의사를 바르게 표현하고 논리에 맞는 토론을 전개하며 대중을 설득할 수 있는 능력을 필요로 한 데서 유래한 것으로 알려져 있다. 그러나 이러한 정치적 유용성 말고도 그리스인들은 그것이 인간의 마음(이성)을 그 내적 구조의 법칙에 따라서 발달하게 하는 도구라고 믿었다. 그리고 플라톤과 아리스토텔레스 이후부터 몇 세기 동안 3과는 마음 그 자체의 법칙을 나타내는 것이며 그것으로 교육과정의 영원한 구성 요소가 된다고 믿었다. 그리고 다음의 4과(quadrivium)는 마음 밖의 세계를 지배하는 질서와 법칙에 관한 교과라고 믿었다. 그중에서 대수학과 기하학은 다른 교과보다 더 중요하게 여겼다. 그것은 그 두 교과들이 생산적 실용성을 지닌 활동에 응용되기도 하지만, 그보다는 구체적 실제의 언급 없이 추상적으로 사고할 수 있도록 해줌으로써 진리의 세계에 가장 직접적으로 접근할 수 있게 한다는 데에 그 가치를 부여하였다(이돈희, 1992: 69-70).

피타고라스(Pythagoras, 기원전 580~500)는 지리학, 물리학, 의학 등의 과학도 포함할 것을 주장한 바 있으나, 그리스인들은 과학 교과의 가치를 별로 인식하지 못하였다. 그것은 과학이 구체적 사물을 연구하는 것이며 지성만이 아니라 감각에 의존하기 때문에 정확히 진리를 말해 주지 못한다고 보았기 때문이다. 일반적으로 4과보다는 3과에 더 비중을 두고자 하는 경향도 전자는 정신적인 것에 관한 것이라면 후자는 물질적인 것에 관한 것이라고 생각하였기 때문이다. 그리하여 16, 17세기에 이를 때까지 교육과정에서 과학의 중요성은 이차적인 것으로 이해하였다(이돈희, 1992: 70).

7자유교과는 중세기를 거쳐 르네상스의 시대에 이르기까지 교육 내용의 중심이었다. 중세기의 한때에는 그것이 세속적 이론을 생산하는 도구가 된다고 여겨 그 가치를 외면하였으나, 말기에 이르러서 특히 3과는 '기독교의 철학'을 연구하는 데에 필요한 도구로 인식되었고 교육과정의 중요한 부분을 차지하였다. 중세기에는 3과, 그 중 특히 논리학은 철학과 신학과 더불어 가장 중요한 교과로 인식되었다. 그리고 르네상스 시대에 이르러서는 인문주의가 새롭게 등장하면서 그리스어와 라틴어로 쓰인 고전의 연구가 교육 내용의 중심에 놓이게 되었으나, 그러한 고전은 3과를 가르치기 위한 자료에 불과하였다(이돈희, 1992: 70-71).

　　귀족주의적 자유 교육의 사상은 중세기 후반에 이르러 중산 계급의 가치관이 교육에 침투하게 되면서부터 점차적으로 그 본질주의적 특징으로 인하여 도전을 받았다. 그러한 도전은 시민 혁명과 산업 혁명의 전개, 그리고 과학과 기술의 발달뿐만 아니라 생산적인 노동의 가치에 대한 인식의 변화 등의 영향으로 더욱 거센 형태를 보였다. 고대나 중세의 초기에까지 사회적으로 그 세력이 보잘 것 없었던 중산 계급은, 십자군 전쟁 이후에 아시아 지역과의 교류가 잦아지고 상업과 도시가 발달함에 따라 자신들의 경제적 수준과 사회적 세력을 크게 확장하였다. 중산 계급 사람들은, 지식을 획득하거나 탐구하는 일을 그 자체로서 가치 있다고 여기는, 즉 지식의 본질적 가치보다는 오히려 그것의 도구적 성격을 중시하려는 경향을 지녔다. 그러나 그들은 여전히 귀족주의적 교육관의 일면을 유지하였다. 그들은 교육받은 사람의 모습을 '신사 됨'으로 이해하고 특히 "그리스어와 라틴어로 쓰인 고전에 담긴 지식을 추구하여 폭넓은 교양을 갖추게 하는 것이 교육의 과제"라고 생각하였다. 이러한 사고의 경향은, 봉건 제도가 무너지고 자본주의적 시민 사회가 전개되는 과정에서 중산 계급의 일부가 옛날의 귀족 계급의 사회적 지위를 점차로 계승하여 상류 사회를 형성하게 되었을 때, 그들의 지배적인 교육관으로 공식화되기 시작하였다(이돈희, 1992: 71).

나. 교육의 목표에 대한 아리스토텔레스의 견해

아리스토텔레스는 당시 교육의 목표에 대한 의견이 분분한 가운데, 자유인의 교육에서 유용한 것, 탁월함, 고급 지식 중에서 어느 것에 지나침이 없고 이들 사이에 조화가 있어야 함을 강조하였다. 그는 아이들이 삶에서 유용한 것 가운데 꼭 필요한 것을 배워야 한다는 것은 의심할 여지도 없지만, 유용한 것이라고 해서(예: 읽기, 쓰기, 체육, 그림 그리기 또는 여가 활동에 필요한 것 또는 일을 위한 배움들) 다 배워서는 안 된다고 말했다. 일

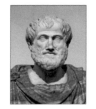

Aristoteles
(기원전 384~322)

(활동)은 자유인에게 적합한 것과 적합하지 못한 것으로 양분되기 때문이다. 그래서 분명 유용한 활동에 참여하되 모든 유용한 것들에 참여하지 않고(예: 요리술은 배우지 말아야 한다), 그로 인해 직공[비천한 인간(banausos)]이 되지 않을 만큼만 참여해야 한

다. 우리는 자유인의 몸과 혼과 마음의 탁월함을 추구하고 실천하는 데 쓸모없는 활동과 기술과 학습을 '직공다운(비천한)' 것이라고 간주해야 할 것이다. 우리는 몸을 망가뜨리는 모든 기술과 돈을 받고 하는 일을 '직공다운(비천한)' 것이라고 부른다. 이런 것들은 여가를 빼앗고 정신(생각)을 비속하게 만들기 때문이다. 또한 자유인에게 어울리는 지식(교과)도 어느 정도까지 아는 것은 자유인답지만, (완전성을 위해) 너무 세세한 부분까지 파고드는 것은 앞서 말한 것과 같은 해악을 끼치기 십상이다. 그리고 무엇을 위해 행하느냐 또는 배우느냐에 따라, 즉 목표에 따라 큰 차이가 난다. 자신이나 친구들을 위해 또는 탁월함 때문에 행하는 것은 자유인답지만, 같은 행위라도 남들을 위해 행하면 품팔이꾼이나 노예다운 행위로 간주될 것이다(예: 전문적인 음악가들은 신체를 이용하여 다른 사람에게 봉사하고 생활하므로 품팔이꾼과 같다)(김재홍, 2017: 577-578; 천병희, 2010: 427-428).

다. 7자유교과의 세부 내용

(1) 3학(과)(trivium)은 언어 영역의 교과

(가) 문법(Grammar): 3학의 기초 교과로, 언어의 정확한 표현(말하기, 쓰기)을 목적으로 삼았으며, 주요 내용은 글자 · 음절 · 단어 · 문장의 언어적 규칙, 곧 발음 · 철자법 · 어원 · 유추 · 품사론 · 구문론 등만 아니라 문학과 비평, 곧 운율 · 표현 · 문체 · 작품 감상 등이었다.

(나) 수사학(Rhetoric): 주로 설득을 목적으로 하는 언어적 기술로, 배열, 어투, 창안, 문체, 기억 등의 내용이 중시되었다.

(다) 변증법(Dialectic): 원래의 의미는 토론(discussion)이었는데, 소크라테스 이후, 기하학적 논증과는 다른 의미에서, 진리에 접근하는 한 가지 방식으로 인식되어 아리스토텔레스에 이르러 논리학(Logic)의 일부가 되었다(김수천, 2003: 37).

(2) 4학(과)(Quadrivium): 수학 영역의 교과

(가) 수학(산수, Arithmetic): 4과의 기초 교과로, 계산법과는 별개로 피타고라스 이래 발전된 수의 철학적 성격과 원리에 주된 관심을 두는 이론, 수의 본질, 수의 제일성, 기수와 우수, 비, 등식, 비율, 평균치 등이 주요 내용이었다.

(나) 기하(Geometry): 부동의 수량과 도형에 관한 과학 교과였는데, 피타고라스,

유클리드 등의 공리-연역적 추리(axiomatic-deductive reasoning)가 그 중심적 방법이다. 평면도형, 유리수와 무리수, 입체도형 등이 주요 내용이었다.

(다) 천문학(Astronomy): 동체에 관한 과학 교과로서, 초기에는 이론적·수학적 설명 방식에 의존하였다(Ptolemy's Almagest). 지구 중심의 세계관, 10가지 천체의 궤도, 항성, 해·달을 포함하는 위성들 등이 주요 내용이었다.

(라) 음악(Music): 초기 그리스의 음악(인격 형성)과는 달리 화성학(음의 수학적 조화)에 초점을 둔 수학적 음악으로, 음정, 고음과 저음 간의 간격, 옥타브 체제, 4화음, 4음계, 멜로디 조절, 멜로디 작곡 등이 주요 내용이었다(김수천, 2003: 37-38)

라. 르네상스 이후 7자유교과

르네상스는 신 중심의 중세 교회와 중세적인 봉건적 제약으로부터 개성의 완전한 해방을 의미하였다. 르네상스 인문주의자들은 고대 그리스·로마 시대의 예술과 문학과 종교로 돌아가자고 외치면서 중세 로마 교회에 의한 속박의 틀을 벗어난 새로운 인생관, 예술관, 종교관, 세계관을 모색, 수립하는 데 전념하였다. 인문주의자들은 순수한 인간성(humanity)과 인간의 능력과 자유를 그리스와 로마의 고전에서 발견하였다(홍치모, 1983: 12-14; 김평국, 2019: 101).

고대로 돌아가자는 정신에 따라 고대 그리스·로마 시대의 역사와 철학, 그리스·로마 문학과 함께 모국어로 된 문학에 대한 관심이 높아졌다. 이에 따라 7자유교과 중 4과는 중세기에 명목만 유지해 오던 흐름이 대체로 이어지는 가운데 일부에서 과학에 대한 관심이 새롭게 나타나기도 하였는데, 3과는 시대적 변화 속에서 인문학의 교과로 계승되었다. 이에 따라, 인문학의 주요 교과로는 인문주의자들의 교육적·문화적 중핵이었던 그리스·로마 문학, 모국어 문학, 역사, 문법, 수사학, 도덕 철학을 들 수 있다(김수천, 2003: 43; 이홍우 등, 1994: 211-217). 르네상스의 교육적 이상을 표명한 최초의 학자인 Pietro(Pier) Paolo(Paulo) Vergerio(Petrus Paulus Vergerius, 1349~1420)는 이 인문 교과들의 가치를 다음과 같이 말하였다. "그것은 자유인이 추구할 만한 것으로 교양적 가치가 있고, 또 인간이 고상한 본성의 목표로 추구하는 도덕적 가치와 명성을 얻게 해준다(productive of)"(Bantock, 1980: 18; 김수천, 2003: 43). 이런 인문학 교과들은 직업 교육이나 이과 교육에서 강조하는 것과는 구별되는 것을 추구하였다. 즉 인문 교과들은 7자유교과들과 마찬가지로 사회적 유용성이나 실용성, 직업적 관심사와는 무관하게 이성을 향유하는 자유인의 마음을 기르는 특성을 지녔다.

마. 자유 교육의 이념

자유 교육은 본래 자유인의 교육을 의미하였다. 이는 플라톤과 아리스토텔레스, 특히 아리스토텔레스의 교육관에서 근원적으로 이론화된 것이다. 아리스토텔레스 당시에 자유인은 생산적인 활동에 종사하지 않고 여가를 향유할 수 있는 계급의 사람이었다. 그러므로 자유인이란 사회적으로 '남의 의지에 따라서 사는 사람'이 아니라 자신의 삶을 스스로 살 수 있는 자격을 가진 사람으로서 자유롭게 사고하고 자유롭게 행동할 수 있는 사람이었다. 그러한 자유인의 사고와 행동은 사회적 유용성이나 생산성과는 무관한, 즉 아리스토텔레스의 기대로는 사물을 관조하는 이성의 활동을 향유할 수 있는 여가를 가진 사람들의 삶을 의미하는 것이었다(이돈희, 1992: 430-431).

바. 자유 교육과 지식의 성격

영국의 교육 철학자 Paul H. Hirst(1946~2003)는 고대 그리스인들의 지식과 마음의 관계에 대한 철학적 교의(doctrines)에 따라 자유 교육이 등장하였다고 말하였다. 그에 따르면, 그리스인에게 자유 교육은, (1) 노예를 위한 교육이 아닌 자유민을 위한 교육을 의미할 뿐만 아니라 (2) 마음이 그것의 참된 본성에 따라 작용하도록 자유롭게 하는 교육, (3) 오류와 착각으로부터 이성을 자유롭게 하는 교육,[6] (4) 그릇된 것으로부터 인간의 행위를 자유롭게 하는 교육을 의미한다(Hirst, 1974: 30-31).

다음으로 자유 교육의 정당화에 관하여, 그리스의 철학적 주장들이 위에서 언급한 자유 교육의 개념에 대하여 제시하고 있는 정당화의 방향은 세 가지라고 지적하였다. 첫째, 자유 교육은 그 토대를 불확실한 의견이나 일반적 가치에 두고 있는 것이 아니라, 진리인 것에 두고 있으며, 이 점에서 다른 어떤 형태의 교육과도 다른 궁극성을 갖는다. 둘째, 지식은 인간이 가지고 있는 고유한 덕인 만큼, 자유 교육은 그것을 받은 사람 자신에게, 다시 말하여 그 사람의 마음을 완성하는 일로서 '실용적 · 직업적' 관심사와는 전혀 무관한 가치를 갖는다. 셋째, 지식은 전체로서의 선한 삶을 결정하는 데에 중요하므로, 자유 교육은 인간이 개인으로서 그리고 사회의 일원으로서 어떻게 살아야 하는가를 이해하는 데에 필수불가결하다(Hirst, 1974: 31).

---

6) 이러한 자유의 의미를 이해하는 데 도움을 주는 것이 고등학교 사회과 시간에 배운 (골든벨에서 문제로 자주 나왔던) 베이컨의 4대 우상이다. 영국의 대표적인 경험주의 철학자 베이컨은 경험을 통한 참된 인식을 하는 데 방해가 되는 편견이나 선입견을 이러한 4대 우상이라고 말하였다. 이러한 4대 우상을 극복하고 참된 인식을 하게 되는 것은 궁극적으로 자유 교육에서 자유의 의미와 통한다고 볼 수 있다.

고대 그리스 시대 이후 오늘에 이르기까지 인간은 번번이 교육의 가치에 대한 궁극적인 근거를 인간이 이룩한 다양한 지식의 형식 그리고 그것의 성격에서 찾으려고 하였다. 그리하여 그 결과로, 그 정의에서나 정당화에서나 교육은 학생의 유치한 호기심이나 사회의 필요나 정치가들의 변덕이 아닌 지식 그 자체의 성격과 의미에 기초해야 한다는 요구가 생겨나게 되었다. 그리스인들이 그들 나름의 지식의 형식, 즉 7자유교과를 전수하고 추구하는 것으로서의 교육에서 그들이 염두에 두었던 것은 바로 이 요구였다(Hirst, 1974: 32).

사. 종교 개혁과 대중 교육

루터의 종교 개혁은 대중 교육의 기원으로 이해된다. 중세까지만 해도 문자는 신성시되었고 지식은 아무렇게나 전달되지 않았으며 교육은 특수 계층에만 한정되어 있었다. 그러나 루터에 이르러서 교육은 비록 종교 교육이 중심을 이루었지만, 일반인에게도 확대되는 큰 변화가 일어났다.

Martin Luther
(1483~1546)

루터는 종교 개혁 이전 당시 제사장들만 성서를 읽을 수 있었고 이를 통해 구원을 받을 수 있는 특권을 가지고 있었으며, 심지어 성당 건물의 증축을 위해 면죄부를 판매하는 일까지 발생하여 이에 대해 강력하게 항의하면서 종교 개혁을 이끌었다. 루터는 종교 개혁이 다른 삶에도 변화를 가져온다는 것을 알았고, 그의 개혁 운동으로 독일의 교육 체제도 실제로 혼란에 빠져 있었으며 종교 개혁의 취지에 비추어서도 교육의 개혁이 중요함을 인식하였기 때문에 교육 재건 사업에 착수하게 되었다. 이를 위해 루터는 두 가지 교육을 제안하였다. 하나는 온 국민에게 적용된다고 본 것으로, 이는 성서 중심의 기독교 교육이다. 다른 하나는 국가나 교회에서 요구하는, 시장, 시의원, 학자, 재판관, 교사 등을 길러내기 위한 교육이다. 교육 내용은 보통 아이의 경우에 성경과 교리문답에 관한 지식을 습득하게 한다든지, 체육과 음악—루터는 이것을 몸과 마음에 미치는 효과 때문에 가르쳐야 한다고 주장하였으며, 특히 음악은 이를 통해 신을 찬양할 수 있기 때문에 중요하다고 말하였다—을 가르치는 것은 가능하지만, 언어공부, 즉 라틴어, 그리스어, 히브리어의 공부는 목사, 교사, 또는 국가의 관리가 될 훈련을 받는 소수의 선발된 학생들을 위한 것이라고 보았다. 수학도 마찬가지여서 루터는 그것을 변증법과 수사학과 함께 대학 수준의 교과로 간주하였다.

루터는 위 두 가지 중 성서 중심의 기독교 교육의 실시를 위해 교육의 확대를 주장하였다. 이에 따라 루터는 1524년 독일 내의 모든 도시의 시장과 시의회 의원들에게 보내는 서한에서 교육에 관한 그의 견해를 천명하였고, 몇 년 뒤 교육용으로 대소 2개의 교리문답을 썼으며, "아동의 취학 의무에 관한 강론"을 발표한 바 있다. 그런데 루터는 단지 그러한 주장을 하는 것에 그치지 않고 자신이 직접 나서서 여러 학교의 설립을 돕고 독일의 학교 조례 제정에 영향을 미치기도 하였다.

루터는 자신의 대중 교육 사상의 원천인 신학 사상에 입각하여 기독교인의 생활 윤리관에 대해 언급하면서 '만인 제사장직론'을 주장하였다. 루터는, 구원은 로마 가톨릭 교회에서 주장하는 대로 외적 선행이나 공덕을 통해 얻을 수 있는 것이 아니라, 성서의 말씀에 기초한 믿음을 통해 얻을 수 있다고 주장하였다. 그리고 믿음을 갖게 된 모든 기독교인은 구별 없이 모두 신 앞에서 구원받은 의인이요 또한 제사장이라는 것이다. 만인 제사장직론은 필연적으로 남녀 사회 계층 구분 없이 모든 기독교인이 성서를 배워야 한다는 데로 귀결되었다.

이러한 루터의 종교 개혁의 취지를 살리는 대중 교육을 위하여 당시 라틴어나 그리스어로 작성된 성서를 각 민족이 사용하는 모국어(프랑스어, 독일어, 영어 등)로 번역하는 활동이 전개되었다. 또한 모든 아이들이 성서를 읽을 수 있도록 모국어를 가르치는 교육이 전개되었다(김평국, 2019).

종교 교육이 학교 교육과정(교과)에 미친 영향은, 모든 사람이 구원을 받기 위해 성서를 읽어야 하고 이에 따라 성서를 각 민족의 언어로 번역하는 일이 일어났고, 학생들은 영어, 독일어, 프랑스어 등 모국어를 배워 성서를 읽는 변화가 나타나면서 학교 교육과정에 모국어의 학습이 추가되었다는 점이다.

아. 르네상스 이후의 변화

르네상스 이후 중산 계급의 경제적 수준과 사회적 세력은 더욱 확대되었고 지식의 유용성, 즉 도구적 성격을 중시하는 그들의 가치관도 강화되었다. 이에 따라 이들은 학교 교과의 가치를 '실용적 가치'를 기준으로 판단하는 경향을 보였다. 그 후 일어난 산업 혁명으로 인하여 산업 사회가 발전되면서 학생들이 사회적으로 실용적이고 유용한 지식을 배우게 할 필요가 있다는 주장이 더욱 강화되었다. 산업 사회는 과학과 기술의 발달을 요구하였고, 이에 따라 고대 그리스 · 로마 시대 이래로 다소 소홀히 여겨졌던 과학 교과들에 대한 관심이 점점 증가하였다. 이와 함께 유럽의 사상가들도 교육에서의 유용성을 강조하기 시작하였다. 프랑스의 페트뤼 라무스(1515~1572)는 공리주의자로서 대학 교육의 정신과 방법에 대해 비판하면서, 유용성의 원리에 따라 교육 내용을 삶의 현실과 관련짓도록 새로운 교육 방법을 주장하였다. 그의 뒤를 이어, 프랜시스 베이컨(1561~1626)은, 라무스의 견해와 대동소이하게, 대학의 주된 공부는 모두 직업과 관련된 전문 교육이며 학문의 기본인 인문학과 과학은 어디에서나 소홀히 취급되고 있다고 말하였다(이홍우 등, 1994: 297).

자. Spencer의 지식관

그 후 영국의 Herbert Spencer는 1861년 출판된 그의 네 개의 논문으로 구성된 「교육론」의 첫째 논문인 "어떤 지식이 가장 가치 있는가?(What knowledge is of most worth?)"에서 교육의 목적은 완전한 삶이라고 주장하면서 이런 삶의 활동을 중요도의 순서로 다음 5가지로 분류하였다. (1) 자기 보존에 직접 관련된 활동, (2) 생활 필수품을 확보하여 자기 보존에 간접적으로 관련된 활동, (3) 자녀 양육과 훈육의 목적을 가진 활동, (4) 적절한 사회적 · 정치적

Herbert Spencer
(1820~1903)

관계 유지에 관련된 활동, (5) 미각과 느낌의 만족에 기여하는 여가 생활을 구성하는 사소한 활동(Spencer, 1894: 11-92). 이러한 삶을 위한 교육과정은 영적인 목적보다는 세속적인 목적에 따라 결정되어야 함을 강조하였다(Hamilton, 1990: 38; Pinar et al., 2000: 74 재인용).

Spencer는 당시 학교에서의 인문 교육, 즉 사장적(시가와 문장을 다루는―필자 주) 전통에 반대하였으며, 자신이 받은 과학 교육을 사장 교육과 비교하면서 과학적 지식이 가치 있다고 주장하였다. 순전히 사장적인 훈련은 점점 더 과학적 지식과 발명에 의존해 가는 사회에서 완전한 삶을 누리도록 하는 데는 충분하지 못하였다. 뿐만 아니라 단순히 도야적 가치를 두고 말하더라도, 과학적 훈련은 사장적 훈련이 도저히 미치지 못할 정도의 관찰과 판단의 능력을 개발할 수 있을 것으로 생각하였다. 이에 따라 완전한 삶을 구성하는 5가지 활동을 위해 가장 중요한 지식은 과학적 지식이라고 주장하였다(이홍우 등, 1994: 450-453).

19세기에 이르러 유럽에서는 공교육에서 초등 교육 이후 중등 교육이 확대되었고, 이 과정에서 중등 교육 기관은 두 갈래의 학교로 나뉘었다. 하나는 라틴어, 신학, 고전을 가르치는 전통적인 학교이고, 다른 하나는 과학, 수학, 근대 외국어를 가르치는 학교였다. 이 두 종류의 학교로 구분된 이후 학교는 더욱 팽창하였다. 이는 (1) 산업

화로 인한 교육받은 노동자에 대한 요구 증대, (2) 전통적인 유럽의 엘리트가 중등 교육을 자격증 획득과 법률, 신학, 의학 등 전문 영역에서 높은 지위 획득의 수단으로 보았다는 점, (3) 중산 계층 부모가 자녀들이 공무원과 관리직에 진출하기를 원하였다는 점 등의 결과로 나타났다. 이와 함께 근대 중등 학교의 팽창은 엘리트가 아닌 노동자 계급의 학생을 위한 직업 교육 및 실업 교육을 위한 학교의 설립을 정당화하였다. 이러한 공교육에서의 직업학교 설립 이전에 노동자 계급의 아동들은 주로 도제 제도를 통해 기술을 익혔다(Benavot, 1983: 64). 이러한 직업학교가 설립되면서 여러 다양한 실업계(직업계, 특성화 계열) 교과, 즉 전문 교과들이 개설되는 변화가 나타났다.

3. 교육의 목적과 내용

전통주의적 관점에서는 문화유산의 전달을 교육의 목적으로 본다. 따라서 교육 내용은 문화적 유산으로부터 선정된 것이고(예: 한글을 학습하도록 국어 교과로 구성한다), 인류에게 알려진 것 중 가장 불변하고, 수용되고, 확립되어 있는 사실, 개념, 원리, 법칙, 가치, 기능들이다. 이에 따라 전통주의적 관점은 다음과 같은 것들을 강조한다(Posner, 1995: 91).

① 다른 교육받은 사회 구성원들과 의사소통에 필요한 용어와 이름(예: 시나 수필의 정의와 지역이나 대통령의 이름)
② 사회에서 생산적으로 살아가는 구성원이 되기 위해 필요한 기본 기능(예: 읽기, 쓰기, 계산하기)
③ 사회가 원만하게 운영되고 유지되도록 하는 데 필요한 기본 가치(예: 정직과 권위의 존중) 등

예를 들어, 과학 교과는 진리로 인정받은 축적된 과학적 지식의 집합체로 학생이 이를 습득하기를 기대한다. 여기에는 과학적 사실 및 어휘와 함께 과학적 방법의 학습에 필요한 자질과 기능이 포함된다.

미국의 연방 교육부 장관을 역임한 Bennett이 제안한 초등 교육과정은 영어, 사회, 수학, 과학, 외국어, 미술, 체육 및 보건 등을 중심으로 구성된다. 저학년에서는 위인의 자서전(일대기), 신화와 전설, 국기와 국가, 충성 맹세와 같은 상징과 의식, 노래, 습자와 같은 기능, 구구셈 등을 중심으로 구성된다. 중학년(4~6학년)의 경우 다음과 같이 구성된다.

① 영어: 문법, 철자법, 독해, 작문, 어휘, 습자, 문학작품 분석
② 사회: 남북전쟁 등 역사, 지리, 정부의 조직과 기능
③ 수학: 백분율, 확률, 기하, 대수, 통계, 측정, 그래프
④ 과학: 지구/생명/자연 과학 등이다.

이렇게 교과를 강조하는 교육과정은 중등 교육에는 적합할지 모르나 초등 저학년에는 적합하지 않다(Posner, 1995: 92-93, 191).

4. 교육과정의 운영—수업 및 평가

전통적인 교과 중심 교육과정은 다음을 강조한다.

① 단일(하나의) 교과에 초점을 맞추고,
② 학급 전체의 학생들에게 강의법과 암송법을 중심으로 한 교사 중심의 수업을 강조하며,
③ 교과서와 학습장(교사가 수업 시간에 배부하는 밑그림, 밑글씨, 학습 문제 등이 있는 낱장의 종이)을 사용하고,
④ 지필 검사용 시험지를 사용하여 정기적으로 평가하며,
⑤ 평점을 강조하는 특징을 지닌다. 교과서는 내용을 적절한 범위만큼 다루어 줄 수 있게 해주는 한편, 학습장은 내용의 숙달에 필요한 연습의 기회를 제공해 준다(Posner, 1995: 191).

이 방법들은 교사들로 하여금 학생들을 통제하고, 소란스럽고 수업에 방해되는 행동들이 나타나지 않도록 도와준다. 학생들이 정보를 획득했는가, 기본 기능을 숙달했는가, 합의된 가치들을 내면화했는가를 측정해 내는 일이 평가의 주요한 과제이다. 이를 위해 표준화 검사 점수, 교실에서 암송할 때의 대답, 과제를 완결 짓는 속도와 정교성, 교사의 지시 사항을 따르는 능력과 태도 등에 주목한다. 이런 평가 방법은 교사의 통제력을 강화하는 동시에, 교사와 학생 모두에게 일종의 책무성(책임과 의무)을 안겨줄 수 있다(Posner, 1995: 191).

교과 중심 교육과정은 평가에서 사실의 회상, 기초 기능의 숙달, 전통적 가치의 주입(획득)을 강조한다. 따라서 평가 관련 주요 질문은 학생이 정보를 획득했는지, 기초 기능을 숙달했는지, 전통적 가치를 내면화했는지 여부이다. 이런 질문들에 대한 답을 얻는 방법은 표준화 검사 점수, 교실에서의 암송 시간에 제공하는 답변, 숙제(과제)

를 적절하고도 신속하게 완성하기, 교사의 지시에 따르는 능력과 적극성 등을 확인하는 것이다. 평가는 사실, 기능, 가치가 효과적으로 전달되었는지 여부를 결정하는 것을 거냥한다(Posner, 1995: 231).

[심화학습]

5. 교과 중심 교육과정의 여러 유형

Beck 등(1960)은 교육과정에서 교과 내용을 조직하는 교과 중심 교육과정의 네 가지 유형으로 (1) 분과적 교과 교육과정, (2) 상관형 교과 교육과정, (3) 중핵형 교과 교육과정, (4) 광역형 교과 교육과정으로 분류하고 다음과 같이 설명하였다.

(1) 분과적 교과 교육과정은 각 과목을 각각 다른 수업 시간에 다루는 것이다. 산수(계산), 지리, 역사, 철자법, 쓰기, 그리고 다른 여러 과목들이 학교에서 서로 다른 수업 시간에 다루어진다. 예를 들어 학생들이 집단 속에서 산수를 공부할 때, 학기가 진행됨에 따라 단순한 과정에서 복잡한 과정으로 진행해 나가면서, 점점 어려워지는 문제를 푸는 방법을 학습해 간다. 이러한 교육과정은 학습 능력이 중간 수준인 학생들을 위한 과제를 중심으로 조직되어 상위 학생들은 도전감을 받지 못하고 하위 학생들은 뒤처지면서 혼동을 느끼게 된다. 학생들이 직면하는 문제(과제)들은 인위적이고 다른 교과와의 관련이 거의 없다. 철자 학습용 단어들은 단어들의 점진적인 곤란도(difficulty)나 학생들의 요구에 따라 선정되고 조직된다. 지리는 역사와 분리하여 가르쳐진다. 지리의 이해를 위해 필요한 역사적인 사례(예시)와 역사의 이해를 위한 지리적 배경이 상호 관련지어지지 않아 두 과목이 본래 하나임(본래적인 통합성)을 학생들이 이해하지 못한다. 이러한 분과형 교과 교육과정의 비효율성을 극복하고자 교육자들은 다른 유형의 교과 교육과정을 개발하였다[이 책의 제12장(321쪽)에서 Drake의 통합에 대한 설명 참조].

(2) 상관형 교과 교육과정은 교과끼리 상호 연결되고 보완되도록 조직하는 것이다. 예를 들어, 과학과 같은 다른 교과에서 어떤 수학적 개념을 사용하고자 할 때, 수학 교과에서 이 개념을 학습할 때까지 연기한다. 또는 어떤 지역의 지리에 대한 학습이 그 지역의 역사에 대한 학습과 동시에 이루어지게 한다.

(3) 중핵형 교과 교육과정은 교과 중 하나를 중핵으로 정하는 것이다. 그리고 이 중핵 교과의 범위를 가능한 한 확대하고 다른 교과는 가능한 한 중핵 교과의 범위와 계열에 맞춘다. 이 유형은 사회과 영역에서는 잘 적용되었으나, 자연 과학, 수학, 그리

고 미술, 음악, 문학과 같은 특수 교과에서는 적용하기에 어려움이 있었다. 이는 교과 고유의 성격에 부합하지 않는 유형으로 변형되기 때문이다. 예를 들어, 어떤 시나 단락은 반드시 읽으면서 학습해야 한다. 어떤 교과의 학습을 위해서는 전통적으로 어떤 논리적이지도 과학적이지도 않은 특성을 지닌 선행 교과의 학습이 요구된다.

(4) 광역형 교과 교육과정은 상관형 교과 교육과정에서 한 걸음 더 나아가 교과 간의 관련을 더 높인 유형이다. 이 유형의 사례로 언어(의사소통) 영역은 읽기, 쓰기, 철자법, 문법, 구두점, 말하기, 듣기를 포함한다. 사회 영역은 역사, 지리, 일반 사회, 미국인의 생활 양식, 헌법 등을 포함한다. 다른 광역형의 사례로 보건 및 체육 교육, 예술, 수학 등이 있다(Beck et al., 1960: 193-194).

6. 교과 중심 교육과정에 대한 찬성 및 반대

가. 교과 중심 교육과정을 옹호하는 주장(장점)

1) Hopkins의 설명

교과 중심 교육과정에 대하여 다양한 찬성 및 반대 의견이 있었다. 먼저 Hopkins 가 이런 주장들에 대해 설명하는 내용을 살펴본다.

가) 교과 중심 교육과정은 객관적이다. 그것은 개인의 의견, 압력, 문제, 곤경, 요구에 의해 흔들리지 않는다. 그것은 여신의 눈을 가린 정의에 대한 고전적 개념을 따라 모든 개인을 절대적으로 똑같이 다룰 수 있다. 여신에게 정상 참작이 가능한 상황이란 없으며, 교과 중심 교육과정에도 그런 것이 거의 없다. 이 객관성을 가장 잘 보여주는 예시는 그것이 권위주의에 따라 운영된다는 점이다. 모든 교과는 각각 분리된다. 가르치기 이전에 교과가 미리 조직된다. 권위를 가진 사람이 학습 상황을 통제한다. 변하지 않는 사실과 정보를 강조한다. 고정된 습관과 기능을 기른다. 모든 학생은 획일적으로 교과를 학습한다. 최소 필수 학습 내용과 점수 기준이 정해진다. 이수 학점이나 단위나 시수는 교과를 학습한 시간 수에 따라 정해진다. 행정적인 권위를 지닌 자가 조직 전체를 통치한다(Hopkins, 1941: 50).

나) 저자의 비판: 이러한 장점에 대한 견해는 19세기에 등장한 실증주의에 토대를 두고 있다. 실증주의는 근대 자연 과학의 방법과 성과에 기초하여 물리적 세계뿐만 아니라 사회적·정신적 현상들까지 통일적인 관점에서 설명하려는 입장을 일컫는다. 사

실에 대한 인식만을 참된 지식으로 보고 과학적 방법을 신뢰하는 태도들을 폭넓게 가리킨다. 이러한 실증주의는 데카르트의 인식론에 따라, 실재는 인간의 마음 밖에 있으며 주관성을 배제하고 적절한 연구 기법을 사용하면 객관적 실재를 이해할 수 있다고 가정한다. 그러나 20세기에 들어 이러한 가정은 오류임이 드러났다. 현상학을 정립한 Edmund Husserl(1859~1938)은 인식의 주체와 인식의 대상은 밀접하게 관련되어 있으며 앎이란 마음과 세계가 상호 작용하여 나타난다고 말했다. 실재는 객관적으로 모두가 동일하게 인식할 수 없고, 개인들은 독특하게 실재를 인식한다. 따라서 다양한 개인들은 실재를 다양하게 인식한 결과를 보여준다. 그리고 지식은 객관적으로 주어지는 것이 아니라 개인이 구성해 간다. 그러므로 개인들은 어떤 사실이나 정보를 접하더라도 서로 다르게 이해하고, 해석한다. 이러한 포스트모더니즘 시대의 인식론에 따라 모든 학생을 절대적으로 똑같이 다루는 것은 정의에 대한 새로운 의미에 따라 부당하다. 학생들이 동일하게 통일적이고 획일적으로 교과를 접하는 것과 이를 위해 권위를 가진 자가 통제하는 것은 더 이상 그 정당성을 인정받기 어렵다. 이 외에 심리학적인 연구 결과들은 개인들이 다중 지능 영역에서 보이는 강점들과 약점들이 다르고, 선호하는 학습 양식이 다르고, 표상 양식이 다르고, 성격 지능이 다르고, 진로 적성이 다르다는 것 등을 보여주었다. 따라서 교과라는 내용의 학습 방법이나 과정을 똑같이 적용하는 것은 서로 다른 개인의 특성을 존중하지 않는 것이요, 이에 따라 학습의 효과도 높지 않다(이근호, 2006: 4-6; (주)두산, 2000: Lincoln과 Guba, 1985).

2) Alberty와 Alberty, Saylor와 Alexander의 설명

아래에 제시하는 교과 중심 교육과정을 옹호하는 주장은 주로 중등학교의 교과 중심 교육과정에 부합하므로 초등학교의 교과 중심 교육과정에 여과 없이 적용하는 것에 주의를 기울일 필요가 있다.

가) 체계적으로 조직된 지식이 경험의 효과적인 해석에 필수라고 여긴다. 과학자가 체계적으로 조직된 사실과 원리를 활용하여 새롭게 탐구하고 새로운 의미를 발견하고 응용할 방법을 찾는 것처럼, 개인은 자신의 현재 경험을 인류가 구성해 놓은 개념, 일반화, 원리와 연결 지어 해석한다. 현재 경험의 의미는 개인적인 경험이든 인류의 경험이든 다른 경험에 효과적으로 연결하지 않으면 완전하게 이해할 수 없다. 현재의 사건은 적절한 역사적 맥락에 비추어 볼 때 완전한 의미를 지닌다. 학생은 '불이 탄다'라는 의미를 이해하기 전에는 양초의 불꽃에 손을 대는 단순한 경험을 완전하게 이해할 수

없다. 이것을 다양한 방식으로 발생하는 산화의 예로 볼 때, 그 경험은 많은 새로운 의미를 지니게 되고 이는 새로운 경험을 효과적으로 통제하고 해석하게 해준다. 이런 식으로, 최적의 예측 가치를 지닌 하나의 체제가 형성된다. 교과 중심 접근의 옹호자들은 이런 미리 만들어진 체제(교과)들이 경험의 해석에 필요하다고 주장한다. 개인은 그 모든 연결들을 혼자만의 힘으로 발견할 수 없다. 그래서 이미 만들어진 조직은 시간과 에너지를 절약해 주며, 미래의 경험에 대한 안내자가 된다. 학생은 혼자의 힘으로 더 나은 조직 체제를 만들어낼 수 있을 것 같지 않다. 그러므로 그는 인류가 만들어 놓은 것을 사용하는 방법을 배우는 것이 나을 것이다(Alberty & Alberty, 1962: 173-174).

　나) 교과는 학습을 조직하고 새로운 지식과 사실을 해석하고 체계화하기 위한 논리적이고 효과적인 하나의 방법을 제공한다. 모든 사람은 배운 것들을 하나의 조직된 체제로 결합한다. 우리는 새롭게 배운 것들을 사용하여 지식, 기능, 태도, 행위 패턴 등의 체계적인 집합체를 재조직하기도 하고, 기존에 배운 것들에 추가하기도 하고, 이들의 아귀를 맞추어 새로운 개념과 원리를 만들어내기도 한다. 학생은 수학의 계산 방법을 배우고, 이 방법들이 발전되어 가면 이들을 조직하여 계산 능력에 대한 어떤 체계적인 접근을 시도한다. 학생은 낱개로 배운 수많은 계산 과정들을 사용할 수 있고 또한 이 방법들이 요구되는 문제의 해결에 적절하게 관련짓는다. 새로운 지식과 새로운 기능은 기존의 계산하는 패턴과 계산 과정에 대해 이해하는 것들에 결합된다. 이 조직된 지식의 집합체는 학생이 경험 속에서 새롭게 배우는 것들을 해석하고 더 잘 이해하게 한다(Saylor & Alexander, 1958: 253).

　이러한 전제 위에 많은 교육자들과 일반 시민들은 교과는 학교에서 경험을 조직하는 바람직한 토대라고 느낀다. 조직된 교과 내용을 통해 인류의 지식을 체계적으로 공부하는 것은 학생이 정보, 사실, 개념, 원리, 일반화의 집합체를 효율적이고 적절하게 구성하게 하며, 또한 교과는 새롭게 배운 것들을 이미 습득한 지식에 관련지어 경험 속에 결합하는 바람직한 방법으로 사용된다고 주장한다. 그러면 학습자가 학교에서 교육과정을 이수해 가면서, 인류의 경험을 조직한 집합체의 형태로 그에게 제공되는 많은 양의 정보와 지식을 습득한다고 가정한다. 학생은 이런 지식과 이해한 것들의 조직된 집합체를 활용하여 삶에서 마주치는 문제나 상황에 효과적으로 대응할 수 있는데, 이는 통합적 원리나 개념을 중심으로 체계적으로 조직되어 있기 때문이다(Saylor & Alexander, 1958: 253).

　다) 교과 중심 교육과정은 개별 학생의 지적인 능력의 발달에 가장 적합하다. 많은

시민들과 교육자들은 개인의 완전한 지적인 능력은 논리적으로 조직된 교과의 학습을 통해 가장 잘 개발될 수 있다고 주장한다. 이 관점은 전통적인 형식 도야론을 믿는 사람들이 지지한다. 그들은 추상적 사고, 암기, 추상적인 의미의 획득을 위하여 마음의 능력을 단련하고 사용하는 과정을 통해 이를 훈련할 수 있다고 믿는다. 이 개념의 관점에서 학습할 교과가 더 추상적이고 더 어려울수록 마음의 훈련과 단련에 더 좋다(Saylor & Alexander, 1958: 253-254).

형식 도야론의 오류를 인정하는 다른 많은 양심적인 시민들은 그럼에도 불구하고 교과의 학습은 논리적 사고 능력을 개발하고, 추상적인 개념과 원리를 다루고, 일반적으로 교육받은 사람들의 높은 수준의 지적 능력을 특징짓는 자질을 개발하는 가장 현실성 있는 방법이라고 느낀다. 이 관점은 수학, 과학, 역사, 지리, 그리고 다른 유사한 교과들이, 특히 추상적인 수준에서, 사고 능력을 개발하고 문제를 현실성 있게 다루는 최선의 기회를 제공한다고 주장한다. 수학의 영역에서 추상적 사고를 하는 것, 과학의 영역에서 기본 원리와 법칙을 개발하는 것, 문학에서 추상적인 아이디어를 파악하는 것, 문법의 규칙을 배우는 것 등을 통해 개인은 추상적 사고와 논리적 사고 능력과 함께 기본적인 지적 사고의 습관, 그리고 행동을 통제하는 아이디어와 원리에 대한 관심을 가장 잘 개발할 수 있다(Saylor & Alexander, 1958: 254).

라) 교과 중심 교육과정은 교육적 과정의 기본 개념들과 맥을 같이한다. 많은 교육자들과 시민들이 받아들인 교육적 과정에 대한 기본 관점과 일치한다. 항존주의[7]와 본질주의라는 개념을 수용하는 사람들은 교과가 이런 관점에 부합하는 교육과정을 조직하는 가장 현실성 있고 실제적인 방법이라고 생각한다. 이들은 지식을 힘(power)으로 여기고, 인간의 지식의 여러 주요 영역들에 대한 체계적인 공부, 즉 교과 중심 교육과정을 통해 이런 지식을 획득할 수 있다고 생각한다(Saylor & Alexander, 1958: 254-255).

마) 교과 중심 교육과정은 인류의 축적된 유산을 가장 잘 활용한다. 많은 사람들은

---

7) 항존주의(恒存主義, perennialism): 고전적인 실재론과 관념론에 기초를 두고 변화하지 않는 가치의 영원성을 주장하는, 20세기 미국의 한 교육 사조이다. 그 사상적인 연원은 고대 플라톤(Platon)·아리스토텔레스(Aristoteles)·아퀴나스(T. Aquinas) 등에서 찾아볼 수 있다. 항존주의는 특히 교육 철학으로서 영향력을 끼쳤고 허친스(R. M. Hutchins)와 아들러(M. J. Adler)가 잘 알려져 있다. 이는 진보주의 교육의 가치 변화의 개념에 반대하여 절대적인 원리를 강조하고 인간성의 항시적(恒時的) 성격에 비추어 교육 내용의 동일성과 보편적인 진리 습득을 주장하였다. 인간 이성에 토대를 둔 합리성의 발달을 위한 지적 훈련을 강조하고, 따라서 고전 학습을 주장한다. 본질주의와는 세부 원리에서의 차이에도 불구하고 상당한 유사성을 가지고 있다(서울대학교 교육연구소, 2011: 784-785).

교과 중심 교육과정이 인류의 축적된 문화유산을 가장 효과적으로 이용한다고 말한다. 학생들은 교과 중심 교육과정을 통해 여러 세기 동안의 경험에 토대를 두고 축적된 기본 개념, 공식, 원리, 일반화를 빠르고 효율적으로 습득한다. 학생은 인류의 경험을 가장 잘 활용하여, 이어서 새로운 성취를 하고 새로운 발견을 하고 인간의 삶의 질을 증진할 수 있다(Saylor & Alexander, 1958: 255).

바) 교과 중심 교육과정은 유구한 전통의 지지를 받고 광범위하게 수용된다. 교과 중심 교육과정의 역사는 유구하다. 이렇게 장기간에 걸쳐 교과 교육과정이 운영되면서, 시민, 교사, 학생, 학교 관계자들이 일반적으로 별다른 이의 제기 없이 수용하는 결과를 가져왔다. 새롭게 제안되는 교육과정은 초기에 교과 중심 교육과정이 지닌 전통과 특권의 장벽을 극복해야 하는 어려움을 겪는다. 대부분의 사람들이 학생들이 학교에 가서 교과를 배운다고 생각한다. 다른 주장을 내세울 때, 기존의 것과 간극이 넓어 기존의 사고와 행위를 바꾸는 일에 따르는 모든 문제를 감당해야 한다. 따라서 학교가 새로운 접근을 시도할 때 수반되는 학부모의 동의를 구하는 일과 후원자에게 알리고 승인을 얻는 힘든 과정을 거치지 않고 기존의 교과 중심 교육과정을 유지할 수 있다(Saylor & Alexander, 1958: 255).

사) 교과 중심 교육과정은 교사들이 쉽게 사용한다. 교사들은 초·중등에서 교과 중심 교육과정에 따른 교육을 받았고, 교사 양성 기관에서도 교과 중심 교육과정에 따른 교육을 받았다. 중등 교사의 경우 이것이 더 분명하다. 불가피하게 그런 교사는 다른 유형의 교육과정보다 교과 중심 교육과정의 운영을 더 쉽게 여긴다. 학교의 입장에서도 새로운 교육과정을 위해 교사를 재교육하는 것보다 교과 중심 교육과정을 선호한다. 특히 중등학교의 경우, 새로운 교육 경험을 교육과정으로 조직, 설계하는 것이 교사에게는 매우 어렵다. 그들이 새로운 접근을 접하고 적용하는 경우, 당황하며, 불안해하며, 어려움을 느낀다. 이에 따라 어떤 교육과정 개발자들은 새로운 교육과정을 운영할 교사를 대상으로 충분한 연수를 제공하는 수고를 하기보다 기존의 교육과정을 운영하는 것이 더 좋다고 느낀다(Saylor & Alexander, 1958: 255-256).

아) 교과 중심 교육과정의 계획(설계)은 간단하고 쉽다. 다른 유형의 교육과정과 비교하여 교과 중심 교육과정의 계획이 더 쉽다. 이는 과거 교육과정 계획 경험이나 방법적 지식이 주로 교과 중심 교육과정을 위주로 축적되었고, 교육과정을 개정할 때 어떤 교과는 생략하고, 어떤 교과는 추가하고, 기존의 교과를 재조직하고, 심리학적으로

가르치기 쉽게 만드는 작업을 하기 때문이다. 개정에 참여하는 사람들은 학습 경험을 어떻게 새롭게 설계할지에 대해 고민하지 않고 기존의 교과를 재조직하는 일을 주로 한다. 이에 따라 시대 흐름을 반영하기 쉽다. 국가적으로 다른 전문 직종에서도 새로운 교과를 창출하기보다 기존의 교과를 재조직하고 개선하기 위해 노력한다. 교사는 이런 전문 직종에서 그리고 교사 양성 기관의 전문가들에게서 자신들의 교과 내용 재조직에 대한 많은 정보를 얻을 수 있다(Saylor & Alexander, 1958: 256).

교육 내용의 범위와 계열을 정하는 것도 교과 중심 교육과정에서 더 쉽다. 범위의 문제는 어떤 교과를 개설하고, 어떤 교과는 필수이고, 어떤 교과를 한 학기 또는 두 학기 가르칠 것인가에 대한 것이다. 계열의 문제는 초등학교, 중학교, 고등학교의 여러 학년에서 교과 내용을 어떤 순서로 제시할 것인가에 관련된다(Saylor & Alexander, 1958: 256).

자) 교과 중심 교육과정에서 평가 프로그램의 운영이 쉽다. 이는 평가를 위해 교과 내용의 습득 및 기능과 능력의 발달을 측정하기 때문이다. 사전에 개발된 교과 내용의 회상에 토대를 둔, 표준화되거나 교사가 제작하는 시험은 쉽게 만들어 사용할 수 있다. 국가적으로 실시하는 시험은 교과 중심 교육과정 운영이 지속되게 한다(Saylor & Alexander, 1958: 256-257).

차) 대학들은 일반적으로 입학 전형을 통해 교과 중심 교육과정을 지지하고 지속되게 하였다. 전통적으로 고등학생들은 특정 교과의 단위나 학점 또는 여러 교과들에 관한 입학시험에 토대를 두고 대학에 입학하였다. 이는 대학의 교육과정이 거의 전적으로 교과 중심이기 때문이다. 의심의 여지는 있으나 어떤 교과를 어떤 단위나 시수만큼 이수하면 대학에서의 학업에 성공적일 수 있다는 가정이 있다. 고등학교 교장들은 그들의 졸업생들이 대학에서 성공하기를 진정으로 원한다. 이러한 성공을 보장하는 최선의 방법은 어떤 교과를 어떤 단위나 시수만큼 이수해야 한다는 대학의 요구에 부응하는 것이다. 어떤 고등학교가 적은 수의 교과를 개설할 때, 비록 적은 수의 학생들이 대학에 진학하더라도 이 학생들을 위한 교과 개설이 우선이다(Alberty & Alberty, 1962: 178).

나. 교과 중심 교육과정에 대한 비판(단점)

1) Saylor와 Alexander의 설명

가) 교과 중심 교육과정의 논리적 · 체계적 조직은 심리적 측면에서 적합한 조직이 아

니다. 아동의 성장 및 발달, 학습 심리학에 대한 연구 결과에 비추어, 학습할 경험을 교과의 형태로 조직하는 것은 심리학적으로 부족한 점이 많다. 이는 특히 초등학생에게 그렇고 많은 중·고등학생에게도 그렇다. 학습은 순수하게 그리고 단순하게 학습자가 경험에서 어떤 것을 선택하여 그의 기존의 학습 결과에 연결하느냐 하는 것에 해당하므로, 학습자의 동기와 목적의 중요성은 아무리 강조해도 지나치지 않다. 학습자가 자신이 만난 실제적인 문제를 해결하기 위해, 그가 원하는 어떤 것을 성취하기 위해, 그가 지닌 어떤 관심을 추구하기 위해, 또는 그의 동기에 관련된 기본 요구를 충족하기 위해 어떤 경험에 참여한다면, 그는 진실된 학습, 즉 그가 배운 점, 지식, 능력, 태도, 흥밋거리, 행위 방식 등 유용한 것들에 추가하는 것이 더욱 확실하게 이루어지게 할 목적을 가지고 참여한다(Saylor & Alexander, 1958: 257).

　불행하게도 매우 많은 학생은, 특히 어린 학생은 논리적으로 조직된 교과의 학습에서 중요한 목적을 발견하지 못한다. 그러나 교육자들은 많은 학생들이, 특히 학생들이 성숙해지고 중등학교에 진학하면서, 교과의 체계적인 학습에서 의미를 발견하고, 그런 교과가 심리적으로 그들의 목적에 부합한다는 사실을 인식해야 한다. 그런 목적은 학생이 대학 입학 준비, 그가 관심을 가지는 어떤 지식의 측면에 대해 많이 배우는 것, 특정 영역에서 그의 기술과 능력을 향상하는 것, 어떤 영역의 지식을 많이 알게 됨으로써 얻는 명성, 또는 이 영역의 개념에 대해 정확하게 사고할 수 있는 능력의 획득 등 자신의 삶에서 유용하고 바람직하게 교과가 적용된다는 것을 받아들일 때 발견한다. 그러나 많은 학생들은 이런 종류의 목적 설정에 어려움이 있고, 따라서 교과에서 의미를 발견하지 못한다. 학년이 더 높은 상당수의 학생들도 마찬가지이다. 그들에게 교과를 학습하는 중요한 목적은 교사를 기쁘게 하거나, 통과 점수를 얻거나, 비난이나 처벌을 받지 않는 것, 아니면 낮은 수준의 동기와 같은 것일 수 있다. 불행하게도, 교과 학습은 개인적 관심과 행복의 측면에서 가치 있는 것으로 보이지 않으므로, 학습한 교과 내용은 곧 기억에서 사라진다(Saylor & Alexander, 1958: 258).

　또한 학생들이 학습한 자료에 대해 해석하고 이해하는 충분한 경험적 배경을 가지고 있지 않으면, 많은 의미가 사라지고 노력은 무의미하게 된다. 교사는 의미의 발견이나 일반화 능력의 개발과 관계없이 교과를 암기하거나 학습하도록 요구할 수 있다(Saylor & Alexander, 1958: 258).

　나) 교과 중심 교육과정은 학교의 교육 목표 달성을 제한한다. 교과 중심 교육과정은 바람직한 학생의 성장과 발달 측면들, 특히 신체적 성장, 사회성 발달, 정서적 성숙

을 무시한다. 교과 중심 교육과정은 전적으로 지적인 발달에 집중한다. 물론 지적인 발달이 학교의 주요 역할이지만, 교육에 대한 근대의 개념은 학교가 학생의 다른 성격 측면들에서의 바람직한 성장을 촉진할 경험을 제공할 책임이 있다는 점을 인정한다 (Harvard University, Committee on the Objectives of a General Education, 1945). 사실상, 정신 건강 영역의 많은 권위 있는 사람들은 학생들을 경직되고, 논리적으로 조직된 교과 중심 교육과정만 따르게 하는 것이 전인적 발달에 심각한 결과를 가져온다고 주장한다. 이는 그로 인하여 학생들이 미성숙으로 다루기 어려운 상황에 처하게 되고 학생들에게 무의미하고 좌절감을 주는 활동과 경험에 종사하기 때문이다(Menninger, 1950; Saylor & Alexander, 1958: 258-260 재인용).

다) 교과 그 자체는 마음을 단련하지 않는다. 교과 중심 교육과정을 선호하는 사람들이 모두 형식 도야론을 믿는다고 가정하지는 말아야 하지만, 그럼에도 불구하고 형식 도야론을 믿는 사람들은 모두 교과 중심 교육과정을 학교 교육과정의 필수적인 조직 형태로 받아들인다. 교과를 그런 형식 도야론에 토대를 두고 정당화한다면, 우리는 이 주장을 거부해야 한다. 이는 심리학에서의 연구와 학습에 관한 연구가 이런 형식 도야론이라는 오래된 전통적인 이론의 오류를 증명했기 때문이다. 단지 언어적으로 추상적인 아이디어들과 개념들을 다루고, 광범위한 암기와 규칙과 원리의 숙달을 요구하는 이러한 "교과들이 그 자체로 마음을 단련하는 데 특별한 장점을 지닌다는 권위 있는 증거는 없다." 인간으로서 우리는 경험하면서 학습한다. 만약 우리가, 예를 들어 기하학을 학습하여 논리적 사고의 기술, 방법, 태도를 경험 속에 녹아들게 하였다면, 이는 우리가 논리적 사고를 경험하였고 우리의 학습에 녹아들게 하였기 때문이다. 논리적 사고라는 방법은 민주주의, 농업, 가정학, 기술, 또는 다른 많은 학업 영역들에서 여러 문제들을 다루면서 똑같이 또는 더 잘 경험할 수 있다(Saylor & Alexander, 1958: 260).

사실상, 논리적 사고를 가장 잘 학습하는 방법은 일상생활에서 만나는 관련 있고 의미 있는 문제들에 대해 논리적으로 사고하는 것이다. 그러나 논리적 사고라는 방법은 경험에서 논리적 사고 과정 그 자체에 대해 주의를 기울이지 않으면 학습할 수 없다(Fawcett, 1938). 우리는 경험과 함께 통찰력이 필요하다. 근대 교육과정 전문가들이 하는 일은 교육적 경험을 통해 획득할 수 있는 (획득하기를 기대하는) 기본적인 결과(성과)에서 출발하는 것이다. 그리고 이러한 종류의 결과를 가장 잘 제공할 수 있는 활동을 계획하는 것이다. 그것이 교과 그 자체에서 시작하여 그것에 온갖 결과들을 연결하여 성취할 수 있게 하는 것보다 교육과정을 구성하는 더더욱 논리적인 방법이다. 학습은 교과 그 자체 속에 있지 않고 경험 속에 있다. 결과를 결정하기 위해 중요한 것은 학생이 겪는 경험의 질이다(Saylor & Alexander, 1958: 260-261).

라) 교과 중심 교육과정은 학습을 분절화(파편화)한다. 교과 중심 교육과정에 대해 제기되는 가장 강한 반대 중의 하나는 그것이 실제 활동에 존재하지 않는 인위적인 선을 그으면서 인위적으로 학습 경험을 분절한다는 것이다. 우리가 삶의 상황을 만날 때, 우리는 그것을 하나의 전체로 다루지 지식의 부분들이나 파편들로 다루지 않는다. 우리는 전문가들이 개발하였을 교과의 논리적인 구분과 무관하게, 당면 문제나 상황에 관련 있는 모든 지식을 활용해야 한다. 그러나 교과 중심 교육과정은 실제 삶과 같지 않고 전인으로서 개인이 행위를 하는 방식과 다른 인위적인 조건을 제시한다. 교과 중심 교육과정에서 학습자는 학습하는 서로 구분되는 교과들 사이에서 어떤 관련성을 발견하기 어렵고, 생활의 문제들과 관련지어 하나의 체계적인 전체로 자신의 학습을 구성하지 못한다. 심지어 훈련을 많이 받은 성인 전문가도 하나의 상황을 하나의 전체로 만나며, 이는 여러 교과 영역들의 지식을 종합적으로 이용할 것을 요구한다. 유명한 영국의 철학자 Alfred North Whitehead는 교과 중심 교육과정의 전형적인 단점을 아래와 같이 지적하였다.

여러 수많은 교과들의 작은 부분들을 가르친 결과는, 생명력이라고는 한 가닥도 보이지 않는, 분절된 아이디어들을 수동적으로 받아들이는 것이다. 아이의 교육에 도입되는 주요 아이디어들은 중요한 몇 가지로 한정하고, 이들을 가지고 가능한 한 온갖 종류의 조합을 만들어 깊이 있게 학습하게 할 필요가 있다. (중략)
내가 주장하는 해결책은 우리의 근대 교육과정의 생명력을 죽이는 교과들의 치명적인 분절을 제거하는 것이다. 교육을 위해 단지 하나의 교과만이 존재하며, 이는 온갖 측면들을 지니는 삶 그 자체이다.(Whitehead, 1929: 2, 3, 10; Saylor & Alexander, 1958: 261 재인용)

마) 교과 중심 교육과정은 지식의 기능적 활용을 지원하지 않는다. 지식은 자동적으로 행동으로 전환되지 않는다(Russell, 1952). 교육과정 계획에서 중요한 질문은 다음과 같다. 무엇을 위한 지식인가? 시민이 소유한 지식을 어떻게 사용하는가? 교과 중심 교육과정은 그 자체로 이 질문들에 답을 제공하지 못한다(Sailor와 Alexander, 1958: 261).

뉴욕주의 공교육의 특징과 비용에 대한 'New York Regents' 연구는 중등학교에서 전통적인 교과 중심 교육과정이 학생들이 졸업한 이후 기능적으로 삶의 상황에 적용되는 데 어떤 단점이 있는지 극명하게 보여준다. 결론은 다음과 같았다(Sailor와 Alexander, 1958: 261-262).

> 청소년이 학교 졸업 이후 만나는 사회의 문제들에서 성공하지 못한 한 가지 중요한 이유는 중등학교들이 사회에서 그들에게 요구하는 중요한 능력들을 획득할 기회를 그들에게 충분히 제공하지 못하였기 때문이다. 학교가 상당히 효과적으로 지식을 가르쳤으나, 학교가 가르치는 것을 제외하고 학생들이 학습할 것 같지 않은 많은 중요한 것들을 가르치는 일에 실패하였다. (중략)
>
> 만약 학교들이 학생의 사회적 능력에 효과적으로 도움을 주려면, 대부분의 고등학교가 학교 밖에서 요구되는 학생의 능력에 현재 관심을 기울이는 것보다 훨씬 더 많은 관심을 기울여야 한다. 보통의 교과 중심 교육과정은 대부분의 학생들의 시급한 학교 밖 관심사와 매우 멀리 떨어져 있다. 교과 중심 교육과정은 전통 때문에, 또는 이전 세대에 교육받은 사람들이 교과에 익숙하기 때문에, 또는 오직 소수의 학생들이 대학에서 그 유용성을 발견하기 때문에 선택되었다. 교과 중심 교육과정은 그 결과가 실용적인 검증을 받았기 때문이 아니라 그것이 효과적인 것이라는 믿음에 근거하여 그 일반적인 가치를 주장한다.(Spaulding, 1938: 149, 155: Saylor & Alexander, 1958: 262 재인용)

아마도 교육에 대한 전통적인 개념이 지니는 가장 심각한 약점, 그리고 근대 교육자들이 강력하게 비판하는 점은, 여러 교과 영역에서 체계적인 지식을 숙달하였다는 의미에서 교육받은 사람은 따라서 현재 민주주의적인 국가에서 만나는 삶의 문제들을 효과적으로 다룰 줄 아는 사람이라는 아이디어이다. 그러나 (1) 교과 중심 교육과정과 (2) 교육에서의 명저 중심 접근(the great-books approach)에 포함된 개념들에 나타난 체계적인 지식과 민주주의적인 시민의 자질을 나타내는 행위 사이에는 밀접한 관계가 없다는 경험적 증거가 있다(Saylor & Alexander, 1958: 262).

바) 교과 중심 교육과정은 다루는 교과의 범위를 심각할 정도로(과도하게) 제한한다. 교과 중심 교육과정의 심각한 단점(한계점) 중의 하나는 전형적인 학교 프로그램에서 제공하는 교과의 범위가 제한된다는 것이다. 교과 중심 교육과정에서 지식의 전 영역이 다루어지지 않는다. 많은 다른 영역들은 간단하게 소개하는 정도로 다루어진다. 예

를 들어, 교과 중심 교육과정을 이수하는 고등학교 학생의 경우를 생각해 볼 수 있다. 각각의 학생은 4년 동안의 고등학교에서 1년, 즉 2개 학기 기준으로 최저 15개에서 최대 20개의 과목을 수강한다. 일부 과목이 학기 단위로 개설되면, 서로 다른 과목의 숫자는 조금 올라간다. 그러나 대부분의 고등학교 과목들은 1년 단위로 개설된다. 전형적으로 학생은 어떤 과목을, 예를 들어 영어와 같은 교과를 2년, 3년, 또는 4년 동안 수강하므로, 학생이 다른 영역을 수강할 기회가 얼마나 급격하게 축소되는지 알 수 있다. 이런 상황은 대규모 고등학교에서도 변하지 않는다. 학교는 여러 유형의 과목들을 200개까지 개설하지만, 학생 각각은 1년 기간에 15~20개 과목만 수강하기 때문이다. 대규모 고등학교와 소규모 고등학교의 차이점은 학생이 누릴 수 있는 기회이지, 4년 동안 실제 수강할 과목수가 아니다(Saylor & Alexander, 1958: 263-264).

　　교과 중심 교육과정의 이러한 단점의 예시를 과학 영역에서 들 수 있다. 고등학생은 일반 과학으로 알려진 영역의 과목들을 수강할 수 있다. 이 영역의 과목들은 학생에게 과학 영역의 여러 세부 전공(학문)들에 대한 짧고 간단한 소개 정도를 제공한다. 그는 1년 기간에 일반 생물 과목을, 그리고 아마도 1년 기간의 화학, 1년 기간의 물리 과목을 수강할 수 있다. 보통 대규모 고등학교를 포함하여 고등학교에서 학생은 이런 정도를 수강할 수 있다. 이런 기회를 분석해 보면, 학생은 과학 영역에서 매우 제한된 지식을 지닌다는 것을 알 수 있다. 그는 과학 영역에서 지질학, 천문학, 세균학, 식물학, 동물학, 지구과학, 기상학 등의 지식에 대해서는 알지 못한다. 그러나 과학을 전공하지 않으면, 학교에서 제공하는 영역들 중에서 두 개 이상의 영역을 수강하는 학생은 드물다. 이것은 그들이 매우 방대한 과학 영역의 지식 중에서 매우 피상적인 정보만 획득한다는 것을 의미한다(Saylor & Alexander, 1958: 264).

2) Alberty와 Alberty의 설명

　　가) 교과 중심 교육과정은 심리학적 연구 결과에 배치된다(Alberty & Alberty, 1962: 181). "교육은 본질적으로 성장의 과정이다." WIlliam James가 말하였듯이, "이제 막 와글거리면서 새롭게 형성되는 혼돈(blooming, buzzing confusion)"의 세계에서 시작하여, 아동은 점진적으로 자신의 경험을 직접적으로 또는 간접적으로 자신의 세계에 통일성과 일관성을 갖출 수 있을 지점까지 확장한다. 아동은 점진적으로 자신의 삶에서 질서와 체계를 세워나간다. 이 과제 수행에서, 인류의 경험은 매우 가치 있고 필요한 것이다. 아동은 교과를 끌어들여 자신의 문제를 해결하고, 자신의 요구에 부응하

고, 자신의 관심을 확장한다. 마루에 블록으로 집을 만드는 시기부터 자신의 가정을 세우는 시점까지, 아동은 인류의 경험에 매우 크게 의존한다. 자신의 삶에서 매우 이른 시기에는 다른 사람들이 살아가는 방식에 대한 매우 단순한 이야기와 사진이 자신의 가정을 더 잘 이해하는 데 도움을 준다. 점점 읽기 능력이 발전해감에 따라, 아동은 자신의 환경의 반경을 넓힌다. 아동은 '집', '가정', '가족생활'에 대한 새로운 개념을 형성한다. 문제에 직면할 때에 아동은 다른 사람들은 비슷한 문제를 어떻게 해결하였는지 확인하면서 큰 도움을 받는다. 아동이 더 성숙해지면서 인류의 경험을 점점 더 효과적으로 사용할 수 있게 된다. 이제 아동은 자신의 가정을 세우는 문제 해결에 과학, 수학, 사회, 미술을 체계적으로 다루는 것을 가장 효과적인 수단으로 생각하게 되는 지점에까지 이른다. 아동은 이 지식의 체계에 의존하여 자신의 가정에 대한 계획을 수립하고, 집을 짓고, 가정을 위한 재정을 마련한다. 아동의 지적이고 심미적인 가치들은 조직된 교과를 지속적으로 사용하면서 재창조된다. 아동은 이제 심리학적인 것과 논리적인 것이 하나로 일치되는 단계에 이른다. 그러나 직접 체험하는 경험이 항상 앞선다는 사실에 주목해야 한다. 조직된 교과는 그것을 풍부하게 하고 확장하기 위한 수단이다. 교과는 목적도 목표도 아니다. 학생을 위한 목표는 역동적으로 살아가면서 목적을 추구하는 유기체가 역동적인 환경 속에서 상호 작용하는 가운데 겪게 되는 긴장의 해소, 문제의 해결, 필요의 충족이다(Alberty & Alberty, 1962: 182).

아동의 경험과 논리적으로 형식화된 인류의 경험 사이에는 매우 넓은 간극이 존재한다. 이것은 논리적인 관계가 경험의 '조직'에는 필수적이지만, 그것은 이미 만들어진 상태에서 아동에게 전달될 수 없음을 의미한다. Dewey는 이에 대해 오래 전에 언급하였다.

> 사실들은 경험 속의 그들의 본래 장소에서 분리되어 어떤 일반적 원리에 따라 재정리된다. 그런데 아동 경험이라는 것은 어떤 것을 분류하는 것과는 별다른 관련이 없다. 아동에게 사물들은 마치 여러 작은 칸막이를 한 우편함 같은 곳에 있는 것들처럼 다가오지 않는다. 애정의 *끈끈한* 연결과 활동의 단단한 결합으로 개인적 경험들은 한데 묶여 있다. 성인의 마음은 논리적으로 정렬된 사실들에 매우 익숙하여, 직접적으로 경험한 사실들이 특정 '공부' 또는 학습의 영역(분야)들로 등장하기 전에 겪는 수많은 분리하고 재구성하였던 일들을 기억하지 못한다. 지성인에게 하나의 원리는 구별되고 정의되어야 한다. 사실들은 그 자체로가 아니라 이 원리에 따라 해석되어야 한다. 그들은 전적으로 이상적이고 추상적인 하나의 새로운

중심의 주변에 다시 모여야 한다. 분류된 공부의 분야들은 그 산물, 즉 그 시대의 과학의 산물이지 아동의 경험의 산물이 아니다.(Dewey, 1902a; Alberty & Alberty, 1962: 182 재인용·)

이러한 이미 조직화된 인류 경험을 사용하는 것의 어려움은 수많은 학자들이 강조하였다. 우리는 여기에서 간단히만 언급해도 좋을 것 같다. 그런 조직에서 나타나는 학습은 흔히 부르듯 "서적 학습[책으로 배운 지식, 탁상 학문(book learning)]"이 되기가 매우 쉽다. 학생들은 상징과 단어를 학습할 때 의미 있는 경험을 함께하지 않는다. 그들은 교과서에 등장하는 정의를 입으로는 암송하지만 그들의 진정한 의미에 대해 전혀 알지 못한다. 이에 관한 두드러진 예시는 다음과 같이 잘 알려진 이야기이다. 즉 미시시피강 주변에 위치한 어느 도시의 많은 학생들이 교과서에서 공부한 미시시피강과 그들의 집 앞에 흐르는 물의 흐름을 연결 짓지 못하였다(Alberty & Alberty, 1962: 182-183).

이러한 사례는 논리적으로 조직된 교과 (중심) 교육과정에 대한 반대 주장에 사용된다. 사회는 인류의 경험을 논리적으로 조직된 명백한 교육과정의 형태로 전달하고자 하였다. 그 결과 성장하는 아동과 사회 사이의 간격은 점점 더 넓어졌다. 즉 문명화된 사회생활이 점점 더 복잡해지면서 인류의 경험은 성인의 활동을 아동의 경험으로부터 점점 더 멀어지게 하였다(Alberty & Alberty, 1962: 183).

비록 새로운 심리학의 관점에서 그렇게 체계화된 지식이 종종 경험, 특히 청소년의 경험에서 멀리 떨어져 있다는 것이 인정되지만, 이것은 그런 지식이 적절한 조치를 통해 경험에서 작동하도록 만들어질 수 없다고 말하는 것은 아니다. 인류의 경험은 무시할 수도 없고 무시할 필요도 없다. 학생의 언어 사용 능력을 통해 시간과 공간 면에서 멀리 떨어진 경험이 활력을 얻게 할 수 있다. 책으로 배운 지식(탁상 학문)은 그것이 받은 모든 경멸과 조롱을 받아 마땅하다. 그러나 그 치료법은 인류의 경험을 버리기보다 활성화하는 길에 놓여 있다. 따라서 논리적 조직을 적절하게 사용한다는 것은 먼 미래의 교육적인 이상이고, 또한 교육적 과정이 따를 경로의 선택에서 매우 중요하다. Dewey가 말하였듯이, 현 시점에서 학생의 경험의 성장 문제를 다룰 안내자로서의 원리가 된다. 그것은 학생의 활동을 해석하고 방향을 제시하는 안내자와 같은 원리를 제공한다(Alberty & Alberty, 1962: 183).

나) 교과 중심 교육과정은 현대의 학교들이 추구하는 민주주의 가치에서 멀리 떨어져 있다. 비록 체계화된 지식이 학생을 도와 학생의 문제를 해결하고 결국에는 학생의

개념 체계를 정교화할 수 있다는 장점을 우리가 인정한다고 하더라도, 이 가치는 직접적으로 성취되지 않고, 학생을 도와 인류의 경험을 효과적으로 사용하게 하는 것을 통해 성취된다. 방향의 중심은 학생과 그의 세계이지 성인 세계의 지식 체계가 아니다. 민주적인 학교는 창의성, 협동심, 사회적 감수성, 반성적 사고 능력, 인내와 같은 특성(역량)들을 함양하고자 한다. 이 가치들은 가정, 학교, 지역 사회에서 삶을 살아가는 학생의 실제적이며 살아 움직이는 경험을 교육과정의 중심으로 삼을 때, 가장 잘 성취된다. 다른 것을 배제하고 오직 축적된 인류의 경험에만 초점을 두면서 이들을 성취하려고 하는 것은 단순히 말뿐인 구호에 그칠 가능성이 있으며, 학생의 삶과 학교에서의 일과 사이에 이분법을 조장할 가능성이 있다. 민주적인 가치는 그것들을 살아감으로써 그리고 살아간 경험에 대해 반성함으로써 성취된다(Alberty & Alberty, 1962: 183-184).

민주주의적인 가치들이 학교 교육의 실제에서 실현되지 못한 한 가지 이유는 이 가치들을 수용하였으나 이들을 실현하기 위한 가장 효과적인 수단으로 교육과정을 개정하지 못하였기 때문이다. 그것은 사고를 하기 위해 사실들이 필요하다는 그럴듯한 근거에 토대를 두고 사실의 암기를 마치 사고하는 것으로 간주하였다. 그것은 사회적 감수성, 협동심, 인내심을 매우 중요한 목표로 간주한다. 그러나 실제 살아가는 경험이 없어도 그것들에 대한 아이디어들만으로도 행위 변화를 가져오는 효과가 있을 것이라고 가정하였다. 수영에 대한 오랫동안 인용되어 온 원격 교육의 비유가 여기에서 적절한 것 같다. 학생이 이 코스를 통과할 수는 있으나, 자신이 배운 내용을 어느 상황에서도 적용할 수는 없다(Alberty & Alberty, 1962: 184).

3) 한국의 학교에서 발견된 단점

가) 협동보다는 경쟁을 강조하면서 학생 사이의 위화감을 조성하는 등 사회성 발달을 위한 기회의 제공에 소홀하다.

나) 학생 간의 상호 존중과 상호 이해 증진 등에 소홀하여 학생 간의 따돌림이나 학교 폭력 등의 예방을 위한 대비가 부족하다.

다)인지적 영역에서의 학습 목표 중 하위 목표 도달에 그친다.

라) 학생의 정의적 영역의 발달에 소홀하다.

마) 학생 개인의 특기와 적성의 발굴 및 발전에 대한 관심이 부족하여 진로 교육에 소홀하다.

제2절 학문 중심 교육과정

1. 기본 관점

학교의 교과목과 그것을 파생한 최고의 학문들 간의 틈이 너무 크다. 모든 연령층의 학생들로 하여금 각 학문의 기본적인 아이디어들을 활용하는 탐구 활동을 하게 함으로써 그 틈을 줄이면 학생들의 지적 능력에 대한 자신감과 광범한 현상에 대한 이해를 도모할 수 있다. 학생을 어린(꼬마) 과학자라고 하는 은유는 이 관점의 핵심을 잘 보여준다(Posner, 1995: 59).

2. 배경

1950년대 중반까지 대학의 교수들 사이에는 사회 과학 및 자연 과학 분야의 교수들과 사범대학 및 교육대학의 교육학 교수들 중에서 교사 교육에 누가 더 영향을 미쳐야 하는가에 대해 논쟁이 이어졌다. 교과 내용 전공 교수들은 교육학 교수들, 그중에서도 특히 경험적 관점을 가진 자들을 지나치게 일반적이고 총명하지 않다고 보았고, 교육학 교수들은 교과 내용 교수들을 지나치게 좁은 관점을 가지고 있다고 비난하였다(Foshay, 1970; Posner, 1995: 54-55 재인용).

제2차 세계대전과 특히 원자 폭탄의 개발은 대학의 학자들의 자신감과 그들의 정치적 힘을 크게 강화하였다. 원자 에너지의 실제 적용은 이론적 · 지적 노력의 승리로 여겨졌다. 더욱이 그것은 대학에 기반을 둔 것이요, 교수들의 성취라고 여겨졌다(Atkin & House, 1981: 6; Posner, 1995: 55 재인용).

이러한 사건들 때문에 그리고 당시의 국제적인 정치 풍토 때문에 모든 수준의 학교 교육은 국가의 목표 달성에 중요한 것으로 인식되었다. 이러한 발전의 가장 직접적인 수혜자는 대학의 교수였다. 아마도 처음으로 대학의 수학과 과학 전공의 학자들이 초 · 중등 교육과정에 정당한 영향력을 행사하고 있는 것으로 보였다(Posner, 1995: 55).

이런 분위기 속에서 Illinois 대학교의 Max Beberman은 고등학교 수학 교육과정의 개선을 위해 자신의 대학에서 수학자와 공학자들로 구성된 팀을 구성하였다. 1951년에 구성되어 University of Illinois Committee on School Mathematics(UICSM)로 불린 이 팀은 중등 학교 수학 강좌들을 분석하고, 그들은 1700년 이후 등장한 개념을 전혀 담지 않았고, 교수들이 중요하다고 여긴 수학적 아이디어들에 거의 전적으로 초점을 두지 않았다고 결론지었다(Atkin & House, 1981: 7). Beberman은 집합 이론과 같은 주제들을 중등 학교 학생들에게 성공적으로 가르칠 수 있음을 대학 부설 고등학교에서 시범적으로 보여주었다. 1952년에 UICSM은 Carnegie 재단의 후원을 받아 다른 교사들이 사용할 수업(교수) 자료를 개발하였다. 이 후원으로 UICSM은 더욱 확장되어 갔으며, 더 많은 수학자들과 실험적인 자료들을 사용해 볼 수 있는 더 많은 학교들이 여기에 참여하였다. 이로써 새로운 수학이 탄생하였다(Atkin & House, 1981; Posner, 1995: 56 재인용).

1950년대 중반까지 물리학에서도 비슷한 활동이 진행되었는데, MIT와 Harvard 대학교의 교수들이 Jerrold Zacharias의 지도 아래 선봉에 섰다(Zacharias & White, 1964). 이 학자들은, 중등학교 물리 교육과정을 분석한 이후에 Beberman과 동료들이 내린 똑같은 결론에 도달하였다. 물리 교육과정에는 이 물리학자들이 가장 중요하다고 생각한 주제들이 포함되지 않았다. 대신에 고등학교 물리 교과서는 기술, 특히 냉장고와 자동차와 같은 일상생활 도구의 작동 아래에 깔린 물리적 원리를 강조하였다(Posner, 1995: 56).

1956년까지 설립된 지 6년이 지난 National Science Foundation은 Zacharias의 Physical Science Study Committee(PSSC)에 재정 지원을 시작하였다. 이러한 교육과정 개정의 국가적인 시도들이 수학과 과학 영역에서 시작된 것은 우연이 아니었다. 바로 이 교과들이 전쟁에서의 성공과 관련이 있었기 때문이었다(Atkin & House, 1981: 7-8).

1957년 10월 4일 소련의 극적인 스푸트니크 I의 발사로 이런 활동들은 갑자기 시급해졌다. 이런 맥락 속에서 Zacharias와 동료들은 '지식의 폭발(knowledge explosion)'이 매우 많은 교과 내용을 창출하여 기존의 교육과정에 현대 물리학을 추가할 수 없다는 것을 곧바로 깨달았다. 우선순위를 정할 필요가 있음을 깨달은 것이다. Zacharias의 해결책은 두 가지였다. (1) 물리학에서 가장 기본적인 개념만 가르친다. (2) 이 개념들에서 물리학 지식의 나머지를 도출해 낼 수 있는 방법에 대해 학생들을 가르친다. 어떤 의미에서, 학생들은 "머리에는 매우 조금만 기억하면서" 많은 것을 학습할 수 있다(Bruner, 1971: 20). 이 관점은 물리학에서 시작되었지만, 다른 과학으로 빠르게 확산하였다(Posner, 1995: 57).

이러한 노력들을 토대로 1959년에 National Science Foundation과 다른 재단들의 후원을 받는 회의가 Massachusetts주의 우즈홀(Woods Hole)에서 열렸다. *The Process of Education*(1960)이라는 Jerome Bruner(1915~2016)의 보고서는 그 회의에 참가하

였던 Zacharias, Beberman, 그리고 다른 참가자들의 연구에 토대를 두고 교과 전문가들과 교육학자들 사이의 지속적인 논쟁에 대한 하나의 이론적으로 합리적인 해결책을 제안하였다. 이 보고서는 학문 (지식)의 구조 관점에 토대를 둔 원리를 제공하였다. 첫째, Bruner 는 교과는 어떤 주어진 것이라기보다는 역동적이고 진화하는 어떤 것이라고 주장하였다. 둘째, 그는 각 학문은 탐구를 수행하는 독특한 방법을 가지고 있다고 주장하였다. 그러나 과학적 방법이 하나인 것은 아니고 여러 가지라고 언급하였다. 셋째, 그는 교육의 목적은 학생의 마음에 여러 서로 다른 탐구 양식(modes of inquiry)을 개발해 주는 것이어야 한다고 주장하였다. 이런 주장들은 교육학 교수들과 내용 전문가들 사이의 타협점을 제공하였다 (Posner, 1995: 57-58).

Jerome Bruner
(1915~2016)

보고서 출판 후 *"The Process of Education" Revisited*(1971)에서 Bruner는 당시의 상황을 다음과 같이 회고하였다.

> 1959년은 학교의 지적인 방향 감각 상실에 대한 심각한 우려가 있던 시기였다. 여러 지식의 영역에서 커다란 발전이 있었는데, 이것들이 학교의 교육과정에 반영되지 않았다. 위원회의 위원들이 느꼈던 문제는 근대 물리학과 수학이 교육과정에 반영되지 않았다는 점이었다. 그러나 사회가 내려야 할 많은 결정들은 근대 과학을 이해할 수 있다는 전제에 토대를 두었다.(Bruner, 1971: 18)

당시 주된 관점은, 우리가 지식의 구조를 이해하면, 우리는 그런 이해를 토대로 스스로 나아갈 수 있다는 것이었다. 자연을 알기 위해 자연에 있는 모든 것을 마주치지 않아도 된다. 그러나 어떤 깊은 원리를 이해함으로써 우리는 이를 구체적인 것들에 적용하여 이해할 수 있다. 이것을 안다는 것은 마음에만 담고 있어도 많은 것에 대해 많은 것을 알 수 있는 영리한 전략이었다(Bruner, 1971: 18). 그는 그 이후에도 다음과 같이 반복하였다.

> 우리가 어떤 것을 알게 되는 것은 우리가 마주치는 수많은 것을 가능한 한 단순하고 우아한 방식으로 설명하는 방식을 알아가는 모험이다.(Bruner, 2001: 115; 장인실 등, 2007: 395)

그리하여 학문적 권위라는 무게감, 연방 정부 재정 지원, 강력한 재단, 연구소나 협회들의 활동, 이 모두 우주 경쟁의 위기라는 분위기 속에서 이루어졌다. 그 후 이런 국가 수준의 학문 중심 프로젝트들이 거의 20년 동안 학교 교육과정을 지배하였다 (Tanner & Tanner, 2007: 297).

3. 교육의 목적과 내용

학문의 구조 관점에 따르면, 교육의 가장 중요한 목적은 지력의 개발(발달)이고 (King & Brownell, 1966; Posner, 1995: 94 재인용), 학문적 지식이 이 목적에 가장 잘 부합하는 내용이다. 각 학문적 지식은 독특한 구조를 지니며, 학교에서는 이런 다양한 학문적 구조를 획득하는 것에 가장 높은 우선순위를 둔다. 교과 내용에는 각 교과별로 (1) 탐구를 안내하는 암묵적인 가정이나 전제로 작용하는 기본적인 아이디어들(예: 기존의 이론), (2) 질문에 답변하고 탐구를 수행하는(예: 증거로 받아들이게 하는) 방법에 토대를 둔 체계적인 탐구의 원리와 절차가 포함된다. 예를 들어, 근대 생물학은 부분적으로 진화론과 생명의 생화학적 이론에 바탕을 둔다. 생물학자들은 이런 아이디어들을 사용하여 그들의 연구 문제를 진술한다. 학문의 구조 중심 교육과정은 학문의 기본적인 아이디어들을 강조하며, 학자들이 탐구를 수행하는 방식에 근접하게 학생들이 탐구 활동에 종사하도록 지도한다(Posner, 1995: 94).

4. 교육 내용의 조직

Bruner는 "한 교과의 교육과정은 그 교과에 구조를 제공해 주는 기저가 되는 원리에 의해 결정되어야 한다"라고 지적한다(Bruner, 1960: 8). 학문의 구조를 가르치기 위하여 설계된 교육과정의 구조는 학문의 구조 자체에서 도출된다. 학문의 핵심(중심)적인 개념들이 교육과정 조직의 요소들이 된다. 개념 관련 계열과 탐구 (방법) 관련 계열이 전형적이다. 학문 중심(기반) 교육과정은 교육과정 개발의 출발점으로 학문의 가장 근본(기본)적인 아이디어들을 삼는다. 이런 기본적인 아이디어들에서 더욱 세부적인 내용을 도출할 뿐만 아니라 기본적인 아이디어들을 중심에 두고 이 세부적인 내용들을 조직한다. 이런 특징을 지닌 것을 하향식(top-down) 교육과정이라고 부른다 (Posner, 1995: 141).

5. 교육과정의 운영—수업 및 평가

학문 중심 교육과정에서는 ① 단일(하나의) 교과 내에서는 단일 학문으로 제한하어 조직한다. ② 소수의 기본적인 개념이나 주제를 강조한다. ③ 실험실 및 구체물(실물)과 같은 일차적인 자원을 널리 사용한다. ④ 문제 해결을 강조하는 시험지를 사용한다. ⑤ 교사는 정보를 제공하기보다 학문적 탐구 활동을 시범으로 보여주는 사람이다(Posner, 1995: 192).

학생들에게는 적극적으로 탐구 활동에 종사하면서 기본적인 주제들을 깊이 있게 다룰 것이 요구된다. 이에 따라 교사에게는 학생들로 하여금 표준화된 시험에 대비하게 해야 하는 경우 시간에 대한 압력 수준이 높다. 교육과정과 시험이 일치하지 않을 경우, 학생이 시험에 잘 응시할 정도로 학습 내용을 충분하게 숙달하지 못한다. 교사에게는 학문의 내용과 탐구 방법에 대한 충분한 연수가 필요하다. 학생에게는 높은 수준의 문해력, 추상적인 아이디어를 다룰 수 있는 능력, 탐구에 대한 내재적인 동기가 요구된다. 따라서 이 교육과정은 더욱 학구적인 학생에게 적합하며, 학계의 구성원으로 활동할 수 있는 만큼의 교육을 받은 교사들에게 적합하다. 교수 활동의 네 가지[범위(coverage), 숙달(mastery), 경영(management), (학생의) 긍정적 감정(positive affect)] 중 숙달(깊이)이 가장 강조된다. 이 접근이 지적으로 흥미 있다고 생각하는 높은 수준의 학생에게는 교사가 긍정적 감정을 느끼게 할 수 있다. 그러나 다른 학생들에게는 긍정적 감정과 학급 경영은 어려운 과제가 될 수 있다. 시험에 대한 외부의 요구가 강할 때, 모든 학생을 위해 모든 학습 범위(진도)를 다루는 일이 어려울 수 있다(Posner, 1995: 192-193).

평가에서는 학생이 습득한 지식, 학생이 수행하는 탐구의 특성, 학습한 내용의 개념적 구조의 측정을 강조한다. 이에 따라 학생들이 학문의 개념적 구조에 대한 통찰력을 획득했는가, 학생들이 실제 탐구행위를 경험했는가에 관심을 둔다. 학생들에게 해결해야 할 문제를 던져주거나 해석할 자료를 제시하거나, 설계해 보아야 할 실험 과제 등을 제시한다. 교육과정과 학문에서의 실제 탐구가 일치하는지가 중요하다(Posner, 1995: 232).

6. 지식의 구조론

가. 지식의 구조의 의미

Bruner 등의 관점에서 그 당시 미국 교육의 문제점은 교과를 가르친다고 하면서 교과가 아닌 '다른 무엇'을 가르쳤다는 것으로 요약할 수 있다. 우즈홀(Woods Hole) 회의에 참석한 사람들은 이 '다른 무엇'을 교과의 '중간 언어(middle language)'라고 불렀다. 우즈홀 회의에서는 물리학을 중간 언어로서가 아니라 물리학으로서 가르칠 때, 그때의 교육 내용을 '지식의 구조'라고 불렀다. 학문 중심 교육과정에서 학문을 교육 내용으로 본다고 할 때의 학문이라는 것은 지식의 구조인 것이다(이홍우, 1985: 160).

Bruner의 「교육의 과정」(1960)에서는 지식의 구조를 직접 정의하지 않고, 그 대신 다음과 같이 간접적인 방법으로 설명하였다. 첫째로, 한 교과의 지식의 구조는 그 교과(또는 학문)의 기저를 이루고 있는 '기본 개념과 원리', '일반적인 아이디어'를 의미한다고 볼 수 있다(이홍우, 1985: 160).

둘째로, 지식의 구조를 파악하는 것은 사물이나 현상이 어떻게 관련되어 있는가를 파악하는 것이다. 이 점을 생물학과 수학과 언어에서의 예시를 통해 설명하였다. 생물학의 경우, 평평한 판지 위에 자벌레를 놓고 판지를 30°의 경사를 만들면 자벌레는 45° 방향으로 기어 올라간다. 60°의 경사를 만들면, 어떨까?(Bruner, 1960: 6). 이렇게 자벌레가 기어 올라갈 때 반드시 지면과 15°의 경사를 이루면서 기어 올라간다는 사실은 단순히 따로 떨어진 사실로서 존재하는 것이 아니라, '향성'이라는 일반적 원리로 설명되는 여러 사실과 관련되어 있다. 이에 따라 생물학의 현상을 이해한다는 것(또는 생물학의 지식의 구조를 파악한다는 것)은 자벌레의 현상을 다른 현상과 관련된 것으로 파악하는 것과 같다(이홍우, 1985: 160-161).

수학에서 지식의 구조 예시는 분배·교환·결합 법칙 등 방정식의 기본 법칙이다. 이 법칙을 알면, 학생이 풀고자 하는 어떤 방정식은 새로운 방정식이 아니라, 과거에 알고 있던 다른 방정식이 변형된 한 가지임을 알 수 있다. 이처럼 방정식의 기본 법칙은 여러 가지 방정식을 포괄적으로 설명하는 일반적 원리라고 할 수 있다(이홍우, 1985: 161). 이 경우, 학생이 푸는 방법(법칙)의 공식적 명칭을 아는 것은 그가 그것을 사용할 줄 알게 되는 것보다 전이(다른 문제를 푸는 것)를 위해 중요하지 않다(Bruner, 1960: 8).

언어에서의 예시로, 한 문장의 구조를 알게 되면, 내용은 다르지만 이 모형을 토대로 매우 빠르게 여러 다른 문장들을 만들어내는 법을 알게 된다. 수동태를 능동태로 바꾸는 문장 변형 규칙을 예로 들 수 있다(이홍우, 1985: 161). 이 경우에도 영어의 구조적 규칙을 사용할 줄 알게 된다고 해서 그 규칙의 이름을 말할 수 있는 것은 아니다(Bruner, 1960: 8).

셋째로, 「교육의 과정」에는 지식의 구조가 가지는 이점으로 네 가지를 들었다.

(1) 기본 구조의 이해는 교과를 더 잘 이해하게 한다. 예를 들어, 한 국가가 살아

가기 위해 무역을 해야 한다는 아이디어를 파악하면, 영국의 무역 규정 위반의 분위기 속에서 미국 식민지의 삼각 무역과 같은 특정한 현상은 당밀, 사탕수수, 술(rum)의 상업 이상의 어떤 것으로 더 간단하게 이해할 수 있다(Bruner, 1960: 23-24).

(2) 세부 내용을 구조화된 패턴으로 또는 단순화된 방식으로 나타낼 때 기억하기 쉽고 재생(회상)하기 쉽다. 예를 들어, 과학자는 서로 다른 시간에 서로 다른 중력장에서 낙하체의 이동 거리를 기억하려고 노력하지 않는다. 그 대신에 그는 세부 내용에 토대를 두면서 이를 생성하게 하는 더 쉽게 기억할 수 있는 공식을 기억한다(Bruner, 1960: 24).

(3) 기본적인 원리와 아이디어를 이해하는 것은 '훈련(학습)의 전이(transfer of training)'가 잘 일어나게 한다. 어떤 것을 일반적인 사례의 특수한 경우로 이해하는 것, 즉 더 기본적인 원리나 구조를 이해하는 것은 특수한 것을 학습한 것일 뿐만 아니라 우리가 마주칠 수 있는 그것과 같은 다른 것들을 이해하기 위한 모형을 학습한 것이다. 예를 들어, 학생이 백년 전쟁(Hundred Years' War)의 종결 이후 유럽의 피로함과, 그것이 어떻게 이데올로기적인 명분보다는 실리를 추구한 Westphalia 조약을 위한 조건을 창출하였는지를 파악할 수 있다면, 그는 동양과 서양 사이의 이데올로기적인 분쟁에 대하여, 비록 둘 사이에 유사함은 없지만, 더 잘 사고할 수 있을 것이다(Bruner, 1960: 25).

(4) 지식의 구조에 토대를 두고 초등학교와 중등학교에서 가르치는 자료의 기본적인 성격을 지속적으로 재검토함으로써 고등 지식과 초보 지식 사이의 간극을 좁힐 수 있다. 초등학교에서 고등학교, 대학교에 이르는 과정에서 발견되는 일부 어려움은 과거에 배운 자료가 시대에 뒤진 것이거나 학문 영역에서의 발전에서 늦은 것이어서 잘못 인도한다는 것이다(Bruner, 1960: 26).

나. 지식의 구조 학습 방법

지식의 구조론에 따라, 지식의 구조를 교육 내용이라고 한다면, 특정한 교과(예컨대 물리)에서의 교육 내용은 초등학교에서 대학에 이르기까지 '본질상' 동일하다. 즉 초등학교에서나 대학에서나 그 교과를 배우는 곳에서는 어디서나 학생들이 해당 분야의 학자들이 하는 일과 동일한 종류의 일을 해야 한다(이홍우, 1985: 164-165). 즉 학생들이 지식의 구조를 학습하는 것은 학자들이 그 분야의 학문적 내용을 학문적으로 탐구하는 것과 같다고 볼 수 있다. 이와 관련하여 Bruner는 핵심적이고 대담한 확신을 제시하였다. 이는 "지식의 최전선에서 새로운 지식을 만들어내는 학자들이 하는 것이거나 초등학교 3학년 학생이 하는 것이거나를 막론하고 모든 지적 활동은 근본적으로 동일하다"라는 것이다(Bruner, 1960: 14). 이런 활동들에서 차이는 하는 일의 '종류'에 있는 것이 아니라, 지적 활동의 '수준'에 있다는 것이다.[8] 물리학을 배우는 학생은 다름 아니라 바로 '물리학자'이며, 물리학을 배우기 위해서 물리학자들이 하는 일과 똑같은 일을 해야 한다. 물리학자들과 똑같은 일을 한다는 것은 물리학자들이 하듯이 물리현상을 탐구한다는 뜻이다(이홍우, 1985: 161).

이와 관련하여 Bruner는 한 영역의 기본적인 아이디어들의 숙달에는 일반 원리의 파악뿐만 아니라 학습과 탐구, 추측과 예감, 스스로 문제를 해결할 가능성에 대한 태도의 형성도 포함된다고 한다. 물리학자가 자연의 궁극적인 질서에 대해 어떤 태도와 그 질서는 발견될 수 있다는 확신을 지니는 것과 마찬가지로, 만약 젊은 물리학 학생이 그가 배운 것을 그의 사고에서 유용하고 의미 있는 것으로 만드는 방식으로 조직하려면 살아 움직이는 태도가 필요하다. 그런 태도를 형성하도록 가르치는 것은 단지 기본적인 아이디어를 제시하는 것 이상의 어떤 것을 요구한다. 그런 가르침을 가능하게 하는 것에 대해서는 연구가 많이 필요하다. 그러나 하나의 중요한 요소는 발견에 대한 희열감이다. 과거에 밝혀지지 않은 관계의 규칙성과 아이디어들의 유사성에 대한 발견이고 그와 함께 자신의 능력에 대한 자신감을 얻는 것이다. 과학과 수학 교육과정 개발에 참여한 많은 사람들은 학생 스스로 발견하게 하는 흥미진진한 계열을 보존하는 방식으로 학문의 기본적인 구조를 제시하는 것이 가능하다는 것을 강조하였다(Bruner, 1960: 20).

특별히 학교 수학 위원회와 Illinois 대학교 수학 프로젝트가 교수의 방법으로(보조 수단으로) 발견의 중요성을 강조하였다. 그들은 학생이 "특정 수학 문제 풀이 아래에 놓인 일반화를 스스로 발견하게 하는 방법"의 창안에 심혈을 기울였다. 그리고 그들은 이 접근을 '선언 및 증거(assertion and proof)'라는 방법과 대조하였다. 선언 및 증거는 교사가 일반화를 먼저 말(선언)하고 학급 학생들이 증거를 찾는 방법이다. Illinois 팀은 발견의 방법을 사용하여 학생이 수학에서 숙달해야 하는 모든 내용을 제시하는 데 시간이 많이 소요된다는 것을 지적하였다. 둘 사이의 균형은 단순하지 않아 연구가 필요하다. "원리를 가르치는 데 귀납적 접근이 더 나은 방법인가?", "그것은 태

---

8) 아동과 교과(교육과정)의 차이는 종류가 아니라 수준에 있다는 Dewey의 설명과 비교해 볼 필요가 있다.

도 형성에 바람직한 효과가 있는가?"에 대한 연구가 필요하다(Bruner, 1960: 21).

'발견 학습' 또는 '탐구 학습'의 예시로 Bruner는 Harvard Cognition Project로 실시한 사회과 연구 수업을 소개하였다. 이 수업에서 초등학교 6학년 학생들에게 미국 북중부 지방의 지도를 보여주었다. 지도에는 지형적인 조건(산·강·호수 등)과 천연 자원(지하 자원·농산물 등)이 표시되고 도시는 표시되지 않았다. 교사는 학생들에게 어디에 도시가 형성되겠는가를 탐구(발견)하라고 말하였다. 학생들은 토론 결과, 도시 형성의 적절한 입지와 그렇지 않은 입지를 알아냈고, 이 과정에서 수상 교통 이론(5대호 근처에 형성될 것이다), 지하 자원 이론(이 산맥 근처에 형성될 것이다), 식품 공급 이론(이 평야에 큰 도시가 형성될 것이다) 등 인문 지리 이론을 알아냈다는 것이다. 그리고 가장 놀라운 것은 학생의 태도였다. 이들에게 도시는 생전 처음으로 문제로 등장하였다. 이 문제에 대한 답을 사고를 통해 발견할 수 있었다. 질문의 추구를 통해 기쁨과 흥분이 있었을 뿐만 아니라, 결국에 발견은 가치 있는 것이었다. 적어도 도시라는 현상이 과거에는 당연한 것으로 보였던 도시 학생들에게는 그렇다고 설명하였다(Bruner, 1960: 21-22).

다. 학습의 행위와 탐구 학습

Bruner는 교과를 학습하는 것은 세 가지 동시적인 과정을 포함하는 것 같다고 말한다. 첫째 측면은 새로운 정보를 습득하는 것이다. 이 정보는 학습자가 이전에 암묵적으로 또는 명시적으로 알았던 것과 배치되거나 대체하는 것이다. 최소한 그것은 과거 지식을 정교화한 것이다. 그래서 교사는 학생에게 Newton의 운동 법칙을 가르친다. 이는 감각의 증언과 배치된다. 또는 학생에게 파장 역학을 가르치면서 에너지 전파의 유일한 근원으로서의 기계적인 영향에 대한 신념을 깨뜨린다. 또는 에너지는 유실되지 않는다고 주장하는 물리학에서의 보존 법칙을 학생에게 소개함으로써 '에너지 낭비'의 관점에서 사고하는 기존의 방식을 흔들어놓는다. 혈액은 순환한다는 것을 모호하게 또는 직관적으로 이미 아는 학생에게 순환 체계를 가르치는 경우처럼 종종 상황은 그리 극적이지 않다(Bruner, 1960: 48).

학습의 둘째 측면은 변형이다. 이는 지식을 조작하여 새로운 과제에 적합하도록 하는 과정이다. 우리는 정보의 정체를 드러내거나 분석하는 것을 배운다. 이는 추정, 해석, 다른 형태로의 전환을 하게 한다. 변형은 우리가 한 단계 더 나아가기 위해 정보를 다루는 방식이다(Bruner, 1960: 48).

셋째 측면은 평가이다. 우리가 정보를 조작한 방식이 그 과제에 적절하였는지에 대하여 조사하는 것이다. 일반화가 들어맞는가? 우리가 적절하게 추정하였는가? 우리가 적절하게 다루고(조작하고) 있는가? 종종 교사가 평가를 돕는 일이 중요하다(Bruner, 1960: 48-49).

어떤 교과든지 그것의 학습에는 일반적으로 일련의 에피소드가 있다. 각 에피소드는 세 가지 과정을 포함한다. 광합성은 생물학에서의 학습 에피소드로서 적당한 자료이며, 에너지 전환 일반에 대하여 학습하는 것과 같은 좀 더 종합적인 학습 경험에 적합하다. 잘하면 특정 학습 에피소드는 그것의 이전에 학습한 것(선행 학습)을 반영하고 학습자로 하여금 그것을 넘어 일반화를 하게 한다(Bruner, 1960: 49).

어떤 학습 에피소드는 짧을 수도 있고 길 수도 있고 여러 아이디어를 포함할 수도 있고 몇 개를 포함할 수도 있다. 한 학습자가 참여하려고 하는 어떤 에피소드가 어떻게 유지되는가는 학습자가 자신의 노력에서 무엇을 얻기를 기대하는가에 달려 있다. 이는 점수와 같은 외재적인 것들의 의미에서뿐만 아니라 이해를 획득한다는 의미에서이기도 하다(Bruner, 1960: 49).

우리는 보통 자료를 학생의 능력과 요구에 맞추는데, 이때 여러 방법으로 학습 에피소드를 조작한다. 에피소드의 길이를 짧게 하거나 길게 한다. 칭찬과 금빛 별 형식의 외재적 보상을 활용한다. 자료가 충분히 이해되었을 때 자료가 무엇을 의미하는지에 대한 깨달음의 충격을 극적인 사건으로 만든다. 교육과정에서 각각의 단원은 학습 에피소드의 중요성을 인식하게 하기 위한 것이다. 그런데 많은 단원이 이해의 과정에서 클라이맥스 없이 무미건조하게 이어지기도 한다(Bruner, 1960: 49).

어떤 학습 에피소드, 예를 들어, 사실의 획득, 사실의 조작, 그리고 학생의 아이디어를 점검하는 것에서 습득, 변형, 평가에 어느 정도의 강조점을 두어야 하는지와 관련된 몇 가지 문제가 있다. 어린 학생에게 최소한의 사실을 먼저 제시하고 이 지식에서 가능한 모든 함축(시사점)을 최대한 이끌어내도록 격려하는 것이 최선인가? 간단히 말하여, 어린 학생을 위한 하나의 에피소드는 새로운 정보를 거의 포함하지 않고 스스로 그것을 넘어서기 위해 무엇을 할 수 있는지 강조해야 하는가? 한 사회과 교사는 4학년 학생들에게 이 접근을 사용하여 커다란 성공을 거두었다. 예를 들어, 교사는 문명은 흔히 강이 흐르는 비옥한 계곡에서 시작하였다는 단순한 사실과 함께 시작한다. 학습 토론에서 왜 이런 일이 일어났는지 그리고 문명이 산악 지형으로 둘러싸인 지역에서는 왜 가능성이 낮은지 학생들이 찾아내도록 격려한다. 이 접근, 즉 본질적으로 발견의 방법인 이것의 효과는 학생들이 정보를 스스로 생산해 내고, 그러고 나서 점검하거나 자료에 비추어 평가할 수 있고, 그 과정에서 더 많은 정보를 얻는다는 것이다. 이는 분명한 종류의 학습 에피소드이고, 의심할 여지 없이 적용에 한계가 있다. 어떤 다른 종류가 있는가? 다른 것들에 비하여 어떤 주제나 연령에 더 적합한 것은 무엇인가? 이런 학습 에피소드의 차이에 대한 연구 문헌이 거의 없는 것 같다(Bruner, 1960: 50-51).

라. 나선형 교육과정

나선(螺旋)형 교육과정은 spiral curriculum을 국내 교육과정 학자들이 한자어로 소라 '나'자와 소라 '선'자를 결합하여 번역한 것이다. 나선형 교육과정은 학자들이 아닌 학생들에게 학자들이 다루는 학문의 내용(지식의 구조)을 가르치기 위해서 학생의 수준에 알맞게 번역하여 단계적으로 학습하게 하는 것으로 볼 수 있다. Bruner는 학생에게 지식의 구조를 가르치는 일과 관련하여, "어떤 교과든지, 어떠한 발달 단계에 있는 어떠한 아동에게도 지적으로 정직한 형태로 제시하면서 효과적으로 가르칠 수 있다"라는 대담한 가정을 제시하였다(Bruner, 1960: 33).

Bruner는 우리가 성장하는 아동의 사고방식을 존중한다면, 우리가 친절하게 자료를 아동의 논리적 형식으로 번역한다면, 그리고 충분히 도전적으로 아동이 발전하도록 유도한다면, 나중에 성인이 되었을 때 교육받은 사람이 되게 하는 아이디어와 스타일을 이른 나이에 아동에게 소개할 수 있다고 말한다. "우리는 초등학교에서 가르치는 교과의 선정 기준으로, 그것이 충분히 개발되었을 때, 그것을 성인이 알 만한 가치가 있는가, 그리고 아동으로서 그것을 아는 것이 그 아동을 더 나은 성인으로 만드는지를 질문해야 한다." 만약 두 질문에 답이 부정적이거나 모호하다면, 그 교과는 교육과정을 잡동사니가 되게 한다(Bruner, 1960: 52).

Bruner는 어떤 아동에게 어떤 교과도 정직한 형식에 따라 가르칠 수 있다는 것이 사실이라면, 그에 따라 교육과정은 한 사회에서 구성원들의 계속적인 관심을 받을 가치가 있다고 여겨지는 큰 쟁점, 원리, 가치를 중심으로 구성되어야 한다고 말한다. 그는 문학과 과학을 가르치는 두 가지 예를 들었다. 만약 아동에게 인간 비극의 의미를 깨닫고 그것에 대한 동정심을 가지게 하는 것이 바람직하다고 생각하면, 가능한 한 이른 연령에, 눈높이에 맞는 방식으로 비극 문학을 가르치는 것이 가능하지 않겠는가? 이것을 시작하는 여러 방법이 있다. 즉 아동 고전을 사용하여 위대한 신화를 들려주거나, 증명된 몇몇 영화를 보여주고 코멘트를 제시할 수 있다. 정확하게 어떤 자료를 어떤 연령에 사용할지, 그 효과는 무엇인지에 대해서는 연구가 필요하다. 우리는 먼저 아동에게 비극의 개념에 대해 질문할 수 있다. 우리는 여기에서 Piaget와 동료들이 아동의 물리적 인과성, 도덕성, 숫자 등에 대해 연구하면서 접근한 똑같은 방식으로 접근할 수 있다. 우리가 그런 지식으로 무장되어 있을 때에만, 우리가 제시하는 것을 아동이 어떻게 자신의 주관적 용어로 번역하는지에 대해 알 수 있게 된다. 이를 추진하기 위하여 우리 앞에 방대한 연구 결과가 나타나기까지 기다릴 필요가 없다. 이는 능숙한 교사는 서로 다른 연령의 아동에게 직관적으로 올바른 것을 가르치려고 시도함으로써 실험하면서 수정해 갈 수도 있기 때문이다. 시간이 흐르면서, 우리는 같은 종류이면서 더 복잡한 문학으로 나아가거나 단순히 과거에 사용한 도서를 다시 사용할 수 있다. 중요한 것은, 나중의 교수는 문학에 대한 아동의 반응을 토대로 한 단계 더 나아가야 한다는 것이다. 비극 문학에 대한 더 분명하고 성숙한 이해를 창출하는 것이다. 어떤 위대한 문학 형식도, 어떤 위대한 주제도, 그것이 희극이거나, 정체성의 주제이거나, 개인적 충성이거나 이런 방식으로 다룰 수 있다(Bruner, 1960: 52-53).

과학에서도 마찬가지이다. 숫자, 단위(척도), 가능성을 이해하는 것이 과학의 학습에서 중요하다고 판단된다. 그러면 이 주제들의 학습은 아동의 사고 형식과 일치하는 방식에 따라 지적으로 정직하게 그리고 가능한 한 일찍 시작해야 한다. 그리고 나중의 학년에서 주제들이 개발되고 재개발되게 해야 한다. 그리하여 대부분의 아동이 생물학에서 10학년 단원을 이수해야 한다면, '추위(cold)'라는 주제에 접근할 필요가 있는가? 필요하면 최소한의 실험실 활동을 통해, 덜 정확하면서 더 직관적인 정신을 가지고 생물학의 아이디어를 일찍 소개하는 것이 가능하지 않겠는가?(Bruner, 1960: 53-54)

Bruner는 Piaget의 지적 발달 단계에 따른 (예를 들어, 질량, 부피, 속도, 시간 등의 개념과 질량 보존의 법칙에 대한) 사고의 변화들을 검토한 후에, 예를 들어, 유클리드 기하학이나 계량 기하학을 초등 고학년에 가르치도록, 특히 사영 기하학(projective geometry)을 그 이전 학년에 가르치지 않고 연기하는 것은 매우 임의적이고 올바르지 않다고 말하였다. 과학에서도 귀납적으로 또는 직관적인 수준에서 더 일찍 가르칠 수 있는 것이 많다고 주장하였다. 따라서 수학과 과학 영역의 여러 개념들은 수학적 표현을 사용하지 않고 학생들이 다룰 수 있는 자료를 활용하면 7~10세 사이에 얼마든지 가르칠 수 있다고 말하였다(Bruner, 1960: 43). 따라서 Bruner는 수학과 과학의 기본 아이디어를 전통적인 연령보다 더 상당히 일찍 가르칠 방법을 고안해 내는 것이 가능하다고 말하였다. 이 이른 시기에 이루어지는 체계적인 수업은 나중에 사용될 기본적인 것들의 토대를 놓을 수 있고 중등 수준에서는 큰 이득을 얻을 수 있다는 것이다(Bruner, 1960: 44).

Bruner는「교육의 과정」이후 40년이 지난 시점에, '나선형 교육과정'에 대하여, 어떤 교과를 가르칠 때, 학생이 수용 가능한 직관적 설명에서 시작하여, 나중에 좀 더 형식적이고 좀 더 수준 높게 구조화된 설명으로 되돌아오되, 학생이 그 주제나 교과와 관련하여 충분한 생성력(generative power)을 가질 수 있을 정도로 숙달할 때까지 몇 번이고 되돌아오면서 이를 지속한다는 아이디어라고 설명한다. 이는 어떤 영역의 지식도 그 추상성과 복잡성의 측면에서 여러 서로 다른 수준에서 구성될 수 있다는 명제에 토대를 두고 있다(Bruner, 2001: 119).

예를 들어, "지렛대의 받침목에서 멀어질수록 더 큰 힘을 발휘할 수 있다"라는 직관적인 진술은 지렛대의 작동에 관한 더욱 강력하고 정확한 아르키메데스 원리의 일부이다. 그리고 아르키메데스 원리는 지렛대의 규칙에 대한 2차 방정식의 일부이고 이것으로 대체할 수 있다. 지렛대의 규칙을 직관적으로 이해하여 운동장의 시소에 적용하는 아동은 아르키메데스가 되는 길을 걷고 있다. 이는 아르키메데스가 $(x^2 + 4x + 4)$는 $(x+2)(x+2)$와 같다는 것을 알게 된 르네상스 대수학자가 되는 길을 걸었던 것과 같다(Bruner, 2001: 119-120).

마. 지식의 구조 표현 방식

한 학문 분야의 지식의 구조는 세 가지 특징으로 기술될 수 있다. 즉 표현 방식(mode of representation), 경제성(economy), 생성력(generative power)이 그것이다. 잘 구조화된 지식이란 곧 올바른 방식으로 표현되고 경제성과 생성력이 있도록 조직된 지식을 말한다(이홍우, 1985: 183). 경제성이란 머릿속에 기억하고 있어야 할 정보의 양이 적은 상태를 가리킨다. 생성력은 다른 지식을 성생해 낼 수 있는 방식으로 지식이 표현될 수 있다는 것을 의미한다.

Bruner는「교육의 과정」을 출판하고 몇 년이 지난 후 지식의 구조를 학생의 발달 단계에 알맞게 번역하여 제시하는 방법, 즉 표현 방식을 세 가지로 소개하였다. Bruner는 이것이 "경험을 세계에 대한 모형으로 번역한다는 것"의 의미라고 설명하였다. 첫째는 어떤 결과에 도달하는 데 거쳐야 할 일련의 동작으로 표현하는 것이다(작동적 표현, enactive representation). 둘째는 시각적 또는 다른 감각 기관과 이미지를 요약하는 것이다. 이 표현은 지각 기관의 원리와 지각 기관에서의 경제적인 변형, 즉 채우고 완성하고 추측하는 기법에 따른다. 따라서 이는 개념을 완벽하게 정의하는 것이 아니라, 대체적으로 전달하는 영상이나 도해로 표현한다(영상적 표현, iconic representation). 셋째는 단어와 언어로 표현하므로 상징적이다. 명제를 형성, 변형하는 논리적 규칙에 지배되는 상징 체계로서의 상징적 또는 논리적 명제로 표현한다(상징적 표현, symbolic representation).

　　이 세 가지 표현 방식을 예시하는 보기로서 Bruner는 천칭의 원리를 들고 있다. 아주 어린 아이들은 시소를 탈 때, 상대방을 고려하여 자기의 자리를 잡을 줄 안다. 이것은 그 아이들이 천칭의 원리를 동작으로 표현하고 있는 것으로 해석된다. 그보다 나이 든 아이들은 천칭의 모형을 다루거나 그림을 통하여 천칭의 원리를 이해한다. 마지막으로, 아이들은 일상의 언어나 수학 공식을 써서 천칭의 원리를 표현한다(Bruner, 1966: 10-12; 이홍우, 1985: 184).

7. 학문 중심 교육과정의 장점과 단점

　　학문 중심 교육과정의 장점과 단점을 간단하게 정리하면 다음과 같다(교육대학 교직과교재편찬위원회, 1998: 147).

가. 장점

(1) 교육 내용의 선정 조직에서 경제적인 단순화를 기할 수 있다.
(2) 기본적 개념을 중심으로 지식의 전체 구조를 통찰할 수 있게 하여 개념 이해를 촉진한다.
(3) 학생이 능동적으로 탐구 과정에 참여할 수 있다.
(4) 기본적이고 핵심적인 것만을 다루므로 학습 흥미를 지속적으로 유지할 수 있다.

나. 단점

(1) 능력이 중상 이상인 학생에게 적합하다.
(2) 일부 교과에 한정된다.
(3) 통합적 교육과정 구성에 소홀하다.
(4) 학습자가 참여할 수 있는 인적 · 물적 · 시간적 조건 마련과 제도 정비가 어렵다.
(5) 평가 방법이 충분히 개발되어 있지 않다.

(6) 청소년의 욕구와 생활 문제를 등한시한다.

(7) 사회적 여러 조건, 사회적 현실, 민주적 이념 등이 잘 반영되지 않는다.

(8) 아동의 발달 단계 이론을 왜곡한다.

8. 학문 중심 교육과정에 대한 비판

가. 교육과정 패러다임의 왜곡

학문의 구조 중심 교육과정은 1970년대 초기에 이르러 좌초된다. 이는 사회의 실제적 요구, 학습자의 본질을 무시하거나 위반하였고, 학습자의 삶에서 실제적인 지식을 묵살하였고, 학교 교육과정에서 한자리를 차지하기 위해 경쟁하는 수많은 학문적 영역들을 생산하였기 때문이다(Tanner & Tanner, 2007: 102).

나. 발달 단계 이론의 왜곡

Bruner의 보고서가 어린 학습자가 단순 암기 위주의 학습이 아닌 직관을 사용하도록 자극하는 것의 중요성을 강조하고 이를 통해 학습 내용의 중요성과 상호 연결성에 대해 탐구할 것을 강조하였으나, 보고서는 학생을 꼬마(작은) 학자로 규정하고, 학생의 지적인 활동은 지식의 최전선에 있는 학자의 지적 활동과 질적으로 다르지 않다고 하였다. 그리고 Bruner는 지적 활동이 어느 곳에서나 같다는 자신의 논지에 맞추기 위해 Jean Piaget의 발달 단계 이론을 왜곡하였다. Piaget의 연구에 따르면, 어린 아동이 가설적 사고를 할 수 없고, 아동이 이런 가설적 사고를 하는 지적 발달 단계에 아동후기 또는 청소년 초기까지 도달하지 못한다는 사실을 Bruner와 동료들은 무시하였다(Tanner & Tanner, 2007: 298).

Bruner는 "우리는 초등학교에서 가르치는 교과의 기준으로, 그것이 충분히 개발되었을 때, 그것을 성인이 알 만한 가치가 있는가, 그리고 아동으로서 그것을 아는 것이 그 아동을 더 나은 성인으로 만드는지를 질문해야 한다"라고 말하였다(Bruner, 1960: 52). 이에 따라 교육과정을 아동으로서의 아동에게 적절한가의 여부의 관점에서 바라보지 않았다. 대신에 꼬마(작은) 성인인 아동 그리고 성인 학자의 학문 수준을 낮추어 논리적으로 구성한 교과 버전을 다룸으로써 장차 다 큰 성인이 될 사람에게 적절한가의 관점에서 바라보았다. 이로써, 아동을 단지 미래의 성인 학자로 봄으로써, 아동기의 진실성과 온전함이 희생되었다(Tanner & Tanner, 2007: 299).

다. '나선형 교육과정'을 Dewey가 먼저 언급한 사실을 인용하지 않았다

Dewey는 「경험과 교육」(1938: 97)에서 경험의 계속성에 대하여 설명하면서 교육과정을 점진적으로 구성할 필요성에 대하여 언급하였다. 이 과정에서 Dewey가 "the process is a continual spiral"라고 표현하였는데, Bruner는 이런 Dewey를 인용하지 않았다. '나선형 교육과정'에 관한 두 사람 사이의 차이점은, Dewey는 학습자의 경험에서 출발한다고 하였고, Bruner는 각 개별 학문에서 출발한다고 하였다는 것이다(Tanner & Tanner, 2007: 272).

라. 학문형 설계는 대학에 진학하려는 학생들의 흥미를 해결하려는 데에만 관심을 두고 있다(Goodlad & Su, 1992: 335)

마. 교육과정을 학생의 요구에 맞게 수정해야 한다고 가정하기보다는 오히려 학생들이 교육과정에 적응해야 한다고 가정한다(Eisner, 1994b)

바. 교육과정 지식이 학문적 지식을 반영해야 한다는 관점은 주류 교육과 사회의 현상 유지를 원하는 사람들의 편견과 가정을 지지해 준다(Parkay & Hass, 2000)

제3절 지식 중심 교육과정 이론

1. 정신 도야론

가. 정신 도야론의 내용

교육과정 이론으로서의 정신 도야론의 기원은 기하학의 공부는 일반 지능을 높이는 한 가지 길이라는 플라톤의 관점에까지 거슬러 올라가지만, 19세기의 관점은 18세기 독일의 심리학자 Christian Wolff(1740)의 주장에 토대를 두고 있다. Wolff는 인간의 마음을 구성하는 것으로 추정되는 능력들의 위계를 매우 상세하게 제시하였다. 정신 도야론자들은 어떤 교과들은 기억, 추리, 의지, 상상과 같은 능력을 강화할 힘을 지넜다고 생각하면서 그 심리학적 이론을 개발해 갔다. 더욱이, 정신 도야론자들은 이런 교과들을 가르치는 어떤 방법들은 마음을 더욱 활성화하고 이런 능력(힘)들을 발달하게 할 수 있다고 주장하였다. 신체의 근육을 강한 운동(훈련)을 통해 발달하게 할 수 있는 것과 마찬가지로, 정신적인 근육인 정신 능력들을 정신적인 운동을 통해 단련할 수 있다고 주장하였다(Kliebard, 1995: 4). 이런 내용들을 담아 개발된 이론을 능력 심리학(faculty psychology)으로 부른다.

19세기 정신 도야론의 가장 유명한 문헌은 1829년에 발행된 Yale 대학교 보고서이다. 이는 본질적으로 자연 과학과 실용적 교과가 침투할 가능성에 직면하여 전통적 교육과 인문주의적 가치에 대한 열정적인 방어를 보여준다. 이 보고서는 교육의 두 가지 중요한 기능으로 "마음의 단련과 함양(the discipline and the furniture of the mind)"(Day & Kingsley, 1829: 300), 즉 마음의 능력들을 강화하는 것(오늘날 우리들이 사고력의 발달이라고 부르는 것)과 내용으로 마음을 채우는 것(오늘날 우리들이 지식과 기능의 획득이라고 부르는 것)을 제시하였다. 이 보고서의 저자들인 Yale 대학교 총장 Jeremiah Day와 인문학의 대가인 James K. Kingsley 교수는 (아마도 오늘날에도 우리들이 그렇다고 주장할 수 있듯이) 두 가지 기능 중 첫 번째가 훨씬 더 중요한 기능이라고 믿었고, 그들에게 이것은 그들이 오랫동안 가르쳐온 교육과정을 다시 확인하는 것을 의미하였다. 근대 외국어(모국어)와 같은 아직 증명되지 않은 새로운 교과들은 많이 있었으나, 문학뿐만 아니라 그리스어, 라틴어, 수학은 결국 그들의 경험에서 이미 가치를 보여주었다. 그래서 건전하고 증명된 교육과정으로 보이는 것을 수정하고 변경하고자 한 어떤 시도에도 강한 저항이 있었다. 19세기 말까지 점점 그 숫자가 증가한 미국의 보통학교(normal school)를 위해 집필된 교과서들은 미래의 교사들에게 무엇을 가르쳐야 하고 어떻게 가르쳐야 하는가에 대해 설명하기 위한 토대로 근육으로서의 정신이라는 비유를 압도적으로 채택하였다. 이 비유가 강하게 자리를 잡으면서, 마음을 '마치' 근육과도 같은 것으로 생각하라는 내재된 지시는 '마치'를 잃어버리기 시작하였고, 많은 교사들에게 마음은 글자 그대로 근육이 되었다(Turbayne, 1962; Kliebard, 1995: 5 재인용).

마음이 사실상 또는 적어도 근육이라는 신념은 단조로운 연습, 강한 훈육, 무의미한 (글자) 암송의 학교 운영 체제를 위한 토대를 제공하는 데 상당한 정도 기여하였다. 훈련이 부족하고 나이가 어린 교사들이 의심할 여지 없이 그 밖의 다른 것을 하기는 어려웠으므로 이것은 지속되었을 것이지만, 정신 도야론은 그들에게 그것을 지속하는 데 권위 있는 정당화를 제공하였다. 19세기와 20세기 초의 학교생활에 대한 일화들은,

예외가 있지만, 학교는 즐겁지도 않고 지루한 장소였다는 것을 증명한다. 예를 들어, 1913년에 어느 공장의 감독이었던 Helen M. Todd는 공장에서 근무하는 500명의 아동에게 그들의 부모가 소득 수준이 높고 노동을 하지 않아도 된다면 학교에 되돌아가겠는지에 대하여 체계적으로 조사하였다. 500명의 아동 중에 412명이 Todd에게, 때로는 큰 글씨로, 그들이 학교에서 겪었던 단조로움(지루함), 굴욕, 심지어 학대에 비하여 공장을 선호한다고 말하였다(Kliebard, 1995: 5-6).

나. 정신 도야론에 대한 비판

이런 정신(형식) 도야론에 대하여 19세기 말부터 20세기 초까지 매우 충격적일 뿐만 아니라 그 뿌리까지 흔들어놓는 연구들이 진행되었다. 이는 미국의 심리학자들에 의해 실험적으로 진행된 연구였다. Harvard 대학교의 철학자, 역사가, 심리학자이자 미국 심리학의 아버지로 불리는 William James(1842~1910)는 당시 실험 심리학 등 심리학에서의 과학적 연구 풍토 속에서 인간의 마음에 대한 과학적 연구를 진행하였다. 이에 따라 새로운 과학적 심리학에 비추어 정신 도야론이 토대를 둔 능력 심리학의 문제점을 발견한 James는 자기 자신을 실험 대상으로 하여 정신 도야론(mental discipline), 더 엄밀하게 형식 도야론(formal discipline) 또는 능력 심리학의 가설을 과학적으로 검증하였다(1890년). 이를 전이(transfer) 실험이라고 부른다. 먼저 그는 위고의 시 158행을 외우는 데에 약 132분이 걸린다는 것을 알고 밀턴의 「실락원」 제1권 전체를 38일에 걸쳐 외웠다. 그 다음에 위고의 시 다음 부분 158행을 외우는 데에 걸리는 시간을 잰 결과, 151.5분 걸린다는 것을 알았다. 기억 훈련(밀턴의 「실락원」)을 하기 전에는 1행당 평균 50초가 걸렸으나, 기억 훈련을 하고 난 후에는 오히려 1행당 평균 57초가 걸린 것이다. 결론적으로 James는 자기의 실험 결과가 일반적으로 신봉되는 능력 심리학의 주장이 그릇되다는 것을 보여준다고 하였다(이홍우, 1986: 92-93).

James가 1890년에 기억에 대한 자신의 실험에서 형식 도야론자들(능력 심리학자들)이 분리되어 있다고 상상했던 기억 능력에서 어떤 향상도 나타나지 않았다고 발표하였을 때, 전이에 대한 형식 도야론을 향하여 첫 일제사격의 한 발을 발사하였다. 기억하기에 의해 기억 능력이 향상될 수 없다면, 기억은 학교에서의 주된 활동으로 정당화될 수 없다. 이는 기억되는 많은 것들이 우선적으로 기억할 가치가 없거나, 그리고 어쨌든 잊힐 것이기 때문이다(Kliebard, 1995: 91).

20세기 초까지 정신(형식) 도야론의 전이 개념을 비판하기 위한 실험은 계속 이어졌다(Rugg, 1916). 이를 이끈 사람은 James의 기발하고 걸출한 학생으로 교육 심리학의 아버지로 불리는 Edward Lee Thorndike (1874~1949)였다. Columbia University Teachers College의 James Earl Russel 학장이 탁월한 교육 연구 센터를 설립하려는 노력의 일환으로 Thorndike를 초빙하였다. 전이 문제라는 복잡한 문제에 대한 Thorndike의 첫 공격은 R. S. Woodworth라는 제자와 함께 수행한 일련의 실험들이었다. 그 결과는 "The Influence of Improvement of One Mental Function Upon the Efficiency of Other Functions"(Thorndike & Woodworth, 1901)라는 제목으로 출판되었다. 사각형의 넓이를 추측하는 것과 같은 여러 정신 조작에서, 피험자들에게 높은 수준의 숙달에 도달할 때까지 강도 높은 훈련이 제공되었다. 그리고 나서 그들에게 비슷한 과제가 부여되었다.

Edward L.
Thorndike
(1874~1949)

크기가 같으나 모양이 다른 도형의 넓이를 예측하기와 같은 것이었다. 그리고 한 과제 학습에서 다른 것으로의 전이의 양이 계산되었다. 그리고 줄의 길의, 물체의 무게를 추측하는 과제에 대해서도 이것을 반복하였다. 0.5~1.5인치 사이의 길이를 추측하는 훈련이 6~12인치 사이의 길이를 추측하는 데에 얼마나 도움이 되는가, 40~120그램의 무게를 추측하는 훈련이 120~1800그램의 무게를 추측하는 데에 얼마나 전이되는가를 연구하였고, 또 어떤 사람은 인쇄된 글에서 e자를 지우는 훈련을 하면 t자를 지우는 속도가 빨라지는가를 연구하였다(Kolesnik, 1962: 33, 41). 특별한 훈련의 학술적 효과성은 문제가 되지 않았다. 단지 그 과제 학습이 유사한 것으로 전이가 되는 정도가 문제가 되었다(Kliebard, 1995: 91).

　Thorndike의 이런 연구의 결과는 한결같이 전이가 전연 없거나 아주 근소하다는 것을 보여주었다. 이런 결론은 전이에 대한 일반적인 신념에 대해 치명적이었다. "어떤 하나의 정신 기능(예: 기억하기)의 향상은 보통 같은 이름으로 불리는 정신 능력(예: 기억)을 반드시 향상하지 않는다. 오히려 상처를 줄 수 있다"(Thorndike & Woodworth, 1901: 250). 12년 후에 출판된 한 주요 저서에서 Thorndike(1913: 363-365)는 그 결론을 확장하여, 기억, 지각, 추리, 관찰과 같은 정신적 능력의 존재 자체를 의심하였다. 사실상 그것들은 허구이며, 능력 심리학자들이 남긴 다른 많은 개념들과 함께 폐기해야 한다고 말하였다. 그러나 그런 개념들이 없다면, 일반 교육의 가치 전체를 의심하게 된다(Kliebard, 1995: 91-92).

　Thorndike에 따르면, 전이는 내용이나 절차에서 양쪽에 '동일한 요소들'이 있을 때 일어난다(동일 요소설). 예를 들면, 수학을 공부한 결과가 물리학을 공부하는 데 도움이 되는 것은 내용에 '동일한 요소'가 있기 때문이며, 물리학의 실험이 화학의 실험에 전이되는 것은 실험 절차에 '동일한 요소'가 있기 때문이다. Thorndike와 그 밖의 몇몇 사람들에 의한 이러한 연구는 형식 도야론에 대한 거의 '치명타' 구실을 하였다(이홍우, 1986: 94-95).

20세기 초에, 몇 가지 분리된 능력들로 구성되는 마음이라는 개념 대신에, Thorndike와 동료 심리학자들은 그들의 실험 결과와 더욱더 일관성 있는 것을 구성하려고 하였다. Thorndike가 상정한 마음은 기계였다. 이 기계 안에는 수천−수백만−에 달하는 연결들이 있고 각각은 다른 것들과 공통점이 전혀 없는 메시지를 담고 있다. 그의 관점에서 마음은 발달할 것을 기다리는 기억이나 추리와 같은 거대한 능력들로 구성되어 있지 않고, 수많은 별개의 기능(정신 작용)들로 구성되어 있다(Thorndike & Woodworth, 1901: 249). 이는 각각의 점들을 연결하는 수없이 많은 전선(끈)들로 구성된 스위치보드와 같다(Kliebard, 1995: 92).

그것만으로는 충분하지 않았는지, 20년 후에 Thorndike는 전통적인 교육과정 신념들을 훨씬 더 뒤흔드는 하나의 실험을 수행하였다. 이번에 문제를 삼은 것은 특정한 학교 교과의 가치였다. 1922년과 1923년 사이에 Thorndike는 두 가지 형식으로 구분된 동일한 지능 검사를 8,564명의 고등학생들을 대상으로 실시하였다. 그 해에 학생들이 배운 교과 집단에 따라 학생 집단을 나누었다. 실험 전 출발점 능력과 훈련의 요인을 제외하였을 때, 이러한 교과들이 지능 수준을 높이는 정도를 측정하였다. 그러면 우리는 라틴어나 수학이, 예를 들어 가정 교과에 비하여 일반 지능 점수를 얼마나 더 높이는지를 알 수 있을 것이다. 이 연구에서 Thorndike가 내린 결론은 또 다른 폭탄선언이었다. "우리는 검사지에 의한 측정 결과 사고 능력의 향상에서 주목할 만한 차이가 있음을 발견하였다. 그러나 그것은 학생들이 공부한 결과인 것 같지 않다. 이미 사고를 잘하는 학생들의 점수가 그 해에 가장 높았다. 그들은 어떤 교과를 공부하든지 지능에서 가장 높은 향상 점수를 얻을 것이다"(Thorndike, 1924: 94-95). 아마 Thorndike가 이 실험과 1901년의 실험에 토대를 두고 그런 전면적인(sweeping) 결론을 내린 것의 타당성에 의문을 제기할 수 있다. 그러나 교육과정 개발자들이 즉석에서 내린 추론은 지능의 향상이라는 목적을 위해 교과를 통해 사고하도록 학생을 가르치는 것은 몽상이라는 것이었다. 중요한 것은 타고난 지능이라는 것이었다(Kliebard, 1995: 92-93).

이 외에 형식 도야론을 대치할 교육 이론을 제시한 Dewey의 형식 도야론에 대한 비판은, 첫째로, 그 기초를 이루고 있는 능력 심리학의 설명이 그릇되다는 것이다. Dewey의 능력 심리학에 대한 비판은 그것이 본질상 '마음'에 관한 그릇된 견해를 나타내고 있다는 것이었다. Dewey에 따르면, 인간의 마음이라는 것은 기억, 추리 등 '기성'의 능력이 아니라, 본능적인 '반응의 경향'을 의미한다. 그리고 그것은 또한 몇 가지 능력으로 구분될 수 있는 것이 아니라, 수없이 다양한 종류가 있어서 우리가 '마음을 쓸' 때(즉 '사고'할 때) 여러 가지 방식으로 복잡하게 얽혀 작용한다. 마음이라는 것은 곧 이러한 '작용'을 의미한다. 그리고 교육이라는 것은 형식 도야론에서 주장하는 것처럼 기성의 능력들을 훈련하는 일이 아니라, 지력을 필요로 하는 문제 상황에서 적절한 지력을 선택적으로 활용할 수 있는 능력을 개발하는 일이다. Dewey에 따르면, 이것은 바로 '사고'하는 능력을 개발하는 것과 같다(이홍우, 1986: 95).

형식 도야론에 대한 Dewey의 비판을 올바로 해석하기 위해서는 '형식 도야(formal discipline)'와 '정신 도야(mental discipline)'를 구별할 필요가 있다. 정신 도야는 분명히 형식 도야론이 주장하는 교육의 목적이며, 이에 따라 두 개념은 서로 혼동되는 경향이 있으나, 완전히 동일하지는 않다. 형식 도야는 정신 도야의 한 가지 특수한 방법, 즉 전통적인 교육 방법처럼 고정된 교과를 맹목적으로 주입하는 방법이라고 볼 수 있다. 형식 도야론에서는 이를 통해 그 교과에 내포된 '형식'이 인간의 정신을 도야할 수 있다고 생각하였다. Dewey는 형식 도야론을 반대하기는 하였지만, 교육의 이상으로서의 정신 도야의 가치를 부정하지 않고 오히려 더욱 강조하였다고 볼 수 있다. 그의 교육 이론은 전반적으로 사고나 지력을 교육의 중심으로 삼아야 한다고 주장한다. Dewey가 반대한 것은 오히려 형식 도야론에 담긴 교육의 내용과 방법, 다시 말하면 학생의 '사회적 맥락'과 관련 없는 고정된 교과를 맹목적인 방법으로 주입하는 교육이었다. 원래의 형식 도야론은 이런 내용과 방법을 정당화한 것이 사실이며, 이런 점에서 비판을 받아 마땅하다(이홍우, 1986: 97).

한편, 이홍우(1989)는 형식 도야론에 대한 비판을 통해 부정된 것과 부정되지 않은 것을 구분하였다. 이를 위해 Hirst의 형식 도야론에 대한 비판을 요약하면서, 마음(또는 마음을 포함하는 일반적 능력)을 정의하는 것에 관련되는 것(약한 주장)과, 마음을 개발하는 것에 관련된 것(강한 주장)으로 구분하였다(이홍우, 1989: 36).

I. 여러 활동에 공통된 일반적 능력이 있다(약한 주장).

II. 그 일반적 능력은 그것이 표현되는 활동과 무관하게 의의를 가진다(강한 주장).

이 두 주장을 수학과 추리력에 비추어 비유하면 다음과 같다.

I . 여러 활동에 공통된 일반적 능력이 있다(약한 주장).

(1) 수학을 배우면 추리력이 길러진다.

(2) 이 추리력은 수학 이외의 사태에서의 추리력과 공통점을 가진다.

II . 그 일반적 능력은 그것이 표현되는 활동과 무관하게 의의를 가진다(강한 주장).

(3) 수학에서 길러지는 추리력은 수학 이외의 사태에도 효과적으로 적용된다.

(4) 수학에서 길러지는 추리력은 수학 이외의 사태에서도 길러질 수 있다.

그리고 이홍우는 형식 도야론은 마음의 정의에 관한 주장과 마음의 개발에 관한 주장 사이의 함의관계로 성립된 이론, 또는 마음의 정의에 관한 주장으로부터 마음의 개발에 관한 주장을 이끌어내려고 한 이론으로 보았다. 형식 도야론은 그 당시의 교과—주로 고전어와 수학으로 구성된 교과—를 정당화하기 위한 이론으로 보았다. 말하자면, 그런 교과는 인간에게 중요한 정신 능력들을 개발한다는 점에서 가치를 가진다는 것이었다. 그러나 그 일반적 능력의 가치 또는 효용을 설명하는 과정에서 형식 도야론은 그 일반적 능력의 '실용적' 효용성을 설명에 끌어들이는 오류를 저질렀다. 이때까지 기존의 교과에 관한 가치를 이론적으로 설명한다고 생각되던 이론이 교육의 내용과 방법을 실제적으로 처방하는 이론으로 전환된 것이다. John Dewey의 말대로, '도야'라는 말이 훈련의 '결과'와 '방법'을 동시에 지칭하게 되고, 오히려 '결과'를 지칭하기보다는 '방법'을 지시하는 것으로 되는 사태가 벌어졌다는 것이다. 이에 따라 형식 도야론은 기존의 교과의 가치를 설명하는 '이론적' 이론으로부터 교과를 처방하는 '실제적' 이론으로 성격이 전환되었다. 이러한 실제적 처방을 위한 이론으로서의 형식 도야론은 Dewey와 Hirst, 그리고 다른 많은 사람들에게 비판을 받아왔다. 그러나 이론적 설명을 위한 이론으로서의 형식 도야론도 부정되어야 하는지 되돌아볼 필요가 있는 것이다. 이러한 분석을 통해 이홍우는 형식 도야론에 대한 비판은 강한 주장의 타당성을 부정하였으나 약한 주장은 부정하지 않은 것으로 평가하였다(이홍우, 1989: 37-39).

2. 지식의 형식론

가. 주장 배경

앞에서 19세기 형식 도야론이 전통적 교과와 인문주의적 가치에 대한 도전과 비판에 대응하기 위해 형성된 교육과정 이론이었고, 이 이론의 핵심적인 부분은 실험 심리학적인 연구 결과에 따라 부정되었음을 확인하였다. 전통적 교과에 대한 도전의 흐름은 제6장과 제7장에서 파악할 수 있을 것이다. 제6장에서 인문적 교과 이외에 실용적 교과의 등장과 제7장에서 감각과 경험을 강조하거나 이성과 경험 모두를 강조하는 교육 이론들은 전통적(사장적) 교과(지식)의 가치에 대해 이의를 제기한 배경이 된다. 미국의 교육과정 이론가들이 인문 교과를 옹호하기 위하여 형식 도야론에 의존하였다면, 전통적으로 사장적 교과 교육에 대한 전통이 깊고 강한 영국의 교육과정 이론가들은 지식의 형식론을 통하여 전통적 인문 교과의 가치를 옹호하고자 하였다. 앞선 형식 도야론의 세부 내용이 새롭게 부각된 심리학의 도움을 받아 등장한 능력심리학에 담겼다면, 지식의 형식론은 인문 교과의 하나였던 철학의 도움을 받아 교육 철학에 담겼다는 차이점이 있다. 지식의 형식론은 철학의 전통이 강한 영국의 학문적 풍토 속에서 등장한 것으로 볼 수 있다.

지식의 형식론을 대표하는 학자들은 영국의 교육 철학자 Richard Stanley Peters (1919~2011)와 Paul Quentin Hirst(1946~2003)이다. 지식의 형식론에는 주요 개념으로 '선험적 정당화(transcendental justification)'와 지식의 '내재적 가치(intrinsic value)'가 등장한다. 이들은 역사적 흐름 속에서 강조되어 온 교과의 실용적 가치에 대항하여 교과와 그 안에 담긴 지식을 '내재적 가치'에 따라 '선험적으로 정당화'하였다.

나. 내재적 정당화

Peters와 Hirst의 지식의 형식론은 "교육은 왜 하는가?" 또는 "교육의 의미가 무엇인가?" "교육과정에서 가치 있는 교과는(지식은) 어떤 것인가?" 하는 문제에 대한 답으로 제시되었다. 이런 문제들을 생각할 때 사람들은 교육과 관련을 맺고 있는 가치 있는 것이 무엇인가를 찾을 것이다. 예를 들어, 가치 있는 것으로 자아실현(self-realization), 국가 발전(national development), 잘 사는 것(good life) 등을 들 수 있다. 이때 교육의 의미를 그런 가치 있는 것과 관련지어 규정하여야 한다고 생각한다(이홍우 등, 1984: xxiii).

예를 들어, '잘 사는 것'의 의미를 먼저 규정해 두고 교육이 그것에 수단이 된다고 보는, 즉 사실적으로 관련짓는 방법이 있다. 여기서 잘 사는 것과 교육은 논리적으로 별개의 것이며, 잘 사는 것은 교육의 외재적 목적이 된다. 그런데 이 경우 잘 사는 것이 무엇인지에 대해 인류 역사 속에서 확실한 답이 내려지지 않아 그 의미가 불분명하다. 그래서 교육을 할 수 없을 것이다(이홍우 등, 1984: xxiv). 이러한 방법은 교육(교과)을 외재적으로 정당화하는 것이다. 또한 외재적 목적에 따라 교육을 다른 목적을 위한 수단으로 여길 때, 교육은 Peters와 Hirst가 반대한 실용적 가치에 봉사하는 활동으로 전락하게 될 것이다.

이 방법 외에 교육이라는 활동 속에 '잘 사는 것'의 의미가 논리적 가정(presupposition)으로 붙박여 있다고 보는 방법이 있다. 이 경우, 교육과 '잘 사는 것' 사이의 관련은 논리적인(또는 개념적인) 것이며, 잘 사는 것의 의미가 교육의 의미에 비추어 규정된다고 볼 수 있다. 다시 말하여, 우리가 현재와 같은 교육을 하고 있는 이상, 그 교육에 논리적 가정으로 들어 있는 가치에 헌신하여야 하며, 이것이 바로 '잘 사는 것'의 의미이다. 요약하면, 교육은 '잘 사는 것'을 그 의미의 한 부분으로 내포하고 있는 것이다(이홍우 등, 1984: xxiv). 이러한 방법은 교육(교과)을 내재적으로 정당화하는 것이다.

교육(교과)을 외재적으로 정당화하는 경우처럼, 교과의 가치가 그것을 수단으로 활용하여 달성하는 목적의 가치에 의존한다면, 외부에서 주어지는 목적의 가치가 의심을 받을 경우에는 교과의 가치도 함께 의심을 받을 수밖에 없다. 또한 그것은 사전에 정해지는 목적을 더욱 효율적으로 달성할 수 있는 대안적인 수단에 의하여 언제든지 대체될 수 있다. 이처럼 교과는 수단-목적 관계로 포섭되는 순간부터 존재의 위협에 직면하지 않을 수 없고, 그것이 지향하는 마음 또한 함께 묵살될 위험에 놓인다(이홍우, 2009: 258). 교육과정학자들이 내재적 정당화로 시선을 돌리는 것은 외재적 정당화가 야기하는 이러한 문제에서 비롯된 것으로 해석할 수 있다(박채형, 조상연, 2020: 64).

교과에 대한 외재적 정당화가 교과 또는 교과 교육의 바깥에서 그것의 가치를 찾는다면, 교과에 대한 내재적 정당화는 교과 또는 교과 교육의 바깥을 향하던 시선을 그것의 안으로 돌려놓는다. 구체적으로 말하면, 교과에 대한 내재적 정당화라는 것은 문자 그대로 교과 또는 교과 교육의 안으로 시선을 옮겨서 거기에 붙박여 있는 모종의 가치를 드러내는 이론적 논의를 가리킨다. 교과가 지니는 내재적 가치라는 것은 그러한 이론적 논의에 의하여 드러나는 교과 그 자체의 가치 또는 그것의 고유한 가치로 규정될 수 있다(박채형, 조상연, 2020: 64-65).

이러한 내재적 가치를 지니는 교육을 Peters는 성년식(또는 입문, initiation)으로 표현한다. 그리고 성년식(또는 입문)은 단순히 어떤 행동이나 활동을 따라하게 한다는 것만이 아니라, 그 활동의 이면에 들어있는 신념 또는 사고 체계를 받아들이게 한다는 것을 의미한다. 그러므로 교육을 성년식(입문)에 비유할 때 제기되는 당연한 질문은 교육을 통하여 사람들을 입문하게 하고자 하는 신념 또는 사고 체계가 어떠한 것인가이다. Peters(1966)는 그것을 지식의 형식으로 나타냈다(이홍우 등, 1984: xxiv-xxv).

Peters가 설명하는 지식의 형식은 다음과 같은 성격을 지닌다. 첫째, 지식의 형식은 어느 개인의 것이 아니라, 인류가 오랫동안 공동의 노력으로 이룩한 '공적 전통(public tradition)'이라는 것이다. 둘째, 사람들이 공통으로 사용하는 공적 언어(public language)에 나타나 있다. 교육을 통하여 사람들을 입문하게 할 가치 있는 내용을 나타내는 말로 '공적인 언어에 담겨 있는 공적 전통(public traditions enshrined in public language)'이라는 말을 쓰고 있다. 그것은 또한 우리가 보통 쓰는 '문화유산(cultural heritage)'이라는 말과 의미에서 별로 다를 바가 없다(이홍우 등, 1984: xxvi).

지식의 형식에는 몇 가지 '논리적 가정(presupposition)'이 붙박여 있으며, 지식의 형식에 입문됨으로써 우리는 그 논리적 가정도 동시에 받아들이게 된다. 지식의 형식에 들어 있는 논리적 가정들은 전체적으로 하나의 공통된 삶의 형식(forms of life)을 규정한다. 그 '삶의 형식'이란 곧 "일을 하는 데는 올바른 방법과 그릇된 방법이 있다는 생각, 어떤 것은 옳고 어떤 것은 그르다는 생각, 어떻게 말하고 행동하는가가 결정적으로 중요하다는 생각"을 가지고 사는 그러한 '삶의 형식'이다. 교육을 통하여 지식의 형식으로 입문된다는 것은 그것에 논리적인 가정으로 들어 있는 그러한 '삶의 형식'에 헌신하게 된다는 뜻이다. 요컨대 그것은 '합리성(rationality)'의 근본 원리가 내재되어 있는 전통으로 입문된다는 것이다. 그것은 또한 현대 문명사회에 '성년'이 되는 것이기도 하다(이홍우 등, 1984: xxvi-xxvii). 이 삶의 형식은 인류가 개념 체계를 정립해 온 것과 때를 같이 하여 오랜 기간을 두고 확립해 온 것이며, 오늘날 문명된 사회에서 사는 사람들은 누구나 그 삶의 형식에서 벗어날 수 없다. 현재 우리가 사용하는 언어가 누구 한 사람에 의하여 만들어진 것이 아닌 만큼, 우리의 삶의 형식도 어느 개인의 것이 아닌 공동의 것이며, 현대 사회의 일원이 되려고 하면 누구나 그 삶의 형식에 참여하면서 그것에 들어 있는 논리적 가정을 받아들이지 않으면 안 된다(이홍우, 1985: 194).

'성년식으로서의 교육'에 대하여 Oakeshott는 다음과 같이 말하였다.

문명된 인간으로서 우리가 상속받은 것은 원시림에서 시작하여 세기를 거듭하는 동안 점점 더 확장되고 분명하게 된 대화이다. 인간과 동물, 문명인과 야만인을 구별하는 것은 이 대화에 참여하는 능력이다. 교육은 실상 이 대화의 기술과 대화에 참여하는 정신을 가르치는 '성년식'이라고 보아야 할 것이다. 그것을 통하여 우리는 목소리를 알아들을 수 있게 되고, 경우에 적절한 발언과 적절하지 않은 발

언을 분간할 줄 알게 되고, 대화에 당연히 요구되는 지적 · 도덕적 습성을 획득하게

된다. 결국 하나하나의 인간 활동과 발언에 무대와 배역을 주는 것은 바로 이 대화

이다.(Oakeshott, 1962: 199: 이홍우 등, 1984: xxvii 재인용)

다. 정의 및 특징

'지식의 형식'은 Peters와 Hirst가 내재적 가치에 의하여 규정되는 교과를 가리켜

부르는 이름이다. Hirst(1974: 44)에 따르면, "지식의 형식이라는 것은 공적으로 받아

들여지는 여러 가지 상징을 중심으로 인간의 경험이 구조화된 것"을 가리키며, 각각의

형식은 인간의 경험이 구조화되는 특이한 형식을 나타낸다. Hirst는 1965년 논문에서

수학, 자연 과학, 인간 과학, 역사, 종교, 문학 및 예술, 철학으로 구분하였다.「지식의

형식 재고찰」(1974)에서는 지식의 형식들을 (1) 형식적 논리학과 수학, (2) 자연 과학,

(3) 우리 자신과 타인의 마음 상태에 관한 지식, (4) 도덕적 지식, (5) 문학과 예술, (6)

종교, (7) 철학으로 분류하였다(Hirst, 1974). 그는 이러한 지식의 형식의 특징을 네 가

지로 구분하여 제시하였다(Hirst, 1974: 44).

첫째, 각각의 지식의 형식은 그 형식의 특이한 성격을 반영하는 몇 가지 중심 개

념으로 이루어져 있다. 예를 들어, 과학을 이루고 있는 독특한 개념으로는 중력 · 가속

도 · 수소 · 광합성 등을 들 수 있으며, 수학에서는 수 · 적분 · 행렬, 종교에서는 선 ·

원죄 · 신정(神政), 그리고 도덕적 지식에서는 의무 · 선 · 악 등을 들 수 있다.

둘째, 하나의 지식의 형식을 두고 볼 때 경험의 해당 측면을 드러내는 여러 개념

들은, 특히 그 경험이 복잡한 구조를 가지고 있을 경우에는, 그것들끼리 관계망을 이

루고 있으며 그 경험은 그 관계망으로 말미암아 이해 가능한 것이 된다. 그 결과로 지

식의 형식은 그 나름의 독특한 논리적 구조를 가지게 된다. 예컨대, 역학의 여러 가지

용어나 진술이 의미 있게 관련되는 방식은 엄격히 제한되어 있으며, 역사적 설명의 경

우도 이와 마찬가지이다.

셋째, 지식의 형식은 그것에 사용된 독특한 개념과 논리적 구조로 말미암아, 간접

적인 방식으로나마, 경험에 비추어 검증 가능한 표현이나 진술로 구성된다(이 표현이

나 진술은 해당 지식의 형식에 속하는 특이한 유형의 질문에 대한 대답을 나타낸다).

이 점은 과학적 지식, 도덕적 지식 그리고 예술에 다 같이 해당된다. 다만, 예술은 명시

적인 질문을 다루는 것이 아니며, 검증 기준 또한 오직 부분적으로만 언어로 표현된다.

요컨대, 각각의 지식의 형식은 경험에 비추어 검증될 수 있는 독특한 진술로 구성되어

있으며, 그 검증은 그 형식의 특이한 성격을 반영하는 기준에 따라 이루어진다.

넷째, 지식의 여러 형식에서 경험을 탐색하고 그 형식에 속하는 표현을 검증하기 위한 특별한 기법과 기술이 발전되어 왔다. 예를 들어, 과학이나 다양한 문학 작품에 사용되는 여러 기법들이 그것이다. 오늘날 여러 학문과 예술에서 볼 수 있는 것과 같은 상징적으로 표현된 지식은 그러한 기법과 기술에 의하여 축적된 것이다.

라. 선험적 정당화

Peters와 Hirst는 지식의 형식이 띠고 있는 성격을 드러내고 나서 선험적 정당화 논의에 의존하여 그것의 가치를 드러내는 장면으로 나아간다. '선험적'이라는 우리말은 흔히 '경험에 앞서'라는 뜻으로 풀이된다. 그런데 그것이 transcendental의 번역어라는 사실을 존중하면, 그것은 '경험을 초월하여'라는 뜻으로 풀이되어야 한다. 선험적 정당화 논의의 골자를 감안하면, 그것은 차라리 '심정적인 반응과 무관하게'라는 뜻으로 읽혀야 한다. 그래서 그들의 선험적 정당화 논의는 이래도 그만이고 저래도 그만이라고 생각하는 무관심한 대중을 설득할 수 있는가를 고려하지 않을 뿐만 아니라 정당화를 요구하는 당사자가 그들에게 돌아오는 논의를 심정적으로 받아들일 수 있는가도 고려하지 않는 특이한 윤리학적 담론이라고 말할 수 있다(박채형, 조상연, 2020: 69; 이홍우, 2009: 117; 이홍우, 2017: 368).

정당화라는 것이 그것을 요구하는 당사자에게 특정한 활동에 붙박여 있는 모종의 가치를 보여주는 행위라면, 선험적 정당화 논의는 당사자의 그러한 기대를 철저하게 외면한다는 점에서 정당화의 방식으로 받아들일 수 없다. 그럼에도 불구하고 Peters와 Hirst는 칸트가 펼쳤던 선험적 논의를 지식의 형식에 차용하여 그러한 방식으로 정당화를 시도한다. 그들이 차용한 그의 선험적 논의는 한마디로 말하여 특정한 말이나 행위의 논리적 가정을 파고드는 방식으로 모종의 결론을 도출하는 시도로 파악될 수 있다. 여기에서 '논리적 가정'이라는 것은 어떤 말이나 행동이 의미를 가지기 위해서 그것의 진위와 무관하게 전제로 받아들이지 않으면 안 되는 명제나 입장을 가리킨다. 누군가의 말이나 행동이 특정한 명제나 입장을 묵시적으로 전제한다면, 그의 말이나 행동은 그것이 전제하는 명제나 입장을 '논리적으로 가정'한다는 진술 또한 성립한다. 그러므로 누군가 특정한 말이나 행동을 보이면서 그것이 논리적으로 가정하는 명제나 입장을 받아들이지 않는다면, 그는 스스로 모순에 빠지게 되며, 이 점에서 특정한 말이나 행동이 전제하는 논리적 가정은 그것이 띠고 있는 형태나 당사자가 드러내는 심정과 무관하게 강제성을 띨 수밖에 없다(박채형, 조상연, 2020: 69).

　　Peters와 **Hirst**가 펼치는 선험적 정당화 논의는 특정한 말이나 행동을 떠받치는 그것의 논리적 가정이 당사자의 심정적인 반응과 무관하게 강제성을 띤다는 바로 그 발상에 기반을 두고 있다(Peters, 1966: 133-138). 그들은 실제로 지식의 형식에 대한 정당화를 요구하는 가상의 사태를 상정하면서 거기에 전제된 논리적 가정을 비롯하여 논리적 가정의 논리적 가정을 끊임없이 들추어내는 가운데 "지식의 형식은 가치가 있다"라는 결론에 도달하는 방식으로 선험적 정당화 논의를 전개한다. 지식의 형식에 대한 정당화를 요구하는 사태는 이미 지적한 바와 같이 "지식의 형식은 어째서 가치가 있는가?"라는 질문이 제기되는 상황을 가리키며, 누군가 심각하게 제기하는 바로 그 질문은 논리적 가정을 들추어내는 최초의 단서로 활용된다(박채형, 조상연, 2020: 69).

　　Peters(1966: 153)는 '지식의 형식'의 가치를 정당화하는 방법으로서 이른바 '선험적 논의(transcendental argument)'를 사용하고 있다. 즉, "왜 지식의 형식을 추구해야 하는가?" 또는 "어째서 지식의 형식이 가치가 있는가?" 하는 질문은 지식의 형식을 추구하는 일과 합리적으로 정당화하는 일 사이의 논리적인 상호관계에 비추어 해답될 수 있다. 지식의 형식을 추구하는 것은 곧 세계가 왜 그렇게 되어 있는가, 왜 우리는 그렇게 해야 하는가에 대한 해답을 추구하는 것이며, 따라서 지식의 형식을 추구하는 것이 어째서 가치가 있는가 하는 질문은 그것이 가치가 있다는 것을 이미 전제로 하고 있다고 볼 수 있다(한은자, 1976: 26-27).

　　"왜 지식의 형식을 추구해야 하는가?"라는 질문을 하는 사람은 자기가 한 일들, 또는 자기가 하고자 하는 일들에 관하여 그 일들이 어떤 일들인가를 생각해 보지 않으면 안 된다. 이것을 생각할 때, 그 사람은 이미 과학, 문학, 역사, 철학 등 '지식의 형식'에 종사하고 있다. 왜냐하면 지식의 형식이라는 것은 인간과 사물에 관한 여러 현상을 기술하고 설명하고 사정하는 일을 하는 것이기 때문이다. "왜 지식의 형식을 추구해야 하는가?"라는 질문을 심각하게 하면서도 지식의 형식을 추구하는 데 관심을 가지지 않는다는 것은 논리적으로 모순이다(한은자, 1976: 27-28).

　　그런데 필자가 보기에 **Peters**의 지식의 형식의 선험적 정당화는 지식의 형식을 추구하지 않는 사람이 제기할 수 있는 "지식은 왜 배워야 하고 어떤 가치가 있는가?"라는 질문을 이미 지식의 형식을 추구하는 사람이 제기할 수 있는 질문으로 변형하였다. 일반인의 입장에서는 아마도 외재적인 가치를 염두에 두고 "지식이 어떤 가치를 지니는가?"라고 질문한 것으로 볼 수 있다. 그러나 **Peters**의 답변은 그러한 외재적 가치에 관심을 가진 사람들이 주체가 되어 제기하는 질문이 아니라 지식의 형식을 추구하는 사람, 즉 이미 지식을 탐구하는 사람이 제기할 수 있는 질문으로 변경한 다음에 이미 지식을 추구하는 사람이 스스로 "나는 지금 왜 지식을 추구하는가?"와 같은 질문을 던지는 경우 이미 가치가 있다는 것을 전제로 질문을 던진 사례로 설명하고 있다.

Peters와 Hirst의 논의를 낚시질에 적용하자면 아마 다음과 같은 설명이 될 것이다. 인간이 낚시질을 해온 그 오랜 세월 동안 낚시질의 성격 또는 의미가 가장 잘 드러나도록 다듬고 발전하게 하였다. 낚싯바늘에 걸린 싱싱한 물고기가 공중에 매달려 퍼덕댈 때, 가느다란 낚싯줄과 속이 빈 낚싯대를 거쳐 우리 손바닥에 어떤 느낌이 와 닿을 것인가? 이와 같이, "퍼덕거리는 물고기의 약동이 가느다란 낚싯줄과 낚싯대를 통하여 손바닥에 전달될 때의 쾌감, 흥분, 전율"―그것이 바로 낚시질의 '재미'이다(이홍우, 1991: 60-61).

이제, 어떤 사람이 오늘날 우리가 하고 있는 낚시질―'문명된 활동'으로서의 낚시질―을 하면서, 앞에 기술된 낚시질의 '재미'―낚시질의 의미, 이유, 목적, 가치 등―를 의심하거나 부정한다고 하자. 이 경우에도 그 사람은, 심리적으로는, 자신이나 다른 사람에게 납득될 만한 '낚시질을 할 이유'를 가지고 있다고 생각할지 모른다. 그러나 '논리적으로 말하여', 그 사람은 스스로 그 의미를 의심하거나 부정하는 '부질없는 짓'을 하는 것이다. 앞에 기술된 낚시질의 재미는 현재 우리가 하고 있는 낚시질 그 자체에 붙박여 있다. 그 재미는 낚시질이 하나의 활동으로 성립하는 데 필요한 '논리적 가정'이며, 현재 우리가 하고 있는 낚시질이 의미를 가지려고 하면 우리는 논리적으로 말하여 누구나 그 재미를 '가치 있는 것'으로 받아들이지 않으면 안 된다. 위의 그 사람은 자신이 하고 있는 낚시질이 의미를 가지기 위해서는 당연히 받아들여야 할 논리적 가정을 부정하는 오류―즉, 모순―를 저지른다. 이 '모순'이라는 오류는 그 오류의 근거가 그 자체에 내재해 있는, 오류 중에서도 가장 결정적인 오류이다(이홍우, 1991: 62).

인간의 활동 중에서 오랜 기간에 걸쳐 발전을 거듭해 온 것으로 괄목할 만한 것이 언어와 사고이다. 우리가 사용하는 언어는 인간 경험의 상이한 측면을 표현하는 데 적합한 형태로 분화되어 왔다. 이렇게 분화된 언어는, 그것을 전수하는 일로서의 교육과 마찬가지로, 문명된 인간이 물려받은 '공적 전통'이다. 학교의 교과로 등장하는 '지식의 형식'은 바로 그 분화된 언어의 총체이며, '지식의 형식'을 배울 때 학생은 그 공적 전통에 입문하게 된다. 지식의 형식의 가치는, 낚시질의 재미가 낚시질의 논리적 가정인 것처럼, 인간의 삶―즉 '문명된 삶'―의 논리적 가정이며, '지식의 형식'을 배우는 것은 문명된 인간으로서의 삶을 포기하지 않고는 거역할 수 없는, 모든 인간에게 부과된 인간적인 의무이다(이홍우, 1991: 63).

선험적 정당화 논의를 요약하면 다음과 같다. 이제, 어떤 사람이 "어째서 지식의 형식을 배워야 하는가?"라는 질문을 한다고 하자. 물론, 이 질문을 하는 사람은 십중팔구 '지식의 형식'이라는 공적 전통에 입문한 사람이겠지만, 그가 '사실상' 그것에 입문했는가 아닌가는 중요하지 않다. 중요한 것은 "어째서 지식의 형식을 배워야 하는가?"라는 질문 자체가 공적 전통의 표현이라는 것이다. 구체적으로 말하여 그 질문은 "왜 이렇게 하지 않고 저렇게 해야 하는가?"라는 질문과 그 대답으로 이루어지는 실제적 논의의 한 예이며, 실제적 논의는 과학, 역사, 문학 등의 이론적 논의와 함께 '지식의 형식'을 이룬다. 뿐만 아니라, 이들 이론적 논의는 "어째서 지식의 형식을 배워야 하는가?"라는 실제적 질문이 적용되는 사태로서의 세계와 인간의 삶의 다양한 측면을 드러내어 준다. 만약 어떤 사람이 "과연 지식의 형식을 배워야 하는가?"라는 질문을 하면서 그것에 대하여 부정적인 대답을 한다면, 그 사람은, 논리적으로 말하여, 자신이 한 질문에 의미를 부여하는 유일한 근거를 스스로 없애버리는 셈이 된다. 그 사람은, 앞의 낚시질의 경우에서 낚시질을 하면서 그 '재미'를 부정하는 사람이 "하지 말아야 할 일"을 하는 것과 마찬가지로, "하지 말아야 할 질문"을 하는 것이다(이홍우, 1991: 64).

마. 비판

Paul Hirst(1974: 30-53)의 자유 교육의 지식의 형식 이론에 대한 Jane Roland Martin(1994: 170-186)의 비판은 Hirst(1993: 184-199)의 초기 입장에서의 후퇴를 이끌어내는 데 기여하였다는 평가를 받는다. Hirst가 직접 Martin을 언급하지는 않았으나 Martin이 제기한 여러 문제들에 대한 자신의 사고를 분명하게 변경하였다(Mulcahy, 2002: 2-13). 이것에는 지식의 이론에 토대를 두고 교육의 목적 또는 사람들이 살아가야 할 삶을 결정하였다는 점, 오직 지식의 형식만으로 구성되는 하나의 교육의 형식을 강조하였다는 점, 논리적으로 인지적 상태를 기본적인 것으로 주장하였다는 점, 교육의 내용으로서 오직 명제적 지식에 초점을 두었다는 점, 마음과 신체의 이분법을 주장하였다는 점 등이 포함된다(Hirst, 1993: 184-199).

Martin에 따르면, Hirst의 자유 교육 이론에 관련된 지식의 범위가 지나치게 좁아 한쪽으로 치우친 인간 형성을 강조한다. 오직 명제적 지식에만 초점을 두었고 이에 동반되는 마음에 대한 좁은 관점을 제시함으로써, 다른 바람직한 교육적 가치를 누락하였다. Hirst의 이론은 느낌, 감정, 그리고 마음의 이른바 다른 비인지적 상태와 작용들을 무시하였다. 그것은 또한 방법적 지식(knowledge how)과 행동을 위한 교육을 누락하였다(Martin, 1994: 173). 그 결과, 자유 교육의 교육과정에서 체육, 직업 교육, 공연 예술과 같은 교과가 제외되었다. 그 결과 Hirst의 자유 교육론은 행동과 방법적 지식에 대한 헌신이 부족한 상아탑의 인간을 양성한다(Martin, 1994: 173-176).

박채형과 조상연(2020)은, Peters와 Hirst의 선험적 정당화 논의는 교과의 가치를 직접적으로 보여주는 적극적인 담론이 아니라, 논리적 가정을 파고들면서 교과가 가치롭다는 결론에 이르는 소극적인 담론이라고 규정하였다. 그들의 선험적 정당화 논의가 여러 가지 형태의 비판에 직면하는 궁극적인 이유를 그것이 가지고 있는 이러한 성격에서 찾을 수 있다고 보았다. 이에 따라 그들이 자신들의 논의에 가정되어 있는데도 불구하고 스스로 외면하였던 형이상학적 실재를 정당하게 존중하였다면, 그들의 선험적 정당화 논의는 그러한 비판에서 벗어나 적극적인 형태를 띨 수 있었을 것으로 평가하였다.

Peters의 선험적 정당화에 대해 다룬 Cuypers(2012)는 그 정당화의 한계를 지적하고 대안을 제시하였다. Cuypers(2012)는 먼저, Peters가 「윤리학과 교육(*Ethics and Education*)」(1966)이라는 서적의 5장과 "교육의 정당화(The Justification of Education)"(1973)라는 논문에서 "교육이 가치 있다는 것을 우리는 어떻게 알 수 있는가?"라는 규범적인 문제, 즉 정당화의 문제를 다루었다고 지적한다. 교육은 어떤 목적을 추구하므로 목적 지향적이다. 그리고 교육은 규범적이고(예: 왜 이것을 해야 하는가?), 가치 지향적이다(예: 어떤 가치가 있는가?). 우리는 어떤 목적은 가치 있고 다른 것은 가치가 없다고 믿으며, 어떤 목적은 다른 것보다 더 가치 있다고 믿는다. Peters(1973: 68)는 "교육을 받는 것에는 어떤 가치가 있으며 이것을 어떻게 정당화할 수 있는가?"라고 질문한다. 그리고 "왜 과학, 수학, 역사, 미술, 무용, 요리 등은 교육과정에 들어 있으나 빙고, 브리지, 당구는 들어 있지 않은가?"라고 질문한다(1966: 144). 그런데 그는 결국 자신의 답변에 만족하지 못하고, "나는 가치 있는 활동, 즉 내가 교육과정에 관련된다고 생각하는 빙고나 과일 다루는 기계 조작과 구별되는 과학이나 농업에 대한 설득력 있는 선험적 정당화를 시도하였으나 실패하였다"라고 토로하였다는 것이다(Peters, 1983: 37). 이어서 Cuypers(2012: 3-4)는, 어떤 비판론자는 Peters의 교육에 대한 선험적 정당화 논의가 충분하지 않고 설득력이 없다고 말하고, 다른 이들은 정당화하는 일을 절망적으로 포기하고, 교육이 왜 가치 있는지에 대해 단지 역사적으로 설명하는 데 그친다. 그리고 Cuypers는 Peters의 칸트적인 선험적 접근 대신에 그 대안으로 가치론적-탁월주의자(완벽주의자)(axiological-perfectionist) 접근을 제안한다(Cuypers, 2012: 3-4).

3. 주지주의적 자유 교육론 비판

이돈희(1992)는 Peters와 Hirst를 주지주의자로 보고 그 한계를 지적하였다. 이돈희에 따르면, 주지주의자들의 문제는 두 가지이다. 하나는 인간의 마음, 적어도 교육적 가치의 대상이 되는 "마음의 구조를 지식의 특성만으로 포괄적인 설명을 할 수 있다"고 생각하는 점이며, 다른 하나는 "교육은 지식에 관한 것이라는 생각을 정당화할 때 의존하는 인식론적 바탕에 문제가 있다"는 점이다. 위의 두 가지 특성으로 인하여 그들은 주지주의자라고 불린다. 그러나 그들의 문제는 주지주의자로서 지식을 중시했다는 데에 있는 것이 아니라, 교육의 개념과 지식의 근거를 잘못 설명하고 있다는 데에 있다(이돈희, 1992: 436).

주지주의자들이 교육은 지식에 관한 것이라고 생각할 때 그들의 집착은 '진리'의 가치로 인한 것이다. 분명히 진리는 모든 지적 탐구의 목표이며 지식의 규범적 조건이다. 우리는 진리가 왜 가치로우냐고 묻지를 않는다. 그런 점에서 진리의 가치는 선험적으로 정당화된다. 여기서 '선험적'이라는 말은 그것을 정당화하기 위한 어떤 경험적 자료를 필요로 하지 않으며 어떤 논리적 전제를 요구하지도 않는다는 말이다. 진리는 지식 속에 있다. 엄격한 의미의 진리, 즉 실재하는 대상의 세계를 나타내는 진리는 오직 명제 또는 지식 속에서만 기거한다. 흔히 지식, 명제, 이론이 아닌 것에도 진리의 개념을 적용하는 경우가 있으나, 그런 경우에 진리의 의미는 다소 은유적인 기능을 할 뿐이다. 말하자면, 진리는 지식의 가치적 속성이다. 그 지식이 사고의 원리이든지, 사물의 설명이든지, 가치의 주장이든지, 그 어느 것이든지 간에 더욱 포괄적이고 체계적인 것일수록 그 속성으로서의 진리는 더 큰 의미를 지니게 된다. 그러므로 만약에 우리가 교육에서 지식을 외면한다면 그것은 진리라는 가치를 우리와 무관하게 하는 일이 된다(이돈희, 1992: 438).

그러나 진리를 소유한다는 것과 지식을 소유한다는 것은 반드시 같은 말이 아니다. 진리의 가치는 선험적으로 정당화될 수 있으나, 지식은 반드시 그렇지가 않다. "지식의 교육적 가치는 선험적으로 정당화된다"라는 주장으로 인하여 교육학자들 간에 신랄한 논박이 오가고 있으나, 그것은 제한된 특별한 맥락에서만 타당성을 지닌다(이돈희, 1992: 438).

그러나 실재론자들의 진리는 절대적 개념으로서 우리가 추구하는 영원한 대상일 뿐이다. 참으로 존재하는 것이 우리가 인식하는 그대로 존재하며, 우리가 인식하는 그것이 인식된 그대로 존재한다고 믿는 실재론적 가정 그 자체는 인간의 탐구적 동기

를 무의미하게 만든다. 우리는 구체적 상황에서 그것을 소유하였는지의 여부를 영원
히 알 수가 없는데도 불구하고 언제든지 진리를 소유하였다는 확신에 도달할 수 있게
할 것이기 때문이다. 그러나 우리는 어떤 의미의 지식을 소유할 수는 있다. 이때의 지
식이란 진리 여부에 관계없이 단지 '진리라고 믿는 지식', '허위일지도 모르는 지식', '믿
건대 가장 확실한 지식'에 접근한 것일 따름이다. 우리는 진리를 사랑하기 때문에 지식
을 추구하며, 성취한 지식이 진리라는 것을 '주장하는' 근거로서 인식론적 이론에 비추
어 본다. 인식론적 이론이 과연 타당한가를 평가하기 위하여 우리는 그것이 지식의 진
리 여부를 변별하는 기준을 바르게 정립하였는가를 문제 삼게 된다. 그 기준은 진리를
사랑하는 마음으로 진리에 이르고자 하는 탐구의 정신이나 원리—나는 이것이 적어
도 지식에 관한 한 교육의 원리라고 믿는다—에 합당하게 성립된 것인가를 우리는 물
어야 한다. 그래도 우리는 진리에 이르렀다는 보장을 받지 못한다(이돈희, 1992: 439-
440).

　　이돈희는 특정한 인식론적 이론에 근거하여 교육의 원리를 정당화하고자 하는
어떤 주장도 그 원리에 의해서 교육받는 인간의 성장을 머물게 하는 것이므로 위교
(indoctrination)를 범하게 하는 행위라고 규정한다. 교육의 원리가 특정한 인식론의 이
론에 묶여야 하는 것이 아니라, 반대로 오히려 인식론의 이론이 교육의 원리에 비추어
평가받아야 한다는 것이다. 인식론의 이론이 어떤 지적 작업, 흔히 우리가 철학적 사
고라고 하는 지적 활동의 결과로서 생산된 것이라면, 교육의 원리는 그러한 지적 활동
또는 철학적 사고의 부문을 포함한 인간의 전체적 계명, 성장, 진보를 인도하는 것이
다. 그러므로 교육의 원리가 인식론의 이론에 의해서 정당화된다는 것은 "수레를 말의
앞에 둔다"라는 서양의 속담의 우를 범하는 것과 같다. 특정한 인식론적 이론, 즉 '합리
론', '경험론', '관념론', '실재론' 그 어느 것이든지 간에 그것은 어떤 '교육의 원리'에 의
해서 주도되는 인류의 삶의 과정에서 역사적으로 나타난 인간의 지적 업적의 한 부분
으로서의 의미를 지닐 수는 있다. 그러나 교육을 그 어느 것에 의해서 좌초시켜 버릴
수 있는 것은 결코 아니다. 오히려 그 이론들도 교육의 원리에 의해서 형성되고 유지
되고 성장된 인간의 능력이나 마음의 바탕에 의하여 검토되고 평가받고 음미되어야
할 대상이다. 그러한 교육의 원리가 어떤 것이냐 하는 질문은 교육학적 질문이지 인식
론적 질문도, 철학적 질문도 아니다(이돈희, 1992: 440).

　　이돈희는 Peters와 Hirst의 자유 교육론이 교육을 인식론적 이론에 묶어두고 있으
며, 그 결과로 인하여 "그들은 주지주의자들의 일반적 편협성에서 벗어나지 못하고 있
다"고 본다. Hirst는 '지식의 형식'이라는 개념에 의하여 자유 교육을 설명하고자 하였

다. 그러나 이돈희는 Hirst의 이론을 검토하면 주지주의적 자유 교육관의 첫째 문제, 즉 인간의 마음, 적어도 교육적 활동의 대상이 되는 마음의 구조를 지식의 특성만으로 포괄적인 설명을 할 수 있다고 생각하는 것이 타당하지 않다고 본다(이돈희, 1992: 441).

이돈희는 우리는 반드시 이론적 매체를 통해서만 사고하는 것은 아니라고 말한다. 그에 따르면, 어떤 의미에서 사고는 오히려 이론적 과정이 아니다. 사고가 이성이나 지력의 작용이라고 하더라도 그것은 수많은 감정과 정서와 감각, 비현실적인 상상과 때로는 공허하기까지 한 공상, 뿐만 아니라 고통과 희열은 말할 것도 없고 정열과 의지 등을 동시에 수반하는 총괄적 경험 속에서 진행되는 현상이다. 때로는 이러한 부수적 현상이 사고를 유지하고 좌절하게 하며, 영감을 주고 반성을 추구하게 하기도 한다. 이론이란 사고의 전개 과정에서 어느 단계의 임시적 결론을 보고한 것, 언어적 수단에 의하여 기록한 것에 불과하다. 다시 재현되거나 존속하게 할 수 있는 것도 언어적인 것만이 아니다. 하나의 건축물이나 조각품은 작품으로서의 구조, 하나의 경험적 산물로서의 구조를 지니고 있다. 우리는 감각에 의해서 사물을 식별하고 어떤 종류의 대상에 대하여 비슷한 상상이나 연상을 한다(이돈희, 1992, 456-457).

이돈희에 따르면, 비이론적 경험도 구조화될 수 있고 거기에도 공적인 준거가 있다. 거기에도 합리적인 것과 그렇지 못한 것이 있다. 달걀을 종이 봉지에 넣어서 던지면서 운반하는 것을 누가 합리적이라고 할 것이며, 지게로써 자동차를 질 수 없다는 것을 자동차의 무게와 지게의 구조와 사람의 힘을 이론적으로 설명해야만 알 수 있는지 반문한다(이돈희, 1992: 457).

4. 교육 목표관

Peters는 자신의 교육 목표관을 '교육 개념의 세 가지 기준'으로 구분하여 설명하였다. 그것은 1) 규범적(normative) 기준, 2) 인지적(cognitive) 기준, 3) 과정적(procedural) 기준이다. 규범적 기준은 교육이 내재적으로 가치 있는 것을 추구하는 활동임을 지적하는 기준이다. 과정적 기준은 교육을 하는 과정에서 교육을 받는 사람들이 도덕적으로 온당한 대우를 받아야 한다는 것을 지적하는 기준이다. 교육 개념의 인지적 기준으로서 Peters는 '지식과 이해(knowledge and understanding)'와 '지적 안목(cognitive perspectives)'을 지적하였다. 즉, 교육받은 상태는 지식과 이해, 그리고 지적 안목을 가지고 있는 상태를 말한다. 그리고 이 상태는 또한 지식을 소중히 여기고 그것에 헌신하려는 태도를 내포한다(한은자, 1976: 11).

　　Peters의 인지적 기준은 Bruner의 지식의 구조로 설명될 수 있다. Peters의 과정적 기준은 아동 중심 교육 원리와 일치한다. Peters의 교육 목표관은 Bruner의 지식의 구조론과 아동 중심 교육 이론을 종합하였다(한은자, 1976: iv). 교육의 과정적 기준과 관련을 맺지 않은 채 인지적 기준만을 강조한 것이 곧 전통적인 교과 중심 교육(주형 모형, moulding model)의 오류였다. 그리고 인지적 기준과 관련을 맺지 않은 채 과정적 기준만을 강조한 것이 곧 종래 아동 중심 교육(성장 모형, growth model)의 오류였다(한은자, 1976: v-vi).

　　이돈희에 따르면, 이러한 인지적 기준은 주지주의적 기준이라는 한계를 지닌다. 따라서 주지주의적 편협성을 벗어나 이성이나 지력의 작용 이외에 정서, 감정, 감각, 상상, 몽상 등까지 포괄하는 사고 작용으로 그 범위를 확대할 필요가 있다. 이렇게 확대할 때, 교육의 개념 또는 교육의 원리가 인식론적 이론의 판단을 받는 것이 아니라 오히려 교육의 원리 또는 교육의 개념에 따라 인식론적 이론을 검토하고 판단할 필요가 있다. 이렇게 교육의 원리를 우위에 두는 관점에 따를 때, 인지적 기준은 '전인적 경험의 성장 기준'으로 변경, 확대할 필요가 있다.

5. 실존주의적 비판

　　미국의 교육철학자 Maxine Green(1971: 253)은 특히 실존주의적 관점에 토대를 두고, 학습자의 입장에서 교육과정 관점의 부적절성을 지적하였는데, 이는 주로 지식 중심 교육과정에 관련된다. 첫째, 학습자의 관점에서 볼 때, (지식 중심) 교육과정은 여러 교과목들, 또는 사회적으로 처방된 지식의 구조, 또는 학생들이 이해할 수 있을지 없을지도 모를 복잡한 의미의 체계이다. 이러한 교육과정은 주로 자신의 생활 세계를 이해하는 데 관심을 가지는 실존자로서의 학습자의 삶의 가능성을 열어주지 않는다는 문제점이 있다. 그것은 생활 세계의 자료들을 정리할 기회를 제공하지도 않고, 자신의 경험과 관점들을 수단으로 삼아 개인적인 사고 활동을 통해 어떤 형태(configurations)를 만들어갈 기회도 제공하지 않는다. Sartre는 "앎이란 프락시스의 순간으로 아직 존재하지 않는 것을 존재하게 하는 것이다"라고 말한다. 둘째, Green은 우리가 우선순위, 목적, 의도된 학습 프로그램 등에 지나치게 얽매어 있다고 비판한다. 그러한 교육과정은 단순히 주어진 것들이나 일상적인 것들을 넘어서기 위해 노력하면서 스스로 자기 자신의 미래를 탐색해 가는 개인들이 있다는 사실을 우리로 하여금 망각하게 할 수 있다. 셋째, '학문', '공적 전통', '축적된 지혜' 또는 '보편 문화' 등으로 교육과정을 개념화하는 입장이다. 이는 자칫 그것들을 객관적으로 존재하는 것으로서, 또는 앎의 주체에 대해서 외재하는 것으로서, 그리하여 장차 학습자에 의해 발견되고 숙달되고 학습되어야 하는 것으로 간주하게 만들 위험을 안고 있다(이근호, 2006: 11).

이어서 Green(1971)은 문학 분야에서 수행되던 '의식 비평(critic of consciousness)'이 이상의 교육과정에 대한 세 가지 그릇된 관점의 한계를 극복할 수 있는 대안을 제공해 준다고 설명한다. 의식 비평을 통해 어떤 문학 작품은 개별 작가의 경험의 표출이며, 점진적인 의식의 성장의 표현임을 이해할 필요가 있다. 따라서 어떤 문학 작품을 실존적으로 관통하고 경험하기 위하여 독자는 저자의 마음속에 자기 자신이 자리하도록 노력해야 한다. 이는 독자가 자신의 의식에 기반을 두고 재창조하는 과정이다. 이 과정에서 독자는 작가(예술가)가 의도하였던 것을 재생하는 데 그치지 않고 상상력을 발휘하여 저자의 흔적을 넘어서면서 새로운 토탈리티를 형성할 수 있다. 이 과정에서 독자는 자신의 주관성을 뛰어넘어야 하고 당연한 것으로 여겨지는 상식의 세계를 뛰어넘어야 한다(이근호, 2006: 12 재인용).

교육과정과 관련하여 학습자는 주어진 교육과정을 맹목적으로 수용하는 것이 아니라 자신의 의식에 비추어 적극적으로 재구성하고 창조해 나갈 필요가 있다. 현대의 복잡한 변화 속에서 낯설고 무질서하고 무의미한 순간들을 경험할 가능성이 있으나 그러한 삶의 불확실성을 포용하고 새로운 이해와 질서의 창출을 위한 동력으로 삼는 것 또한 학습이다. 이렇게 끊임없이 변화하면서 어느 한 순간 갑자기 낯설어지며 이해하기 어려워진 그 순간 자기 자신을 새롭게 발견하고 성장해 가는 것이 교육의 과정이다(Green, 1971: 이근호, 2006: 12 재인용).

제 7 장

경험 중심 교육과정

제1절 경험 중심 교육과정에 대한 우려

교과 중심 교육과정에 익숙한 예비 교사들에게 경험 중심 교육과정을 소개하면, 그것이 장점을 지닌다는 것을 받아들인다고 하더라도 자신이 직접 경험 중심 교육과정에 참여하면서 이를 이수해 본 적이 없는 상태에서 이를 어떻게 운영할 수 있는지에 대하여 의문과 고민을 내놓는다. 그러면서 다분히 교과 중심 교육과정에 익숙한 사고방식에 젖은 상태에서 경험 중심 교육과정의 운영에 관련된 질문들을 던지기 시작한다. 이러한 질문들이 다각도에서 제기되는데 이들을 분류해 보면 대략 다음과 같이 4가지 정도로 정리된다.

질문 1. 개별 학생의 흥미, 관심, 요구를 존중해야 한다면, 학생 30~40명이 모인 학급에서 교사가 학생 각 개인의 이것들을 어떻게 파악하고 확인할 수 있는가?

질문 2. 학생의 흥미, 관심, 요구를 존중해야 한다면, 30~40명이 모인 학급에서 학생 각 개인의 흥미, 관심, 요구에 부응하는 것이 가능한가?

질문 3. 학생의 흥미, 관심, 요구를 존중할 때, 학생은 게임과 같은 쉽고 편한 것만 선택하지 않겠는가?

➡ 이 질문에 대한 답은 Dewey의 교육적 경험과 비교육적 경험의 구분, 경험의 계속성의 원리에 대한 설명에 들어 있다.

질문 4. 학생의 흥미, 관심, 요구를 존중할 때, 학생의 학습 결과는 매우 사소한 것에 국한되지 않겠는가?

➡ 이 질문에 대한 답은 Dewey의 경험의 상호 작용의 원리에 대한 설명에 들어 있다.

그러나 이러한 질문들은 경험 중심 교육과정에 참여해 보지 않은 상태에서 제기된 것으로서, 이 질문들이 경험 중심 교육과정의 단점을 지적하거나 한계점을 비판적으로 제시하는 것으로 보기 어렵다. 이는 결국 경험 중심 교육과정의 편성 및 운영에 대한 지식과 안목과 경험의 부족에서 제기된 것이다. 따라서 이를 제기한 예비 교사들은 자신이 경험 중심 교육과정에 대한 이해 수준이 아직 미천한 것을 스스로 되돌아볼 필요가 있다.

이에 토대를 두고 특히 자신이 경험 중심 교육과정의 어떤 측면에 대하여 오해하거나 불안해하거나 자신감이 없는지를 살피면서 이를 해소해 나가기 위한 노력을 경주할 필요가 있다.

제2절 기본 관점

19세기말 경부터 Harris의 견해에 예시된 것과 같은 전통적인 관점은 공격을 받기 시작하였다. 이에 대한 비판론자들은 그들의 권위적인 자세는 민주주의의 본질과 상충된다고 주장하였다. 즉 아동을 정보를 수동적으로 수용하는 존재로 보는 관점은 당시 증가하고 있던 심리학적 지식에 비추어 타당하지 않다고 주장하였다. 또한 학교 지식을 분절화되어 있고, 일상생활과 유리되어 있고, 정체되어 있고, 절대적인 것으로 보는 접근 방법은 급속도로 변해 가면서 복잡한 세상에서 학교가 삶과의 관련에서 점점 더 멀어지게 한다고 주장하였다. 이와 함께 아동의 경험을 주장의 중심부에 두는 새로운 관점이 등장하고 있었다(Posner, 1995: 49).

학생의 경험을 교육과정으로 간주할 수 있다는 관점은 20세기에 등장하였다. 단순하게 말하여, 경험적 관점은 다음과 같은 가정에 토대를 두고 있다. 즉 학생에게 발생하는 모든 일이 그들의 삶에 영향을 미친다. 따라서 교육과정은 매우 광범위하게 확장되는 것으로 보아야 한다. 이는 학교 안과 밖에서 학생을 위하여 계획되는 모든 것을 포함하고, 학생들이 직면하는 모든 새로운 상황이 가져오는 예상하지 못한 결과를 포함한다.

새로운 상황이 가져오는 결과에는 학생에게 공식적으로 학습되는 것뿐만 아니라 새로운 상황을 경험하는 학생에게 나타나는 모든 사고, 느낌, 행동 경향이 포함된다. 그러나 각 학생은 다른 학생들과 세부적으로 차이가 있으므로, 동일한 상황에 직면한 어떤 학생도 다른 학생과 완전하게 일치하는 경험을 하지는 않는다. 따라서 경험적 관점은 실제로 교육과정 개발(설계)에 관하여 의사 결정을 내리는 사람들에게 매우 많은 요구 사항들을 제시한다. 이는 교육과정이 삶의 과정 자체와 어느 정도 유사하며, 어떤 학생도 다른 학생과 완전하게 일치하는 삶을 살 수도 없고 살아야 하는 것도 아니라고 가정하기 때문이다.

20세기에 등장한 경험적 교육의 지지자들은, 첫째, 이와 같이 교육과정을 광범위하게 이해하려고 노력하였으며, 둘째, 그런 교육과정에 대한 실제적인 의사 결정을 안내할 명쾌하고 효력을 발휘하는 원리를 개발하려고 노력하였다(Posner, 1995: 49-50).

제3절 역사적 배경

1. 미국의 시대적 상황

미국에서 경험 중심 교육과정을 주도하였던 진보주의 교육 운동이 일어나기 이전에 많은 사회적 · 경제적 변화가 있었는데, 대표적인 두 가지만 들면 다음과 같다.

첫째, 18세기 후반에 영국에서 일어난 산업 혁명이 유럽을 거쳐 미국에도 영향을 미쳤다. 미국은 영국의 자본을 끌어들여 철도 사업을 시작하였고, 철강, 석탄, 증기, 교통, 의류, 농업 등 여러 산업으로 확장하였다. 미국의 철도는 동서남북을 간선으로 이을 뿐만 아니라, 작은 도시나 마을까지도 연결하여 새로운 산업과 새로운 시장을 창출하였다.

신문과 잡지 등 대중 언론 매체도 크게 증가하였다. 19세기 후반 40년 동안에 1400만 명의 이민자가 유입되어 인구는 두 배로 증가하였다. 이 기간에 Chicago 같은 도시들이 크게 성장하였다. Chicago의 인구는 40년 동안 10배가 증가하여 1990년에 100만 명에 이르렀다. 이런 변화로 인하여 미국의 전반적인 사회 모습은 상대적으로

〈표 7-1〉　1886~1917년 의무교육법과 아동노동법이 뉴욕시 학생 수에 미친 영향

학생의 유형	법률 제정 이전	법률 제정 이후
초등학교 재학생	388,860명(1898~1899년)	729,992명(1917~1918년)
고등학교 재학생	9,373명(1898~1899년)	63,699명(1916~1917년)
초등학교 졸업생	9,695명(1898~1899년)	48,690명(1915~1916년)
초등학교 졸업 후 고등학교 입학생	7,794(1899~1900년)	30,617명(1915~1916년)
고등학교 졸업생	749(1898~1899년)	6163명(1916~1917년)

독립된 작은 마을 공동체에서 도시화되고 산업화된 국가로 변모하였다. 이러한 시대적 변화는 미국인들의 사회적 태도와 교육에 대한 관심에도 변화를 가져왔다(Kliebard, 1995: 2-3; Kubesh et al., 2008).

　　이러한 산업화 과정에서 자본가들은 많은 공장을 세우면서 많은 노동자들을 고용하게 되었다. 자본가들은 성인의 노동력만으로는 부족하여 청소년 및 아동의 노동력까지 요구하게 되었다. 이런 상황에서 많은 청소년과 아동이 공장과 농장에서 노동력을 제공하면서 학교에 출석하지 못하였다. 자본가들은 자신들의 세력을 확장하기 위해 노력하였고, 노동자들은 열악한 근로 조건과 낮은 임금의 개선을 위해 노동조합을 설립하여 대항하였다. 이런 상황에서 정부는 자본가들의 기업 활동을 지원하면서도 노동자들의 이익과 노동관계의 개선을 위해 법률을 제정하고 각종 노동 정책을 펼쳐 갔다(Housel, 2012).

　　둘째, 아동노동법과 의무교육법의 통과이다. 뉴욕시를 예로 들면, 1886년 통과된 아동노동법은 13세 이하 모든 아동의 공장 노동을 금지하였고, 이를 어긴 자를 처벌하게 하였다. 1889년의 아동노동법은 공장 노동 금지 연령을 14세로 상향 조정하였으며, 읽고 쓸 줄 모르는 16세 이하 아동의 공장 노동을 금지하였다. 1894년에는 의무교육법이 통과되어, 8~12세 모든 아동이 전일제 학교에 의무적으로 출석하게 하였다. 12~14세 아동의 경우, 1년 중 80일 출석한 경우, 허락을 받고 일터에 갈 수 있었다. 14세 이상의 청소년에게는 학교 출석이 의무 사항이 아니었다. 1903년의 의무교육법은 연령을 16세로 상향 조정하였다. 1903년의 신문팔이 소년 및 노점상법은 학교 일과 시간과 야간에 어린 아동의 신문팔이 및 노점상 행위를 위한 고용을 금지하였다. 이와 같이 아동과 청소년의 학교 출석을 강화하는 1886~1917년의 입법의 영향을 **〈표 7-1〉**에 나타내었다(Stambler, 1968: 189-191).

2. 경험 중심 교육과정에 영향을 미친 학자와 학회

가. Hobbes와 Descartes

경험적 교육의 역사적 배경은 17~18세기 계몽주의 시대로 올라가는데, 이 기간에 Hobbes(1588~1679)[1](1630; Peters, 1962 영문 번역)와 Descartes(1596~1650)[2](1644; Haldane & Ross, 1931 영문 번역)는 마음과 감각 인상을 모두 강조하였다. 그리하여 근대 심리학 발달의 초석과 근대 교육에서 이성과 경험 모두를 강조하는 초석을 놓았다(Posner, 1995: 50).

나. Bacon

영국의 근대 경험주의 철학자요 정치인이었던 Francis Bacon(1561~1626)에 따르면, 학습은 단순 암기보다 교사가 자연에 대한 주의 깊은 관찰에서 시작하여 귀납 능력의 개발을 도울 때 가장 효과적이다. 바로 이 아이디어를 Parker가 2세기 반 이후에 Quincy 학교에 적용하였다. 이는 1875년 당시에도 혁명적이었다(Tanner & Tanner, 2007: 11).

다. Comenius

체코슬로바키아(오스트리아)의 교육 개혁자요 성직자였던 John Amos Comenius(1592~1670)는 오스트리아 영토에 태어난 슬라브인이었다. 언어는 서부 슬라브어 방언의 하나인 보헤미아어(체코어)를 사용하였다(한기언, 1983: 304). Comenius의 교육 사상은 경신과 신앙에 바탕을 두고 있었으며, 교육 방법은 당시의 사조였던 합리주의와 감각주의를 따랐다. 그가 '근대 경험주의의 아버지'라고 일컬어지는 Francis Bacon과 대비해서 '근대 교육의 아버지'라고 불리는 까닭도 여기에 있다. Comenius는 '자연의 질서에 따라서(secundum naturam)' 할 때 올바른 교육을 할 수 있음을 강조하였다. 이 사상은 그 후 근대 교육 사상의 핵심을 이루었다(한기언, 1983: 309-310).

Comenius는 교육 방법에 깊은 관심을 가지고 있었는데, 교육자의 길잡이가 될 「대교수학」을 저술하였다. 그는 라틴어 공부의 입문서로 「언어 입문」을 집필하였다. 또한

---

1) 영국의 근대 철학자.

2) 프랑스의 철학자, 수학자, 물리학자.

교육 내용에 관심을 보이면서 「언어 입문」을 보완할 「사물 입문」의 저술을 시도하였으나 완성을 보지는 못하였다. 그리고 「세계도회」는 "세계에 있는 모든 기본적인 사물과 인간의 모든 기본적인 활동에 관한 단어 목록을 눈으로 볼 수 있게 나타낸 책"이다. '세계도회'는 「언어 입문」을 단순화하고 삽화를 추가한 것으로, 「언어 입문」이나 「언어 입문 초보」를 공부하기에는 아직 어린 아이들을 위한 책이다(Boyd, 1921; 이홍우 등, 1994: 305-308).

Comenius는 귀납적 사고 능력을 위한 교수법을 개발하였다. 교사는 단순한 현상의 관찰에서 시작하여 복잡한 현상으로 나아가야 한다고 말하였다. 더욱이(이것은 혁명적이었다), 그림과 사물 같은 학습 도구를 아동의 감각적 경험의 발달을 위해 사용해야 한다고 주장하였다(Tanner & Tanner, 2007: 11).

라. Locke

영국의 철학자 John Locke(1632~1704)는 인간의 본성은 아동에게 환경이 미친 영향의 일부라고 주장하였다. 그는 마음을 아무것도 씌어 있지 않은 종이(백지, tabula rasa 또는 blank slate)로 보았다(Posner, 1995: 50). Locke는 학습에 대한 경험적 접근을 크게 강조하면서, 학습자는 세계에 대해 감각을 이용한 지각을 통해 학습한다고 보았다. 또한 지식은 귀납적 과학을 통해 경험적으로 획득된다고 믿었다. 그러나 학습자는 반성의 과정을 통해 자신의 주요 지각에 형식을 부여한다(Tanner & Tanner, 2007: 11). Locke는 마음이 백지와 같고 Descartes가 주장하는 타고난 지식을 가지고 있지 않으나 타고난 재능과 관심이 있다고 믿었다. 그는 어린아이의 성장 과정에서 잘못된 연결을 경계하였는데, 예를 들어, 도깨비와 요정을 어둠과 관련짓는 잘못을 범하지 않아야 한다고 주장하였다. 경험에 따른 마음의 형성과 잘못된 아이디어의 연결에 대한 그의 우려로 인하여, 많은 사람들은 그의 이론에서 마음은 능동적이지 않고 수동적이라고 오해하였는데, 이와 달리 그의 저서에는 지식을 능동적으로 추구하면서 외부에서 받아들인 의견에 대해 반성하라는 가르침들로 가득 차 있다.

마. Pestalozzi

스위스의 교육자 Johann Heinrich Pestalozzi(1746~1827)는 근대 초등학교의 기초를 마련한 것으로 인정받고 있다. Pestalozzi는 교육의 과정은 아이들의 자연적인 발달과 그들의 감각적인 경향을 기초로 하여 이루어져야 한다고 주장하였다. 이것은 현재의 진보주의자나 환경주의자들의 생각과 유사하다. Pestalozzi 교육 개혁의 핵심은 아이들은 단어를 가지고 학습하는 것이 아니라 감각을 통하여 학습한다는 주장에 있다. 그는 기계적 학습 방법을 어리석은 것으로 보고, 교육과정을 아동이 집과 가족의 삶 속에서 겪는 경험과 연결해야 한다고 주장하였다(장인실 등, 2007: 125).

　　Pestalozzi는 학습은 익숙하고 구체적인 것에서 추상적인 아이디어의 이해와 적용으로 나아가는 과정이라고 말하였다. 그는 아이들이 일상적인 환경에서 보고 경험하는 보통의 사물들, 즉 꽃, 과일, 장난감, 도구, 동물(또는 모형이나 그림)을 보고 배우는 실물 수업(object-lesson)을 제안하였다. 여기에서 얻는 것은 감각 경험으로서, 감각을 사용하여 사물에 대한 아이디어를 얻는다. 실물 수업은 형태, 수, 소리라는 세 가지 유형의 학습을 강조한다. 아동은 처음에는 실물의 형태를 결정하고 그것을 그린 후 이름을 정한다. 이와 같이 형태, 수, 소리 교육은 읽기, 쓰기, 셈하기의 3R과 같은 형식적 교육의 기초가 된다. Pestalozzi의 교육에 대한 기본적인 개념은 진보적인 학교 교육의 일부가 되었고, 후에 교육과정의 적합성과 인본주의 교육과정을 위한 운동에도 다시 나타난다(장인실 등, 2007: 125). 실물 수업이 실물들 사이의 상호관계를 드러내지 못하는 심각한 한계를 지니지만, 주의력, 지각의 정확성, 개념, 일반화, 어휘 등을 개발한다는 목표들은 오늘날 초등 교육의 목표에 매우 잘 들어맞는다(Tanner & Tanner, 2007: 14).

바. Fröbel

　　독일의 교육학자이자 유아교육의 아버지로 불리는 Friedrich Wilhelm August Fröbel(1782~1852)은 Pestalozzi의 제자였다. Fröbel은 어린아이들이 놀이를 통해 학습할 수 있는 자유로운 학교 환경이라는 개념으로 유명하다. 그는 이런 학교를 어린이들이 성장할 수 있는 정원을 의미하는 kindergarten이라고 불렀다(Tanner & Tanner, 2007: 16). 어린이들을 위한 교육은 놀이, 개별 및 집단별 관심과 활동을 중심으로 조직되어야 한다고 주장하였다(장인실 등, 2007: 125). 실물의 조작, 탐구, 자기표현에 대한 그의 강조는 학습에서 활동의 중요성에 대해 인식하게 하였다(Tanner & Tanner, 2007: 16). Fröbel의 유치원은 Pestalozzi의 원리에 따라 아동의 자발적인 활동과 자기 계발, 그리고 신뢰와 애정을 기초로 하여 학습이 일어나는 준비된 환경이다(장인실 등, 2007: 126). Fröbel은 기하학적 블록이나 패턴 활동 블록 등 교육용 놀이 교구(Fröbel Gifts 또는 Fröbelgaben, 블록, 가베, 은물 등으로 불림)를 만들었다.

사. Rousseau

스위스 출신의 프랑스 사상가, 소설가, 철학자, 교육학자, 작곡가였던 Jean Jacques Rousseau(1712~1778)는 경험을 통한 학습이라는 앞선 교육학자들의 아이디어들에 개인의 중요성에 대한 관점을 추가하였다. Rousseau는 아동은 본래 깨끗하고 순수하지만 사회의 영향을 받아 오염된다고 주장하면서 아동의 경험과 자신에 의한 발달을 보호하는 교육을 권장하였다(Rousseau, 1962; Posner, 1995: 50 재인용).

Rousseau는 스위스에서 감각 현실주의(sense realism)라는 아이디어에 대한 관심을 불러일으켰다. 그는 아동이 자연스런 충동을 자유롭게 표현해야 한다고 주장하면서 서적과 고전(언어) 공부 대신에 놀이와 자연 관찰이 중요하다고 주장하였다(Tanner & Tanner, 2007: 11).

Rousseau는 교과의 본질보다는 아동의 본질을 더 앞세웠다. 그는 Emile의 교육계획 속에서 교육의 주된 목표는 아동의 자아실현에 있다고 믿고, 아동의 본성을 중심으로 한 교육과정을 주장하였다(이성호, 1995: 39).

아. Herbart

Johann F. Herbart
(1776~1841)

교육학의 아버지로 불리는 Johann Friedrich Herbart(1776~1841)는 Pestalozzi의 제자로 독일의 철학자, 심리학자이기도 하였다. 미국의 교육학자들이 관심을 보인 Herbart의 아이디어로는 관련(통합)(correlation), 집중(concentration), 통각(apperception), 문명 단계(culture-epochs)가 있다(Kliebard, 1995: 29). 관련은 교과 간 통합을 의미하며 교과 간 의미 있는 연결을 발견하기 위한 원리이다. 집중은 주제(topics)를 중심으로 교육과정을 조직하는 것을 의미하는데, 역사나 문학을 교육과정의 중심에 둘 수 있다. 또는 물고기를 집중의 주제로 삼아 지리, 수학, 과학, 문학 영역에서의 일상의 활동들을 통합할 수 있다(Mansilla & Lenoir, 2010: 7, 10). 집중의 원리에 따라 하나의 중심 주제를 중심으로 1년 동안의 전체 교육과정을 구성할 수 있다(Pinar et al., 2000: 79). 문명 단계를 중심에 둔 교육과정에서 집중 및 관련의 원리는 잘 결합된다(Mansilla & Lenoir, 2010: 7, 10). 통각은 마음의 작용을 설명하는 용어이다. Herbart의 교육 이론에서 학습은 '새로운 표상'을 '옛 표상의 체계' 속으로 통합하는 과정이다(Wynne, 1963: 69; 이환기, 1995: 41 재인용). 여기에서 표상은 개념으로 볼 수 있다(이환기, 1995: 39). 문명 단계는 아동의 발달은 원시 시대부터 문명화된 시대까지 인류 전체의 역사적 단계들의 진화적 발전을 반복한다는 것이다. 이는 "개체 발생(ontogeny)은 계통 발생(phylogeny)을 반복한다"라는 말로 요약된다(Pinar et al., 2000: 79).

문명 단계 접근에서는 광범위한(광역) 주제 중심으로 교과를 통합하는데, Columbia 대학교의 Horace Mann School of Teachers College에서 사용하였다. 이것은 수학-과학 융합, 영어-사회 융합보다 훨씬 더 광범위하다. 이 접근은 문학, 과학, 기술, 미술, 음악, 경제 체제, 사회 체제, 정치 체제를 통합할 수 있기 때문이다(Tanner & Tanner, 2007: 13).

문명 단계 접근에 대한 비판은 아동의 외부 환경이 미치는 영향을 무시하였다는 것이다. 문명 단계 이론에서 아동 발달에 영향을 미치는 주요인은 아동의 내부에서 전개되는 인류의 역사이며, 아동의 가족이나 학교가 아니라는 것이다(Pinar et al., 2000: 80).

Herbart는 최초로 수업을 하나의 과정으로 설명한 교육학자였다. 교사는 새로운 아이디어를 제시할 때, 이 아이디어가 아동이 경험의 일부로 이미 가지고 있는 아이디어와 관련 짓는 방식으로 제시하여야 한다. 이것은 교사가 아동의 과거 지식과 관심에 대해 알아야 한다는 것을 의미하였다. Herbart가 제시한 교수·학습의 5단계는 다음과 같다.

(1) 준비(preparation): 아동이 과거의 학습 경험을 떠올리게 한다.
(2) 제시(presentation): 새로운 정보를 제공한다.
(3) 연합(association): 새로운 사실과 이미 알고 있는 사실 사이의 관계를 보여 준다.
(4) 일반화(generalization): 수업 내용의 의미를 나타내는 규칙과 일반적 원리를 이끌어낸다.
(5) 적용(application): 일반적 원리를 실제 상황에서 사용하거나 특정한 사례에 적용하면서 일반적 원리에 의미를 부여한다.

미국에서는 암송과 반복이 주된 교수·학습 방법으로 사용된 시기였으므로, 1890~1905년에 수많은 교사들이 열렬히 환영하면서 이 5단계 방법을 사용하여 수업을 진행하였다. 그러나 이 방법은 마음에 관한 기계적 이론에 토대를 두었고, 새로운 아이디어를 과거의 아이디어에 기계적으로 연결하였다. 이 이론은 모든 교과 모든 아동에게 획일적으로 적용한다는 점에 한계가 있었다(Tanner & Tanner, 2007: 15).

남북 전쟁 이후 미국 교육에 영향을 미친 다윈의 진화론은 이런 한계를 극복하는 새로운 심리학의 등장에 기여하였다. 진화론은 인간을 포함하는 다양한 종은 고정적이지 않고 환경의 변화와 이에 대한 적응적 변화의 결과라고 주장하였다(Tanner & Tanner, 2007: 13). 진화론의 기저에는 유전과 환경이라는 두 가지 요인의 상호 작용에 의하여 종이 점진적인 진화와 자체 분화를 이룩해 나간다는 주장—즉 유기체와 환경 양자가 다 같이 능동적 · 건설적 힘을 발휘한다는 주장—이 들어 있다(이홍우 등, 1994: 470). 진화론의 영향을 받은 Harvard 대학교의 William James(1842~1910)는 마음이 환경의 영향을 받지만 마음 또한 환경에 창의적으로 영향을 미친다고 주장하였다. 학습자는 주변 세계를 수동적으로 받아들이기만 하는 것이 아니라 능동적으로 세계를 바꾸어간다. 아동은 주변의 환경을 바꾸어갈 수 있는 가능성을 지닌 능동적인 학습자라는 아이디어는 미국의 교육 이론에 스며들었다(Tanner & Tanner, 2007: 15). 새로운 심리학은 Dewey에게 영향을 미치기도 하고 영향을 받기도 하였다. Dewey는 아동이 환경에 적응하기만 하는 것이 아니라 주변 환경을 통제할 수 있기를 원하였다(Cremin, 1961; Tanner & Tanner, 2007: 15 재인용).

자. Herbart 학회

Herbart의 교육 이론을 연구하고 미국 교육에 적용하고자 하였던 교육학자들은 Herbart Club(1892)을 구성하였고, 나중에 National Herbart Society(1895~1899)로 명칭을 변경하였다. 1900년에는 National Society for the Scientific Study of Education(1900~1908)으로, 1909년에는 National Society for the Study of Education으로 변경하여 오늘에 이르고 있다. 이들은 형식(정신) 도야론을 비판하였는데, Dewey도 이에 가담하였다. 그러나 나중에 Dewey는 Herbart 이론의 주요 아이디어들을 신랄하게 비판하였다(Pinar et al., 2000: 81-82).

차. Parker

Francis W. Parker
(1837~1902)

진보주의 교육 운동의 아버지라 불리는 Parker는 Massachusetts주 Quincy의 교육감(1873~1880)으로서, 그리고 Illionois주 Chicago의 Cook County Normal School 교장으로 재직하면서 아동 중심 교육과정 개혁을 추진하였다. Parker는 학교는 본래부터 따분하고 재미없는 곳이 아니며 학생들을 엄격한 규율로 통제해야 하는 것은 아니라고 주장하였다. "Quincy 체제(Quincy system)"라 불리는 곳에서 학생들은 동시에 읽고, 쓰고, 철자법을 배우고, 사고하였다 (Pinar et al., 2000: 86). 그는 당시 규율이 엄격한 학교들과 비교하여 아동에게 폭넓은 자유를 허용하였을 뿐만 아니라, 과거의 교육과정(교과 과정)을 버리고 아동의 놀이와 활동을 좋아하는 성향에 부합하는 교육과정을 도입하였다. 그는 읽기 교수를 위해 발음법에서의 반복 연습 대신 '단어 공부 방법(word method)'을 도입하였다. 이것이 아동이 언어를 배우는 '자연스러운(natural)' 방법이었기 때문이다. 산수에서 단순한 숫자의 조작보다 문제를 선호하였다. 규칙과 일반화는 초등 이후로 미루었다. 초등 저학년의 형식적인 문법은 중단하고, 알파벳 쓰기 같은 자연스런 언어 활동을 도입하였다. Charles Francis Adams(1879)는 Quincy 학교들을 모범학교들로 추켜세웠다. 이는 아동이 자연스럽게 좋아하는 것을 사용하여 학교의 정신을 풍요롭게 할 수 있기 때문만이 아니라. 학습 효과가 높아졌기 때문이었다(Kliebard, 1995: 36). Quincy에서 Parker는 실험 정신을 가지고 개혁을 시도하였는데, 그의 교육과정 실험은 교육과정 개발의 역사에서 하나의 중요한 이정표였다(Tanner & Tanner, 1990: 93; Pinar et al., 2000: 86). Parker는 정교한 교육과정 이론가로보다는 아동의 옹호자요 아동 중심 방법의 지지자로 기억된다(Pinar et al., 2000: 87).

카. Hall

미국의 심리학자요 교육자였던 Granvill Stanley Hall(1844~ 1924)은 Harvard 대학교에서 William James의 지도를 받고 1878년에 박사 학위를 취득하였다. 졸업 후 당시 미국에서 자리를 얻지 못하고 1879년 독일에서 Herbart 교육 이론에 대하여 연구하였다. Hall은 1883년 미국에 최초의 심리학 실험실을 Johns Hopkins 대학교에 세웠다. Hall은 아동 발달과 다윈의 진화론에 깊은 관심을 가지고 있었다. 더 엄격하게 말하여, 진화론보다는 낭만주의에 더

Granvill S. Hall
(1844~1924)

관심을 가졌다. 그의 교육과정 개혁은 아동과 청소년의 지성 개발보다는 자유로운 성장을 강조하였다(Kliebard, 1995: 43).

Hall은 20세기 초에 교육과정에 영향을 미치려는 네 이익 집단 중 두 번째 집단에서 핵심적인 인물이다. 이들은 발달론자들(developmentalists)인데, 아동의 자연적인 발달 순서가 무엇을 가르칠지에 대한 가장 중요하고 과학적으로 탄탄한(설득력 있는) 토대라고 주장하였다. 아동 연구 운동은 19세기 후반에 과학에 주어진 새로운 지위에

토대를 두고 등장한 것이다. 그리고 이 운동은 많은 부분 아동의 여러 발달 단계에서의 행위에 대한 주의 깊은 관찰과 기록의 방법을 사용하는 연구를 강조하였다(Klieb-ard, 1995: 11).

Hall은 여러 National Education Association Committees 때문에 교육적인 모든 것을 계산하고 측정하는 경향이 증가하고 있다고 말하였다. "모든 것은 계산해야 하고 여기에는 많은 교육적 가치가 있다는 말은 이제 그만하자"라고 불평하였다. "숲의 야성적이고, 자유롭고, 왕성한 성장은 더 이상 없다. 그러나 모든 것은 로코코식 정원처럼 화분에 있거나 줄지어 있다"(Hall, 1904: 509). Hall에 따르면, 그런 획일성은 청소년들이 아마도 발산하는 자연적 자발성과 정면으로 배치된다. "아동은 자발적인 변화의 연령대에 속한다. 인생의 다른 연령대에서는 그렇게 강하게 나타나지 않는다. 아동은 표준화되고 소화하기 쉬운 정신적 식사를 원하지 않는다. 아동의 입맛에는 맞지 않는다"(Hall, 1904: 509).

10인 위원회 위원장이었고 Harvard 대학교 총장이었던 Charles W. Eliot는 1880년 독일에서 귀국한 Hall에게 우연히 Harvard 대학교에서 교수법과 철학사를 강의해 달라고 요청하였다. Hall의 강의는 Boston 교사들이 수강할 수 있도록 토요일에 개설되었는데 이는 즉각적으로 대성공을 거두었다. 탄탄한 '과학적 원리'에 토대를 둔 교수법 체계는 큰 호응을 얻었다. 더욱이 근처에 위치한 Quincy에서 Parker의 활동은 Hall의 활동에 순풍을 불어넣었다. Hall은 37세 나이에 갑자기 유명세를 탔다. 그는 자연(nature)에 따라 교육할 것을 강조하였는데, 이는 Parker에게 부족하던 것이었다. Parker의 교육 방법 개혁은 주로 본능적인 것이었고, 그는 교육 방법 개혁 활동에 대한 원리를 논리적인 체계를 세워 효과적으로 설명하지는 못하였다. 반면에 Hall은 아동의 자연적 충동에 기반을 두어 무엇을 가르칠지에 대한 문제에 답변할 수 있다는 신념에 과학의 권위를 추가하였다.

이 초빙으로 인하여 나중에 Hall은 아동 연구에서 첫 번째 주요 연구 결과인 「아동의 마음속 내용(*The Contents of Children's Minds*)」(1883)라는 논문을 발표하였다. 논문의 제목이 가리키듯이, Hall의 연구는 본질적으로 아동의 마음의 내용 목록에 대한 것이었다. 아마도 우리가 그곳에 무엇이 있는지 미리 안다면, 우리는 학교에서 무엇을 가르칠지에 대해 더욱더 체계적으로 결정할 수 있을 것이다. 그의 농촌 생활에 대한 특별히 신비스러운 동경을 반영하면서(그는 한때, 자신이 태어난 Massachusetts주의 들판에서 옷을 벗고 나체로 뒹굴고 싶다고 말하였다), Hall은 어린이들이 동물과 식물에 대하여 실제로 무엇을 아는지 발견하려고 하였다. 아이들은 쟁기가 무엇인지 아는가? 삽이 무엇인지, 괭이가 무엇인지 아는가? 도시 아동은 연못이 무엇인지 아는가? 강과 하천의 차이를 아는가? 자신의 신체의 기관과 부위를 아는가? 정사각형이나 원이 어떤 것인지 아는가? Hall은 자신의 연구에 토대를 두고 교사들은 아동이 이미 많은 것을 아는 것처럼 아동의 마음의 내용에 대해 지나치게 많은 것을 가정하였다고 결론지었다. 그리고 Boston의 많은 아동들은 암소가 무엇인지, 언덕이 무엇인지, 섬이 무엇인지 모른다고 결론지었다. 비록 Hall 자신이 종종 이 냉정한 자료를 신화와 신화주의에 대한 독특한 애호로 더 살아 움직이게 만들었지만, 10인 위원회의 입장에 대한 그의 비판에 대해 다른 많은 사람들은 견고한 전통주의(기득권층)에 대항하는 과학과 진보의 목소리로, 그러나 기존의 (교과 중심) 교육과정의 효율성에 대한 엄청난 도전에 직면하여 겨우 용기를 내어 내세운 온건한 개혁으로 이해하였다(Kliebard, 1995: 11-12).

    Hall이 1883년에 출판한 「아동의 마음속 내용」은 곧바로 과학적 교수법의 본보기가 되었으며, 이듬해에 명성 있는 Johns Hopkins 대학교의 교수법과 심리학 전공 정교수로 임용되었다. 1887년까지 <*The American Journal of Psychology*> 창간을 도왔고, 1년 뒤 Johns Hopkins 대학교를 떠나 Clark 대학교의 초대 총장이 되었다. 그가 1891년 자신이 편집자인 <*Pedagogical Seminary*>를 창간하였을 때, 미국 교육 개혁에서 발달론자들의 지도자적인 위치에 있었다. Hall을 수장으로 하여 아동 연구(child-study)의 대의(cause)는 과학적인 것과 동일시되었고, 그리하여 당시의 교육적으로 쟁점이 되는 대주제들을 다루는 타당한 방법으로 여겨졌고, 교육과정에 서양 문명의 우수한 업적들을 보존하려는 인문주의자들의 노력은 점점 더 사변적이고 구시대적인 것으로 여겨졌다(Kliebard, 1995: 36-37).

    1890년대에 아동 연구는 활발하게 이루어졌다. 1894년에 Hall은 NEA의 연례 모임에서 새로운 '아동 연구 분과(Department of Child-Study)'가 창립되었음을 발표할 수 있었다(Hall, 1895: 173; Kliebard, 1995: 37 재인용). 같은 해에 '일리노이 아동 연구 학회(Illinois Society for the Study of Children)'가 창립되었다. 그 후 2년 동안 일리노이 아동 연구 학회의 모임에 3,000명이 참석하였고 1890년대 말까지 적어도 20개의 다른 주에서 아동 연구 학회가 창립되었다. 분명, 아동 연구 운동에 참여한 사람들 사이에는 의견 차이가 있었다. 예를 들어, 어떤 지도자들은 실험실 상황에서 아동을 연구하는 것을 선호하였고 다른 사람들은 아동의 자연스러운 상황에서 인류학적인(anthropological) 자료를 수집할 것을 강조하였다. 이는 관찰 방법을 사용하는 것인데, Hall의 "모래성 이야기(The Story of a Sand-Pile)"(1888)가 대표적인 예시이다. 아동의 본성에 따라 교육하자는 일반적 제안을 넘어 그 이상의 구체적인 내용에 대해서 그 운동의 지도자들은 다소 모호하였다(Kliebard, 1995: 37-38).

물론 학교가 아동을 수동적인 용기(그릇)로 다루면서 아동의 활동에 대한 기본 욕구를 무시하고 아동의 자연적 기질과 성향과 상반되는 학업 활동에 종사하게 한다는 점에 대해 발달론자들은 일반적으로 동의하였다. 어떤 개혁자들에게 이것은 단지 수공 훈련이나 직업 교육을 더욱 적극적으로 추구하는 것, 레크리에이션과 놀이 활동에 더 깊은 주의를 기울이는 것의 도입을 의미하였다. 그러나 Hall은 더욱 거대한 계획을 마음에 품고 있었다. 그는 과학의 갑옷으로 무장하였으나 그의 교육과정 아이디어는 자신과 동료 심리학자들이 부지런히 수집한 과학적 자료보다는, 개인 발달의 단계와 인류의 역사 사이의 관계에 대한 형이상학적 가정, 심지어 신화적인 가정들에서 도출되었다(Kliebard, 1995: 38).

그의 연구 초기에 독일에서 Herbart의 제자들과 함께 수학한 후에 Hall은 교수법에 적용한 문명 단계 이론의 타당성에 대한 자신감을 가지고 미국에 귀국하였다. 문명 단계 이론은 아동은 자신의 발달에서 인류 전체가 거쳐 간 역사를 반복한다고 주장하였다(Kliebard, 1995: 38).

Hall은 사회적 다윈주의자로 교육이 인간의 변화를 가속화하거나 지연할 수 없다고 보았다. 그는 적자생존 원칙에서 환경보다는 유전이 필수적인 요인이라고 보았다. 그의 교육과정 개발 이론은 능력 심리학의 가정을 거부하면서 실험 심리학에 토대를 두었다는 점에서 급진적-진보적이었다. 그러나 교육의 개별화(individualization of education)에 대한 Hall의 아이디어는 보수적이었다. 그가 개별화에 관심을 가진 것은 그것이 자유방임주의를 지지하기 때문이었다. 개별화의 목적은 개인에게 최대한의 발달 기회를 제공하기 위한 것이 아니라, 영재를 발굴하기 위한 것이었다. 그에게 아동 중심 교육과정은 자유방임주의 교육과정이었다. 그것은 사회적 요구나 발달을 거냥하지 않았고, 사회의 변화에 대한 학교의 역할에 대해서는 관심을 기울이지 않았다. 이에 따라 사회 재건주의자였던 George S. Counts는 Hall의 자유방임주의 관점을 크게 비판하였다(Pinar et al., 2000: 89-90). Dewey 또한 Hall의 관점을 비판하였는데, Dewey는 비록 '가장 완전한 문명의 도구'에 대하여 Harris 같은 사람과 의견이 달랐으나, 인간의 지적 능력에 대한 기본적 낙관주의에 대해서는 Eliot 및 Harris와 의견이 같았다. 이 낙관주의는 Hall의 유전적 결정주의와 아동 및 청소년의 지적 활동에 대한 불신과는 정반대되는 것이다(Kliebard, 1995: 49-50).

Hall은 Herbart의 아이디어를 반영하여 교육에서 단계 이론을 주장한 최초의 학자로 인정받는다. 즉 아동의 성장은 발달 '단계'를 따라 이루어진다는 것이다. 이 이론은 학교에서 학생들을 학년에 따라 조직한다는 행정적으로 편리한 방법을 정당화하는 데 기여하였다. 이는 또한 이후 Piaget(1977)와 Kohlberg(1981)의 단계 이론에 초석을 제공하였다(Pinar et al., 2000: 88).

타. 미국교육협회의 세 가지 위원회

Charles W. Eliot
(1834~1926)

19세기 말에 미국교육협회(National Education Association)는 당시에 직면한 교육과정 문제를 해결하기 위하여 세 가지 중요한 위원회를 조직하였다. 첫째는 Charles W. Eliot 위원장을 중심으로 중등 교육을 다룬 10인 위원회(The Committee of Ten on Secondary School Studies, 1893), 둘째는 William Torrey Harris 위원장을 중심으로 초등 교육을 다룬 15인 위원회(The Committee of Fifteen on Elementary Education, 1895)(National Education Association, 1895), 셋째는 시카고 고등학교 교육감이었던 A. F. Nightingale 위원장을 중심으로 대학 입학 조건을 다룬 위원회(The Committee of College Entrance Requirements, 1899)이다(Beatley, 1932: 345).

파. 진보주의 교육 운동

1) 진보주의 교육 운동의 시작

19세기에 이르러 Pestalozzi와 Fröbel 같은 유럽의 선구적 교육자들이 내세웠고 아동의 요구, 관심, 경험을 강조한 다른 아동 중심 교육 이론들이 유럽에서 점점 더 명성을 얻었고, 또한 점진적으로 미국 교육자들의 관심을 끌기 시작하였다(Posner, 1995: 50). 이러한 시대적 변화 속에서 미국에서 진보주의 교육 운동이 시작되었다. 많은 학자들은 진보주의 교육 운동에 초석을 놓은 사람들로 Joseph Mayer Rice(1857~1934), Lester Frank Ward(1841~1913), John Dewey(1859~1952)를 꼽는다(Pinar et al., 2000: 103).

Rice는 교육 개혁의 필요성을 강조하면서 이 운동을 위한 초석을 놓았다. Rice는 1892년에 방문한 미국의 36개 도시 중 4개 도시의 학교들만이 진보적이고 과학적이라고 비판하였다. Ward는 당시 널리 인정받던 적자생존(survival of fittest)이라는 사회적 다원주의(social Darwinism), 즉 인간 중에 최고(the best)인 사람이 제일 높은 곳에 올라간다는 주장을 비판하였다. 즉 권력과 부의 불평등한 분배는 자연스러운 일이라는 자유방임주의 정치학을 비판하였다. Ward에 따르면, 인간은 사회의 변화를 가져올 수 있고, 교육의 우선적인 목표는 학생이 이런 사회의 변화에 참여하도록 가르치는 것이다. 이런 주장은 나중에 사회 재건주의자들(social reconstructionists)이 받아들이고 더욱 확대하였다. Dewey는 19세기 여러 교육 개혁자들과 함께 정신(형식) 도야론에 따라 아동이 암송과 반복에 전념하게 하는 전통적 교육과정을 비판하였다. Dewey는 「아동과 교육과정」(1902)이라는 초기 저작에서 아동과 교육과정 사이의 이분법은 잘못이라고 지적하는데, 이를 보면 Dewey가 헤겔의 영향을 받았음을 알 수 있다. Dewey는 아동의 경험이 교육과정의 토대를 이루어야 하고 이를 통해 둘 사이의 표면적인 대립을 극복하고 합에 이르러야 한다고 주장하였다. 갈등(대립), 또는 헤겔(또는 마르크스)의 변증법 용어로, 정과 반은 합이 될 수 있다. 또한 Dewey는 교육 활동에서 교사의 주의 깊은 지도가 필수적이라고 주장하였다. 성장을 극대화하기 위한 교육과정 구성을 위하여 우연, 즉 즉흥적이고 겉으로 드러난 아동의 관심에 내버려두지 않는다는 것이다(Pinar et al., 2000: 104-105).

John Dewey
(1859~1952)

교육학자들은 Dewey의 「학교와 사회(The School and Society)」(1899) 출간으로 본격적인 진보주의가 시작되었다고 본다. Dewey는 이 저서에서 학교와 사회가 연결되어야 한다고 주장하였다. Dewey는 Ward의 견해처럼, 학생은 의미 있는 사회 변화에 대해 토론하고, 계획하고, 실행해야 한다고 주장하였다(Pinar et al., 2000: 105).

미국에서 19세기 초에 대부분의 공교육은 마음의 훈련에 초점을 두고 있었다. 그러나 공교육의 혜택을 받는 학생들은 전체 학령 인구의 일부였고, 미국 사회에서 살아가기 위해 필요하였던 실용적 기술의 훈련은 대부분 도제 제도와 일상 생계 유지 활동을 통해 이루어졌다. 19세기 동안 미국에서 나타난 사회학적인 주요 변화들로 인하여 점진적으로 많은 학교의 교육과정은 사회적 유용성의 방향을 추구하면서 여러 실업 교과들을 받아들였다. 미국이 점점 더 도시화되고 산업화되면서 그리고 의무 교육이 법률로 규정되면서 이러한 변화가 나타났다. 이러한 내부의 변화와 유럽에서 등장한 아동 중심 교육 이론의 영향을 받아 19세기 미국은 곧 엄청난 교육 혁명이 일어날 분위기가 무르익은, 바로 직전의 상태에 있었다(Posner, 1995: 50).

이런 혁명의 촉매제는 실용주의 철학과 진보주의 교육 운동이었다. Dewey의 아이디어는 이 둘 모두의 주된 토대였다. Dewey는 전통적 철학은 실재가 개인의 외부에 존재한다고 보았기 때문에 부적절하다고 믿었다. 그러한 철학은 사고하기와 느끼기 둘 모두가 아닌 둘 중 하나를 통해 실재를 알게 되는 것을 최선의 방법으로 강조하였다. 따라서 전통적인 철학에 토대를 둔 교육은 교육과정에 관련된 선택에서 마음의 훈련(이성적 사고) 또는 감각의 훈련(경험주의)을 최선의 기준으로 강조하였다. Dewey는 전자의 기준 아래에서는 교육과정이 과도하게 학구적(academic)이고 지성적(intellectual)이 되며, 후자의 기준 아래에서는 교육과정이 과도하게 직업적(vocational)이거나 사회적(social)이 된다고 주장하였다. 어느 한쪽의 기준만으로는 적절하게 균형을 이룬 개인의 발달을 강조할 수 없다는 것이다. 이와는 대조적으로, Dewey는 실재라는 것이 개인의 외부에 존재하지 않는다고 믿었다. 즉 그것은 외적 세상의 영향들에 대한 사고와 느낌(감정)과 같은 개인의 내적 반응들과 행위와 같은 외적 반응들의 결합이라고 볼 수 있는 개인의 경험 안에서 발견된다고 믿었다. 개인과 그들이 속한 세상은 항상 변하므로 실재 그 자체는 항상 유동적이다. 따라서 Dewey에게 하나의 신념이 진리인지 여부에 대하여 알게 되는 유일한 방법은 그것을 행위 속에서 시험한 결과를 저울질(평가)하는 것이다. 진리인 신념(true belief)은 개인 경험의 계속적 발달에 좋은 결과를 가져오는 것들이다. 이러한 것들과 다른 미국의 철학자들이 제시한 이와 유사한 아이디어들이 결합하여 실용주의 철학이 되었고, 이는 경험주의 교육의 토대가 되었다. 이런 교육에서 교육과정은 학생의 요구와 관심에 토대를 두고, 각 학생의 경험의 계속적 발달을 위해 가능한 한 최선의 결과를 낳도록 지속적으로 개선하고 재조직해야 한다(Posner, 1995: 51).

따라서 Dewey의 아이디어를 따르는 유형의 경험적 교육은 교육과정에 관련된 선택(의사 결정)의 기준으로서 이성적(합리적) 사고나 경험주의를 배척하지 않으며, 20세기 초의 새로운 방식으로 이 둘을 결합한다(Posner, 1995: 51-52).

2) 진보주의 교육 운동에 대한 Dewey의 비판

창의적인 자기표현과 자유는 아동 중심 운동의 주요 목적이었다. 이것은 엄격하고 거만한 전통적 교육과정에 대한 도전이었다. 이는 Dewey의 진보주의에 의존하고 있었지만, 1920년대와 1930년대에 일어난 이러한 새로운 교육 운동에 대하여 비판적 태도를 취한 사람 또한 Dewey였다. Dewey는 그 당시 새로운 교육 운동이 자신의 근본적인 생각을 변형하였으며 아무런 목적과 방법도, 교사의 지향성도 없다고 생각하였다. Dewey에 따르면, 아무런 목적과 계획 없이 학생들이 자신의 흥미에 따라 자기 마음대로 하도록 내버려두는 것은 "정말 어리석은 짓인데 이는 불가능한 어떤 것을 시도하기 때문이다. 이는 언제나 어리석은 것이다"(Dewey, 1929: 37; 장인실 등, 2007: 148).

3) 진보주의 교육 운동 시기 네 부류 학자 집단

미국에서 진보주의 교육 운동이 전개되던 시기에 대략 네 부류의 학자 집단이 활동하였다. 전통적인 지식 중심의 교육을 유지하고자 하였던 Charles W. Eliot과 William Torrey Harris 등이 포함된 인문주의자(humanists) 집단, 아동의 발달 단계를 중시하면서 아동 연구 운동을 추진하였던 Hall을 중심으로 하는 발달론자(developmentalists) 집단, Rice, Bobbit, Charters, Ross 등 사회적 효율성(social efficiency)을 강조한 집단, Ward, Counts, Beard, Rugg 등 사회 개량주의자(social meliorists) 집단이 있었다. 이들 중 인문주의자 집단을 제외한 세 집단이 진보주의 교육 운동에 참여하였다. Dewey는 사회적 효율성을 강조한 집단을 제외하고 다른 세 집단 모두에 부분적으로 관련된다고 볼 수 있다. Dewey는 이들 중 특정 집단을 직접 언급하지는 않았지만, 대략 인문주의자들과 같은 학파는 교과를 지나치게 강조하면서 아동을 무시하고, 발달론자들과 같은 학파는 지나치게 아동을 강조하면서 교과를 무시한다고 비판하였다(Kliebard, 1995).

진보주의 교육 운동이 전개되면서, 학교 교육과정의 개혁을 시도한 사례들로는 Indiana주의 Gary 지역, Iowa주의 Burlington 지역, Illinois주의 Winnetka 지역, Colorado주의 Denver 지역, Missouri주의 St. Louis 지역, California주의 Los Angeles 지역이 있다. 그리고 전국적으로 여러 대학의 부속학교들에서 진보주의적인 교육과정 개혁을 시도하였다(Pinar et al., 2000: 109-113).

4) Kilpatrick과 프로젝트 접근법

의심할 여지 없이, 교육과정 개혁 운동 과정에서 가장 극적인 사건은 <*Teachers College Record*>의 1918년 9월호에 "프로젝트 접근법(The Project Method)"(1918)이라는 수식 없는 제목의 논문이 실린 것이다. Teachers College의 교수였던 William Heard Kilpatrick이 작성한 이 논문은 즉각적인 선풍을 일으켜 Teachers College Bureau of Publications는 무려 6만 부를 재인쇄해야만 하였다. 처음에는 왜 그 논문이 폭발적인 관심을 불러일으켰는지 분명하지 않았다. 결국, 프로젝트 아이디어를 농업의 분야를 넘어 다른 분야로 확장하는 일이 여러 해 동안 진행되고 있었고, 명성이 자자하던 David Snedden의 교육자들은 이 주제에 관하여 과거에 논문을 발표한 적이 있었다. 이미 40대 후반이었고 정교수로 승진하는 데 어려움이 있었던 Kilpatrick은 아마도 그런 환영에 준비가 되어 있지 않았을 것이다(Kliebard, 1995: 137).

William H.
Kilpatrick
(1871~1965)

분명 그에 대한 대답의 일부는 Kilpatrick의 유별나게 표현을 잘하는 스타일에 있었고, 이는 단어 사용에서 감동을 주는 방식이었다. 이것은 결국 Teachers College 역사에서 그를 가장 유명한 교수로 만들었다. 그러나 그의 작문의 쉬운 스타일(cadence) 이외에, Kilpatrick은 발달론자들이 한때 불을 지폈으나 약해지고 있던 희망, 즉 아동 어딘가에 교육과정 개혁의 열쇠가 놓여 있다는 희망의 불씨를 다시 되살려낼 수 있었다. 새로운 시대가 시작되자, 한때 그 입장을 전형적으로 보여주었고 아동 연구 운동에서 감동을 선사하며, 영감을 주는 대단한 지도력을 발휘하였으며 가능성으로 가득한 듯 하였던 G. Stanley Hall은 반전을 맞이하였다(Ross, 1972: 341-367; Kliebard, 1995: 137-138 재인용).

Kilpatrick이 체계화한 프로젝트 접근법은 19세기 말에 Dewey의 실험학교와, 1901년에 Francis W. Parker 학교에서 사용한 방법이다. Kilpatrick에 따르면, 이론의 관점에서, 활동의 개념은 방법론적인 것이다. Kilpatrick은 프로젝트는 하나의 방법이지 완전한 교육과정 이론이 아니라고 주장하였지만[활동이라는 개념은 그 자체로 완전한 교육과정 이론이 아니고 될 수도 없다](Kilpatrick, 1936: 85), 교육자들은 프로젝트 방법은 하나의 방법뿐만 아니라 교육과정 개발을 위한 하나의 교육과정 이론으로 여겼다. 교육과정 전체가 일련의 프로젝트로 구성될 수 있는 것으로 보였다(Tanner & Tanner, 1990; Pinar et al., 2000: 109-115 재인용).

가) 프로젝트란 무엇인가?

프로젝트는 교육과정 조직의 원리를 제공한다고 볼 수 있다. Kilpatrick은 프로젝트를 "사회적 환경에서 진행되는 전심전력하는 유목적적 활동"이라고 정의하였다(Kilpatrick, 1918: 320). 아동이 교사의 제안을 자신의 것으로 받아들일 수 있으나, 1) 목적 설정, 2) 계획, 3) 실행, 4) 판단/평가의(Tanner & Tanner, 1990) 프로젝트 4단계 모두에서 아동이 직접 실행하는 것이 더 좋다고 믿었다. 그러므로 Kilpatrick에게 '프로젝트 방법'은 교육과정 조직의 원리이다. 이 방법을 동원하여, 교육과정 개발자나 교사는 학생이 이미 가지고 있는 목적 의식에 부합하고 이를 더욱 발전하게 할 프로젝트를 구안할 수 있다(Pinar et al., 2000: 115).

Kilpatrick은 프로젝트 방법을 당시 과학적 패러다임 아래에 두었다. 그는 프로젝트 방법이 학습의 법칙에 따른 것이라고 주장하였다. 이 법칙은, 1) 준비도, 2) 효과, 3) 실행이다. 이 프로젝트 방법의 개념에 그는 Thorndike의 교육 심리학과 Dewey의 교육 철학을 결합하였다. 그는 또한 자극-반응 이론의 사용에 대해 상술하였다. "유목적적 행위를 수업을 진행하는 전형적인 단위로 만드는 더욱 분명한 이유는 이 계획에 담긴 학습의 법칙 활용에서 발견할 수 있다"(Kilpatrick, 1918: 323). 더욱이, Kilpatrick은 "학교에서 진행하는 전형적인 단위로서 사회적 상황에서 전심전력하는 유목적적 활동은 현재 자주 허비되는 아동의 타고난 능력을 사용하는 최선의 보장 방법이라고 주장하였다"(Kilpatrick, 1918: 334). 그는 *Foundations of Method: Informal Talks on Teaching*(1925)에서, "교육과정이란 일련의 경험인데, 이 경험 속에서 학생은 안내에 따라 자신의 결과물을 만들어내고 그리고 다시 그것들을 사용한다"라고 말하였다(Kilpatrick, 1925: 310; Pinar et al., 2000: 115-116 재인용).

나) Kilpatrick 이전 유럽 역사 속 프로젝트 방법의 기원

역사적으로 프로젝트 방법은 1577년 건축가들이 건축을 하나의 과학으로 만들어 사회적 지위를 높이고, 건축의 이론과 역사, 수학, 기하학의 영역에서 수업을 제공하고 또한 관점을 제공함으로써 제자들을 교육하는 방법을 개선하기 위하여 로마에 학교(Accademia di San Lucca)를 설립하였을 때 등장하였다. 이론과 실제, 과학과 실재 사이의 간극을 좁히기 위하여, 교사 중심의 방법 이외의 다른 방법으로 범위를 확대하였고, 일상적인 건물 설계 작업을 스튜디오에서 학교로 이전함으로써, 학생들이 행함을 통한 학습 및 실제 삶의 시뮬레이션을 통해 나중에 전문가로서 필요한 경험과 솜씨를 미리 학교에서 획득하게 하고자 하였다. 이러한 기원은 프로젝트 방법이—과학자의 실험, 법률가의 사례 연구, 사무직원의 모래상자 연습과 같이—하나의 전문 직업의 교육 프로그램화에서 유래하고, 프로젝트를 사용하는 교수의 개념은 예를 들어, Rousseau, Fröbel, Dewey의 추상적이고 철학적인 숙의의 결과가 아니고, 직업 교육 교사가 학생의 마음을 활성화하고 그들의 훈련(실습)을 흥미롭고 활기차게 하며, 가능한 한 실제적이고 유용하게 하려고 노력한 실제적 사고의 결과이다(Knoll, 2014: 665).

제4절 교육의 목적과 내용

경험적 관점에 따르면, 교육의 가장 중요한(우선적인) 목적은 발달이다(Hamilton, 1980: 188). 그런데 낱낱의 특수한 발달은 개인의 계속적이고 일반적인 발달, 특히 Sizer(1973)가 "행위 주체자 의식(sense of agency)"이라고 지칭한 발달 영역들을 지향해야 한다(Dewey, 1938: 36). 행위 주체자 의식은 "개인적인 스타일, 확신, 자기 통제력을 가지고 사회적으로 용인되고 개인적으로 의미 있는 방식으로 살아가는 정신"이다(Sizer, 1973).[3] 따라서 경험적 교육은 "계획하기, 적절한 자원을 발견하고 사용하기; 새로운 아이디어들, 대립되는 의견들, 서로 다른 사람들을 다루기; 다른 사람들의 복지에 대해 책임지기; 다른 사람에 대한 헌신을 완수하기"와 같은 영역에서 청소년의 능력을 신장하는 것을 목표로 삼는다(Hamilton, 1980: 191). 이러한 특정한 능력들은, 청소년과 성인의 행복과 생산성에 기여하지만, 경험적 교육자들에 의해 목적 그 자체로 여겨지기보다는 궁극적인 목적(aim)인 발달의 지표로 여겨진다(Hamilton, 1980: 191). 비슷하게 이 관점에 따르면, 교과가 지니는 내재적 가치 중 가장 중요한 것은 학생의 요구와 능력(capacities)이 무엇이든지 간에 학생의 발달을 촉진하는 것이다(Dewey, 1938: 46; Posner, 1995: 93 재인용).

경험적 교육자에게 교과는 일상적인 삶의 경험에서 도출된다(Dewey, 1938). Dewey에 따르면, 교육은 학습자가 이미 소유한 경험에서 도출되는 교과에서 출발해야 한다. 그러나 교과를 이전의 경험에 연결하는 것은 첫 단계(시작)일 뿐이다. 다음 단계는 더욱 중요하다. 그것은 "새로운 방식의 관찰과 판단에 따라 후속되는 경험의 범위를 확장하는 데 기여할 새로운 문제를 제기할 가능성과 희망을 지닌 것들을 이미 획득한 경험의 범위 안에서 선택할 것을 교육자에게 요구한다"(Dewey, 1938: 75). 경험이 확장될 때, 그것은 또한 더 조직화되는데 궁극적으로는 "능숙하고 성숙한 사람에게 제시되는 조직화된 교과와 같은 것으로 근접한다"(Dewey, 1938: 74). 예를 들어, 경험적 교육자에게 과거를 공부(탐구)하는 역사는 우리의 문화적 유산을 전달하기 위한 수단이라기보다 현재를 이해하기 위한 '수단'이다(Dewey, 1938: 78, 원본에서 강조). 과학은 일상적인 사회적 적용(응용) 사례들 아래에 놓인 과학적 원리에서 시작한

---

3) Sizer(1973)는 세 가지 교육 목적, 즉 힘(power), 행위 주체자 의식(sense of agency), 즐거움(joy)을 제시하였다. 힘은 학생이 개인적이고 집단적인 목표를 위해 자신의 지적이고 신체적인 능력을 최대한 사용하는 것이다. 즐거움은 심미적 훈련, 믿음, 헌신으로 얻는 결과이다.

다(Dewey, 1938: 80). 기술을 이해함으로써 학생은 결국 기술이 야기하는 문제들을 이해하게 된다(Posner, 1995: 93).

제5절 내용의 조직

경험적 교육과정에서, 학생들이 전형적으로 프로젝트라는 형식의 유목적적 활동에 종사하면서 겪는(획득하는) 경험은 교육과정의 조직적 요소들이 된다. 내용은 전형적으로 일상의 문제, 요구, 그리고 쟁점을 다루는 데 사용될 방식에 따라 계열화된다. Dewey(1938: 42)에 따르면, 교육과정은 학생의 계속적인 성장을 지원할 '상황'을 중심으로 조직되어야 한다. 이 상황들이 동력(원)으로 작용하기 위해서는 이들이 '객관적인 조건과 내적인 조건' 사이의 상호 작용, 즉 학생의 물리적이고 사회적인 환경과 학생의 관심, 요구, 사전(과거) 경험 사이의 상호 작용을 나타내야 한다. 이런 이유로 이런 상황들은 교육과정 개발자나 교사에 의해 사전에 완벽하게 계획될 수 없으며, 교사와 학생에 의해 협동적으로 계획되어야 한다(Posner, 1995: 141).

제6절 교육과정의 운영—수업 및 평가

제5장에서 개인의 직접 경험과 인류의 경험으로서의 교과를 구분하였다. 학생 개인의 직접 경험을 위해 능동적인 학습 활동에의 참여를 강조한 대표적인 학교들 중 하나가 Dewey의 Chicago 대학교 부설 실험학교(1896~1904)이다. 이 학교는 지역 사회의 축소판과 같았다. Dewey는 학생이 직업(occupations)이라는 사회적 활동의 진화(evolution)를 경험하게 하려고 하였다. 그는 이 "단순화된 사회적 활동"이 "인간의 삶 전반에서 기본적인(fundamental) 활동들을 축소형(miniature)으로 재생산(reproduce)해야 하고, 그리하여 한편으로, 학생이 더 넓은 지역 사회의 구조, 자원, 작동 방식(structure, materials, modes of operation)에 익숙해지게 해야 하고, 다른 한편으로, 학생이 이러한 일련의 행위들을 통해 자신을 표현하게 하여 자기 자신의 힘(powers)을 통제할 수 있기"를 희망하였다(Dewey, 1896: 418; Kliebard, 1995: 61-62 재인용).

Dewey의 실험학교에서 학생은 단순화된 가정생활과 산업 활동에 종사하였다.

수공(공작)(manual training)에 관한 활동은 산업 기술(industrial arts)로 변형된 형태로 학생이 수행하였다. 학생은 물레와 베틀을 이용하여 직조 산업 활동에 종사하였다. 사회과는 '교과'로 학습하기보다 인간의 자연과 사회와의 상호 의존에 초점을 두고 학습하였다. 이 학교에서 맹목적인 노력, 형식적인 반복 연습, 암송은 찾아보기 어려웠다. 당시 학교의 특징이었던 강요에 의한 규율과 달리, 실험학교에서는 목적 의식과 목표에 대한 몰입에 따르는 내적인 자기 주도가 규율을 대신하였다(Alberty & Alberty, 1962: 159-160).

　　Dewey의 실험학교에서 부분적으로 사용된 학습법은 프로젝트 학습법(구안법)으로, 이는 1911년 농업 교육에서 본격적으로 활용되기 시작하였다. William Kilpatrick과 동료들이 이것을 확대하고 널리 보급하였다. 이것은 Dewey의 프로그램의 기초를 이루는 "행함을 통한 학습" 이론의 직접적인 결과물이다. 농업 분야의 간단한 예시(사례)는 이를 명확히 이해하는 데 도움이 된다. 1911년 이전에 지배적이었던 논리적인 지식 체계, 즉 교과 중심 교육과정에서, 어느 고등학생은 서로 다른 유형의 토양과 비료 주기, 배수 등을 통해 토양을 개량하는 방법을 공부한다. 학생은 여러 다른 유형의 옥수수, 옥수수 사용법, 옥수수 산출량, 시장 가치, 씨앗을 뿌리는 적절한 시기, 적절한 재배, 수확하기, 최종 판매, 그리고 다른 수많은 사실과 정보 등이 종합되고 논리적 체계를 갖춘 교과를 학습한다(Alberty & Alberty, 1962: 160-161).

　　적절한 시점에 실험실에서 교사가 시범을 보이거나 학생이 실험한다. 교과서와 매뉴얼이 학습의 계열과 범위를 결정한다. 이 절차와 학생이 옥수수 밭을 직접 경작하는 과정을 비교해 보라. 학생은 그의 토지와 씨앗을 선택하고 여러 단계를 거쳐 마침내 옥수수를 판매한다. 그 과정 중 여러 단계에서 교과의 도움을 받아야 한다. 그는 교과 속의 인류의 경험에서 도움을 받지 않고는 심지어 적당한 토양이 어떤 것인지도 알 수 없다. 만약 옥수수가 제대로 자라지 못한다면, 무엇이 문제일까? 그는 해결책을 발견하기 위해 질병, 적절한 경작, 적절한 영양 공급에 관하여 교과 지식이 담긴 서적을 참고한다. 두 가지 활동 사이에 근본적인 차이는 무엇인가? 첫째의 경우, 인류의 경험이 체계적으로 조직된 교과가 중심을 차지한다. 개인의 직접 경험은 논리적으로 조직된 교과에 생기를 불어넣기 위한 예시로 사용한다. 교과 지식이 미래 경험에서 활용되기를 희망한다. 둘째의 경우, 개인의 직접 경험이 교과 지식의 활용에 앞선다. 경험은 그 자체의 논리와 시작과 종결을 지닌다. 전문가가 분류하여 논리적인 체계 속에 있는 교과 지식을 추출하여 진행 중인 활동의 질을 높이고 의미를 발견하기 위해 활용한다. 첫째 예시에서, 학생은 옥수수 경작에 대하여(about) 배웠다. 둘째 예시에서 학생은 옥수수를 재배하였고(raised), 학습은 목표 달성을 위한 수단이었다. 여기에서 중요한 점은 논리적으로 조직된 교과 지식과 활동은 두 가지 사례 모두에 존재한다는 것이다. 이런 이유로 우리는 한 가지는 교과(subject) 중심이고, 다른 하나는 경험(experience) 중심이라고 명칭을 부여하였다. 교과 지식이 생기 있는 경험과 연결되지 못할 때 잘못된 교육(miseducation)이 이루어지지만, 생기 있는 경험이 적절한 교과와 연결되지 못할 때에도 잘못된 교육이 이루어진다(Alberty & Alberty, 1962: 161).

그러나 우리가 위의 설명을 받아들일 때에도 학습 활동을 조직할 때 어떤 교육과정이 최선인지에 대한 문제는 여전히 남는다. 개인의 직접 경험이 체계적으로 조직된 교과에 앞서야 하는가, 동시에 나타나야 하는가, 뒤따라야 하는가? 그러한 조직의 원리는 무엇인가?(Alberty & Alberty, 1962: 161)

1. 경험 중심 활동의 기본 원리

개인의 직접 경험의 장점과 단점을 조사하기 이전에 관련된 원리들을 확인하여 그 개념을 더욱더 분명하게 이해할 필요가 있다. 아래에 나타나는 사례는 고등학생을 고려한 것이므로 초등학생에게 맞게 번역하거나 초등학생을 위한 사례에 대하여 별도로 논의할 필요가 있다.

1) 학습(태도, 지식, 기술, 능력 등의 획득)은, 항상은 아니더라도 대체로 눈에 보이는(tangible) 구체적인 목적이나 목표의 달성을 위한 수단이다. 이 원리는 앞에서 제시한 1에이커의 면적에 옥수수를 직접 재배하기 시작하는 학생의 예시에 내재되어 있다. 이 학생은 교과서를 보고 옥수수를 재배하는 법을 배운 학생과 대비된다. 첫 번째 예시에서, 분명 학생의 우선적인 목적은 학습하는 것이 아니라 매우 구체적이고 눈에 보이는 목표를 달성하는 것이다. 그는 아마도 기대할 수 있는 수확을, 더 구체적으로는 이 프로젝트를 수행함으로써 현재 시장 상황에 비추어 그가 획득할 수 있는 수입을 마음속에 가지고 있었을 것이다. 그의 활동을 통해 나타나는 행위의 변화는 그 활동에 비하면 다소간 '부수적인' 것이다. 그렇다고 학습이 중요하지 않다는 것은 아니다. 진정, 교사의 마음속에서는 학습이 아마도 가장 중요한 결과일 것이다. 이는 교사가 학생으로 하여금 경험을 통해 환경에 대해 더 많은 통제를 할 수 있도록 노력하고 있기 때문이다. 즉 교사는 학생이 그의 경험을 재구성하게 도우려고 노력하고 있다. 교사의 성공은 그 결과로 나타나는 학습의 산물에 따라 결정된다. 교사는 이런 방식으로 문제에 접근할 때, 더욱 효과적인 학습이 나타날 것으로 기대한다. 그렇지 않다면, 교

사는 좀 더 전통적인 방법, 즉 사실과 원리의 암기를 사용할 것이다. 많은 교육과정 활동에서 예시에서와 같이 원리가 그렇게 명료하지 않다. 그러나 본질적으로 그것을 대부분의 상황에 적용할 수 있다. 다른 예시를 들면 다음과 같다. ㉮ New England 지역의 생산물 표 만들기, ㉯ 시 의회가 수영장을 짓도록 설득하기 위한 보고서 작성하기, ㉰ Brutus와 Cassius 사이의 전투 장면을 드라마로 만들기, ㉱ 지역 사회 설문지 작성하기, ㉲ 학교 정원 만들기, ㉳ 구내식당의 벽화 그리기, ㉴ 학교 신문 발행하기, ㉵ 학교 연극 각본 작성하고 공연하기, ㉶ 학교 운동장 꾸미기, ㉷ 학생 자치회 구성하기, ㉸ 고철 수집하기, ㉹ 전쟁 기금 우표 판매하기, ㉺ 학교 구내식당의 회계 장부 기록하기. 이와 같은 모든 활동에서 학생은 눈에 보이는 목표에 따라 동기가 유발되어 경험하기를 하고, 학습은 이런 능동적이고 활력 넘치는, 개인적 경험하기에서 '부수적인' 것이다(Alberty & Alberty, 1962: 162).

2) 학생의 현재 경험, 문제, 관심이 적절한 활동의 결정, 계획, 실행, 결과 평가에서 주된 역할을 한다. 시작 단계에서 모든 활동은 그것이 경험 중심이든 교과 중심이든 위의 원리가 작용할 때 가장 효과적이다. 그러나 활동이 학생이 살아가는 삶 그 자체와 긴밀한 관계를 지닐 때, 그 원리는 새로운 의미를 지니게 된다. 교과 중심의 경우에도 라틴어 과목에서 외재적인 동기(extrinsic motivation)는 머지않아 점진적으로 전심전력하는 관심으로 전환될 수도 있다. 그러나 직접적 활동 경험은 학생이 그것을 수행할 강한 동기를 지니지 않으면 실패로 끝나게 된다(Alberty & Alberty, 1962: 162-163).

3) 활동 계열은 어떤 지식 분야의 내적 논리에 따라 정해지기보다 성숙도, 실천 의지, 성장해 가는 과정, 문제들의 확장 정도, 관심 등에 따라 정해진다. 이미 범위와 계열이 정해진 교과 중심 활동과 달리, 경험 중심 활동에서 상황은 정반대가 된다. 이는 환경적 상황, 스트레스와 긴장, 학생이 가진 문제, 그의 성장과 발달이 다음에 어떤 활동을 할지 결정하는 데 핵심적인 요소가 된다. 이는 학생이 원하는 어떤 것이든 한다는 것을 의미하지 않는다. 이는 학생의 현재 삶에 영향을 미치는 모든 요소들(그의 장래 희망 사항과 기대 등)을 고려하는 현명한 교사가 그의 경험의 계열을 계획하는 데 파트너가 된다는 것을 의미한다. 한 단위의 경험에 이어 다음 단위의 경험으로 이어진다. 새로운 환경적 요소들이 등장하여 수용을 요구한다. 계열의 결정은 학년 초에 모두 다룰 수 있을 정도로 범주를 정하기 어려운 불확실한 일이 된다(Alberty & Alberty, 1962: 164).

예를 들어, 지역 사회 설문 조사는 처음에는 전적으로 사실에 관련된 것일 수 있다. 그러나 학습이 전개되면서 새로운 활동들이 등장한다. 열악한 주택을 발견하게 된다. 왜 절반이나 되는 사람들이 슬럼가에서 살아가는가? 왜 도시의 어느 지역에는 여가 활동 시설이 부족한가? 왜 이 지역에서 비행과 범죄가 가장 빈번한가? 이것들이 조사 가능한 내용이다. 그러나 이들을 사전에 결정하면, 학생이 경험할 수 있는 모험의 전율(thrill)을 빼앗는 결과를 가져온다(Alberty & Alberty, 1962: 164-165).

다시, 에티켓, 사회적 활용, 면대면 관계와 같은 긴급한 문제들은 학생들이 살아가면서 성숙 단계에 따라 만나게 된다. 이 문제들은 교과서에서 배울 때까지 기다려 주지 않는다. 그리고 성장기 후반에는 학생들이 그 이전에 전혀 관심을 가지지 않았던 다른 문제들을 만나게 된다. 어린 청소년에게 직업의 선택이라는 문제를 부과하는 것은 발달 과정을 어기는 것이다. 그런 문제들은 나이가 든 청소년의 시기에 살아가는 과정에서 만나는 도전이며, 성장이라는 바로 그 과정 중에, 그리고 청소년이 사회에서 독립적인 지위를 달성하려는 시도를 하는 중에 부딪힌다. 이것이 많은 학교에서 '직업윤리(vocational civics)'나 '직업(vocations)' 등의 과목을 8학년이나 9학년에 도입하려는 시도가 실패한 이유이다. 이 과목들의 개설 시도는, 적어도 부분적으로, 잘못된 관점에 따른 것이다. 이 관점에 따르면, 중학교의 널리 알려진 역할 중 하나는 "학생이 탐색적 과목들을 수강하게 하는 것이고, 그 결과로 학생 개인과 국가에 가장 큰 이익이 될 것이라고 학생과 학부모와 학교가 확신하는 경력(진로)을 시작하게 하는 것"이다(Briggs, 1920: 175-176). 그것은 학교 행정가들과 교사들의 상상력에 쉽게 부합하는 논리적인 아이디어였으나, 청소년의 발달 심리학을 무시한 것이었다(Alberty & Alberty, 1962: 165).

2. 경험 중심 교육과정의 특징

가. Posner의 설명

경험 중심 교육과정은 학교와 교사에게 특별한 점을 요구한다. 일반적으로 말하여 이 교육과정은 다음과 같은 특징을 지닌다(Posner, 1995: 192).

(1) 그들은 교과 간 연계나 통합(통합 교과)을 강조한다.
(2) 그들은 학습 자원으로서 교과서나 다른 준비된 학습 자료보다는 지역 사회의 자원에 의존한다.
(3) 그들은 전체 집단, 경쟁적인 학습 활동보다는 소집단, 협동적 학습을 강조하는 학생 중심 교실을 강조한다.

(4) 그들은 완성에 상대적으로 시간이 많이 걸리는 프로젝트와 같은 과제를 중심으로 조직된다.

(5) 그들은 통제하는 교사보다는 촉진자 또는 자원으로 활동하는 교사를 기대한다.

(6) 그들은 용어나 사실의 회상을 강조하는 필기시험보다는 실제 세계의 과제 수행 능력을 확인하는 평가 방법을 사용한다.

나. Ragan의 설명

경험 중심 교육과정에 대하여 Ragan(1960: 119-121)은 멀리 Rousseau의 시기부터 즉각적으로 느껴지는 아동의 요구를 교육과정 조직의 토대로 강조해 왔다고 설명하였다. 1920년에 절정에 달하였던 아동 중심 교육 운동은 아동의 관심과 목적에 관심을 불러일으키고 주로 그러한 관심과 목적에 토대를 둔 교육과정 조직을 제공하는 데 기여하였다. 나중에 등장한 사회적 기능(social-functions) 접근은 아동의 관심에 주목하면서도, 아동 중심 교육의 옹호자들이 소홀히 한 것으로 보이는 사회적 측면을 강조하였다(Ragan, 1960: 119).

경험 중심 교육과정은 아동의 관심을 교육과정 조직의 토대로 삼는다는 점에서 아동 중심 접근과 유사하다. 그것은 아동의 관심과 요구는 예상할 수 없으며, 따라서 교육과정 프레임워크에 대한 공통된 의견을 수렴하기 어렵다는 점에서 다르다(Ragan, 1960: 120).

Ragan에 따르면, 경험 중심 교육과정의 기본 철학은 다음과 같이 요약할 수 있다.

(1) 교육과정 조직에서 교과를 제외한다.

(2) 그것은 교육을 학생의 계속적인 전인적 성장을 통한 학생 주변의 삶에 대한 현명한 참여를 지향하는 것으로 본다.

(3) 환경은 계속 변하므로, 교육과정은 정지 상태에 머물 수 없다. 대신에 그것은 아동이 미래 삶에서 문제를 더욱 효과적으로 다룰 수 있는 성장과 이해가 일어날 수 있게 하는 연속적인 경험으로 구성되어야 한다.

(4) 교육과정은 아동의 관심과 당장 느껴진 요구에서 시작한다.

(5) 성장은 아동의 관심 및 요구와 관련 있는 활동에 적극적으로 참여함으로써 이루어진다.

(6) 아동이 성장 경험에 능동적으로 참여하도록 자극하는 환경을 제공하는 것이

교사의 임무이다.

(7) 한 사람이든 여러 사람이든 교사가 이 성장 경험을 미리 정해 놓을 수 없다. 미리 정한다면, 아동은 자신의 목표가 아닌 타인의 목표를 추구하도록 강요될 것이다.

(8) 교과는 교육과정을 나타내지 않는다. 그들은 아동이 선택한 문제의 해결을 지원할 자원을 나타낸다.

(9) 이 교육과정은 아동 자신의 주변의 문화에 대해 안내하는 것을 잊지 않는다. 이는 아동의 요구는 사회적 문제 및 사건에 밀접하게 관련되기 때문이다.

(10) 아동이 사회적 이해, 사회적 감성, 사회적 기술을 얻는 유일한 길은 일상적으로 발생하는 사회적 상황을 효과적으로 접하는 것이다. 현재와 미래에 주의를 기울이는 것은 곧 그것에 주의를 기울이는 것이다.

다. Hopkins의 설명

경험 중심 교육과정의 강조점에 대하여 Hopkins(1941: 20)는 다음과 같이 설명하였다.

(1) 교과가 아닌 학습자 중심이다.

(2) 교과를 가르치기보다 학습자의 전인적 성장을 장려한다.

(3) 교육 내용이 사전에 선정되고 조직되기보다 모든 학습자들이 학습 활동 중에 협동하여 교육 내용을 선정하고 조직한다.

(4) 학습 활동에 직접 참여하지 않는 외부 전문가가 통제하기보다 학습 활동 상황에서 학습에 관련된 자들(학생, 교사, 학부모, 장학사, 교장 등)이 협력적으로 통제하고 이끌어간다.

(5) 미래에 사용하기 위한 지식의 전달보다는 삶의 즉각적 증진에 기여하는 의미 획득을 강조한다.

(6) 학습의 과정과 분리된 습관 형성이나 기술의 획득보다는 학생 경험의 전체에 유기적으로 통합될 수 있는 습관의 형성과 기술의 획득을 강조한다.

(7) 가르치는 방법의 개선보다는 학습의 과정을 수단으로 삼아 학생이 이해하고 성장, 발전해 가는 것을 강조한다.

(8) 학습 조건과 학습 결과의 통일보다는 다양한 학습 조건과 다양한 학습 결과를 존중한다.

(9) 이미 정해진 교육과정과 관련된 수단에 충실하게 따르기보다는 개별 학생이 사회적으로 창의적인 개성을 형성하도록 돕는 것을 강조한다.

(10) 학교 교육을 받는 것을 교육으로 보기보다는 지속적이고 현명한 경험의 성장 과정을 교육으로 본다.

3. 프로젝트 학습법

미국에서 Kilpatrick(1918)이 "The Project Method"를 발표한 이후 상당한 기간 동안 많은 학교들에서 프로젝트 학습법(project approach, project method, project-based learning)을 적용하다가 학문 중심 교육과정이 강조되면서 관심이 줄어들었다. 그러나 영국과 독일에서는 1960년대에도 프로젝트 학습은 지속적으로 관심을 받으며 운영되었다. 그 이후 1980년 후반에 이르러 미국에서는 Katz와 Chard가 project method라는 용어 대신 더욱 다양한 방법들을 포괄하는 수업을 위한 project approach라는 용어를 사용하면서 유아 교육과 초등 교육에 보급하였다(김대현 등, 1999: 8).

Katz와 Chard(1989)는 프로젝트의 단계를, 프로젝트의 예비 계획, 시작, 전개, 마무리의 4단계로 구분하였으나, 3판(2014)에서는 프로젝트의 계획 및 시작, 전개, 반성 및 마무리의 3단계로 구분하였다(Katz et al., 2014; 윤은주, 이진희, 2019: 38-45). 그리고 주요 활동으로 토론, 현장 조사, 표상, 탐구, 전시의 5가지를 제시하였다. 이에 토대를 두고 김대현 등(1999: 16)은 프로젝트를 6단계로 구분하고 단계별 활동 요소들을 제시하였다.

가. 준비하기

이 단계에서는 프로젝트 학습을 진행하기로 결정하고 계획하는 교사가 잠정적인 주제, 주제망, 자원 목록을 기록하거나 작성하는 활동을 한다. 이는 예비 단계로서 항목들에 대한 최종 결정은 이후의 단계에서 이루어진다(김대현 등, 1999: 16).

나. 주제 결정하기

이 단계에서는 안내하는 교사와 주도적으로 이끌어가는 학생이 함께 충분한 시간 동안 의논하여 주제를 결정한다. 다음에 교사가 주제와 관련하여 학생이 사전에 가지고 있는 경험(선경험)을 이끌어내어 다양한 방법으로 표현하게 한다. 그 후에 이들을 토대로 교사의 안내를 받으며 학생들이 주도적으로 주제망을 작성하는 활동을 진행한다(김대현 등, 1999: 16).

다. 활동 계획하기

이 단계에서는 주제망에 토대를 두고 학생들이 학습할 소주제를 결정하며, 소주제들을 담당할 학습 활동팀을 구성한다. 이 활동을 진행하는 방법을 두 가지로 구분할수 있다. 먼저 학급 전체가 소주제를 결정한 후에 소주제별 탐구 활동을 위한 팀을 구성하고 각 팀이 질문 목록을 작성할 수 있다. 이 방법으로 진행하는 경우 학생들은 학습 활동에 대한 강한 책임감을 느끼게 된다. 두 번째 방법을 따를 때, 학급 전체가 소주제를 결정한 후에 소주제에 해당하는 질문 목록을 작성하고 소주제별 탐구 활동 팀을구성한다. 이 경우 소주제에 관한 많은 질문 목록을 작성할 수 있다(김대현 등, 1999: 18). 학생들 중에는 적극적인 학생과 소극적인 학생, 특정 주제에 대해 관심이 많은 학생과 그렇지 않은 학생이 있으므로 주제에 따라 융통성 있게 팀을 구성한다. 활동 팀을 구성할 때 학생들의 의견을 최대한 수렴하되, 대체로 적극적이고 지도력이 있는 학생이 조장의 역할을 수행하게 한다. 소주제별로 활동 팀 내에서 다양한 역할 수행이요구되므로 이를 고려하여 학생들이 서로 의논하여 조원 역할을 적절하게 분담하게한다. 위 방법에 따라 소주제가 결정되고 질문 목록이 작성되며 활동 팀이 구성된 후에는 학급 전체의 학습 활동 계획과 팀별 활동 계획을 세운다. 이 계획의 일환으로 탐구 활동에 도움을 줄 물적 자원은 무엇인지, 프로젝트 활동을 지원해 줄 인적 자원은무엇인지 등 자원 목록을 작성한다. 그리고 가정에는 통신문을, 지역 사회에는 협조문을 작성하고 보내어 지원자들의 도움을 받으면서 자원을 확보하고 적절한 장소에 보관한다(김대현 등, 1999: 18).

라. 탐구 및 표현하기

이 단계에서 탐구하고 협의하고 표현하는 활동을 수행하는데, 이들은 서로 밀접하게 관련되므로 동시다발적으로 진행한다. 탐구 자원은 문헌, 사람, 현상으로 구분할수 있고, 탐구 방법은 조사, 실험, 면담으로 나눌 수 있다. 이들을 조합한 탐구 활동은 4가지인데, 문헌 조사, 현장 활동 및 견학 활동을 포함하는 현장 조사, 현상 실험, 자원인사와의 면담이다.

협의 활동은 탐구하기의 계획, 과정, 결과 단계에서 그리고 표현하기의 계획, 과정, 결과 단계에서 상호 연결 지으면서 지속적으로 진행된다. 협의 활동은 학생 개인의 성찰 활동과 학급 전체나 팀별 학생들의 집단적 의견 수렴을 모두 동원하면서 진행한다. 표현 활동은 탐구의 계획, 과정, 결과 단계에서 그림, 숫자, 언어, 소리, 입체, 신체 등 다양한 표현 양식을 사용한다(김대현 등, 1999: 18). 이때 학생마다 지니고 있는 다양한 표현 능력을 활용한다. 정신적 리허설에 대한 체육학 영역에서의 연구는 시각적 이미지화, 운동적 이미지화, 청각적 이미지화 등 세 가지의 시각화 방법을 조합할 수 있다고 한다(Jansson, 1983; 김평국 등, 2020: 151). Eisner에 따르면, 특정한 개념은 글이나 수와 같은 언어적·수학적 표상 형식을 취할 수도 있지만, 시각적(visual) 표상 형식으로 표현할 수도 있고, 청각적(auditory)·운동기능적(kinesthetic) 또는 미각적(gustatory) 표상 형식으로 표현할 수도 있다(Eisner, 1994a: 17). 따라서 학생이 선호하는 표상의 형식에 따라 다양하게 표현할 기회를 제공할 수 있다.

마. 마무리하기

이 단계에서는 학생들의 탐구, 협의, 표현 활동의 결과를 문집(책, 신문, 잡지, 스크랩, 한글 파일, PDF 파일 등), 그림, 구성물, 멀티미디어 자료(사진, 오디오 자료, 비디오 자료, 동영상 자료, AR/VR/Metaverse 자료 등)의 형식으로 만드는 활동과 이를 교사, 학부모, 지역 사회 인사들을 학급에 초청하여 발표, 전시, 극 활동 등 다양한 형식으로 제시하는 활동을 진행할 수 있다.

바. 평가하기

이 단계에서는 형성 평가와 총괄 평가를 진행한다. 형성 평가를 통해 단계별로 진행되는 활동이 프로젝트 요소별 활동 목표와 전체 활동 목표를 향하여 원만하게 진행되는지를 확인하고 때로는 개선을 제안한다. 총괄 평가에서는 학생의 작품이나 결과물이나 보고서나 소감문 분석, 교사의 일지 분석, 일화 분석, 개인 및 집단 성찰, 학생 면담을 통한 지식/기능/성향/감성 영역의 변화 조사, 학부모 면담을 통한 의견 조사 등 여러 방법을 동원하여 학습의 성과를 확인하고 학습 활동 전체에 대한 판단과 평가를 하여 다음 프로젝트 학습 활동에 주는 시사점을 도출한다(김대현 등, 1999: 18-19).

제7절 경험 중심 교육과정에 대한 찬성 및 반대

1. 경험 중심 교육과정을 옹호하는 주장(장점)

가. 개인적 경험 중심 활동(personal experience-centered activities)은 학습에 관한 심리학적 연구 결과와 맥을 같이한다. 학습은 능동적 과정이다. 그것은 학생이 실생활에서의 진정한 문제를 만나서 그 해결을 위해 지력을 사용할 때 가장 잘 일어난다. 경험 중심 활동은 이런 종류의 학습을 위한 최적의 조건을 제공한다. 다시 말하여, 만약 교사가 전이의 가능성에 주의를 기울인다면, 학생을 둘러싸고 변화하는 환경 중에서 핵심적인 상황을 직면하는 것이 학습이나 훈련의 결과를 새로운 상황에 전이하는 것을 보장하는 최선의 방법이다. 더욱이 통합된 학습 활동은 학생의 성장에서 통합의 과정을 활성화하고 촉진한다(Alberty & Alberty, 1962: 167).

나. 경험 중심 교육과정(요구 접근, needs approach)은 심리학적으로 탄탄하다. 이 접근의 옹호자들은 이 설계 방법을 통해 실험주의자의 개념을 가장 완전하고 만족스럽게 실현할 수 있다고 주장한다. 요구 접근의 심리학적 토대는 그것이 아동의 목적, 관심, 요구라는 모두 동기를 부여하는 요인들에 우선적인 강조점을 둔다는 것이다. 동기는 개인이 목적과 의미를 발견할 수 있는 경험이 무엇인지, 이런 경험에서 얻을 수 있는 학습 결과는 무엇인지, 학습 결과가 미래에 사용될 수 있도록 개인의 행위에 통합되는 정도를 결정하는 주요 요인이다. 학습자가 학교에서 자신의 흥미, 요구, 문제, 지속적인 관심에 토대를 둔 학습을 하게 되면, 학습자는 열정, 에너지, 목적 의식을 가지고 매우 높은 수준의 참여를 하게 되며, 그 결과로 학습의 효율성은 높아진다. 교육과정의 설계의 관점에서, 학습자의 관심, 그들의 심리학적인 요구, 그들의 일상생활에서 직면하거나 미래의 삶에서 예상되는 문제에 토대를 둔 학습 경험은 이런 높은 수준의 동기를 유발하는 유일한 학습 경험이다(Saylor & Alexander, 1958: 295-296).

다. 개인적 경험 중심 활동은 학생의 요구, 문제, 관심, 과거 경험과 밀접하게 연결되어 있어 자발적 활동을 유발하기가 쉽다. 이 원리는 거의 자명하다. 학교가 교육과정의 토대로서 논리적으로 조직된 교과를 벗어날 때, 학교는 실제로 직접적이고 개인적인 경험을 중심으로 프로그램을 계획한다. 그러나 이는 인류의 유산을 모두 제거한다는 것을 의미하지 않는다. 교과는 개인적 경험을 해석하고 이를 풍부하게 하기 위해 사용된다. 대부분의 경험 중심 활동은 전통적인 교과서를 사용할 경우보다 교과 내용을 더 많이 사용한다(Alberty & Alberty, 1962: 165-166).

라. 학습자의 성장과 발달에 주된 초점을 둔다. 이런 종류의 교육과정 조직의 본질로 인하여, 학교는 교과 지식의 전달보다는 학생의 성장과 발달을 강조한다. 요구 접근에 따라, 학교는 학생의 신체적 · 감정적 · 사회적 · 지적인 요구에 관심을 기울여, 단지 학생의 지적인 발달에만 관심을 두지 않고, 학생의 모든 측면의 발달에 관심을 둔다(Saylor & Alexander, 1958: 297).

마. 개인적 경험 중심 활동은 민주주의적 가치 획득의 방향으로 나아가므로 민주 시민으로서의 자질 함양이 용이하다. 민주주의는 우선적으로 하나의 삶의 양식이다. 집단 프로젝트, 협동적으로 계획한 단원, 지역 사회 학습 등은 뚜렷하게 민주주의적인 가치의 형성에 적합하다. 이는 우리가 살아가는 동안에 민주주의가 작동하는 것을 보고 그 효과를 검증하기 때문이다(Alberty & Alberty, 1962: 166).

바. 학교 프로그램의 여러 (바람직한) 교육 목표의 달성에 기여한다. 요구 접근은 좋은 교육 프로그램에서 획득할 것으로 기대하는 수많은 학습 결과 도달에 기여할 가능성을 지닌다. 이 교육과정 조직 방법을 사용할 때, 교과 중심 교육과정과 달리, 교사의 지도에 따라 학습자가 자신의 학습 경험을 계획하고 실행하는 과정에서 광범위한 활동들에 종사하기 때문에, 다른 종류의 교육과정 조직 유형에서는 달성하지 못하는 교육 목표를 달성한다. 이는 특히 학습 활동을 하는 방법 측면에서 바람직한 결과와 민주적인 가치, 태도, 감상력 등의 획득 측면에서 그러하다. 그러나 이런 바람직한 학습 결과의 달성은 그 접근 자체에 내재하지 않고, 학교에서 학습 활동을 어떻게 수행하느냐의 여부에 달려 있다(Saylor & Alexander, 1958: 296).

사. 학생의 발달을 이끄는 정신적 건강 개념을 강조한다. 학생이 의미 있는 활동에 종사하고, 이 활동들은 학생 자신의 문제와 요구에 관련되므로, 학생이 큰 좌절, 불안정, 실패를 경험하는 다른 교육과정 설계와 비교하여, 학교는 학생이 안전(security)을 확인하고, 차분함(poise)을 유지하고, 안정성(stability)을 얻도록 돕는다(Saylor & Alexander, 1958: 297).

아. 학생의 삶의 경험에 직접적으로 연결되는 기능적인(functional, 쓸모 있는, 실용적인) 학습을 제공한다. 요구 접근에 토대를 둔 교육과정은, 요구가 진실 되고 학습 경험이 적절하게 선정된다면, 그 기능성(실용성) 수준이 매우 높다. 전통적인 교육과정을 정

당화하기 위한 전이, 또는 마음의 훈련, 또는 이와 유사한 것을 걱정할 필요가 없다. 요구 접근 교육과정은 그것이 학습자 자신이 직면하는 실제 삶의 상황을 다루므로 직접 활용 가능하다. 학교에서 그런 활동을 통해 얻는 학습 결과는 학습자가 학교의 안과 밖에서 행하는 것들에 직접 적용 가능해야 하고, 또한 그것은 학습자가 성장하여 성인이 되어가면서 유용성 수준이 높은 것들이어야 한다(Saylor & Alexander, 1958: 296).

자. 개인적 경험 중심 활동은 학교에서의 다양한 생활 영역들의 통합을 증진한다. 개인적 학습 활동이 사회·경제적 문제에 관한 것으로 확대되는 정도만큼 교사 집단, 학생 집단, 지역 사회는 사실상 긴밀한 협동을 하지 않을 수 없게 된다. 여기에서 하지 않을 수 없다는 표현은 외적인 강요를 의미하기보다 상황 그 자체의 강한 요구라는 것이다. 경험 중심 활동 프로그램의 일부로서 그러한 광범위한 활동은 학교의 모든 인적·물적 자원이 경제적이고도 효율적으로 사용되지 않으면 성공할 수 없다. 다시 말하여, 학생들이 주요 활동의 계획에서 책임을 맡게 되면서 교과 활동과 비교과 활동 사이의 구분이 사라지는 경향이 있다. 가장 좋은 상태의 학생회 활동에 슬기롭게 참여한 것처럼, 학생들은 학교의 모든 일상 활동에 적극적이고 슬기롭게 참여할 것이다(Alberty & Alberty, 1962: 166-167).

차. 개인적 경험 중심 활동은 물리적·사회적 환경을 최대한 활용한다. 학교는 지역 사회 참여와 지역 사회 학습을 강조한다. 이에 따라 개인적 경험 중심 활동은 학교와 지역 사회를 통합할 가능성을 지니고 유대를 강화할 수 있다. 지역 사회가 삶의 여러 문제들을 학습하기 위한 실험실이 될 때, 지역 사회는 학교에 가까워진다. 학교가 제공하는 많은 활동들은 지역 사회의 적극적인 참여를 요구한다. 이런 방식으로, 학교생활과 지역 사회 생활의 목표들이 결합하는 경향을 보인다. 이것은 좋은 학교-지역 사회 관계가 경험 중심 활동을 강조하는 학교에서만 가능하다는 것을 의미하지 않는다. 다만 이것은 그런 활동을 통해 좋은 관계가 활성화되고 촉진된다는 것이다(Alberty & Alberty, 1962: 166).

2. 경험 중심 교육과정을 비판하는 주장(단점)

경험 중심 교육과정을 반대하는 사람들의 주장은 다음과 같다(Alberty & Alberty, 1962: 169-171; Ragan, 1960: 121; Saylor & Alexander, 1966: 179). 그런데 이런 주장을 이해할 때, 아동 중심 교육과정은 Dewey의 경험 중심 교육과정과 다르다는 점을 이해할 필요가 있다. Dewey는 교과(교육자의 교과)를 무시하고 아동(학습자의 교과)만 강조하는 아동 중심 교육과정을 비판하였기 때문이다.

가. 교육적 경험의 조직 원리로 요구, 문제, 관심을 사용하는 교육과정은 지식의 구조, 발견의 방법, 교과 이해의 깊이를 최소화하기 쉽다(Saylor & Alexander, 1966: 179).

나. 아동의 요구, 관심, 문제를 결정하기 어렵다. 인간의 요구에 대한 진술은 심리학자들이 만족할 정도로 분명하게 진술된 적이 없다. 단원 활동을 위해 교육과정 개발자들이 도출한 요구 목록은 그 타당도를 의심할 만하고, 아동의 문제와 관심에 대한 진술은 더욱 의심할 만하다(Saylor & Alexander, 1966: 179).

다. 아동의 요구는 학습을 위한 강력한 동기를 제공하지만, 교사는 교육과정의 일반적 프레임워크를 계획하기 위하여 아동 발달에 대해 연구하고 특정 학교의 학생들에 대해 상당히 정확하게 연구함으로써 이 요구를 예상할 수 있다(Ragan, 1960: 121).

라. 아동의 요구는 어딘가에서 와야 한다. "정신적 생활에서 자동적으로 발생하는 것은 없다." 교사는 더 중요한 문제를 제외하면서 오랜 기간에 걸쳐 아동의 요구만 따르지 않고, 광범위한 경험에 토대를 두고 아동이 가치 있는 관심을 추구하도록 안내할 책임을 진다. 제한되고, 피상적이고, 유행처럼 지나가는 관심을 가진 아동들을 교사가 따라가기만 하는 것이 아니라, 주도적으로 관심을 발견하고 새로운 관심을 개발해 나갈 책임을 진다(Ragan, 1960: 121).

마. 아동의 요구는 교육과정 조직의 충분한 토대가 되기 어렵다. 학교가 소속된 사회는 학교가 삶의 문제를 효과적으로 해결하려면 피할 수 없는 의무 사항들을 부과한다. 아동의 즉각적인 요구는 바람직한 범위의 경험을 보장하지 않는다(Ragan, 1960: 121).

바. 어떤 교육자들은 직접적 경험 속에서 학습된 사실과 원리들은 영구적으로 저장되지 않거나 새로운 상황에 쉽게 적용되지 않는다고 주장한다. 이것은 모든 종류의 도구적 학습에 대해 비판적인 주장이다. 만약 학생이 경험을 논리적인 것으로 전환하도록 교사가 도울 필요성을 의식하지 않는 한 이 주장에 일리는 있다. 자동적인 전이란 없다는 것을 인정해야 하고, 교사는 전이가 없는데 있는 것처럼 가정하는 죄를 자주 짓는다는 것도 인정해야 한다. 한 학급이 진정으로 민주주의적인 활동에 종사할 수

있다. 민주주의적인 과정의 많은 요소들은 그 상황을 관찰하거나 참여하고 있는 훈련된 성인에게는 매우 분명한 것일 수 있다. 그러나 이는 학생 집단에게는 전혀 그렇지 않을 수 있다. 학생 집단은 그들이 수행하는 활동의 배경에 무엇이 놓여 있는지 진정으로 알지 못할 수 있다. 활동이 교육적인 것이 되고 경험의 재구성에 도움을 주려면, 그것을 논리적인 것으로 전환해야 한다. 그렇지 않으면 그것은 의미 없는 것에 그친다. 학생이 수행하는 활동이 지니는 함의를 충분히 이해하도록 돕는 일에 실패하는 정도만큼, 개인적 경험 중심 활동에 대해 비판하는 주장이 타당성을 얻는다. 그러나 현명한 교사는 항상 그런 활동을 개인적인 경험과 인류의 경험에 관련지으면서 그 의미를 풍부하게 하고자 한다(Alberty & Alberty, 1962: 169).

사. 많은 교육자들은 경험 중심 교육과정을 운영할 준비가 되어 있지 않다. 이는 교사가 받은 교사 교육과 교사의 경험, 그리고 교사에게 영향을 미치는 전통의 힘과 관련이 있고, 이들이 대부분 교과 중심 교육과정의 유지에 기여한다. 특정 전공 영역에서 교사 교육을 더 많이 받을수록, 교사가 경험 중심 교육과정의 가능성을 발견하는 것이 더 힘들다. 그리고 교사 교육 기관은 이러한 강조점의 변화를 위한 교사 교육을 제공하는 일에 별다른 도움을 주지 않고 있다. 그러나 학교는 진정으로 교사를 위한 학습 실험실이 되어야 한다. 현명한 지도자는 교사 연수 프로그램을 통해 변화 가능성을 외면하지 않는 교사들에게 놀라운 변화를 가져올 수 있다(Alberty & Alberty, 1962: 169-170).

아. 지역 사회는 교과 중심 활동에서 경험 중심 활동으로의 변화를 쉽게 수용하지 않는다. 상대적으로 열악한 환경에 놓인 지역 사회 또는 '결핍된(deprived)' 지역 사회에서 이른바 지역 사회 학교가 가장 잘 번성했다. 지역 사회에 영화관이나 백화점이 없다면, 지역 사회는 학교가 영화관이나 백화점을 제공하려고 노력하는 것을 수용하고 심지어 환영하고 칭찬하기도 한다. 이처럼 경험 중심 프로그램은 결핍된 지역과 결핍된 학생에게 가장 효과적이다. 새로운 프로그램이 널리 수용되기 위해서는 지역 사회 주민의 의식 변화와 학교를 포함하는 집단 대표들로 구성된 위원회를 조직하는 등의 변화가 필요하다. 시민들이 경험 중심 교육과정을 수용하지 못하는 이유 중의 하나는 그들이 그 취지를 이해하지 못하기 때문이다. 학교는 지역 사회의 이해를 높이기 위해 홍보 프로그램을 운영할 책임을 지고 있다(Alberty & Alberty, 1962: 170).

자. 학교 건물과 시설은 경험 중심 프로그램 운영을 위해 준비되어 있지 않다. 예를

들어, 도서관, 예체능 활동을 위한 실내 체육관, 공예 활동을 위한 시설, 동물 사육을 위한 시설, 원예 활동을 위한 토지와 장비 등이 필요하다. 그래서 행정가와 교사가 더 많은 직접적인 경험의 필요성에 대해 점점 더 많이 의식하고 있으며, 그런 활동을 위한 적절한 시설과 장비들이 마련되고 있다(Alberty & Alberty, 1962: 170-171).

차. 경험 중심 교육과정은 논리적 조직을 위한 적절한 대비를 하지 않는다. 많은 경험 중심 교육과정 옹호론자들은 이 비판에 대한 책임을 져야 한다. 그 범위와 계열이 쉽게 이해되는 교과의 논리적 조직을 버릴 때, 모든(all) 조직을 내쫓는다. Dewey가 경험에 대한 적절한 조직이 필요하다고 호소한 것은 단순한 활동은 현재의 경험을 재구성하는 데 충분하거나 효과적이지 않다는 경고이다. 따라서 범위와 계열을 결정할 수 있는 건전한 원리를 산출할 적절한 참조 틀(frame of reference)이 필요하다. 그렇지 않으면 경험 중심 접근은 기회주의적이고 인위적이며 실패하기 쉽다(Alberty & Alberty, 1962: 171).

카. 기초 학력이 저하된다는 우려가 있으나, 국내에서 1학년의 프로젝트 학습 운영 결과 학문적 기능이 보완되고 강화되었다. 이는 읽기, 쓰기, 셈하기와 같은 기초적인 학습 기능, 자료의 수집 및 분석, 조사, 관찰, 면담, 기기의 활용과 같은 탐구 기능, 자신의 연구 성과를 그림, 책, 구성물, 율동, 노래, 연극, 멀티미디어 등의 결과물로 만들어 발표하고 전시하는 표현 활동을 포함한다. 즉 '기능의 습득' 영역에서 위와 같은 학문적 기능을 습득한다는 사실이 밝혀졌다.

'기능의 습득' 영역에서는 '학문적 기능' 이외에도 사회적 기술을 습득한다는 사실이 드러났는데, 이들은 가) 서로 다른 생각을 조율하며 협동을 배움, 나) 능력에 따라 역할을 나누며 협동을 배움, 다) 선의의 경쟁을 통해 협동을 배움, 라) 도움을 주고받으며 협동을 배움, 마) 의사소통 기술을 배움이었다(이경순, 2015: 94-109).

이 외에도 '지식의 습득' 영역에서 나타난 변화는, 가) 교육과정의 성취 기준을 넘어서는 지식을 배움, 나) 나에게 의미 있는 지식을 배움, 다) 자원 인사를 통해 전문적인 지식을 배움, 라) 체험을 통해 살아있는 지식을 배움이었다(이경순, 2015: 71-93).

또한 '바람직한 성향의 계발' 영역에서 나타난 변화는 가) 학습의 주인 되기, 나) 배고픔도 휴식도 잊게 하는 몰입, 다) 혼자보다 함께하기, 라) 계속해서 공부하고 싶어 하기, (a) 프로젝트 학습 자체를 계속하고자 하는 성향, (b) 연구 주제에 대해서 계속 공부하고자 하는 성향, 마) 어려움을 이겨내고 도전하기, 바) 유연하게 사고하기였다(이경순, 2015: 109-134).

그리고 '긍정적 감성의 발달' 영역에서는, 가) 해냈다는 뿌듯함, 나) 할 수 있다는 자신감, 다) 우리는 하나라는 공동체 의식, 라) 새로운 호감과 관심의 생성, 마) 긍정적 자아 개념, 바) 프로젝트 학습에 대한 기대감 상승이 나타났다(이경순, 2015: 134-150).

이 외에 초등학교 1학년 학생들과 함께 '나의 몸', '가족', '가을'을 주제로 프로젝트 학습을 진행한 결과 다음과 같은 학생의 변화가 나타났다.

1) 새로운 지식의 습득 영역에서는, 가) 정보 검색을 통한 지식 습득, 나) 체험 학습 과정에서의 지식 습득, 다) 동료학습자와 협동 과정에서의 지식 습득, 라) 학부모와 상호 작용에서의 지식 습득이 나타났다(송진영, 2008: 54-61).

2) '기능의 향상' 영역에서는, 가) 학습 기능의 향상, 나) 표현 기능의 향상, 다) 사회적 기능의 향상이 있었다(송진영, 2008, 61-68).

3) '성향의 변화' 영역에서는, 가) 산만에서 몰입으로, 나) 수동에서 능동으로, 다) 고통에서 희락으로의 변화가 있었다(송진영, 2008: 68-75).

4) '감정의 변화' 영역에서는, 가) 성취의 기쁨, 나) 자신감의 향상, 다) 공동체 속에서 함께하는 기쁨이라는 변화가 나타났다(송진영, 2008: 75-79).

또한 초등학교 4학년 학생들과 '생활 모습의 변화', '우리 지역의 문화유산', '우리 지역 지킴이', '정조대왕의 꿈'을 주제로 프로젝트 학습을 진행한 결과, 학생들은 다음과 같은 변화를 보였다.

1) '교과서 밖의 지식 습득'에서는, 가) 책을 통한 교과서 밖의 지식의 습득, 나) 인터넷 조사를 통한 교과서 밖의 지식의 습득, 다) 현장체험 학습을 통한 교과서 밖의 지식의 습득이 나타났다(황선이, 2020: 67-73).

2) '기능의 발전'에서는, 가) 문제 상황의 회피에서 다양한 전략 활용으로, 나) 알아듣기 어려운 발표에서 전달력 높은 발표로, 다) 부정적인 대인 관계에서 긍정적인 대인관계로, 라) 단순한 검색에서 효율적인 조사로의 변화를 보였다(황선이, 2020, 73-84).

3) '성향의 변화'에서는, 가) 학습에 대한 높은 관심, 나) 학습 과정에 꾸준한 집중, 다) 학습을 스스로 하려는 의욕이 나타났다(황선이, 2020: 84-92).

4) '감정의 변화' 영역에서는, 가) 협동의 소중함, 나) 성장에 대한 자신감, 다) 공부의 즐거움을 보였다(황선이, 2020: 92-99).

제8절 경험 중심 교육과정의 이론적 배경: Dewey의 교육 이론

1. 경험과 사고

제5장에서 Dewey의 경험에서 배운다는 것의 의미는 우리가 사물에 행하고 당하는 것을 통해 사물들 사이의 연결을 발견하거나 관련을 알게 되는 것임을 확인하였다. 이처럼 Dewey의 교육 이론에서 경험은 핵심적인 개념이다. 이에 따라 Dewey는 진보주의 교육이 지향해야 할 교육 철학을 민주주의에 관한 링컨의 유명한 말을 본떠, 교육은 '경험의', '경험에 의한', '경험을 위한' 교육이며 교육 철학은 '경험의', '경험에 의한', '경험을 위한' 교육 철학이라고 정의하였다(Dewey, 1938; 박철홍, 2002: 114).

Dewey의 '해보는 것'과 '당하는 것'의 결합으로서의 경험에 대한 설명에서 두 가지 결론이 따라 나온다. (1) 경험은 일차적으로 능동-수동의 관계이다. 경험을 일차적으로 지적인 것이라고 생각하는 것은 잘못이다. (2) 경험의 '가치를 재는 척도'는 경험에 들어있는 관계성 또는 경험에 연결되는 계속성의 지각 여부에 있다. (1)과 관련하여 경험에 지적인 요소가 포함되는 것은 경험이 누적적인 것일 때, 경험이 무엇인가에 다다를 때, 또는 경험이 의미를 가질 때이며, 또 그 정도에 비례한다(Dewey, 1916; 이홍우, 2016: 228-229).

그리고 Dewey의 경험에 대한 설명에 따르면, 우리가 사물에 행하고 당하면서 배우는 과정에 필수적으로 개입되는 것은 우리가 하고자 하는 것과 그 결과로 일어나는 것 사이의 관련을 파악하는 사고이다. 경험이 의미 있는 것이 되려면 거기에는 비록 불완전한 것이나마 반드시 사고가 개입되어야 한다는 것이다.

그리고 경험 속에 반성(사고)이[4] 얼마나 큰 비중을 차지하고 있는가에 따라 경험을 두 가지 유형, 즉 '시행착오적(trial and error) 경험'과 '반성적 경험' 또는 '사고적 경험'으로 구분할 수 있다.

첫째, '시행착오적' 경험은 '마구잡이'로 해보는 것이다. 그냥 무슨 일인가를 해보고, 잘 안 되면 다른 일을 해보면서, 우리가 바라는 대로 될 때까지 계속 시행해 본다. 이와 같이 무조건 해보고 그 결과를 보는, 주먹구구식 경험이 '시행착오적 경험'이다. 이 경우, 어떤 행동 방식이 어떤 결과와 연결되어 있다는 것은 알지만, 그것이 '어떻게'

---

4) Dewey는 반성(reflection)과 사고(thinking)를 유사한 용어로 사용하였고, 일체의 경험에는 사고가 개입해 있고, 사고가 개입되지 않은 경험은 경험이 아니므로 '반성'을 '사고'로, '반성적 경험(reflective experience)'을 '사고적 경험'으로 번역할 수 있다(Dewey, 1916; 이홍우, 2016: 244).

연결되어 있는가는 알지 못한다(Dewey, 1916; 이홍우, 2016: 234-235).

둘째, 이와 달리, 우리의 관찰이 더 세밀해져서, 원인과 결과, 활동과 결과 사이에 정확하게 무엇이 있어서 양자를 연결해 주는가를 분석한다. 이처럼 우리의 통찰이 깊어질 때 예견이 정확하고 포괄적인 것이 된다. 이런 과정을 통해 활동과 결과 사이의 세밀한 관련을 알 때, '시행착오적 경험'에 내재되어 있던 사고가 명백히 표면화되어 나타난다. 그 사고가 양적으로 증가하면 그 가치도 달라지고 경험의 질도 바뀐다. 이런 종류의 중요한 경험을 사고(반성적)—가장 본격적인 의미에서의 사고(반성적)—라고 부를 수 있다. 사고의 이러한 면을 의식적으로 북돋아줄 때, 사고는 경험 중에서 고귀한 것이 된다(Dewey, 1916; 이홍우, 2016: 235-236).

사고적 경험(반성적 경험)의 일반적 특징은, (가) 새로운 사태에 처하여 우리가 느끼는 곤혹, 혼란, 의심, (나) 가설적 예견—상황에 관한 잠정적 해석 및 결과 예측, (다) 목하 문제의 성격을 규정하고 명료화하기 위한 조사, (라) 더 넓은 범위에 맞도록 잠정적 가설을 다듬는 일, (마) 가설을 기초로 현재의 사태에 적용할 행동의 계획을 수립하고, 예견된 결과를 가져오기 위하여 행동을 함으로써 가설을 검증하는 것이다. 본격적(반성적) 사고(경험)와 시행착오적 사고(경험)를 구분 짓는 것은 위의 (다)와 (라)가 얼마나 치밀하고 정확한가 하는 것이며, 이것이 사고를 경험으로 만드는 요건이다(Dewey, 1916; 이홍우, 2016: 243).

2. 경험의 상호 작용의 원리

경험의 교육적 가치는 상호 작용과 계속성이 통합되어 있는 정도에 의해 평가된다. 상호 작용은 경험 속에서 두 가지 요소, 즉 객관적이고 외적인 요소와 주관적이고 내적인 요소가 함께 작용한다는 것을 의미한다. 내적 요소와 외적 요소가 상호 작용하는 것 그 자체를 하나의 전체로 생각할 때에 경험은 '상황'이 된다. 전통적 교육의 문제는 경험의 한 부분을 이루고 있는 외적이고 객관적인 측면을 중시하였지만, 내적 측면에는 거의 주의를 기울이지 않는, 즉 상호 작용의 원리를 무시하는 교육활동이었다(Dewey, 1938; 박철홍, 2002: 137).

경험이 상황 속에 있다는 것은, 어떤 사람이 사물이나 다른 사람들과 상호 작용을 하고 있다는 것이다. '상황'이라는 말과 '상호 작용'이라는 말은 같은 의미로 보아도 좋다. 어떤 경험이 생기려면 어떤 사람과 그 사람의 환경 사이에 '교변 작용(transaction)'이 있어야 한다. 이 환경에는 그 사람이 이야기하는 주제나 사건, 장난감, 책, 실험 재료 등이 있다. "환경은 개인(개인의 필요, 욕망, 목적, 그리고 경험을 일으킬 수 있는 능력 등)이 상호 작용하는 외적인 조건 모두를 가리킨다"(필자 강조)(Dewey, 1938; 박철홍, 2002: 139-140).

　　예를 들어, 젖먹이 아이들은 처음에 자기 주위에 있는 제한된 사물들만을 접촉한다. 아이들의 타고난 운동 성향에 의해 손을 뻗어 이것저것을 잡아보고, 기고, 걷고, 말하면서 경험의 범위는 넓어지고 의미는 더 풍부하고 깊어진다. 아이는 경험을 통해 새로운 사물과 사건을 접하고 이런 사물이나 사건들은 아이에게 새로운 활기를 불러일으킨다. 새로운 활기를 가지고 다시 활동하는 동안 아이의 경험은 다시 세련되고 더 확대된다. 이렇게 한 아이의 환경, 즉 생활 세계는 계속적으로 넓어지고 깊어진다(Dewey, 1938; 박철홍, 2002: 192-193).

　　상호 작용의 원리를 이해하는 교육자가 해야 할 일차적인 임무는 환경적 조건들이 어떻게 경험에 영향을 미치며, 어떤 환경 요소가 경험의 성장에 기여하는가에 대한 충분한 지식을 갖는 것이다. 또한 교사들은 아동들이 가치 있는 경험을 할 수 있도록 자연적·사회적 환경을 어떻게 활용할 것인지에 대한 명확한 지식을 갖고 있어야 한다(Dewey, 1938; 박철홍, 2002: 134). 어린아이의 경우, 음식, 휴식, 활동에 대한 욕구는 일차적이며 아이가 성장하는 데에 매우 중요하다. 아이가 제대로 성장하려면 충분한 영양소가 공급되어야 하며, 편안한 잠자리가 주어져야 한다. 그렇다고 해서 부모가 젖을 먹이고 잠을 재우는 일정한 시간 계획 없이 아이가 보채고 울 때마다 아무 때나 젖을 먹이고 잠을 재워야 하는 것은 아니다. 진실로 현명한 어머니라면 어떻게 하는 것이 아이의 정상적인 발육에 도움이 되는가 하는 문제에 대한 지침을 얻기 위하여 자기 자신이나 주위 사람들의 경험은 물론 전문가들의 조언에 귀를 기울일 것이다. 현명한 부모는 외적 조건들을 그냥 아이들의 일시적이고 즉각적인 내적 조건에 맞추는 것이 아니라, 아이들의 즉각적인 내적 상태와 바람직한 '상호 작용'이 일어날 수 있도록 외적 조건들을 적절히 조절할 것이다(Dewey, 1938; 박철홍, 2002: 136-137).

3. 교육적 가치와 학문적 가치

　　교사가 관심을 기울여야 할 중요한 측면은 상호 작용이 일어나는 경험의 상황이다. 환경적인 요소, 즉 '객관적인 조건들'은 범위가 넓다. 여러 가지 시설과 설비, 책, 기계 장치, 장난감, 경기나 게임 등 모두가 객관적인 조건에 해당된다. 교사는 학생들에게 가치 있는 경험을 제공할 의무, 학습자들이 가치 있는 경험을 할 수 있도록 학습자의 현재 능력이나 필요와 적절히 상호 작용할 수 있는 환경을 만들 의무를 가지고 있다. 이런 점에 비추어, 전통적 교육은 어떤 것들은 학습자 개인의 능력과는 무관하게 가치 있는 바람직한 것이라고 가정하였다. 이는 개인적 요소와 환경적인 요소의 조화를 간과한 것이다(Dewey, 1938: 박철홍, 2002: 141-143).

예를 들어, 쇠고기의 영양소만 알아서는 쇠고기를 아이에게 먹일 것인가 말 것인가를 결정하는 데에 충분하지 않다. 아이에게 쇠고기를 소화할 수 있는 능력이 있는지, 영양소가 풍부한 쇠고기를 필요로 할 정도로 아이가 영양실조 상태인지 등 아이의 현재 상태나 필요를 아는 것이 쇠고기의 영양소를 아는 것 못지않게 중요하다. 삼각함수와 같은 수학 내용을 언제 가르쳐야 하는가 하는 것도 마찬가지이다. 교과(교과의 내용) 그 자체가 언제나 교육적 가치를 가지고 있는 것도 아니며 학습자의 성장에 공헌하는 것도 아니다. 학습자의 현재 발달 상태나 필요와는 무관하게 그 자체로 소위 내재적인 교육적 가치를 가지고 있는 교육 내용은 없다. 학습자의 필요나 능력을 고려하지 않는 이런 태도가 어떤 내용이나 방법은 정신 훈련 또는 정신 발달을 위하여 그 자체로 가치 있는 바람직한 것이라는 그릇된 생각을 낳게 한 주요한 이유이다. 그러나 학습자의 구체적인 능력이나 필요를 무시하는 추상적인 그리고 일반적인 의미의 교육적 가치 같은 것은 없다. 특정 교과의 내용과 방법이 그리고 특정 지식이나 사실을 아는 것은 그 자체로 교육적 가치가 있다는 그릇된 생각 때문에 전통적 교육은 사전에 체계화된 교과를 가르치는 데에만 전심전력하게 되었다(Dewey, 1938; 박철홍, 2002: 143-144).

교사는 학습이 성공적으로 이루어지도록 하기 위해서 학습자의 능력과 필요를 이해해야 한다. 교사는 특정 시기 특정 학습자가 교육적인 경험을 할 수 있도록 어떤 내용을 어떻게 다루어야 하는지 알 필요가 있다. 따라서 각 교과에서 교육 내용을 선정하고 조직할 때 '교육적 가치'와 '학문적 가치'를 명료하게 구분하고, 교육적 가치를 기준으로 삼아 교육 내용을 선정하고 조직할 필요가 있다(Dewey, 1938; 박철홍, 2002: 143-144)

4. 경험의 계속성의 원리

교육은 현재의 상태에서 더욱 바람직한 상태를 향하여 나아가는 것이다. 그러므로 경험이 교육에서 제대로 활용되려면 또 하나의 경험의 조건, 즉 교육 내용을 확대하고 조직화할 수 있도록 경험이 성장하게 해야 한다는 조건, 한마디로 경험의 계속성의 원리를 고려해야 한다. 경험의 계속성의 원리는 과거에 있었고 지금 지니고 있는 경험을 현재보다 나은 상태로 이끌어가는 것이다(Dewey, 1938; 박철홍, 2002: 193-194). 그리고 교육적으로 가치 있는 경험과 그렇지 않은 경험을 구별하려고 할 때는 언제나 경험의 계속성이라는 원리를 적용해야 한다(Dewey, 1938, 박철홍, 2002: 121).

교육의 과정은 성장의 과정인데, 육체적으로뿐만 아니라 지적으로, 도덕적으로 발전하는 것, 한마디로 성장은 경험의 계속성의 대표적인 예이다. 성장이라는 교육의 관점에서 보면 중요한 문제는 전체로서의 성장이다. "특정한 방향으로의 발달은 계속적인 성장에 기여하지 못한다면 그것은 교육의 기준으로 볼 수 없다"(필자 강조). 우리의 현재 경험은 어느 정도 그리고 어떤 식으로든 미래 경험의 객관적 조건들을 구성한다(Dewey, 1938; 박철홍, 2002: 127-128). 경험에 이런 특징이 있으므로 교육을 경험의 계속적인 성장으로 규정할 수 있다.

현재의 경험이 미래의 경험에 어떻게 영향을 미칠 것인가 하는 것은 현재의 경험에 따라 달라진다. 예를 들어, 버릇없는 응석받이 아이의 경우 어려운 상황에서 노력하기보다는 그 상황을 얼버무리고 지나가거나 그 상황에서 도피하려고 한다. 반면에 어떤 경험이 호기심을 불러일으키고 창의력을 자극하며, 또한 장차 아주 힘든 상황에 처해서도 그 상황을 거뜬히 극복할 수 있을 정도로 강렬한 의지와 목표 의식을 갖게 해준다면, 경험의 계속성은 앞의 경우와 전혀 다른 방식으로 작용한다(Dewey, 1938; 박철홍, 2002: 129-130).

교사는 학생들에 비해 더욱 성숙한 경험을 가지고 있고, 이에 따라 교사는 학생들의 경험을 평가할 수 있는 능력을 가지고 있다. 도덕적인 관점에서 교사는 아동들의 경험을 이해할 수 있는 모든 능력을 총동원하여 아동의 경험을 판단하고 그 경험이 올바른 방향으로 나아가도록 도와주어야 할 의무가 있다. 아동에게 어떤 태도나 습관이 형성되고 있는가를 예의주시하는 것은 교사의 주된 임무이다. 교사는 지금 형성될 태도나 습관이 아동의 계속적 성장을 위하여 바람직한 것인지, 아니면 바람직하지 못한 것인지를 판단할 수 있어야 한다. 또한 교사는 학습하고 있는 아동들의 마음속에서 실제로 어떠한 일이 일어나고 있는가를 알 수 있도록 아동 개개인들을 아동의 입장에서 이해할 수 있어야 한다. 교사에게 이러한 능력이 요구되므로 삶의 경험을 바탕으로 하는 교육이 전통적 교육보다 훨씬 더 어렵다(Dewey, 1938; 박철홍, 2002: 130-132).

교사는 현재 하고 있는 일을 그 자체로 독립된 것으로 볼 것이 아니라 지금 하고 있는 일이 어떤 목표를 향하여 나아가고 있는지, 또 현재 다루고 있는 것이 어떤 상태로 나아가야 하는지에 비추어 자신이 하는 일을 이해할 필요가 있다. 교사는 학생들의 과거 경험을 토대로 학생들의 경험을 어디로 확대해 나갈 수 있는가 하는 가능성, 즉 학생들의 잠재 가능성을 잘 알고 있어야 한다. 그리고 교사는 학생들의 잠재 가능성에 대한 지식을 준거로 활용하여 학생들의 현재 경험이 더욱 발전할 수 있도록 환경적 조건을 조성할 필요가 있다. 교육 내용은 현재 경험에서 도출되어야 하며, 교사는 학습자들에게 현재와 미래의 문제들을 현명하게 해결할 수 있는 능력을 길러주어야 한다(Dewey, 1938; 박철홍, 2002: 196-197).

삶의 경험이라는 것은 범위가 매우 넓으며, 그 내용과 성격은 시간과 장소에 따라 다양하게 변화한다. 따라서 진보주의적인 모든 학교에서 사용할 오직 하나의 교수요목이나 교육과정을 개발한다는 것은 사실상 불가능하다. 그리고 인간의 성장은 어려운 문제에 직면하였을 때 지력을 사용하여 그 문제를 해결하는 과정을 통해서 이루어진다. 그러므로 교사는 다음의 두 가지 사항에 대하여 세심한 주의를 기울여야 한다. 첫째, 학생과 함께 다루는 문제는 현재 경험의 조건들에서 찾아낸 것으로 학생의 능력으로 해결할 수 있어야 한다. 둘째, 그 문제는 새 사실을 찾아내거나 새 아이디어를 만들어내기 위해 학생의 적극적인 탐구를 유발해야 한다(Dewey, 1938; 박철홍, 2002: 200-202).

5. 교육 내용의 점진적인 조직

경험의 외적 조건들은 경험의 성장을 촉진하거나 방해한다. 그런데 이러한 외적 조건들 중에서 교육과 관련하여 가장 중요한 것은 바로 교육 내용, 즉 가르치고 배우는 내용이라고 말할 수 있다(Dewey, 1938; 박철홍, 2002: 191). 경험의 입장에서 교육을 바라볼 때 우리가 교과라고 부르는 것은 일상적인 경험의 범위 안에서 나온 것이다. 그러나 경험 안에서 학습할 내용을 찾아내는 것은 교육의 첫 단계에 불과하다. 따라서 아동의 경험 안에서 학습할 내용을 찾고 난 다음에 교사가 할 일은 아직 정리되지 않은 아동의 경험 내용들을 어른들이 학습한 교과의 형태로 접근할 수 있도록 점진적으로 발달하게 하는 것이다(Dewey, 1938; 박철홍, 2002: 191-192).

과거 지식을 강조하면서 현재의 삶의 경험을 무시하는 전통적인 교육과 비교하여, 진보주의 교육의 지식과 교육 내용 조직 원리는 다음과 같다. 삶의 경험에 기초를 두는 교육에서는 단편적인 사실이나 정보와 같은 지식에 바탕을 둔 교육 내용의 조직 방식을 가능한 한 탈피한다. 점진적인 조직 원리에 따라, 소극적 측면에서 교육자는 이미 조직된 지식을 가지고 시작하거나 아이들에게 밥을 먹여주듯 지식을 떠먹여주려 해서는 안 된다. 그리고 적극적인 측면에서 언제나 교육 내용을 조직하는 능동적인 과정이 필요하다. 어떤 경험이 교육적인 경험이 되려면 반드시 더 많은 사실과 지식을 아는 것과 그런 사실이나 지식을 더 분명하고 체계적으로 아는 것이 필요하다(Dewey, 1938; 박철홍, 2002: 207).

현재 경험을 충실히 하는 것이 어떠한 미래에 대해서도 대처할 수 있는 만반의 준비를 하는 최선의 방법이다. 즉 진정한 의미에서 미래를 위하여 준비하는 것은 "현재의 경험에서 가치 있는 의미를 찾을 수 있도록 현재 경험에 깊은 관심과 주의를 기울이는 것이다. 전통적 교육에서는 현재를 무시하고 불확실한 미래에 관심을 집중하기 때문에 교육자들은 학생들이 지금 하고 있는 현재 경험에 대해서는 아무런 책임을 질 필요가 없다"고 믿게 되었다(필자 강조). 그러나 현재는 어떤 식으로든 미래에 영향을 미친다. 따라서 현재와 미래 사이의 관련을 알 수 있는 성인이나 교사는 어떻게 하면 아이들의 현재 경험이 미래에 긍정적인 영향을 줄 수 있을까 하는 문제에 대하여 깊이 탐구해야 한다. 이런 점에서 보면 성장으로서의 교육은 항상 현재의 경험을 통하여 일어나는 것이며, "성장을 위한 교육은 현재의 경험에서 풍부한 의미를 찾아내는 경험을 함으로써 미래에 대비하는 것이다"(필자 강조)(Dewey, 1938; 박철홍, 2002: 150-151).

6. 교육자의 교과와 학습자의 교과

Dewey는 전통적 교육은 지나치게 교과만 강조하고, 아동 중심 교육은 지나치게 아동만 강조하였다고 비판하면서 아동과 교과 사이에는 연속성이 있다고 주장하였다. Dewey는 이 연속성을 설명하기 위해 교육자의 교과와 학습자의 교과를 구분하고 이들의 차이에 대하여 상세하게 설명하였다. 이에 관한 내용은 「민주주의와 교육」(1916)과 「아동과 교육과정」(1902)에서 찾아볼 수 있다.

이를 위해 Dewey는 아동과 교과 또는 교육과정이 어떻게 다른지 설명하였다. 이를 교사의 입장과 학생의 입장에서 각각 설명하였다. 교사의 입장에서 볼 때, 교과 지식은 현재 학생의 그것보다 훨씬 많으며, 이 지식으로 인하여 교사는 현재 미성숙한 학생의 조잡한 활동이 따라야 할 분명한 기준과 그 활동 속에 들어 있는 발전 가능성을 확인할 수 있다. (가) 학교에서 가르치는 교과 내용은 현재 사회생활의 의미 중에서 전수할 가치가 있는 의미를 구체적으로 자세하게 표현한 것들이다. (나) 이전 세대가 활동의 결과로 이룩해 놓은 아이디어들을 아는 교사는 아이들의 표면상 충동적이고 무목적적인 반응의 의미를 간파할 수 있고, 적절한 자극을 가하여 그것을 어떤 의미 있는 것으로 이끌어갈 수 있다(Dewey, 1916; 이홍우, 2016: 287). 교과에 대한 이런 교사의 입장과 학생의 입장 차이에 대해 Dewey는 다음과 같이 설명하였다.

> 요컨대 교육하는 사람의 입장에서 볼 때, 여러 교과는 활동을 위한 자원이요 자본이 된다고 볼 수 있다. 그렇지만 교과가 아이들의 경험에서 멀리 떨어져 있다는 것은 어쩔 수 없는 엄연한 사실이다. 학습자가 배우는 교과는 성인의 정련되고 체계화된 교과, 즉 책이나 예술 작품에 나타나 있는 상태로서의 교과와 동일하지 않으며, 동일한 것이어서도 안 된다. 성인의 교과는 아동의 교과의 가능성일 뿐, 현재의 상태가 아니다. 성인의 교과는 전문가나 교육자의 활동에나 직접 들어오는 것이며, 초심자나 학습자의 활동에는 직접 들어오지 않는다. 교사와 학생의 입장에서 볼 때 각각의 교과에 차이가 있다는 이 점을 올바르게 존중하지 않았다는 사실이, 이때까지 교과서나 그 밖의 기존의 지식을 표현한 다른 자료들을 올바르게 사용하지 못한 가장 중요한 원인이다.(Dewey, 1916; 이홍우, 2016: 288)

이런 맥락에서, 교육 활동을 구성하는 가장 기본적인 두 가지 요소 중 하나인 아동, 즉 학습자는 아직 미성숙하고 미개발된 존재이다. 다른 하나의 요소인 교과(교육과정)는 성숙한 성인의 과거 경험들로 이루어져 있으며, 사회의 목적, 의미, 가치, 신념 체계와 같은 것들을 담고 있다(Dewey, 1902a; 박철홍, 2002: 33).

이러한 아동과 교과(교육과정)의 대립은 크게 세 가지 측면에서 살펴볼 수 있다. 첫째, 아동의 경험과 교육과정은 범위에서 차이가 난다. 아동의 세계는 직접적으로 경험할 수 있는 것이기는 하지만 범위가 매우 좁다. 아동의 세계는 객관적인 사실이나 법칙으로 이루어진 세계라기보다는 아동이 흥미와 관심을 보이는 사물들로 구성된 세계이다. 이에 반해 학교에서 가르치는 교육과정은 직접 경험할 수 있는 것은 아니지만 공간적으로, 시간적으로 아주 넓은 세계이다. 둘째, 아동의 생활은 아동 자신이 갖고 있는 관심을 중심으로 묶여 있는 세계이며, 그 자체가 일정한 통일성을 지니고 있다. 반면 학교에서의 교육과정은 그러한 통일성 있는 아동의 체계를 세분화하고 분리하여 놓은 것이다. 셋째, 아동의 삶을 통일성 있게 묶어 주는 것은 실제적이며 감정적인 유대이지만, 학교에서 아동이 배우게 되는 교육과정은 추상적인 지식들로 구성되어 있으며, 추상적인 지식들을 논리적으로 분리하고 재구성해 놓은 것이다(Dewey, 1902a; 박철홍, 2002: 34-38).

이렇게 대립하는 요소들이 있어서 서로 다른 학파가 생겨난다. 어떤 학파는 교과의 중요성을 극도로 강조하면서, 아동의 경험 내용과 성격에는 거의 주의를 기울이지 않는다(Dewey, 1902a; 박철홍, 2002: 38). 여기에 반하여 아동의 경험을 중시하는 다른 학파에서는 아동을 출발점이며, 중심이고, 목적으로 본다. 그들이 추구하는 이상은 아동의 발달이요 아동의 성장이다. 교육의 모든 기준을 아동에게서 찾으며, 교과는 아동의 성장을 돕기 위한 수단이라고 말한다(Dewey, 1902a; 박철홍, 2002: 40). 이와 같은 대립에서 '흥미'는 아동을 중시하는 사람들이 내거는 슬로건이다. 전자의 강조는 교과의 '논리'에 있는 데 반하여, 후자의 강조는 학습자의 '심리'에 있다(Dewey, 1902a; 박철홍, 2002: 41-42). 이러한 대립을 극복하기 위해 Dewey는 아동의 경험과 교육과정 양자를 서로 다른 것, 즉 '종류상'의 차이가 있는 것이 아니라, 서로 연속선상에 있는 것, 즉 '정도상'의 차이가 있는 것으로 이해해야 한다고 주장한다. 이 관점에 따라 "교과는 과거에 있었던 어떤 성인 또는 학자의 경험에서 나온 것"이라고 설명한다. 그리고 아동의 경험을 고려할 때, "교과는 아동의 경험과 무관한 것이 아니라 아동의 경험 속에서 작용하는 역동적인 힘들이 이룩하게 될 성과물"이라고 본다. 이에 따라 "아동과 교육과정은 서로 대립되는 것이 아니라 단지 교육이라는 활동을 명확하게 규정지어 주는 양끝이다"(Dewey, 1902a; 박철홍, 2002: 43-44).

　이런 관점에 따라, 국어, 수학, 지리, 생물 등 교과는 그 자체가 경험의 산물이요, 경험의 표현이다. 교과는 인류가 역사 속에서 고군분투하며 성취한 모든 결과를 축적해 놓은 것이다. 아동의 경험 속에 들어 있는 사실이나 지식과 교과를 구성하는 사실이나 지식은 동일한 것의 양끝을 구성한다. 전자가 학습을 시작하는 초기 단계에 나타나는 것이라면, 후자는 학습을 끝마치는 최종 단계에 나타난다(Dewey, 1902a; 박철홍, 2002: 44-45).

　Dewey는 이러한 아동의 경험과 교과의 연속성을 이해하는 데 도움을 주기 위해 경험의 논리적 측면과 심리적 측면을 구분하고 양자 사이의 관계에 대하여 설명한다. "교과와 관련해서 말한다면 경험의 논리적 측면은 교과 그 자체를 뜻하는 것이며, 경험의 심리적 측면은 학습자와의 관련 속에서의 교과를 뜻하는 것이다. 심리적인 입장에서 경험을 진술한다면 경험은 실제적인 상황의 과정을 순서대로 적어놓은 것이다." 한편 논리적인 관점에서 경험의 발달 과정을 언급할 때에는 발달이 어느 정도 성취되었다는 것을 전제로 한다. 따라서 경험의 발달에 대해서 이야기할 때에 발달 과정은 무시되고 최종적인 상태가 중시된다. 논리적 관점에서는 경험을 통하여 이룩한 결과와 그 결과를 낳기까지 밟았던 과정들을 분리한다. 그리고 논리적인 관점에서의 경험은 경험의 최종 결과를 요약적으로 보여 주며, 최종 결과의 관점에서 전체를 재구성한다(Dewey, 1902a; 박철홍, 2002: 56).

심리적인 것(the psychological)과 논리적인 것(the logical)의 차이는 새로운 나라에서 탐험가(지도 제작자)가 작성하는 메모와 완성된 지도의 차이를 통해서 좀 더 쉽게 이해할 수 있다. 탐험가는 새로운 나라에서 나뭇가지에 표시를 하고 여기저기 헤매면서 길을 찾아가며 그 과정을 메모로 남겨놓는다. 완성된 지도는 탐험가가 이 같은 과정을 통해 그 나라를 철저히 조사하고 난 이후에 만든 체계적인 것이다. 체계를 갖추어 완성된 지도를 만들기 위해서는 탐험가들이 이리저리 길을 잃고 헤매면서 수집한 자료가 있어야 한다. 그러나 한 사람의 탐험가가 수집한 자료만으로는 부족하므로 다른 사람들의 탐험 및 조사 경험에 대한 자료들과 비교하고 검토해야 한다. 또한 우리는 탐험가들이 산을 넘고 강을 건너면서 적어놓은 지리적 특성에 대한 기록들을 그 지역에 대하여 이미 알려진 다른 지리학적 사실들과 관련하여 종합적이고 일관성 있게 이해해야 한다. 하나하나의 탐험가나 여행객이 어떤 나라에 대하여 탐험하고 여행하면서 적어놓은 것(메모)은 원래는 그의 발길이 닿는 대로 이루어진 우연적인 것이며, 그가 여행하던 당시에만 해당되는 일회적이고 일시적인 개개인의 경험을 기록한 것인데, 이에 비해 지도는 그런 개개인의 경험들에 일정한 질서를 부여하고 종합하고 체계화해 놓은 것이다(Dewey, 1902a; 박철홍, 2002: 56-57).

지도는 학교 교육에서의 학문 또는 교과에 해당한다. 이것은 과거 경험의 결과를 앞으로 우리가 잘 이용할 수 있는 형태로 정리해 놓은 것이다. 그것은 문제가 있을 때 이용할 수 있는 자원이다. 학문이나 교과는 우연적으로 발견된 사실들을 어떤 일반적인 원리에 따라 분류하고 정리해 놓은 것으로, 기억하기에 용이하다. 학문과 교과는 새로운 사실을 관찰하는 데 도움을 준다. 또한 이는 사고하고 추리하는 데에도 방향을 제시해 준다(Dewey, 1902a; 박철홍, 2002: 58-59).

경험에 대하여 논리적 성격을 부여하는 것, 즉 체계화하는 것에는 특별한 공식이 있지 않다. 체계성이나 논리성 그 자체에 있지 않고, 경험을 체계화하는 관점과 전망과 방법에 달려 있다. 과거의 경험을 체계화하는 것은 앞으로 올 경험이 효율적이고 의미 있으며 유익한 결과를 가져올 수 있게 하려는 것이다(Dewey, 1902a; 박철홍, 2002: 59-60).

그러므로 과거 경험이 체계화된 것으로서의 교과는 성장의 과정과 대립되는 것이 아니다. 논리적인 것은 심리적인 것과 대립되지 않는다. 체계화된 지식은 성장 과정에서 중요한 위치를 차지하며 경험이 성장할 수 있는 전기를 마련해 준다. 논리를 부여하고 체계화하는 것 그 자체가 심리적인 것이다. 과거 경험의 논리화나 체계화가 제대로 되었는지 그리고 그렇게 하는 일 자체가 가치 있는지 하는 것은 논리화되고 체계화된 지식이 앞으로 올 경험의 성장에 어떤 작용을 하느냐에 달려 있다(Dewey, 1902a; 박철홍, 2002: 60).

바로 이런 점 때문에 교과를 구성하는 교육 내용들을 다시 경험 속으로 되돌릴 필요가 있다. 교과를 구성하는 교육 내용은 직접적인 경험들로부터 추상화된 것이므로 경험으로 되돌아갈 때 올바른 의미를 띠게 된다. 한마디로 교과에 들어 있는 교육 내용들은 심리화(경험화)되어야만 한다. 교육 내용은 학습자의 구체적이고 직접적인 경험과의 관련 속에서 해석되고 이해되어야 한다(Dewey, 1902a; 박철홍, 2002: 60-61).

학자와 달리 교사의 관심은 가르치는 교과의 내용을 학습자의 '경험 발달의 특정 단계에 맞게 해석하는 것'에 있다. 교사는 교과 그 자체가 아니라 더욱 넓은 전체적인 조망 속에서 경험의 바람직한 성장을 이룩하는 데에 교과가 어떤 역할을 할 수 있는지에 관심이 있다. 그러므로 교과를 보는 교사의 기본적인 입장은 교과를 심리화하는 것이다(Dewey, 1902a; 박철홍, 2002: 61-62).

교과가 학습자의 삶의 경험과 관련을 맺지 못할 때 발생하는 교육적 문제들 중에서 가장 중요한 문제라고 생각되는 세 가지 점은 교육 내용의 추상화, 학습 동기의 결핍, 학문적 성격의 상실이다(Dewey, 1902a; 박철홍, 2002: 63). 추상적이고 상징적으로 표현된 교육 내용과 관련된 사전 경험이 없는 학습자에게 그것이 갑자기 제시되며 또한 그것을 제대로 경험하기 위해 필요한 조건들이 생략된 채 제시되면, 교육 내용은 학습자들이 이해할 수 없는 암호와 같은 것으로 보인다. 이처럼 학습자의 활동과 관계없이 외부에서 주어질 때 그 내용을 배우려는 학습자의 학습 동기가 결핍되게 된다. 교과가 심리화된다면, 즉 교과가 학습자의 현재 활동이나 행동 경향성과 연결된다면 학습자들은 저절로 학습 동기를 갖게 될 것이다(Dewey, 1902a; 박철홍, 2002: 65-66). 또한 교과의 논리적인 특성만을 지나치게 강조할 때에 학생들의 이해와 발달 수준이 낮으므로 교육 내용은 수정되고 변화된다. 이 과정에서 학자들이 소중히 여기는 현상을 탐구하고 탐구된 사실로부터 결론을 이끌어내는 방법과 논리 같은 것, 탐구 과정에서 보여주는 자유로우며 독창적이고 흥미진진한 사고의 과정은 퇴색된다. 이런 문제들을 해결하는 좋은 방법은 바로 교육 내용을 심리화하는 것이다. 한마디로 그것은 교육 내용을 학생들의 일상적인 삶의 내용으로 재구성하는 것이다(Dewey, 1902a; 박철홍, 2002: 75).

7. 학습자의 교과에서 교육자의 교과까지의 발달 사례

Dewey는 그의 실험학교에서 학습자의 교과에서 교육자의 교과까지의 발달에 토대를 둔 교육과정 편성 및 운영의 사례를 잘 보여준다. Dewey는 Harris가 교과들을 통합하지 않고 각각 구분하여 제시한 것을 문제로 삼은 것과 마찬가지로 교과를 다소간 완성된 형태로 제시하는 것도 문제로 삼았다. Dewey는 그렇게 하는 것은 조직된 지식이 인간의 요구 및 열망과 관련된다는 것을 이해하기 어렵게 한다고 보았다. 조직된 지식은 결국 오랜 기간의 역사적 발전의 소산이라는 것을 Dewey는 지적하였다. 그 지식들은 추상화되어 난해하고 완성된 형태로 갑자기 등장하지 않고 인간의 조건과 인류가 해야 했던 일들을 시도한 결과로 나타난 것이다. 심지어 학교에서 가르치는 교과들 중 가장 추상적인 '수학'도 "본래 제로 상태에서 나타나지도 않았고, 자연적으로 발생한 것이 아니라 인간의 삶과 인간의 요구에 의해서 나타났다"(Dewey, 1899: 191)고 Dewey는 주장했다(Kliebard, 1995: 56).

이처럼 학교 공부를 추상적이고 완성된 제시하는 것은 교과의 근원을 왜곡할 뿐만 아니라, 지식과 인간의 삶(human affairs) 사이의 간극을 넓혔다. Harris의 주장에 대한 Dewey의 반대는, 서양 문명의 지적 열매를 학생들에게 가져오는 시도 자체에 대해서라기보다는 학생이 세상을 바라보는 방식을 충분히 존중하지 않는 방식으로 시도되었다는 것과, 다양한 분과 학문들 사이의 차이를 과장하며 왜곡하였고, 그 학문 영역들과 인간의 목적 사이의 관련을 제고하기보다는 흐리게 만든 지식관에 대해서였다. 더욱이, Harris의 5가지 각 공부(탐구, study) 영역5)이 각각 별도로 다루어졌다는 점에서, 교육과정 속의 주요 교과들의 통합(unity)이 이루어지지 않았다(Kliebard, 1995: 56).

Dewey가 내용을 선정하고 설계한 교육과정은 인류 역사의 초기 단계에서 후기 단계에 이르기까지 발전하였다는 점에서 사실상 문명의 시대적 발전을 반영한 교육과정과 매우 유사하였으나, 그 세부 내용은 매우 달랐다. 저학년 학생들은 초기 시대에 "원시인 부족들의 집을 짓는 데 집중하였고"(Mayhew & Edwards, 1936: 43), "검치 호랑이를 잡기 위한 덫을 재창조하는 데 집중하였는데", 고학년들은 고대 그리스와 그 이후 역사적 시대의 점진적 발전 과정을 다루었다. 그러나 이렇게 피상적으로 유사한 점을 넘어서서, Dewey는 근본적인 변형을 새롭게 추가하였고 이는 향후 교육과정에

---

5) Harris는 서양 문명의 지적인 유산 전달을 교육의 목적으로 삼으면서 그가 5가지 "영혼의 창(windows of the soul)"이라고 부른 교과의 학습을 강조하였다. 그것은 문법, 문학과 예술, 수학, 지리, 역사이다.

통합성을 부여하였다. Small과 마찬가지로 Dewey는 Herbart 학파는 역사나 문학과 같은 기존의 학문(교과) 영역이 그가 추구한 통합성을 제공해 줄 수 있을 것이라고 믿었다는 점에 오류가 있었다고 느꼈다(Kliebard, 1995: 59-60).

　　대신에 Dewey는 그가 작업(일거리, 작업 활동)(occupations)이라고 부른 것에서 그런 통합성을 발견하였다. 이 용어의 선택은 불행한 것이었다고 볼 수 있다. 왜냐하면 이는 직업 교육과 외적 행동을 과도하게 강조한 것으로 보일 수 있었기 때문이다. 그러나 Dewey는 여러 번에 걸쳐, 그 개념에 그가 부여한 특별한 의미에 대하여 힘써(took pains to explain) 설명하였다(Kliebard, 1995: 60). Dewey는 인간의 지적 활동과 문화 전체를 개인과 사회가 수행하는 특징적인 활동과 개인이 그들의 환경을 통제하는 능력에 비추어 바라볼 것을 촉구하였다. Dewey는 "생물학적인 관점에서 마음이 삶의 목적에 따라 환경을 통제한다는 것"을 확신하였다. 수렵 부족, 농업 부족 등은 우리가 문명이라고 부르는 장식물을 숙달하였는가 또는 수용하였는가의 정도에 따라 판단할 수 없으며, 단지 그들이 살아간 세계가 요구한 지배적인 활동에 따라 판단할 수 있다. "작업이 만족의 주요 양식과 성공과 실패의 기준을 결정한다. 따라서 그들이 가치의 정의와 가치의 분류를 제공한다. 그래서 다양한 작업 활동이 매우 근본적이고 지배적이어서 그것이 정신적 특성의 구조적인 조직의 스키마와 패턴을 제공한다"라고 Dewey는 말하였다(Dewey, 1902b: 219-220). 기본적인 작업에 대한 이해를 통해 현재의 정신적 작용에 대한 통찰력을 얻었을 뿐만 아니라, 예술, 종교, 혼례, 법률 등 한 문화의 여러 다른 측면들에 대해 이해할 수 있게 되었다는 것이다(Kliebard, 1995: 60-61).

　　"개체 발생(ontogeny)은 계통 발생(phylogeny)을 반복한다"라는 반복설을 Hall이 교육과정 구성에 적용한 것과 유사한 방식으로, Dewey는 인류의 진화에 대한 자신의 해석을 실험학교의 교육과정에 적용하면서 이를 재구성하려고 시도하였다. 어떤 의미에서, Hall과 Harris의 교육과정과 유사하게 Dewey의 교육과정은 하나의 역사적 반복과 같은 것이었으나, 인류가 거쳐 간 것으로 생각하는 역사적 단계는 아니었다. 그 대신에 Dewey는 작업(occupations)이라는 사회적 활동의 진화(evolution)를 추적하였다. 그는 이 "단순화된 사회적 활동"이 "인간의 삶 전반에서 기본적인(fundamental) 활동들을 축소형(miniature)으로 재생산(reproduce)해야 하고, 그리하여 한편으로, 학생이 더욱 넓은 지역 사회의 구조, 재료, 작동 방식(structure, materials, modes of operation)에 익숙해지게 해야 하고, 다른 한편으로, 학생이 이러한 일련의 행위들을 통해 자신을 표현하게 하여 자기 자신의 힘(powers)을 통제할 수 있어야 한다"고 생각하였다(Dewey, 1896: 418). 그러면, Dewey가 보기에, 기본적인 사회적 작업들을 중심으로 구성된 교육과정은 개인적 목적과 사회적 목적(ends) 사이의 조화를 이루는 데 다리를 제공할 것이다. 이는 곧, 그가 보기에, 교육 이론에서 해결되어야 할 핵심 문제였다. 그것은 또한 교육과정의 여러 서로 구분된 낱낱의 구성 요소들을 한데 묶는 데 기여할 것이고, 그렇게 묶인 교육과정에 Harris의 교육과정에 부족하다고 여겼던 통합성(unity)과 같은 것을 제공하는 데 기여할 것이다. 학생이 그런 것들에 대하여 관심을 보일지의 문제, 그런 교육과정(program of studies)이 기대하였던 효과가 있을지에 대한 문제는 실험학교 상황에서 발견되어야 할 것들이었고, 교육과정에 대한 그런 실험의 결과에 토대를 두고 수정·보완(modifications)이 이루어져야할 것이었다(Kliebard, 1995: 61-62).

개교 이후 약 1년 후에, Dewey는 학교의 전반적인 조직의 개요를 작성하고, 당시까지 다듬어온 이론에 따라 교육과정(framework of studies)을 작성하였다. 조직과 관련하여, 9년의 초등학교 교육은 3개의 하위 단계로 구분되었다. 첫째 단계에는 4~7세 학생, 둘째 단계에는 7~10세 학생, 셋째 단계에는 10~13세 학생이 포함되었다. 초등 교육 전반의 기간에 대해서 다른 단계의 교육과 비교하여 구분되는 목적(aim)을 Dewey는 기술공학적(technical) 지식을 획득하는 것이나 "어느 정도의 정보(information)를 획득하는" 것에 있다고 보지 않고, 학생의 의식 속에 "학생이 생활하고 있는 세상, 즉 학생이 가장 직접적으로 접촉하는 세상의 부분부터 시작하여, 가족, 그리고 점점 학교, 이웃에까지, 그리고 더 광범위한 사회에까지 확장해 가면서 그에 대한 질서 있는 의미(감각, sense)"를 형성하는 것이라고 보았다(Dewey, 1897: 74). 이는 Small의 목적과 매우 유사한 일반적 목적이다.

교육과정은 세 가지 주요 영역으로 구분되었다. 수작업(manual training), 역사 및 문학, 과학이 그것이다. Dewey는 수작업의 목적을 유용한 손재주(motor skills)의 발달이 아닌, "학생의 사회적 정신의 함양과 학생이 속한 공동체(지역 사회)에 유용한 활동을 할 동기의 획득"이라고 보았다(필자 강조)(Dewey, 1897: 72). 더욱이 그것은 사회의 기본적 활동으로서 그것의 진화 과정을 따라 추상적으로 조직된 지식에까지 이르는 출발점을 제공할 수 있었다. 예를 들어, "요리를 통해 간단하면서도 기본적인 화학적 사실들 및 원리들에 자연스럽게 접근할 수도 있고, 여러 음식들을 제공하는 식물들에 대해 공부(탐구)하는 경로를 발견할 수도 있다"(필자 강조)(Dewey, 1897: 72). 목수의 일은 톱질과 망치질이라는 기술의 연마를 목적으로 도입된 것이 아니라, 그것이 자연스런 상황에서 계산하기를 소개하고 또한 "진정한 숫자 개념을 익히게 해주는" 홀륭한 기회를 제공하기 때문이다(Dewey, 1897: 72). Dewey는 분명 학생이 화학과 산수에 능통(능숙)하게 되는 데 관심을 가지고 있었으나, 이것은 화학과 산수가 인류에게 간절히 필요하게 된 상황과 유사한 상황에서 학생에게 소개할 때 가장 잘 성취될 수 있다고 생각하였다(Kliebard, 1995: 62).

Dewey는 농작물의 재배, 주거지의 건축, 의류의 제작과 같은 사회적 작업 활동에서 전통적인 교과가 형성되어 등장하기를 기대하였는데, 당시의 전형적인 교육과정에서 더욱 생생하고 건설적인 방식으로 나타나기를 기대하였다. 예를 들어, "산수는 요리 활동에 형성되어" 나타나기를 기대하였다(필자 강조). 요리 교사인 Scates 선생님은 분수인 1/3, 2/3, 3/3, 그리고 비율인 1:2가 쌀 플레이크와 밀 플레이크의 요리에 포함되었다고 보고하였다. Scates 선생님은 그 실험이 잘 안 맞는 저울 때문에 크게 성공하지는 못하였다고 보고하였다(Scrapbook IX, 1900). 학생의 참여 장려를 위한 노력의 최고 정점은 학생들 또한 가끔 자신의 수작업에 대해 활동의 계획 단계뿐만 아니라 마지막 단계에서도 평가할 것을 요구받았다는 것이다. 예를 들어, Dewey의 9세 아들 Fred는 다음과 같이 보고하였다.

> 우리는 인디언 집(원형의 오두막집)을 만들었다. 나의 인디언 집은 잘 만들어지지 않았다. 나는 훌륭한 인디언이 되지 못하였다. Harper의 인디언 집은 매우 멋졌다. William도 멋진 인디언 집을 만들었다. 어제 우리는 양의 무릎에서 가느다란 것을 찾으려 하였다. 우리는 그것을 찾았다. 그것은 힘줄이었다.(University Primary School, 1896)

또한 Dewey는 과학과 같은 조직된 교과의 통달에도 관심을 가졌다. 그러나 그는 그것을 성취하기 위한 가장 확실한 경로는 과학을 발생하게 한 사회적 작업들에 학생들이 입문하게 하는 것이라고 믿었다. 예를 들어, 1900년에 집단 5는 나중에 정원에서 사용될 씨앗을 검사하였고, 봄에 몇 퍼센트가 발아하는지를 확인하였다(Group V, 1900). Camp 선생님이 이끈 역사 수업에서 학생들은 제련하는(smelting) 활동을 하면서 제련 과정에서 나무보다 숯(목탄)이 유리한 점들을 발견하였다(Group IV, 1900). 다른 집단에서는 자신들의 동굴을 떠나 강가에 정착한 어느 부족에 대한 이야기를 창작한 학생들이 이야기 속의 인디언들이 사용하였던 진흙을 사용해 보고 싶다는 의향을 표현하였고, 진흙의 사용에 대한 실험을 시작하였다(Kliebard, 1995: 62-63).

실험학교 교육과정에 포함되는 활동을 개발하면서 Dewey는 Harris와 Hall의 입장들 사이의 절충점에 도달하려고 노력하지 않았다. Dewey는 오히려 아동과 교육과정이라는 쟁점에 대하여 둘 사이에 대립이 불필요하게 되는 방식으로 (새롭게) (재)구성하는 것을 시도하였다. Dewey는 그의 논점(주장)을 어떤 교과와 관련지어 예시하였다. Dewey에 따르면, 예를 들어 '지리'란 사실들과 원리들의 집합체(묶음)로서 그 사실들과 원리들은 분류하고 토론할 수 있는 것이다. 지리는 또한 어떤 특정한 개인이 세상을 느끼고 생각하는 방식이다(Dewey, 1897: 361). Dewey에게 교육에서 중요한 것은 의심할 여지 없이 후자이다. 그러나 아동이 세상을 바라보는 방식과 성숙한 성인이 바라보는 방식 사이에는 명백한 간극이 존재한다는 것이다(Kliebard, 1995: 63-64).

    Dewey가 Chicago 대학교를 떠나기 2년 전에 집필한「아동과 경험」은 의심할 여지 없이 가장 잘 알려진, 그리고 여러 면에서 가장 명료하게 그의 교육과정 이론에 대해 설명한다. 항상 그랬듯이, Dewey는 자신이 불안정한(untenable) 이원론으로 생각한 것을 없애려고 시도하였다. 한편으로 "어떤 사회적 목표(aims), 의미(meanings), 가치(values)"를 성숙한 경험에 구현한(incarnate) 성인이 있고, 다른 한편으로 "미숙하고, 발달이 덜 된(undeveloped) 존재"가 있다(Dewey, 1902a: 4). 이 근본적인 두 요인들(fundamental factors) 사이의 차이는 명백하였다(Kliebard, 1995: 71)

    Dewey는 이 딜레마를 푸는 열쇠를 '경험'이라는 개념에서 찾았다. 이에 따르면, "아동의 경험과 교육과정을 구성하는 다양한 교과들 사이에 정도가 아닌 종류에서의 간극이 존재한다는 편견을 버려야만 하였다." 일단 이 단계를 넘어서면, 아동과 교과(교육과정)는 "단지 하나의 과정을 규정하는 두 개의 극단이 되었다"(Dewey, 1902a: 11). 본질적으로 Dewey가 구성하고 있는 것은 경험의 연속체였고, 그것은 그 연속선상에서 즉흥적이고 혼란에 빠져 있으나 통합적인 아동의 경험이라는 하나의 정해진 지점(경험 입장)과, 논리적으로 조직된, 추상적인, 그리고 성숙한 성인의 분류된 경험(교과 입장) 사이를 움직이는 교육과정의 함수 관계였다. 그러므로 교육과정에 새롭게 구성되고 있던 것은 Herbart주의자들이 주장한 인류의 역사 발전의 단계들이 아니고, "인류가 지력(intelligence)을 통해 세상에 대해 통제력을 획득해 가는 단계들, 즉 지식의 발전 단계들이었다"(필자 강조)(Kliebard, 1995: 72).

    그러나 그 재구성은 엄격하게 논리적인 것이 아닌, 심리화된 것이어야만 하였다. Dewey(1902a: 22)는 과학자와 과학 교사의 관점 사이에는 차이가 있다고 말하였다. 과학자는 주로 지식의 발전에 관심을 가지고, 새로운 가설들을 설정(develop)하고, 그것을 검증하기(verify) 위해 노력한다. 교사 또한 과학이라는 교과에 관심을 가지고 있으나, 교사의 일차적인 관심은 그 지식이 어떻게 아동의 경험의 일부가 될 것인가에 있다. 교사가 관심을 가지는 것은 지식 그 자체라기보다는 지식이 아동에게 미치는 효과이다. 아동의 교육에서 경험은 우리가 지식이라고 부르고 여러 세기에 걸쳐 진화되어 온 논리적으로 조직된 경험의 집합체(bodies, 덩어리)의 형태를 띠어가기 시작할 것이다. 그래서 Dewey는 아동이 자신의 문화가 지닌 지적인 자원을 통제하기를, 그리하여 기술공학적인 사회에서의 삶이 지식과 인간의 사태(human affairs) 사이에 세워놓은 장벽을 무너뜨리기를 희망하였다. 교육과정에서의 지식의 진화(evolution) 를 재구성함으로써, Dewey는 아동을 교육하는 것뿐만 아니라, 지식이 한때 전산업화 (pre-industrial) 사회에서 수행하였다고 믿는 역할을 회복하기를 희망하였다(Kliebard, 1995: 72-73).

8. 경험의 성장을 위한 교과 발달의 세 단계

Dewey는 학습자의 경험 속에서 교과가 성장하는 과정을 세 개의 대략적인 단계로 구분하였다. 첫째는 놀이와 일, 둘째는 역사와 지리, 셋째는 과학이다. 이때 역사, 지리, 과학은 현재 학교에서 가르치는 교과와 같은 것을 의미하지 않는다. 첫째 단계에서는, 지식이 지적인 능력—즉 무슨 일인가를 하는 힘—이 적용될 대상 또는 내용으로 존재한다. 이런 종류의 교과, 즉 이미 알려진 자료는 사물에 대한 친숙성 또는 사물에 대한 직접적 인식을 가리킨다. 그러다가 이 자료는 언어화된 지식 또는 정보를 통하여 점차 의미가 풍부해지고 깊어진다. 마지막으로, 그 자료는 의미가 더욱 확장되고 합리적으로 또는 논리적으로 조직되어서 자료에 관하여 비교적 전문가라고 할 수 있는 그런 사람의 지식으로 된다(Dewey, 1916; 이홍우, 2016: 290).

가. 놀이와 일

사람이 가지게 되는 최초의 지식, 그리고 마음속에 가장 깊이 뿌리박혀 있는 지식은 무엇인가를 할 줄 아는 것, 말하자면 걷고 말하고 읽고 쓰고 스케이트를 타고 자전거를 타고 기계를 조작하고 계산하고 말을 몰고 물건을 팔고 사람을 다루는 등의 일을 할 줄 아는 것이다. 본능적인 행위가 그 목적에 아주 알맞게 되어 있는 경우를 보고, 우리는 보통 그 행위자 자신이 설명은 하지 못하지만 일종의 신비적 지식을 가지고 있다고 말한다. 이것을 보면, 지식이라는 것은 다른 것이 아니라 목적을 이루기 위한 수단으로서의 행위를 지적으로 통제하는 것을 뜻한다는 사고방식이 우리 마음속에 강하게 자리 잡고 있다는 것을 알 수 있다. 그런데도 교육에서는 학문적으로 체계화된 사실이나 진리가 아니면 무엇이든지 무시하는 학문 위주 지식관의 영향 때문에, "원초적이고 일차적인 교과는 반드시 능동적인 활동으로, 다시 말하여 몸을 움직여서 사물을 만지고 다루어 보는 것으로 존재한다는 사실이 올바르게 인식되지 않는다"(필자 강조). 이런 경우에 학교의 교과는 학습자의 필요와 목적에서 유리되어서 오직 암기하고 또 교사의 요구에 따라 재생해야 할 내용이 되고 만다. 이와는 대조적으로, 자연적인 발달 과정을 올바르게 존중해 주는 교육은 반드시, 행함으로써 학습하는 그러한 사태에서 출발한다. 최초의 지식이 목적 달성을 위하여 무슨 일인가를 할 줄 아는 형태를 취하는 만큼, 여기에 상응하여 교육과정의 초기 단계는 몸과 손을 움직여서 실제로 일을 해보는 것으로 구성되어야 한다(Dewey, 1916; 이홍우, 2016: 290-291).

놀이와 일은 앎의 초기 단계가 나타내는 특성 하나하나에 상응한다. 앎의 초기 단계는 무엇인가를 할 줄 알게 되는 것, 그리고 그 일을 하는 동안에 사물에 익숙하게 되고 일하는 과정을 터득하게 되는 그러한 단계이다. 플라톤은 지식이 무엇인가를 설명할 때 구두 수선공, 목수, 악기 연주자 등의 지식을 분석하면서, "그들의 기술이 (단순히 기계적인 것이 아닌 한) 목적 의식, 자료나 내용에 대한 통달, 기구의 자유로운 구사, 그리고 확실한 절차" 등으로 이루어져 있다는 것을 지적하였다(필자 강조). 이 모든 것을 알고 있을 때 실용적 지식(지적인 기술)을 가지고 있다고 말할 수 있다(Dewey, 1916; 이홍우, 2016: 304).

나. 역사와 지리

"어떤 목적을 가지고 하는 일에는 사물을 상대로 하는 것뿐만 아니라 사람을 상대로 하는 것도 있다"(필자 강조). 다른 사람들과의 관계를 성공적으로 유지하기 위해서는 의사소통의 충동과 교섭의 습관을 그것에 맞게 조절해 나가지 않으면 안 되며, 그 결과로 풍부한 양의 사회적 지식이 축적된다. 이러한 의사교환에 참여한 결과로 우리는 다른 사람에게 많은 것을 배운다(Dewey, 1916; 이홍우, 2016: 292-293).

시간적으로나 공간적으로 멀리 떨어진 일도 우리가 직접 냄새를 맡고 손으로 만져볼 수 있는 일과 조금도 다름없이 우리의 행동 방향에 영향을 미친다. 그런 일들은 진정 우리에게 관심의 대상이 되며, 따라서 그것이 우리에게 주어진 일을 하는 데에 도움이 된다면, 어떤 형식으로 표현되든지 간에 그것은 우리 자신의 경험 범위 안에 들어와 있게 된다(Dewey, 1916; 이홍우, 2016: 293).

이런 종류의 교과를 보통 '정보'라고 부른다. 각자가 자신의 일을 할 때 의사소통이 차지하는 위치를 생각해 보면, 학교 교과에서 정보가 가지고 있는 가치를 사정할 기준이 무엇인가를 알 수 있게 된다. 즉, 그 정보는 현재 학생이 관심을 가지고 있는 질문에서 자연적으로 파생되어 나오는가? 그 정보는 학생이 가지고 있는 일상적인 직접적 지식에 잘 맞아 들어가서 그 지식의 효율성을 증대하고 그 의미를 심화하는가? 만약 이 두 가지 요건에 합치한다면 그 정보는 교육적 가치를 가진다. 학생이 얼마나 많이 듣고 읽는가 하는 것은 그리 중요한 문제가 아니다. 학생이 그 정보를 필요로 하고 그것을 자신이 당면한 사태에 적용할 수 있다는 단서만 붙는다면, 정보의 양은 많을수록 더 좋다(Dewey, 1916; 이홍우, 2016: 293).

　　정보가 언어에 의하여 표현된다는 것에는 잘못이 없다. 그러나 전달되는 내용이 학생의 기존의 경험 속에 조직되어 들어갈 수 없으면 그만큼 그것은 '단순한' 언설, 다시 말하여 의미가 결여된 순수한 감각 자극에 불과한 것이 된다. 그렇게 되면 그것은 오직 기계적 반응을 불러일으키는 작용을 하게 되고, 그 결과로 생기는 것은 목청을 사용하여 문장을 되풀이하거나 손을 사용하여 글씨를 쓰고 계산을 하는 능력뿐이다(Dewey, 1916; 이홍우, 2016: 295).

　　정보가 단순히 정보를 위한 정보로서 토막토막으로 주어질 때, 그 정보는 산 경험 위를 덮어씌우는 별개의 층을 이룬다. 그렇지 않고, 그 자체를 위하여 추구되는 활동의 한 요소로―활동의 수단으로 또는 목적의 내용을 넓히는 것으로―들어올 때, 그 정보는 정보로서의 가치를 가진다. 직접 얻어낸 통찰이 남에게 들은 내용과 융합된다. 이렇게 될 때, 개인의 경험은 그 개인이 속하고 있는 집단의 경험의 최종 결과―여기에는 오랜 기간에 걸친 고난과 시련도 포함된다―를 받아들여서 그것을 용해된 상태로 보존할 수 있다(Dewey, 1916; 이홍우, 2016: 320).

　　우리의 활동은 자연 및 인간과의 관련 속에서 의미를 지니게 된다. 교육에 적용해 볼 때, 그 말은, 지리와 역사는 좁은 개인적 행위나 단순한 기계적 숙달에 그치고 말 활동에 배경과 전망, 지적 조망을 부여하는 교과가 된다는 뜻이다. 우리 자신의 활동을 시간적 · 공간적 관련 속에서 파악하는 능력이 증가하면 할수록, 우리의 활동은 그만큼 중요한 내용을 더 많이 가지게 된다. 우리의 활동을 우리가 주민으로 살고 있는 도시의 공간 속에서 확인할 때, 그리고 우리가 시간 속에서 꾸준히 이어져 오는 노력의 상속자요 전달자임을 알게 될 때, 우리는 결코 형편없는 도시의 시민만은 아님을 깨닫게 된다. 이리하여, 우리의 일상생활의 경험은 단순히 순간적인 것에 그치는 것이 아니라 영구적인 실체를 가지게 된다(Dewey, 1916; 이홍우, 2016: 320).

　　교육의 역할은, 우리의 활동이 다른 것과 관련을 될 수 있는 대로 많이 드러내도록 할 수 있는 그런 조건에서, 또 그런 방식으로 이루어지도록 하는 데에 있다. '지리를 배운다'는 것은 일상 행동의 공간적 관련—이것은 '자연적' 관련이다—을 지각하는 힘을 가지게 된다는 것이다. 그리고 '역사를 배운다'는 것은 그 일상적 행동이 '인간적' 관련을 맺고 있다는 것을 지각하는 힘을 가지게 된다는 것이다(Dewey, 1916; 이홍우, 2016: 322). 이처럼 역사와 지리 교과의 기능은 곧 개인의 삶이 이루어지는 맥락, 배경, 전망을 제공해 줌으로써 그 삶에 관한 개인의 직접적 이해를 풍부하게 하고 따라서 개인의 삶을 더욱 자유롭게 한다는 것이다(Dewey, 1916; 이홍우, 2016: 323).

다. 과학

과학은 탐구와 검증의 방법으로 정의된다. 얼른 보기에, 이 정의는 과학을 조직되고 체계화된 지식으로 보는, 오늘날 널리 퍼져 있는 생각에 반대되는 것처럼 보일지 모른다. 그러나 이것은 오직 겉으로 보기에만 그러할 뿐, 보통 사람들의 생각을 좀더 자세하게 따져보면 그렇지 않다는 것을 알게 된다. 과학이 조직된 지식이라고 하는 것은, 그냥 조직이 아니라 검증된 발견의 적절한 방법에 의하여 생겨난 그러한 조직이 과학의 특징을 이룬다는 뜻이다. 그러나 과학적 지식의 조직은 발견의 과업을 성공적으로 수행한다는 특수한 관점에서의 조직이며, 지식의 획득을 전문적인 일로 삼는 그런 관점에서의 조직이다(Dewey, 1916; 이홍우, 2016: 298).

과학이 보장하는 확실성이 어떤 것인가를 살펴보면, 과학이 전문적인 지식이라는 말의 의미를 알 수 있다. 과학의 확실성은 '합리적' 확실성, 다시 말하면 논리적 근거에 의하여 보장되는 확실성이다. 그러므로 과학적 지식이 이상으로 삼는 조직은, 하나하나의 생각과 진술이 그 앞의 것에서 논리적으로 따라 나오고 또 그 다음 것으로 연결되는 그러한 조직이다. 개념과 명제는 서로서로 합의하며 서로서로 지지한다. 이와 같이 '다음으로 연결되고 앞의 것을 확인해 주는' 2중의 관계가 바로 논리적이라든가 합리적이라는 말의 의미이다. 그러므로 조직을 과학의 특징으로서 강조하면 할수록 과학의 정의에서 방법이 일차적인 중요성을 가진다는 것을 인식하지 않을 수 없다. 왜냐하면 방법은 과학을 과학으로서 성립되게 하는 조직이 어떤 종류의 것인가를 규정하는 것이기 때문이다(Dewey, 1916; 이홍우, 2016: 299).

학습자의 경험에서 시작하여 거기서부터 과학적 처리의 올바른 방식으로 발달해 나가는 '발달적 방법'은 흔히 전문가의 '논리적 방법'에 대비하여 '심리적 방법'이라고 불린다. 심리적 방법을 쓰면 분명히 시간은 많이 걸리지만, 거기서 얻어지는 뛰어난 이해와 생생한 흥미는 그 손해를 보충하고도 남는다. 학생은 자신이 배우는 것을 적어도 이해하기는 하는 것이다. 뿐만 아니라, 일상적으로 알고 있는 자료에서 뽑아낸 문제들과 관련지어서 과학자가 그 완성된 지식에 도달한 방법을 그대로 따라가면서 가르치면,[6) 학생은 그의 주위에 있는 자료를 혼자서 다루는 힘을 가지게 될 것이며, 오직 상징에 의해서만 의미가 표현되어 있는 내용을 배우는 데에서 따라오는 정신적 혼란과 지적 혐오감을 피할 수 있을 것이다. 대부분의 학생들이 과학 전문가가 되지는 않을 것이므로, 그들에게는 과학자들이 도달한 결과를 먼발치에서, 또 한손 거쳐서 옮겨 적는 것보다는 과학적 방법이 어떤 것인가에 관하여 약간의 통찰을 얻는 것이 훨씬 더 중요하다. 학생들은 '배운 범위'로 보면 아마 얼마 안 되겠지만, 적어도 배운 범위 안에서는 확실히 이해할 것이다. 그리고 과학 분야로 계속 나가서 전문가가 되는 소수 학생도 순전히 전문적이고 상징적인 용어로 진술되어 있는 많은 양의 정보를 들어붓듯이 배우는 것보다는, 그런 식으로 배우는 것이 훨씬 훌륭한 준비가 된다고 말할 수 있을 것이다. 사실상, 성공적인 과학자가 되는 사람들은 스스로의 힘으로 전통적인 학문적 과학 수업이 파놓은 함정에서 용하게 빠져나오는 사람들이다(Dewey, 1916; 이홍우, 2016: 335).

　　사물과의 접촉이나 실험실의 작업은 연역적인 체계에 따라 배열된 교과서를 가르치는 것보다는 훨씬 좋은 방법이지만, 그 자체로서는 과학을 가르치는 방법으로서 충분하지 않다. 물리학의 자료를 과학적인 장치로 조작한다 하더라도, 그 자료가 학교 밖에서 사용되는 자료나 과정과 분리되어 있는 것이거나 분리되는 방식으로 다루어질 가능성이 있는 것이다. 그렇게 되면 거기서 다루어지는 문제는 '과학'의 문제일 뿐이다. 다시 말하면, 그 문제는 해당 분야의 과학에 이미 입문된 사람에게나 대두되는 문제라는 것이다. 이 경우에는 실험실에서의 실험이 교과에서 다루는 문제와 어떤 관련을 맺고 있는가 하는 것은 아랑곳없이, 전문적인 조작 기술을 습득하는 데에 주의가 기울여질 가능성이 있다. 야만 종교에만 의식이 있는 것이 아니라, 실험실 수업도 때로는 그런 의식이 된다(Dewey, 1916; 이홍우, 2016: 336).

　　이와 마찬가지로, 수학적 개념을 아는 사람은 오직 그 수학적 개념이 적용되는 문제가 어떤 것이며 그 문제를 다루는 데에 그 개념이 구체적으로 어떤 유용성을 가지고 있는지를 아는 사람이다. 그렇지 않고 단순히 정의, 규칙, 공식 등을 '아는' 것은 기계의 부속품 이름은 알면서 그것이 무엇을 하는지 모르는 사람과 같다. 어느 경우에서나 의

---

6) 이 문장은 학자들이 탐구를 수행하듯이 학생들이 탐구 활동에 종사하도록 지도한다는 Bruner의 아이디어와 비교해 볼 필요가 있다.

미, 즉 지적 내용은 한 요소가 그것을 포함하는 전체 체계 속에서 무슨 일을 하는가에 있다(Dewey, 1916; 이홍우, 2016: 338).

　　이성은 경험 밖에서 작용하는 것이 아니라 경험 안에서 작용하며, 경험에 지적 또는 합리적 성질을 부여한다. 과학은 경험이 합리적인 성격을 띠는 과정을 지칭한다. 그리하여 과학의 효과는 경험의 성격과 그 가능성에 대한 인간의 생각을 바꾸는 데에 있다. 이와 마찬가지로, 과학은 이성에 대한 생각과 이성의 작용을 바꾼다. 과학은 경험 저편에, 멀리 또 높이 떨어져 있어서 우리가 경험하는 삶의 사실과 아무 관련 없는 숭고한 지역을 다루는 것이 아니라, 경험 안에 그 원래의 자리를 가지고 있다. 경험 안에서 과학은 과거의 경험을 정화하고 그것을 앞으로의 발견과 발전을 위한 도구로 삼도록 한다(Dewey, 1916; 이홍우, 2016: 341).

　　위와 같은 경험의 성장을 위한 교과 발달의 세 단계는 Dewey가 강조한 "행함을 통한 학습(learning by doing)"에 대한 의미를 더욱 명료하게 이해하는 데 도움을 준다. 행함을 통한 학습을 몸과 손을 사용하는 신체적 활동에 국한할 때, 그것은 놀이와 일에 해당한다. 그러나 그런 행함이 신체적인 활동뿐만 아니라 추상적인 사고 활동을 포함한다면, Dewey가 제시한 교과 발달의 세 단계 모두에서 행함을 통한 학습이 일어난다고 볼 수 있다. 따라서 경험 중심 교육과정을 운영하면, 기초 학력이 떨어진다거나 저급한 인지적 활동에 머물 수 있다는 우려는 Dewey의 교육 이론이나 진보주의 교육에 대한 오해에서 비롯된 것으로 볼 수 있다. 이런 오해는 Dewey의 경험 중심 교육과정에 대한 것이라기보다는 교과를 무시하고 아동만을 강조하는 학자들이나 이들이 강조하는 아동 중심 교육과정에 대한 것으로 볼 수 있다.

◈ 토론 문제

＊ 조별 활동에서 학교 교육의 당면 문제와 관련지어 경험 중심 교육과정의 장점과 단점을 토의·토론해 봅시다.
＊ 교육자의 교과와 학습자의 교과의 차이를 상세하게 설명하고 교사의 입장에서 이 둘의 관계를 이해하여 학생을 지도하는 과정과 방법에 대하여 구체적인 사례를 들어 설명해 봅시다.

제4부

비교과 교육과정

제8장

창의적 체험 활동

　창의적 체험 활동이라는 명칭은 2009 개정 교육과정에서 도입되었는데, 특별 활동, 재량 활동, 그리고 '우리들은 1학년'을 묶어 창의적 체험 활동으로 제시하였다.

　창의적 체험 활동의 전신인 특별 활동은 국가 교육과정 제1차 시기(1954)에 미국 진보주의 교육의 영향으로 전인교육을 강조하기 위해 교육과정 편제에서 최초로 교과 외 활동으로 편성되었다(교육부, 2017: 14). 교과 외 활동으로서 특별 활동은 제1차 시기 이래로 시기가 지날수록 그 중요성에 대한 이해가 높아졌다. 그리하여 배당 시수도 늘어나고 목표와 내용 등 교육과정의 체제와 구조가 체계화되어 갔다.

　외국의 특별 활동은 우리나라처럼 교육과정에 명문화되어 통일적으로 이루어지는 경우는 거의 없다. 일본은 우리나라처럼 국가 교육과정 문서에 특별 활동이 편제되어 있다. 영국, 독일, 미국, 중국에서는 특별 활동에 관한 어떤 명문화된 것이 없고 대체로 학교의 실정에 따라 광범위한 분야에서 다양한 특별 활동 프로그램을 자율적으로 운영한다(교육부, 1998).

　창의적 체험 활동의 다른 전신이라고 볼 수 있는 재량 활동은 제6차에 도입되었다. 이는 중앙 집중적 교육과정의 단점으로 지적되어 온 국가 수준에서의 과도한 규제를 완화하고 교육과정 결정의 분권화를 시도한 결과이다. 이는 단위 학교와 교사에게 교육과정 편성 및 운영에 관한 자율적 의사 결정권을 제공하며, 학습자, 교사, 지역 사회의 요구에 더욱더 탄력적으로 대응하려는 것이었다.

제1절 성격

2015 개정 교육과정 창의적 체험 활동은 2009 개정 교육과정 창의적 체험 활동의 성격을 대체로 유지하였는데, 그 성격을 구체적으로 살펴보면 아래와 같다.

첫째, 창의적 체험 활동은 교과 활동과 상호 보완적인 관계에 있는 교육과정이다. 교과 활동은 특성상 교과 고유의 지식, 기능 등을 바탕으로 하여 인지적 · 학문적 접근을 주로 하게 된다. 반면에, 창의적 체험 활동은 교과 활동에 의해서 습득된 것들을 적용하고 실현해 보는 교과 이외의 활동이다.

둘째, 건전하고 다양한 집단 활동의 자발적 참여, 그리고 나눔과 배려의 실천을 통하여 공동체 의식의 함양, 소질과 잠재력의 계발 · 신장을 도모하고, 나아가 창의적 삶의 태도를 기르도록 하는 활동이다. 창의적 체험 활동은 학교, 학년(군), 학급 등 집단을 단위로 구성원 간의 협력적인 노력과 실천, 학생들의 자발적이고 능동적인 참여, 교사의 조력자, 안내자의 역할을 강조한다.

셋째, 학생들의 자기 관리 역량, 지식 정보 처리 역량, 창의적 사고 역량, 심미적 감성 역량, 의사소통 역량, 공동체 역량을 함양하는 데 기여한다. 여섯 가지 핵심 역량을 융합적으로 활용하여 새로운 것을 창출할 수 있고, 인성을 갖춘 창의 융합형 인재를 양성하는 데 이바지한다.

넷째, 창의적 체험 활동은 자율 활동, 동아리 활동, 봉사 활동, 진로 활동의 4개 영역으로 구성된다. 학생, 학부모, 교원의 요구, 그리고 지역, 학교, 학년(군), 학급의 특성을 고려하여 특정 영역과 활동에 역점을 두어 운영할 수 있으나 4개 영역과 영역별 활동은 원칙적으로 모두 중요한 영역과 활동으로서 존중되어야 한다. 또한 창의적 체험 활동은 주제 및 장소 선정, 시간 운영, 집단 편성 등과 같은 요인을 고려하여 융통성 있게 운영되어야 한다.

다섯째, 창의적 체험 활동은 학교 급, 학생의 발달 단계를 고려하여 운영한다. 창의적 체험 활동 운영의 중점은 '공동체 의식의 함양', '소질과 잠재력의 계발 · 신장'이라는 총괄 목표를 중심으로 학교 급별 연계성을 고려하여 설정되어 있다. 공동체 의식의 함양 측면에서는 학교 급별로 기본 생활 습관의 형성, 자아 정체성의 확립 및 공동체 생활에서 갖추어야 할 태도 함양, 공동체 의식의 확립과 공동체의 발전을 위한 실천에 중점을 두어 실천적 · 집단적 · 자발적 접근을 할 필요가 있다. 소질과 잠재력 신장 · 계발 측면에서 초등학교는 개성과 소질의 발현에 운영의 중점을 두어 운영할 필요가 있다.

여섯째, 창의적 체험 활동은 교사가 일방적으로 계획을 수립하고 실행을 주도해서는 그 본질을 추구하기 어렵다. 그러므로 학생들과 교사가 공동으로 협의하거나 학생 스스로의 힘으로 계획을 수립할 필요가 있다. 계획을 실행하는 과정에서도 역할을 정하여 협력적으로 실천해야 할 것이다(교육부, 2017: 12-14).

제2절 영역 구성

2015 개정 창의적 체험 활동 교육과정의 '영역'은 창의적 체험 활동의 안정적인 운영을 위해 2009 개정 창의적 체험 활동과 마찬가지로 자율 활동, 동아리 활동, 봉사 활동, 진로 활동의 4개 영역으로 구성하였다. 그러나 교육 수요자의 요구, 시대 및 사회적 상황, 창의적 체험 활동 편성 · 운영의 실효성 등을 고려하여 각 영역별 '활동'을 다음과 같이 조정하였다(교육부, 2017: 19).

(1) 창의적 체험 활동은 자율 활동, 동아리 활동, 봉사 활동, 진로 활동의 네 영역으로 구성한다.
(2) 자율 활동은 자치 · 적응 활동, 창의 주제 활동 등으로 구성한다.
(3) 동아리 활동은 예술 · 체육 활동, 학술 문화 활동, 실습 노작 활동, 청소년 단체 활동 등으로 구성한다.
(4) 봉사 활동은 이웃 돕기 활동, 환경 보호 활동, 캠페인 활동 등으로 구성한다.
(5) 진로 활동은 자기 이해 활동, 진로 탐색 활동, 진로 설계 활동 등으로 구성한다.

자율 활동은 2009 개정 창의적 체험 활동 교육과정의 '적응 활동'과 '자치 활동'을 '자치 · 적응 활동'으로 통합하여 구성하였고, '창의적 특색 활동' 대신에 '창의주제 활동'을 새롭게 도입하였으며, '행사 활동'을 영역별 활동으로 제시하지 않았다. 동아리 활동은 2009 개정 창의적 체험 활동의 '학술 활동', '문화 예술 활동', '스포츠 활동'을 조정하여 '예술 · 체육 활동', '학술 문화 활동'으로 재구성하였다. '실습노작 활동'과 '청소년 단체 활동'은 2009 개정 창의적 체험 활동과 마찬가지로 유지하였다(교육부, 2017: 20).

봉사 활동은 2009 개정 창의적 체험 활동의 '교내 봉사 활동'과 '지역 사회 봉사 활동'을 '이웃돕기 활동'으로 새롭게 구성하였으며, '자연환경 보호 활동'의 명칭을 '환경 보호 활동'으로 변경하였다. '캠페인 활동'은 2009 개정 창의적 체험 활동과 마찬가지로 유지하였다. 진로 활동의 '자기 이해 활동'은 2009 개정 창의적 체험 활동과 같다. 2009 개정 창의적 체험 활동의 '진로 정보 탐색 활동'과 '진로 체험 활동'은 '진로 탐색 활동'으로 재구성하였으며, '진로 계획 활동'도 '진로 설계 활동'으로 명칭을 변경하였다(교육부, 2017: 20).

제3절 안전한 생활

1. 신설 배경 및 중점

우리나라는 고속 성장과 발전을 이루어냈으나 안전에 대한 인식 부족으로 대형 사고로 인해 많은 물적 피해는 물론 소중한 가족들과 이웃을 잃게 되는 인적 피해가 반복되어 왔다. 이에 따라 안전 의식 및 안전 기초 소양 함양에 대한 사회적 요구가 높아졌으며, 2014년 5월 23일 교육부 장관이 주재하는 학교 안전 및 재난 관련 전문가 협의회에서 안전 교육에 대한 논의가 시작되었다.

2014년 9월에 발표된 '문 · 이과 통합형 교육과정 총론' 주요 사항에서 교과 신설을 통한 안전 교육 강화 방안이 제시되어, 안전 및 재난 대비 교육을 위한 주요 학습 내용을 체계화하고 이를 현행 교과별 교육과정 내용과 비교하여 누락되거나 미흡한 안전 교육 내용 요소를 확인하는 등 '바른 생활', '슬기로운 생활', '즐거운 생활' 과목에 준하는 교과 교육과정 개발을 위한 체계적인 연구가 추진되었다.

아울러 교육부는 2015 개정 교육과정을 개발하면서 현장 교원을 포함한 전문가들의 정책 연구를 통해 초등학교 1, 2학년에 적용할 '안전한 생활' 교육과정 시안을 개발하였다. 이후 공청회, 공개 토론회, 워크숍 등 다양한 방법으로 전문가 및 현장의 의견 수렴 과정을 거쳐 교과가 아닌 창의적 체험 활동 시간에 체험 중심의 '안전한 생활' 교육과정을 2017학년도부터 운영하도록 고시(2015. 9. 23.)하였다(교육부, 2017: 109).

2. 성격

'안전한 생활' 교육과정의 성격에서는 '안전한 생활'의 정의, 목표, 핵심 역량의 의미, 영역 및 운영의 중점에 관한 내용을 기술하고 있다. 주요 내용을 설명하면 다음과 같다.

첫째, 초등학교 1, 2학년 학생들은 가정, 학교, 사회 등에서 생활하면서 마주치게 되는 위험한 상황과 재난 상황 속에서 자신의 안전과 신변을 위협하는 요소가 무엇인지를 알 필요가 있다. 또한 학생이 안전하게 생활하는 방법과 규칙을 익혀 자신에게 닥칠 수 있는 위험을 사전에 예방하고 위험한 상황에 직면하였을 때 적절하게 대처하여 피해를 최소화하는 능력을 기르도록 하는 데 중점을 두었다. 이러한 과정 속에서 학생들이 스스로 안전에 대한 지식과 위험 상황에 대한 대처 방법을 익혀 안전을 습관화하고 생활화하는 데 그 의의가 있다.

둘째, 2015 개정 교육과정의 특징 중 하나인 핵심 역량을 반영하기 위해 국가 교육과정에서 지향하는 6개의 핵심 역량 중 자기 관리 역량, 공동체 역량, 지식 정보 처리 역량을 함양할 수 있는 내용을 반영하였다.

셋째, '안전한 생활'은 일상생활 속에서 위험을 예방하고 안전하게 생활하는 능력과 태도를 기르기 위한 교육과정으로, 앞에서 언급한 세 가지 역량과 함께 네 가지 주요 기능, 즉 식별하기, 예방하기, 벗어나기, 알리기 등을 기르도록 하고 있다.

넷째, '안전한 생활'의 내용 체계는 생활 속의 다양한 위험 요소를 중심으로 5세 누리과정의 안전 교육 내용과 연계하여 생활 안전, 교통 안전, 신변 안전, 재난 안전의 4개 영역으로 구성하였다. 각 영역별로 2~3개의 핵심 개념을 제시하였고, 각 핵심 개념별로 2~4개씩 총 25개의 성취 기준을 제시하였다.

다섯째, '안전한 생활'은 교과서와 지도서를 활용하여 독립적으로 교수 · 학습을 전개할 수 있으며, '바른 생활', '슬기로운 생활', '즐거운 생활' 교과의 각 영역(대주제) 또는 창의적 체험 활동의 영역별 활동과 연계하여 지도할 수 있다.

3. 내용 체계

'안전한 생활'은 생활 안전, 교통 안전, 신변 안전, 재난 안전의 4개 영역으로 구성되어 있다. '핵심 개념'은 빅 아이디어(big idea) 또는 큰 개념(big concept)으로, 서로 비슷한 개념이나 개별 사실을 묶어주는 상위 개념이다. 생활 안전에서는 3개의 핵심 개념 즉, 학교, 가정, 사회에서의 안전 생활을 제시하고 있다. '일반화된 지식'은 핵심 개념을 구성하고 있는 내용이다. 학교 안전 생활에서 일반화된 지식(내용)은 안전한 학교생활을 위해 지켜야 할 규칙을 내용으로 한다(교육부, 2017: 114-115).

첫째, '생활 안전'은 '교통 안전', '신변 안전', '재난 안전'과 명확히 구분되어 일상생활 속에서의 안전을 포괄적으로 포함하고 있다. '생활 안전'에서는 초등학교 1, 2학년 학생들이 생활하는 공간인 학교, 가정 및 사회에서의 안전한 생활을 핵심 개념으로 하여 학생들이 지켜야 할 규칙을 탐색하도록 하였다(교육부, 2017: 115).

둘째, '교통 안전'에서는 보행자로서의 안전과 자전거, 자동차를 이용할 때의 안전을 핵심 개념으로 구분하였다. 먼저 자신의 주변에 나타날 수 있는 위험한 상황에 대하여 인식하고, 다양한 상황 속에서 지켜야 할 교통 안전 규칙을 바르게 알고, 실생활 속에서 체험을 통해 이를 습관화하도록 내용 요소를 설정하고 있다(〈표 8-1〉 참고)(교육부, 2017: 115).

셋째, '신변 안전'에서는 초등학교 1, 2학년 학생들에게 많이 발생할 수 있는 유괴 및 미아 사고와 학교폭력, 성폭력, 가정 폭력 등과 같은 여러 가지 폭력 상황을 핵심 개념으로 구분하였다. 자기 주변에서 자신을 위협하는 사건이 발생할 경우, 이를 예방하고 대처할 수 있는 기본적인 기술과 방법을 중심으로 내용 요소를 제시하고 있다(교육부, 2017: 115).

넷째, '재난 안전'에서는 화재와 자연 재난을 핵심 개념으로 설정하였다. 화재는 학생들이 장난과 부주의로 인하여 사고 발생의 주체나 피해자가 될 수 있으므로 사전 예방과 사고 발생 후 대피 방법을 내용 요소로 선정하고, 인간이 통제하기 어려운 지진, 황사, 미세 먼지 등 계절 및 기후 변화에 따른 자연 재난에서는 자연 재난이 발생한 후 여러 가지 대처 방법을 중심으로 내용 요소를 제시하고 있다(교육부, 2017: 115).

'안전한 생활'의 '내용 체계'에는 '안전한 생활' 교육과정을 통해 길러야 할 네 가지 주요 기능으로 '식별하기', '예방하기', '벗어나기', '알리기'를 제시하고 있다. '식별하기'는 일상생활에서 위험한 상황과 안전한 상황을 구별하여 인식하도록 하는 기능이다. '예방하기'는 식별하기를 바탕으로 사건 또는 사고가 일어나기 전에 스스로 대비하도록 하는 기능이다. '벗어나기'는 위험한 상황이 발생하였을 경우, 우선 안전한 곳으로 대피하거나 빠져나오도록 하는 기능이다. '알리기'는 위험 상황 속에서 주위의 어른들에게 자신의 상황을 신속하고 정확하게 알려 사고의 피해를 줄일 수 있도록 하는 기능이다(교육부, 2017: 115).

〈표 8-1〉 안전한 생활의 내용 체계(교육부, 2017: 114)

영역	핵심 개념	일반화된 지식	내용 요소	기능
1. 생활 안전	1.1 학교에서의 안전 생활	안전한 학교생활을 위해 지켜야 할 규칙이 있다.	• 실내 활동 시 안전 규칙 • 학용품 및 도구의 안전한 사용 • 놀이 기구의 안전한 사용	
	1.2 가정에서의 안전 생활	가정에서 안전을 위해 지켜야 할 수칙이 있다.	• 가정에서의 사고 예방 • 생활 도구의 안전한 사용 • 응급 상황 대처	
	1.3 사회에서의 안전 생활	사회에서 안전을 위해 지켜야 할 수칙이 있다.	• 야외 활동 안전 • 시설물 안전 • 공중위생	
2. 교통 안전	2.1 보행자 안전	안전을 위해 보행자가 지켜야 할 수칙이 있다.	• 신호등과 교통 표지판 • 보행자 수칙 • 골목에서 놀 때의 안전	식별하기 예방하기 벗어나기 알리기
	2.2 자전거, 자동 차 안전	자전거와 자동차 및 대중교통을 이용할 때 지켜야 할 안전 수칙이 있다.	• 자전거 탈 때의 안전 • 자동차 이용 시 안전 수칙 • 대중교통 이용 시 안전 수칙	
3. 신변 안전	3.1 유괴·미아 사고 예방	유괴 예방법과 미아가 되었을 때의 대처 방법을 안다.	• 낯선 사람의 접근에 대한 대처 방법 • 미아가 되었을 때의 대처 방법	
	3.2 학교폭력/ 성폭력/ 가정 폭력	학교폭력의 유형은 다양하며 사람들에게 피해를 준다.	• 집단 따돌림의 유형과 예방 • 학교폭력 유형과 예방	
		성폭력/가정 폭력의 위험성을 알고 대처할 수 있다.	• 좋은 접촉과 나쁜 접촉 • 가정 폭력 발생 시의 도움 요청과 신고	
4. 재난 안전	4.1 화재	화재가 발생하면 안전 수칙에 따라 신속하게 대피한다.	• 화재의 예방 • 화재 발생 시의 대피법	
	4.2 자연 재난	자연 재난 발생 시의 행동 요령을 익혀 생활화한다.	• 지진, 황사, 미세 먼지 대처 방법 • 계절의 변화에 따른 자연 재난 발생 시의 대처 방법	

제 9 장

잠재적 교육과정

　학교는 사회 속에 존재하는 하나의 기관이면서 그 자체로 하나의 작은 사회이기도 하다. 학교가 속한 국가나 사회 또한 그 자체의 운영 논리를 가지고 있으며 지속적으로 변화한다. 국가나 사회는 시대적 변화에 따라 추구하는 목표가 달라지고 그 목표를 달성하기 위해 이전 시대와 다른 인재를 학교에 요구한다. 따라서 학교는 지속적으로 사회적 · 시대적 변화의 영향을 받으면서 사회의 크고 작은 요구를 반영하기 위해 노력해 왔다. 학교는 이러한 외부에서 미치는 사회의 영향을 수동적으로 받아들이기도 하였지만, 그 자체의 운영 논리에 따라 자신의 역할을 능동적으로 수행하기도 하였다. 이와 같은 학교의 능동적인 운영 논리를 상대적 자율성으로 부를 수 있다(Giroux, 1980: 234).

　학교가 사회의 영향을 받기도 하면서 자체적인 운영 논리에 따라 교육 활동을 전개하는 가운데 교육 활동을 계획하고, 그것을 실천에 옮기고, 그 결과를 확인해 간다. 그런데 학교 교육의 결과는 항상 기대한 바와 같지 않다. 이러한 학교 교육의 결과에 대한 평가는 시대마다 다르고, 학교에 대한 긍정적인 평가와 부정적인 평가의 비율 또한 시대마다 다르다. 서양에서는 1970년을 전후하여 공교육의 비인간화를 고발하는 학교 붕괴 담론이 있었다(Illich, 1970; Reimer, 1971). 국내에서도 학교 교육의 문제는 꾸준히 제기되었는데, 특히 2000년 전후에 교실 붕괴라는 매우 심각한 문제가 제기되었고, 이에 관한 사회의 우려와 비판이 이어지면서 교실 붕괴의 실태 및 원인 분석과 해결 방안 모색을 위한 연구들이 진행되었다(김성열, 고창규, 2000; 박윤배, 김경식, 2002).

학교는 주로 교육의 기능을 수행하는 사회의 한 기관이지만, 그 내부를 들여다보면, 학교 안에서는 단지 교육적인 요소들뿐만 아니라 비교육적인 요소들도 발견된다. 즉 학교는 학생들의 바람직한 성장을 돕는 순기능을 수행하면서 때로는 성장을 저해하는 역기능도 수행한다는 사실이 밝혀졌다. 하나의 인간 사회로서 학교 사회 속에는 참된 것(진)과 거짓된 것(위), 착한 것(선)과 악한 것(악), 아름다운 것(미)과 아름답지 않은 것(추) 등이 혼재되어 있다는 것이다. 물론 교육자들은 학생들이 이 중 진, 선, 미를 더 많이 경험하도록 노력할 것이다. 그럼에도 불구하고 학생은 학교생활 중에 진, 선, 미와 함께 위, 악, 추를 동시에 경험한다는 것이다(김종서, 1985: 236).

이와 같이 학교 교육의 결과는 항상 의도하고 계획한 대로 나타나지 않는다. 이렇게 학교가 공식적으로 의도하지도 않았고 계획하지도 않았지만, 학생들이 배우게 된 결과를 잠재적(hidden, latent, unofficial) 교육과정이라고 부른다. 이 잠재적 교육과정은 교과 지식의 학습 그 자체보다는 그러한 학습 과정에 동반하는 사회적 관계와 관련이 많다. 이 장에서는 잠재적 교육과정에 대해서 크게 두 가지 논의의 흐름을 소개하고자 한다. 첫째는 학교 교육이 사회화 기능을 수행한다는 관점, 즉 주로 기능주의적인 입장에서 잠재적 교육과정을 바라보고 설명하는 Jackson, Dreeben, 김종서에 초점을 두고 검토할 것이다. 둘째는 기능론(기능주의)적 접근은 갈등하는 사회적 계층, 젠더, 인종적, 종교적인 이해관계가 학교의 규범적인 풍토에 영향을 미칠 수 있는지에 대한 분석을 시도하지 않았다고 보면서(Lynch, 1989: 1-2), 이런 갈등하는 이해관계 속에서 불평등한 사회가 재생산된다는 갈등론적 접근을 시도하는 Bowles와 Gintis, Apple과 Giroux, 그리고 포스트모던 미디어를 다룬 Kincheloe에 초점을 두고 검토할 것이다.

제1절 잠재적 교육과정 I—보수적 관점

1. 도입

잠재적 교육과정에서 '잠재적'이라는 용어는 사회학에서 빌려온 것으로 볼 수 있다. 근대 사회학의 아버지로 불리는 기능주의 사회학자 Robert Merton(1910~2003)[1] 은 사회 속 하위 체제들은 순기능과 역기능을 수행하며, 이 순기능과 역기능 모두 표면적 기능(manifest functions)과 함께 잠재적 기능(latent functions)을 수행한다고 설명하였다. 이 표면적 기능과 잠재적 기능이라는 사회 과학 용어는 Bronislaw Malinowski라는 인류학자가 1923년에 The Trobiand Islanders in the Western Pacific에 대해 연구하면서 만들어낸 것이라는 의견이 있는데, Merton 자신은 이 개념을 Freud 에게서 가져왔다고 말하였다(Campbell, 1982: 30). 이 개념을 나중에 Merton이 사회학에서의 기능 분석에 알맞게 다듬고 변형하였다. 그리고 Jackson은 이 개념을 교육과정 영역에 적용하여 잠재적 교육과정이라고 불렀다.

Merton(1957)에 따르면, 사회에서 각 체제는 자신만의 특정 순기능을 수행하면서 여러 다른 체제들과 상호 작용한다. 이러한 체제들이 자신들의 순기능을 수행할 때 사회적 안정을 이루게 된다. 그러나 하나 또는 그 이상의 체제에서 역기능이 발생하면 이는 사회의 불안정을 가져온다. 순기능과 역기능은 모두 표면적(manifest)일 수도 있고 잠재적(latent)일 수도 있다. 표면적인 순기능과 역기능은 모두 의도적이며 알려져 있다. 잠재적 순기능 또는 역기능은 의도하지 않은 것이며 많은 사람들이 알아차리지 못하는 것이다. 순기능과 역기능에 긍정적이거나 부정적인 가치가 결부되어 있지는 않다. 이는 사람들이 종종 나쁘다거나 해롭다고 생각하는 것도 그것들이 올바르고 공정하다고 생각하면 사회적 안정을 가져올 수 있다.

표면적 순기능은 사람들이 관찰하거나 기대하는 결과이다. 이것은 관련된 행위에 참여하는 사람들이 명료하게 진술하고 이해하는 것이다. Merton은 Social Theory and Social Structure(1957)에서 미국 애리조나주의 호피 인디언(Hopi Indians)이 행하는 기우제를 예로 들었다. 기우제의 표면적 순기능은 비를 내리게 하는 것이다. 이 결과는 기우제에 참여하는 사람들이 의도하고 바랐던 것이다.

잠재적 기능은 의도하지도 않고 인식하지도 않은 것이다. 어떤 행위의 잠재적 기능은 이 행위를 수행하는 사람들이 명료하게 진술하지도, 인식하지도, 의도하지도 않은 것이다. 따라서 그들은 외부 관찰자가 확인할 수 있는 것이다. 기우제의 예에서 잠재적 기능은 집단의 구성원들에게 서로 모여서 공통의 활동에 종사할(assemble to engage in common activity) 기회를 지속적으로 제공함으로써 집단의 정체성(group

---

1) Merton은 'role model', 'self-fulfilling prophecy'라는 개념을 개발한 사회학자로 유명하며, 그 외에 'unintended consequences', 'reference group', 'role strain' 등의 개념도 개발하였다.

identity)을 강화하고 이로써 사회 통합(응집력)(group unity)의 기능을 수행한다(Merton, 1968: 118-119).

이러한 잠재적 기능에 대한 이해는 표면적 목적이 달성되지 않았을 때에도 지속되는 사회적 실천을 바라보는 안목을 제공할 수 있다. 과거에는 이런 경우를 '미신', '비합리성', '전통의 관성'으로 치부하면서, 지능의 부족, 무지함, 생존, 관성(타성)에 그 원인을 돌렸다(Merton, 1968: 118). 이제 이런 안목을 학교 교육에 적용하여 의도하지 않은 교육과정이 무엇인지 확인하고, 그것이 학생에게 미치는 순기능적·역기능적 효과는 무엇인지를 밝히는 데에 관심을 둘 필요가 있다. 이러한 잠재적 교육과정을 확인하고자 하는 노력은 학교 교육을 통해 학생들이 습득하는 의도하지 않은 결과(unintended outcomes)가 학생의 바람직한 성장 발달 및 사회의 발전에 도움이 되는지 방해가 되는지를 드러내줄 것이다.

이러한 잠재적 교육과정이라는 현상에 대해 여러 교육학자들의 연구가 이루어졌다. 그 현상을 이해하기 위한 여러 가지 방법 중에 연구자가 직접 학교 교실에 방문하여 학생들을 관찰하는 방법은 교실에서 학생들의 일상생활의 세부적이고 구체적인 모습들을 눈으로 확인하고 기록하여 독자들에게 그 생생함을 깊이 있게 전달할 수 있고 연구자들의 추후 연구에도 도움을 줄 수 있을 것이다.

2. Jackson

Jackson(1968)은 교육과정의 실행 장소로서 초등학교 교실에 대한 관찰 연구를 수행하고, 학생들이 학교에 적응하게 되는 과정에 대하여 연구하였다. 그 이전에는 학교 안에서 어떤 일이 일어나는지 외부인이 알지 못하므로 학교를 블랙박스라고 불렀다. 그러나 그가 교실 내부로 들어가서 관찰하고 학생들의 삶을 외부인에게 드러내어 보여줌으로써 이제부터 학생들의 학습 활동과 학교생활에 대하여 더욱 상세하고 세부적인 정보와 지식에 토대를 두고 깊이 있는 논의를 시작할 수 있게 되었다. Jackson은 자신의 관찰 결과를 담은 *Life in Classrooms*이라는 책에서 다음과 같이 기술하였다 (Jackson, 1968: 4; 이홍우, 1986: 298-299 재인용).

학교는 아이들이 낙제도 하고 급제도 하고, 재미있는 이야깃거리도 생기고, 어쩌다 기발한 생각도 하게 되고, 기술도 배우는 곳이다. 그런가 하면 학교는 아이들이 자리에 앉아 있기도 하고, 기다리기도 하고, 손을 들기도 하고, 숙제를 받기도 하고, 줄지어 서기도 하고 연필을 깎기도 하는 곳이다. 학교에서 아이들은 친구도 만나고 원수도 만나며, 상상을 펼치기도 하고, 서로 오해를 사기도 한다. 그런가 하면 학교는 아이들이 하품을 틀어막기도 하고, 책상 위에 칼로 이름을 새기기도 하고, 우윳값을 거두기도 하고, 공부 시간과 노는 시간이 구분되어 있는 곳이기도 하다(Jackson, 1968: 4; 이홍우, 1986: 298-299 재인용).

입에 오르내리는 면[이른바 '하이라이트(highlight)']이나 그렇지 않고 숨어 있는 면[이른바 '루틴(routine)']이나 할 것 없이, 학교의 생활은 우리 모두에게 잘 알려져 있다. 그러나 우리는 입에 오르내리는 면보다 숨어 있는 면에 더 주의를 기울일 필요가 있다. 교육에 관심을 둔 사람들이 오늘날까지 비교적 이 면을 소홀히 보아왔다는 이유만으로도 충분히 그렇게 말할 수 있을 것이다(Jackson, 1968: 4; 이홍우, 1986: 299 재인용).

Jackson은 이 숨어 있는 면(루틴)을 교육과정 학자들 중 최초로 '잠재적 교육과정(hidden curriculum)'으로 불렀다. Jackson은 장기간에 걸친 연구 결과, 학생은 교실 생활에서 밖으로 드러난 면(하이라이트)에 해당하는 공식적이고 체계적인 교과 교육과 대조되는 잠재적 교육과정을 배우도록 요구받는다고 지적하였다(김종서, 1985: 258). Jackson은 이러한 잠재적 교육과정을 세 가지로 정리하였다. 이들은 학교에서 많은 아동들이 어울려서 배우게 되는 군집성(crowds), 여러 가지 형태의 평가를 통해서 배우게 되는 상벌(praise), 그리고 조직의 권위 관계를 통해서 배우게 되는 권력(power)이라는 개념이다(김종서, 1985: 258).

첫째, 학교는 많은 학생들이 어울려서 배우는 곳이다. 학교의 이러한 특징은 학생들에게 남과 어울리는 것을 배우도록 하는가 하면 많은 사람 속에서 자기 일에만 열중하는 태도를 배우도록 하며, 질서를 지키기 위하여 자신의 욕구를 억제하면서 화장실 앞에서 또는 수도꼭지 앞에서 기다려야 하는 것을 배우도록 하고, 그리고 통솔자의 명령에 복종하는 것 등을 배우도록 요구한다(김종서, 1985: 258).

둘째, 학교는 계속해서 여러 가지 형태로 쉴 새 없이 평가가 이루어지는 곳이다. 아동 상호 간에 또는 교사에게 아동들은 계속해서 어떤 평가를 받는다. 이 과정에서 교사와 동료 모두에 충성해야 하지만, 때로는 교사의 평가를 중시할지 동료의 평가에 주목할지 갈등을 겪기도 한다. 적성, 지능, 학력, 인성 등의 평가를 비롯해서 학습 활동은 말할 것도 없거니와 노는 시간에 있었던 사소한 행동까지도 잘잘못을 늘 평가받는다. 이러한 평가를 통해서 아동들은 경쟁, 시기, 질투 등의 방법을 배우고 긍정적 또는 부정적 자아 개념을 형성하기도 한다(김종서, 1985: 258-259).

셋째, 학교의 특징은 권력 관계에서 찾아볼 수 있다. 아동들에게 교사의 권위는 거의 절대적이다. 아동들은 학교생활에 적응하기 위하여 교사의 권위에 순종하는 것을 배운다. 다시 말하여 조직이 갖는 권위에 적응하는 방법을 배운다는 것이다(김종서, 1985: 259).

이러한 '군집', '상찬', '권력'의 의미를 부연하면서 이홍우는 다음과 같이 설명하였다(Jackson, 1968: 이홍우, 1986: 307 재인용).

[군집에 관하여]

대부분의 사회 제도에서 가장 핵심적인 미덕은 '인내'라는 한 마디 말에 담겨 있다. 이 미덕이 그야말로 미덕이 아니라면, 감옥에서, 공장에서, 또 사무실에서 시간을 보내야 하는 사람들에게 삶이란 견딜 수 없을 만큼 비참할 것이다. 학교에서의 삶도 마찬가지이다. 이 모든 면에서 사람들은 '진인사(盡人事)하고 대천명(待天命)' 하는 것을 배우지 않으면 안 된다. 사람들은 또한 다소간은 묵묵히 고통을 참는 것도 배우지 않으면 안 된다.(Jackson, 1968: 18; 이홍우, 1986: 307 재인용)

[상찬에 관하여]

학교에서 생활하는 것을 배우는 데는 또한 자기 자신의 업적이나 행동이 평가되는 사태에 어떻게 대처해 나가는가 하는 것뿐만 아니라, 다른 사람에 대한 평가를 지켜보고, 또 때로는 다른 사람을 평가하는 일에 참여하는 방법을 배우지 않으면 안 된다. 자기 자신의 강점과 약점이 객관적으로 공개되는 생활에 익숙해지는 것과 동시에, 학생들은 또한 다른 동료들의 강점과 약점을 주시 내지 목격하는 사태에도 익숙해지지 않으면 안 된다.(Jackson, 1968: 25; 이홍우, 1986: 307 재인용)

[권력에 관하여]

학교에서 체득되는 복종과 순종의 습관은 다른 생활 사태에서 큰 실제적 가치를 지니게 된다. 권력 구조의 측면에서 보면, 학교의 권력 구조는 공장이나 사무실과 같이 성인들이 삶의 상당한 시간을 보내는 다른 사회 조직의 그것과 별로 다름이 없다. 그리하여 학교는, 종래 교육학자들이 구호로 사용해 온 것과는 다른 의미에서, '생활을 위한 준비'라고 볼 수 있다. 학교에서도 권력은 다른 사회 기관에서와 마찬가지로 남용될 수 있다. 그러나 권력이 존재한다는 것은 삶의 엄연한 사실이며, 우리는 여기에 적응하지 않으면 안 된다.(Jackson, 1968: 33; 이홍우, 1986: 307 재인용)

Jackson은 학생이 학교생활을 만족스럽게 하려면 이 같은 세 가지를 받아들이는 법을 배워야 한다고 말하였다. 이러한 세 가지는 학교의 학습 상황이 요구하는 사회적 · 제도적 조건이다. Jackson은 이러한 조건이 사실상 교육 목표 달성에는 장애물이라고 말하였다. 이것들을 통해 학교는 창의성보다는 순응을 장려하고 보상하기 때문이다(Lynch, 1989: 1).

Jackson은 학습 이론이나 인간 공학은 교사에게 도움이 될 만한 정보와 지식을 제공하지 못하였다고 보았다. 즉 이것이 교실에서 실제로 일어나는 구체적인 모습을 이해하는 일에 도움을 주지 못하였다는 것이다. 따라서 그의 연구의 초점은 잠재적 교육과정에 대하여 깊이 있는 논의를 제공하기보다는 기존의 연구 패러다임이 학교에서의 학습 과정에 대하여 충분한 설명을 제공하지 못하였다는 비판에 있다고 볼 수 있다. 그는 잠재적 교육과정의 제도적 요구와 지식적인 내용의 학습 사이에는 갈등이 있다는 점을 잘 지적하였다. 그러나 그는 기능론자로서 학교와 사회 사이에는 갈등보다는 합의에 따른 관계가 있음을 가정한다고 말할 수 있다(Lynch, 1989: 1-2).

3. Dreeben

잠재적 교육과정에 대한 기능주의적인 관점에 따른 다른 주창자는 Robert Dreeben이다. Jackson과 달리, Dreeben(1968)은 학교와 공적인 삶의 제도들 사이의 구조적 관계에 초점을 두면서 그의 기능주의적인 관점을 명백하게 드러냈다(Lynch, 1989: 2).

Dreeben의 주요 논의는 학교 교육을 사회화의 과정으로 보면서 아동이 가정에서 학교로의 이동, 그리고 그 이후 진행되는 학교 교육의 기간 동안에 진행되는 학업에 동반되는 사회적 상황의 구조적 변화에 초점을 두었다. 그는 이 발전을 추적하면서 가정과 학교의 연결, 그리고 학교가 가정과 다른 방식에 초점을 두었다(Miller, 1969: 501). 가정과 비교하여 학교의 구조적 차이는 다음과 같다. (1) 공식적으로 정의된 위계 조직이 있고 규모가 크다. (2) 사회적 관계(예: 교사 대 학생)의 기간이 짧다. (3) 성인과의 관계는 연결되고 분리되는 과정이 지속된다. (4) 교실에는 성인 1인당 학생의 수가 가정보다 많다. 이는 아동이 부모와의 의존 관계와 유사한 것을 교사와 형성할 기회를 제한한다. (5) 교실은 가정보다 더 이질적이다. (6) 학교에서의 사건과 활동의 범위는 더 넓다. 이러한 차이로 인하여 아동은 가정에서와는 다른 경험을 하게 된다. 학교에서 사회적 유대는 더 느슨하고 유동적이다. 권위는 지속적인 개인적 의무에 토대를 두지 않는다. 관계가 더 다양하다. 사회적 지위와 사람 사이를 구분할 기회가 제공된다(사람은 계속 변한다). 개별적 차이가 있다고 하여 특별한 대우를 받지 않고 모든 학생이 비슷하게 다루어진다. 가정과 비교하여 감정은 더 약하게 표현되고 더 제한된 상황에서 표현된다. 교실의 목표는 확인이 쉽다. 교사는 학생에게 과제를 제안하고 그 수행을 공식적으로 평가한다. 가정과 비교하여 이러한 판단과 평가가 더욱더 명백하다(Campbell, 1970: 205).

가정의 규범과 경험은 사회의 직업 생활과 사회생활이 요구하는 관점과 헌신의 요구에 부응하기 어려우나 학교는 이런 요구에 부응할 수 있다. '독립성(independence)'에 관하여, 학생은 학교가 요구하는 조건인 과제를 독립적으로 수행해야 한다는 것, 그리고 어떤 상황에서는 다른 사람들이 자신에게 개별적 행위를 요구할 정당한 권리를 가지고 있다는 것을 인정하는 것을 배운다. '성취(achievement)'에 대하여, 모든 학생에게 학업 과제가 주어진다. 또한 학생 개인의 성취 수준은 탁월성의 기준에 따라 평가되고 비교가 된다. 경쟁에서 승리할 경우 성취감을, 실패할 경우 굴욕이나 절망을 느낀다. 비슷한 과정이 학교가 후원하는 스포츠 동아리와 클럽의 세계에서도 전개된다. 성취자는 어떤 면에서 동료와의 경쟁에서 승리해야 하는 것과, 다른 면에서는 특히 학교 외부에서 동료와 우정을 나누고 그들의 지원을 받아야 하는 딜레마를 다룰 줄 아는 법을 배운다. 낮은 성취자(패배자)는 지속적으로 낮은 결과(부실한 과제 수행)를 맛보는 경험을 다룰 줄 알아야 하고 그러한 공격에 대응하여 자기 존중을 유지해야 한다(Dreeben, 1967: 226). 학교는 지적이고 비지적인 성취 양식 모두의 측면에서, 가정과 비교하여 더 광범위한 성취 경험을 제공한다.

'보편성(통일성)(universalism)' 및 '특수성(개별성)(specificity)'과 관련하여, 이 둘은 일반적으로 좋은 것으로 여기지 않는다. 보편성은 학생이 특정 범주의 한 구성원으로 대우받는 것으로, 학교에서의 활동은 모든 학생에게 동일하게, 획일적으로 적용되는 것이다. 범주화의 비인격적이고 비인간적인 측면은 소외 문제와 관련하여 비판을 받는다. 그러나 범주화는 동시에 공평의 아이디어와 관련이 있어, 족벌주의, 편파성, 독단성과 대비할 때에는 좋은 것으로 간주한다(Dreeben, 1967: 227-228). 학교에서의 다양한 경험을 통해 학생들은 점점 더 많은 공평의 사례들을 배우고, 통일성을 강조하기 위하여(통일성에 맞추기 위하여) 차이점을 희생하는 법을 배운다는 것이다(Campbell, 1970: 206). 학교생활 이전 가정생활은 개인적 배려와 관심이 주를 이루나 보편성의 규범을 습득하면서 성인의 공적인 삶에 대비할 수 있다. 특수성은 학생이 개인적인 관심의 범위를 좁은 영역의 특징이나 문제에 국한하면서 이에 해당하는 활동에 참여하는 것이다. 학교에서의 경험은 시간이나 노력의 일부만을 투자하면서 다양한 학우들과 다양하고 단기적이고 분절적인 비공식적 소모임 활동에 참여할 기회를 준다(Dreeben,

1967: 232). Dreeben은 이렇게 학생들이 학교에서 습득하는 성취감, 독립심, 보편성, 특수성의 규범들과 미국의 양당으로 나뉜 정당 민주주의 및 복잡한 노동 분업의 성공적인 작동 사이에는 밀접한 관계가 있다는 것을 제시한다(Miller, 1969: 501).

Dreeben의 요지는 학생이 가정을 떠나 학교에서 겪는 사회적 경험은 구조적인 요소들의 본질과 계열 덕분에 성인의 직업 생활과 사회생활 등 공적인 삶의 여러 측면들에 들어 있는 규범들을 학습할 기회를 제공한다는 것이다(Dreeben, 1967: 220; 1968: 65; Lynch, 1989: 2 재인용). 그러나 갈등하는 사회적 계층, 젠더, 인종적·종교적인 이해관계가 학교의 규범적인 분위기에 영향을 미칠 수 있는지에 대한 분석을 전혀 시도하지 않았다. 이 점에서 Dreeben의 분석은 Jackson의 것과 유사하다. Jackson이 교실에 초점을 두었다면, Dreeben은 학교 자체에 두었다(Lynch, 1989: 2).

4. 김종서

김종서(1985)는 잠재적 교육과정의 원천으로 학교의 생태와 사회 환경과 인적 구성 요소 간의 상호 작용을 제시하였다. 이러한 원천이 무엇인가를 확인하고 살펴보는 것은 교육적으로 매우 중요하다. 인간 교육에 저해가 되는 것을 찾아내어 가능한 한 이를 교정하고 제거하여 개선하는 일은 교육의 순기능을 강화하는 일이기 때문이다.

가. 잠재적 교육과정의 원천

1) 학교의 생태

김종서는 잠재적 교육과정의 원천이 되는 학교의 생태를 목적성, 강요성, 군집성, 위계성으로 구분하여 제시하였다.

(가) 목적성: 표면적 목적과 실제적 목적

표면적 목적이라 함은 학교라는 기관의 공식성 때문에 나타나는 문서화된 목적을 말하며, 실제적 목적은 학교가 실제로 운영되는 과정 속에서 나타나는 목적을 말한다. 예를 들면, 학교 교육의 목적을 '협동'에 두지만 학부모는 협동보다는 날카롭게 경쟁하여 이기는 것을 바라고 있다면, 이는 곧 실제적인 목적이라고 볼 수 있다. 또는 학교 교육은 자아실현을 목적으로 하지만, 학부모가 명문대학 진학을 목적으로 삼는다면 학생들은 대학 준비를 위한 공부를 하게 된다(김종서, 1985: 260).

(나) 강요성

아동이 학교생활을 하는 동안 학교가 강요하는 것은 수없이 많다. 학교의 건물, 시설, 설비는 아동의 자유로운 학습 활동을 돕는 목적이 있는가 하면 아동의 활동을 제한하고 통제하는 기능도 있다. 과거 학생 수가 많아 수용 아동 수에 따라가지 못하는 건물과 시설 설비 때문에 2부제 수업을 해야 했고 이로 인하여 등교 시간이 달랐다. 또한 좌석의 배치를 잘못 받게 되면, 수업이 계속되는 동안 고개를 바싹 쳐들고 있을 것이 강요되며, 체위에 맞지 않는 의자에서 불편함을 참도록 강요당했다. 학년 제도로 인하여 능력과는 관계없이 1년이 지나면 으레 진급하도록 되어 있을 뿐만 아니라 같은 학년이면 똑같은 교과서를 배우도록 되어 있었다. 초등학교 입학 전에 한글을 해득하고 3학년 정도의 국어 교과서를 읽을 수 있는 아동도 1학년에서는 극히 기초적인 한글을 익혀야 했다. 학교에서 미리 정한 시간에 따라 규칙적으로 움직일 것이 강요되었다. 수업 시작종이 울리면, 아무리 재미있는 놀이를 하다가도 이를 중단하고 교실에 들어가서 지정석에 앉아 40분의 수업을 받아야 했다(김종서, 1985: 261).

교사와 아동 간이나 아동과 아동 간의 인간관계에서도 강요성이 나타난다. 수업에서는 교사의 지시에 따라야 하며, 정기적으로 또는 수시로 시험을 치러야 했다. 학교에는 아동 상호 간의 관계에서 좋아하는 친구와 싫어하는 친구들이 있다. 그러나 싫어하는 아동도 매일 만나야 하며 그들과 같이 생활해야 한다. 아동들은 오랜 기간에 걸쳐 이와 같은 강요 속에서 생활을 하는 동안에 인내, 순종, 반항, 초연, 불안, 경직, 융통과 같은 것을 학습해 간다(김종서, 1985: 261).

(다) 군집성

학생들의 가정생활은 모두 다르다. 그러나 일단 학교에 오면 가정 배경은 무시되고 똑같은 학생 신분이 된다. 그들은 서로 어울리며 놀며 배운다. 학교는 개인적인 특질이 서로 다른 아동들이 모인다. 개인들은 몸의 생김새, 지능, 학업 성취, 성격, 태도 등에서 서로 이질적인 존재이다. 이와 같은 이질적인 존재들이 한곳에 모여서 생활하는 동안에 서로 배우게 된다.

또한 가정 배경이 서로 다른 아동들이 모인다. 어떤 학교 아동의 사회 · 경제적 배경은 곧 그 학군 지역 사회 주민의 사회 · 경제적 지위의 표본이라고 볼 수 있다. 가정 배경이 서로 다른 아동들이 한곳에 모여 생활하는 동안에 아동들은 자기 가정이나 이웃에서 배울 수 없는 여러 가지를 배우게 된다. 예를 들어, 건축업을 하는 집의 아동은 군인, 의사, 은행원, 법관 등의 자녀로부터 각각의 세계의 내용을 배울 것이다(김종서,

1985: 262).

(라) 위계성

교사 집단과 아동 집단 간에는 현격한 위계 차이가 있다. 또한 교사 집단 간에도 위계성이 있다. 교장, 교감, 주임(부장) 교사, 일반 교사와 같은 공식적 위계성도 있으며, 교육 경험에 따르는 위계성도 있다. 아동 집단 간에도 위계성이 존재한다. 고학년과 저학년, 반장, 회장과 반원, 능력 있는 아동과 없는 아동, 완력이 강한 아동과 약한 아동 등이 그것이다(김종서, 1985: 263).

학교 내에서 교사는 아동에 대해 절대적인 영향을 미친다. 이러한 교사와 아동 간의 위계성은 세 가지로 구분할 수 있다. 아동 위에 군림하는 권력자로서의 교사, 아동들의 동일시 대상이 되는 교사, 아동 평가의 집행자로서의 교사이다. 좌석 배치, 임원선정, 학생 행위의 금지 및 벌을 가하는 일, 시험의 횟수나 방법의 결정, 성적 발표 등이 교사의 권한에 속한다(김종서, 1985: 263).

아동의 동일시 대상이 되어 그의 행동을 모방하는 성인 중에서 가장 중요한 지위를 차지하는 것이 부모와 교사이다. 평가의 집행자로서의 교사는 권력자로서의 교사와 개념적으로 중첩이 된다. 학교에서 이루어지는 평가에는 교사 평가, 상호 평가, 자기 평가가 있다. 그러나 주된 것은 교사 평가이다. 김호권(1974: 165)은 "무엇이 평가를 받느냐" 하는 것이 무엇을 학습하느냐를 실질적으로 결정하고 말기 때문에 무엇이 평가되느냐의 문제는 직접적으로 교실 안에서 벌어지는 학습과 생활의 질을 결정할 가능성이 있다고 지적하였다(김종서, 1985: 264).

2) 사회 환경

잠재적 교육과정은 학교를 둘러싸고 있는 사회 환경의 영향을 많이 받는다. 표면적 교육과정뿐만 아니라 잠재적 교육과정도 사회에 널리 만연된 가치관이나 인간관계의 형태를 반영한다. 이러한 사회적 영향은 (1) 학교에 전달되는 특정 가치나 정보의 내용, (2) 그 가치나 정보를 사회에서 생성, 유지하는 사회 문화적 조건, (3) 그 가치나 정보를 학교로 전달하는 매개자로 구분할 수 있다(김종서, 1985: 265).

3) 인적 구성 요소 간의 상호 작용

잠재적 교육과정의 원천으로 학교 행정가, 교사, 학생, 학부모의 인적 구성 요소

간의 상호 작용을 들 수 있다. 인적 요소 간의 의사소통의 단절이나 무관심으로 인하여 2요소, 3요소만이 상호 작용을 하는 것 같지만, 개념적으로 4요소가 모두 상호 작용을 일으킨다고 볼 수 있다. 인적 구성 요소 간의 상호 작용은 부정적 측면에 관한 한 압력의 형태를 취할 수 있다. 잠재적 교육과정의 부정적 측면에서 강한 상호 작용이 일어날 때 인간 교육은 심하게 저해된다(김종서, 1985: 266-267).

예를 들어, 압력의 방향과 강도라는 관점에서 학교의 행정가는 교사에게 압력을 발산하며, 교사는 학교 행정가 및 학부모로부터의 압력을 수용하고 그것을 아동에게 발산하며, 학부모는 학교 행정가, 교사, 아동에게 압력을 가하며, 아동은 모든 압력의 수용을 강요당하는 현상이 현저하게 나타난다(김종서, 1985: 268).

나. 잠재적 교육과정의 특징

김종서는 표면적 교육과정과 대비하여 잠재적 교육과정의 특징을 다음과 같이 제시하였다.

1. 표면적 교육과정은 학교에 의하여 의도적으로 조직되고 가르쳐지는 반면에, 잠재적 교육과정은 학교에 의해 의도되지 않았지만 학교생활을 하는 동안에 은연중에 배우게 된다.
2. 표면적 교육과정이 주로 지적인 것과 관련이 있다면, 잠재적 교육과정은 주로 비지적인 정의(감정)적인 영역과 관련이 있다.
3. 표면적 교육과정이 주로 교과와 관련이 있다면, 잠재적 교육과정은 주로 학교의 문화 풍토와 관련이 있다.
4. 표면적 교육과정은 단기적으로 배우며 어느 정도 일시적인 경향이 있는데 반하여, 잠재적 교육과정은 장기적·반복적으로 배우며 더욱더 항구성을 지닌다.
5. 표면적 교육과정은 주로 교사의 지적·기능적인 영향을 받으나, 잠재적 교육과정은 주로 교사의 인격적인 감화와 관련이 있다.
6. 표면적 교육과정이 주로 바람직한 내용인데 반하여, 잠재적 교육과정은 바람직한 것뿐만 아니라 바람직하지 못한 것도 포함한다.
7. 표면적 교육과정과 잠재적 교육과정이 서로 조화되고 상보적인 관계에 있을 때 학생의 태도와 가치의 학습이 가장 강력하게 일어날 수 있다.
8. 표면적 교육과정과 잠재적 교육과정이 갈등을 일으키는 경우 잠재적 교육과

정이 더 우세하다. 우리가 말하는 것보다 행동하는 것을 더 중시하기 때문이다(Bloom, 1972: 343).

9. 잠재적 교육과정을 찾아내어 이를 계획한다고 하여도 표면적 교육과정과 잠재적 교육과정의 구조는 변하지 않는다. 잠재적 교육과정은 학교 제도가 있는 이상 언제나 잠재하고 있다. 왜냐하면 학교 자체가 목적성, 강요성, 군집성, 위계성이라는 특징을 지니고 있으며, 이러한 요인들은 잠재적 교육과정의 원천이 되기 때문이다. 원천이 있는 한에서는 잠재적 교육과정이 언제나 존재한다는 것은 이론적으로 당연한 결과이다.

이와 같은 원천 자체를 없애면 그것은 이미 학교가 아닐 것이다. 다만 원천에서 잠재적 교육과정의 부정적 측면을 파생하게 할 요소들을 얼마나 제거할 수 있느냐 하는 것은 별개 문제이다. 사회와 인간의 가치관이나 욕구는 정태적이 아니라는 것이다. 현재의 사회가 변화하지 않고 또 인간의 가치관이나 욕구가 달라지지 않는다면, 잠재적 교육과정의 모든 부정적 측면을 발굴하여 계획화할 수 있다는 가정이 성립된다. 그러나 오늘날과 같이 사회의 변화 속도가 빠르며 다가치적이고 조건적인 가치가 많고 특수 가치가 팽창하는 사회에서는 학교 교육의 양태가 수시로 달라지기 때문에 모든 잠재적 교육과정을 계획화한다는 전제 자체가 성립되지 못한다.

10. 표면적 교육과정 자체의 잠재적 기능이 있다. 지금까지의 지적은 표면적 교육과정과는 무관하게 학교라는 제도 자체 또는 사회 및 인간 자체의 변화성 때문에 파생되는 잠재적 교육과정에 대한 것이었으나, 이와는 각도를 달리하여 교과의 계획과 의도에 의하여 나타나는 학습 결과에 잠재적 교육과정이 있음을 간과할 수는 없다. 아무리 철저한 계획을 세워서 아동을 지도한다 하여도 아동들이 계획대로만 배우는 것은 아니다. 즉 표면적 교육과정과 잠재적 교육과정은 마치 동전의 양면의 관계와도 흡사하며, 표면적 교육과정이 있으면 잠재적 교육과정이 뒤따른다. 이 뒤따르는 잠재적 교육과정에 대한 계획을 세워 표면화하면 이에 따라 종래와는 다른 잠재적 교육과정이 나타난다. 종래에 동시 학습이라고 불러오던 개념이 바로 이에 해당한다(김종서, 1985: 251-257).

이상에서 살펴본 Jackson, Dreeben, 김종서의 잠재적 교육과정에 대한 연구는 학교 교육에서 의도하거나 계획하지 않았지만 학생들이 배우게 된 잠재적 교육과정의 측면을 드러내고 그 세부 내용과 특징을 체계적으로 제시하고자 하였다. 이들은 학교 교육의 사회화 기능에 주된 초점을 두면서 학교 교육의 순기능과 역기능에 따른 잠재적 교육과정의 긍정적 측면과 부정적 측면을 드러내고 부정적 측면을 개선하면서 긍정적 측면을 최대화할 필요가 있음을 시사하기도 하고 강조하기도 하였다.

제2절 잠재적 교육과정 II—급진적 관점

1. 도입

급진적 관점은 학교를 사회의 일부로 보고 사회 체제의 맥락에서 잠재적 교육과정을 조명하였다. Giroux는 잠재적 교육과정을 학교에서 공식적으로 인식되고 시행되는 차원의 경험이 아니라, 학교 교육의 보이지 않는 구조를 통해 학생에게 전달되는 규범, 가치, 신념이고 사회 불평등의 재생산에 기여하는 것으로 정의하였다(Giroux, 1978: 148). 이런 관점은 불평등의 재생산 기제에 대한 이해를 토대로 학교 교육의 근본적인 변혁을 요구하는 경향이 있어, 이들을 '급진적 관점'으로 볼 수 있다.

2. Bowles와 Gintis

Harvard 대학교 경제학 교수인 Samuel Bowles(1939~현재)와 Herbert Gintis (1940~현재)는 경제적인 관점에서 학교의 규범과 일터의 규범 사이의 관계에 대한 이차 자료를 분석하였다. 이들의 저서 *Schooling in Capitalist America*(1976)는 학교생활의 잠재적 기능에 대한 논의에서 매우 중요한 토대를 제공하였다. 이들은 대응 원리(이론)[correspondence principle(theory)]를 내세웠다.

대응 이론의 요지는 학교생활의 사회적 관계와 일터의 사회적 관계 사이에는 구

[그림 9-1] Bowles와 Gintis의 대응 이론

조적 대응 관계가 존재한다는 것이다(Bowles & Gintis, 1976: 131). 학교는 자본주의 사회의 사회적 관계를 그러한 사회적 관계에 요구되는 의식(consciousness)을 재생산함으로써 재생산한다는 것이다. 그들이 재생산 과정에서 중요하다고 생각하는 사회적 관계는 우선적으로, 교사와 학생 사이의 위계적인 노동 분업과 학생의 학습 활동은 소외되어 있다는 것과 학습 활동이 분절화되어 있다는 것이다. 이들은 제도화되고 종종 파괴적인 학생들 사이의 경쟁에 반영되어 있는데, 이 경쟁은 지속적이면서 표면적으로 능력주의적인 서열과 평가 속에서 이루어진다. 그들은 이 관계들의 전체가 미치는 영향을 넘어서, 교육 기간(학력)의 차이는 노동 시장에 서로 다른 수준의 노동자를 공급하였다고 주장한다(Bowles & Gintis, 1976: 132). Bowles와 Gintis는 그러므로 학교가 자본주의 체제의 유지 기능을 높은 수준으로 수행한다고 주장한다. 특히 그들은 학교의 위계적인 노동 분업은 온순함과 순종(순응)의 태도를 촉진한다고 말한다. 이는 나중에 자본주의의 고용 시장에 영향을 미친다. 학교 학습 활동에서 내적인 보상의 부족은 학생으로 하여금 비슷한 유형의 노동 관계에 대해 준비하게 돕는다. 트래킹(tracking)과 시험을 통한 지속적인 학습 활동의 분절화와 학생 평가는 그들의 장래 위계화된 조직 구조 지위에 대비하게 하고 분화와 대립을 촉진한다. 학생들은 교육 기간에 따라 서로 다른 규범적 분위기를 접한다. 낮은 수준의 학생에게는 규칙 준수를, 중간 수준의 학생에게는 의존성을, 높은 수준에서는 기업 규범의 내면화를 기대한다(Bowles & Gintis, 1976: 132).

　　Bowles와 Gintis는 사회 체제 맥락에서 잠재적 교육과정 본질에 대해 논의하였다. 이는 학교를 사회의 일부로 정의하기 때문이다. Jackson처럼 교실의 내적인 역동성에만 초점을 둘 때 잠재적 교육과정에 대한 이해에 한계가 있다. Bowles와 Gintis가 제시하는 학교 밖의 구조적 세력에 대한 관심이 있을 때 교실 생활의 복잡성에 대한 충분하고 깊이 있는 이해가 가능하다(Lynch, 1989: 4).

　　Bowles와 Gintis의 연구 결과는 학생의 교육과정 경험이 차별화되어 있는 특성을 조명한다. 학생의 사회적 계층, 인종, 젠더가 모두 학생의 학교 경험의 결정에 중요하다. 따라서 Dreeben이 그러하였듯이, 학교에서 모든 학생이 동일한 규범적 분위기를 접한다고 가정하면서 통일되어 있고 차별화되어 있지 않은 잠재적 교육과정에 대해 설명하는 것은 잘못이다. Bowles와 Gintis는 학교 내에서[능력별 학급 편성(streaming), 시험, 점수 부여 등]의 차이와, 학교 사이에서(학생의 가정 배경, 학교 수준 등)의 차이로 인하여 학교의 규범적 분위기는 학교 간에 큰 차이가 있다고 설명한다. 즉 자본주의 사회에서 사회적 생산관계 속에서 나타나는 이해관계의 갈등은 학교생활의 사회적 조직에 매우 중요한 관련이 있다(Lynch, 1989: 4).

Bowles와 Gintis의 책은 경험적 자료의 제시가 부족하다는 한계를 지니지만, 경제와 교실 사이의 관계에 대한 분석에 중요한 틀을 제공하였다. 즉 Bowles와 Gintis가 사용한 자료는 교육 체제와 사회의 직업 구조 사이의 관계에 대한 잠정적인 결론을 도출하게 하였고, 따라서 생산 관계가 교실 생활에 영향을 주는 방식을 조명하는 데 기여하였다는 평가를 내릴 수 있다(Lynch, 1989: 5).

3. Bourdieu의 문화 재생산 이론

프랑스 사회학자 Pierre Bourdieu(1930~2002)의 문화 재생산 이론은 학교가 어떻게 문화 자본의 불평등한 분배 과정에 개입하여 지배 계급의 문화가 사회적 정당성을 획득하게 되는지를 분석하였다. 그의 주장에 따르면, 학교는 중립적이고 객관적인 지식을 전달하는 것이 아니라 지배 계급이 승인한 문화만을 주입하고 이를 정당화함으로써 위계화된 기존 사회 질서를 자연스러운 것으로 오인하게 만드는 메커니즘이다. 다시 말해 학교는 문화적 자의성(cultural arbitrary)을 강제하는 상징적 폭력 행사를 통해 사회의 불평등한 질서의 재생산 과정에 기여하는 제도라는 것이다(Bourdieu & Passeron, 1977/2000; 이건만, 2006: 112 재인용).

Bourdieu의 문화 재생산 이론의 핵심적인 개념은 상징적 폭력이다. 그는 학교 교육의 상징적 폭력의 분석을 통해 권력 지배의 메커니즘과 계급 차별화의 재생산 구조를 드러냈다. 다시 말해 상징적 폭력은 교육 속에 은폐된 상징 질서, 즉 지배와 피지배를 구분하는 지배 권력 관계를 폭로한 것이다. 이것이 갖는 의미는 권력이 훈육이나 길들이기와 같은 외재적 강제에 의해서라기보다 지배 권력 관계를 내면화하게 한 '아비투스(habitus)'를 통하여 작동함으로써 사회 질서는 상징화된 지배 권력 관계를 통해서 재생산되며 오인 메커니즘을 통해서 정당화된다는 데 있다. 말하자면 "모든 위계 질서는 상징 질서를 통해 유지되며, 지배 권력 관계는 정당성을 획득하기 위한 상징 투쟁을 통해 작동된다는 것이다"(필자 강조)(이건만, 2006: 112).

이렇듯 학교를 아비투스를 매개로 한 상징 질서를 재생산하는 오인 메커니즘으로 보는 문화 재생산 이론에서 문화 자본과 상징 자본은 다양한 형태의 불평등이 실재함을 보여주는 계급 개념이다. Bourdieu는 사회를 지배 권력 관계로, 개인들과 집단들 사이의 상호 관계를 상징적 권력 투쟁 과정으로 이해함으로써 오늘날 고도 산업 사회의 고학력화 현실 속에서 다양한 계급 분파들의 재생산 전략을 해명하는 가능성을 넓허 놓았다. 그리고 그의 아비투스 개념은 특정한 환경에 의해 사고와 행위가 기계적으로 재생산되는 것이 아니라 상황에 따른 전략 조절 기능을 하는 상대적 자율성을 갖는 개념이다. 이렇게 보면 문화 재생산 이론은 경제 재생산 이론이 지니고 있는 기계론적 재생산 관점을 극복하는 이론으로서의 의미가 있을 뿐만 아니라 지식과 정보의 구분이 모호해지고 전 지구적으로 벌어지고 있는 무한 경쟁의 세계화 현실 속에서도 왜 특정한 지식과 학력 수준이 여전히 국가 수준과 사회 계급 분류의 준거로 통용되고 있으며 이것을 자연스러운 것으로 인정하고 있는지를 이해할 수 있게 해준다(이건만, 2006: 112-113).

　　아비투스는 취향과 깊이 맞물려 있는 개념이며, Bourdieu 사회 이론에서 가장 중요한 위치를 차지하고 있는 개념이다. 취향과 마찬가지로 아비투스는 특정한 환경에 의해 형성된 성향, 사고, 인지, 판단과 행동 체계를 의미하는 것으로서, 집단 내에 존재하는 동질적 특성과 집단 간에 존재하는 배타적 이질성, 즉 계급 구성원들의 문화적 상징 및 행동 특성을 나타내는 개념이다(Bourdieu, 1977: 86). 다시 말해 특정 유형의 환경을 구성하는 조건에 따라 집단 내의 동질성과 집단 간의 차이가 유지된다는 것은 일정한 조건이 시간의 흐름 속에서 체화되어 행위자들에게 내면화되고, 행위자들은 이것을 의식하지 못한 채 자신의 사회적 지위에 맞추어 실천 행위를 통해서 드러내게 된다는 것이다. 이처럼 행위자의 자발적이고 의식적인 행위는 비자발적인 조건과 무의식적인 조건을 내포하고 있는 것이므로 아비투스는 사회화된 주관성이며, 취향은 계급적 지위가 체화된 계급 아비투스라고 볼 수 있다(이건만, 2006: 117).

　　Bourdieu 계급 이론의 특징은 현대 산업 사회의 불평등을 경제적 영역뿐만 아니라 문화 영역으로까지 확장한 데 있다. "그는 문화를 문학, 예술, 과학, 종교, 언어 등 모든 상징 체계를 포함하고 있는 것으로 보고, 이것이 생산, 유통, 소비되는 과정 속에는 무엇이 가치 있고 그렇지 않은지를 구분하는, 즉 특정한 문화 내용을 가치 있는 것으로 정의하고 정당화하는 권력 관계가 작용하고 있다고 주장한다"(필자 강조). 그에 따르면, 문화는 객관적 사회 구조와 인간 행위를 매개하는 실체로 기능하며, 이것이 문화 자본의 형태를 취할 때 사회적 불평등을 설명하는 계급 개념이 된다. "문화 자본은 다양한 형태로 존재한다. 이것은 사회화 과정 속에서 획득한 특성과 습관(체화된 문화 자본), 가치 있는 대상물의 축적(객관적 문화 자본), 그리고 공식적 교육자격과 훈련(제도적 문화 자본)을 포함한다"(필자 강조)(Anheier et al., 1995: 862). 특히 Bourdieu의 관점에서 문화 자본은 계급화 행위로서 취향을 결정짓는 중요한 역할을 담당한다. 그러나 그의 계급 이론이 문화를 강조하고 있다고 해서 그가 경제력을 계급 구성의 요인으로 별 의미를 지니지 않는 것으로 보고 있다고 오해해서는 안 된다(이건만, 2006: 114).

Bourdieu에 따르면, 문화 자본, 경제 자본(상품과 서비스를 구매하기 위해 사용할 수 있는 돈과 물질적 대상물), 사회 자본(사회적 연결망의 지속적 점유 또는 특정 집단에의 소속 등에 동원되는 인간관계)은 각기 사회적 장(champ)을 이루고, 개인의 사회적 지위는 각 장에서 점하는 위치에 따라 결정된다는 것이다. 즉 문화 자본은 문화 시장에서, 경제 자본은 경제 시장에서 각각 사회적 교환 가치를 획득하는데, 이 교환 가치를 결정하는 과정에서 각 개인과 집단은 자신의 사회적 지위를 정당한 것으로 승인받기 위한 권력 투쟁을 벌이게 된다는 것이다. 다시 말하면 계급을 구성하는 요인들이 모두 똑 같은 정도로 서로에게 의존하는 것이 아니며, 그것들이 구성하는 체계의 구조는 가장 중요한 함수적 비중을 갖는 요인에 의해 결정된다는 것이다. 예컨대, 문화 자본을 보증해 주며 그 지표가 되는 학력 자본은 가족으로부터 상속되는가 아니면 학교에서 획득되는가에 따라 다소간의 차이는 있지만, 이것은 출신 계급과 밀접한 관계가 있을 뿐만 아니라, 또한 문화적 성향은 과거와 현재의 물질적 조건에 의존한다고 밝히고 있다(Bourdieu, 1984/1995: 37, 99). 경제 자본과 문화 자본의 관련성을 밝히는 문제는 어떻게 경제 자본이 문화 자본으로 전환되느냐 하는 것이다. 경제 자본이 문화 자본의 전제 조건이 되는 경우는 쉽게 상정할 수 있다. 즉 경제적 지배 계급은 그들의 경제적 여건으로 인해 교육에 더 많은 자본과 시간을 투자할 수 있다. 또한 문화적 실천 행위도 경제적 필요로부터 얼마나 자유로운가에 크게 의존하고 있다는 사실을 놓고 볼 때, 문화는 경제로부터 자율성을 갖는 영역이지만 결코 경제와 관련 없는 독자적인 영역이 아니라는 것이다. 그러나 Bourdieu의 계급 이론 독해에서 주의해야 하는 점은 어떤 자본도 그것의 사용이 사회적으로 정당화되지 않는 한 정상적인 권력 수단으로 유통될 수 없다는 것이다. 이 정당화의 작업에 요구되는 것은 모든 자본이 상징 자본(위신, 권위, 명예 등)으로 전환되어 그 권력의 행사가 은폐되고 오인되어야 실질적 권력 수단으로서 힘을 갖게 된다는 사실이다(Bourdieu, 1991/1997; 이건만, 2006: 114-115 재인용).

4. Apple과 Giroux

Henry Giroux에 따르면, 잠재적 교육과정에 대한 급진적 접근의 중심에 있는 질문은 "지배-피지배 관계, 착취, 계층 간 불평등을 재생산하고 유지하는 데 학교가 어떤 작용을 하는가?"이다(Giroux, 1981b: 293). 같은 맥락에서 McLaren(1989)은 잠재적 교육과정을 다음과 같이 정의하였다. "잠재적 교육과정은 교과 학습 자료와 공식적으로 정해진 수업의 밖에서 지식과 행위가 형성되는 암묵적 방식을 다룬다. 그것은 학교의 관료주의적·관리적 압력(press)의 일부이다. 이 결합된 세력을 통해 학생들이 권위, 행위, 도덕성에 관련된 지배 이데올로기와 사회적 실천 활동들에 순종하도록 유도된다"(McLaren, 1989: 183-184; Pinar et al., 2000: 248 재인용).

Henry Giroux
(1943~현재)

Giroux는 Bowles와 Gintis(1976)가 학교의 사회적 관계와 노동 시장의 사회적 관계가 대략 일치한다는 대응 이론을 토대로 학교가 사회 불평등의 재생산에 기여한다는 경제 재생산 이론을 통해 (잠재적)교육과정에 대한 갈등주의적인 설명의 토대를 제공하였다는 기여를 인정하였다. 그러나 대응 이론은 인과 관계에 대한 지나치게 결정적인 모형으로서 인간을 수동적인 존재로 보고 정치적 비관주의를 나타낸다고 비판한다. 학교와 일터의 특징을 이루는 모순과 긴장을 조명하지 않았다는 것이다. 학교와 일터 사이의 관계에 대해 질적으로 다른 수준의 분석을 제공하지 않았고, 이 두 기관이 다른 사회적·문화적 재생산 기관들과 가지는 변증법적 관계를 설명하지 않았다고 말한다. 이런 한계점들과 대응 이론 자체의 실패는 문화적 헤게모니라는 더욱 종합적인 이론의 일부로 분석할 때 드러난다고 말한다(Giroux, 1980: 227).[2]

대응 이론의 한계를 지적하면서 Giroux는 교사들 사이에 여러 저항의 형식들을 지지하는 많은 매개 세력들이 있다고 말한다. 비공식적 문화, 민족, 인종, 세계관, 사회적 계층 배경 등은 종종 교사들 사이에 학교의 권위나 규정, 미리 정해진 교육과정, 교사를 제도적으로 제재하는(억누르는) 책무성에 대해 대항적 태도를 낳기도 한다. 여기에서 요점은, 대응 이론에 대한 다른 학자들의 비판에서도 놓치는 것으로 여러 교사들이 개인으로서 또는 집단으로서 학교 교육의 역할에 대해 서로 다른 용어로 서로 다른 의견을 개진한다는 것이다(Giroux, 1980: 239).

---

2) 헤게모니라는 말은 이탈리아 공산당의 이론가였던 Antonio Gramsci가 자신의 저서에서 사용하였다. 헤게모니라는 말은 한 사회에서 지배 집단이 자신들의 이익을 유지하기 위하여 이데올로기를 만들고, 그것을 전파해 가면서 종속 집단으로부터 합의적인 지지를 끌어내는 일련의 과정과 상황을 의미한다. 다시 말하면, 이것은 특권을 가진 집단이 경제적·사회적·문화적으로 다른 계급을 통제하는 것이 정당하다는 것을 선전하고, 다른 계급으로 하여금 이를 받아들이도록 하는 것을 의미한다. 그런데 지배 집단이 권력을 행사할 때 항상 폭력적인 강제력만 사용하지는 않는다. 헤게모니란 경제력이나 물리적인 폭력에 근거한 지배뿐만 아니라, 이러한 지배에 더하여 피지배자의 동의에 기초한 지적·도덕적 지도력을 가리킨다(출처: http://egloos.zum.com/ageha81/v/373884).

Michael W.
Apple
(1942~현재)

Michael W. Apple은 Raymond Williams의 '선택적 전통'이라는 개념을 수용하면서 헤게모니에 대하여 설명하였다. Williams(1976)는 교육 기관들은 지배 문화를 효과적으로 전달하는 주요 행위 매개자(agent)라고 보았다. 그에 따르면, 이것은 문화적 활동일 뿐만 아니라 주요한 경제적 활동이다. 더욱이 철학적 측면에서, 이론의 측면에서, 여러 실천들의 역사 측면에서, 선택적 전통(selective tradition)이라고 부르는 과정이 있다. 즉 효과적인 지배 문화의 조건(용어) 안에서 이것은 항상 전통으로, 즉 중요한 과거로 통한다. 그러나 항상 선택이 문제이다. 과거와 현재의 모든 가능한 영역에서 어떤 의미와 실천들이 강조를 위해 선택되고, 어떤 다른 의미와 실천들이 무시되고 배제되는 방식이다. 더 중요한 것은 이 의미들 중 어떤 것은 재해석되고 희석되고 효과적인 지배 문화 안에서 다른 요소들을 지지하거나 적어도 상충되지 않는 형식으로 변한다(Williams, 1976: 202; Apple, 1979: 6 재인용).

이어서 Williams는 교육의 과정, 가정을 비롯한 여러 사회적 기관들 안에서 이루어지는 사회적 훈련의 과정, 노동의 실제적 정의 및 조직, 지적이고 이론적인 측면에서 선택적 전통, 이 모든 세력들은 효과적인 지배 문화의 지속적인 형성과 재형성에 관여한다고 말한다. 그리고 실재는 경험되고 우리의 삶에 들어온 그들에 의존한다는 것이다(Williams, 1976: 202; Apple, 1979: 6 재인용).

Apple에 따르면, 주도권이라는 개념은 사회에서 지배적인 집단이 함께 모이고 연합하여 피지배 집단에 대한 지도력을 행사·유지하는 과정을 지칭한다. 이 아이디어가 시사하는 가장 중요한 요소들 중 하나는 권력 연합체는 강제력에 의존할 필요가 없다는 것이다. [비록 가끔 그렇기는 하지만, 전 세계에서 비슷한 유형의 어떤 다른 나라보다도 미국은 인구의 높은 비율—특히 흑인 남녀—을 감금(투옥)한다는 사실을 생각해 보라.] 오히려 그것은 지배 질서에 대한 동의를 얻는 것에 의존한다. 이는 이데올로기적인 우산의 형성을 통해서이다. 우산 아래에는 서로 간에 의견이 완전히 일치하지 않는 서로 다른 집단들이 설 수 있다. 이것의 핵심은 그런 집단들이 마치 그들의 관심사가 수용되는 것처럼 느끼도록 타협을 하는 것이다(그래서 수사학이 이 과정에서 필수이다). 그러나 지배 집단은 일반적인 사회적 성향을 보이는 지도력을 포기하지 않아도 된다(Apple, 1996: 14-15).

Apple은 어떤 역사적 상황에서도, 헤게모니 통제는 사회의 어떤 일부 영역에서 지배 집단 또는 지배 집단 연합의 부분적인 지도력의 행사라고 말한다. 경제, 법률, 정부 재정 지원을 받는 교육 기관들, 대중 매체와 예술, 종교, 가정, 전체 시민 사회에서 똑같이 성공적이지 않을 것이라는 것이다(Apple, 1996: 15).

Giroux는 이탈리아 공산주의자 Antonio Gramsci(1971)의 연구에서 문화적 헤게모니라는 개념은 많은 관심을 받았다고 말한다. Gramsci는 국가에 대한 전통적인 마르크그주의 이론이 지배 계급이 어떻게 그것의 통제 사회를 유지하였는가에 대한 설명에서 직접적이고 폭력적인 강제력(force)이라는 개념에 지나치게 의존하는 것을 비판하였다. Gramsci는 자신이 동의에 의한 지배(rule consent)와 이데올로기적인 지배라고 부른 것에 대해 동일한 관심을 강조하였다. 그의 관점에 따르면, 기존의 권력 관계와 사회적 합의를 신화화하기(신성시하기) 위하여 사회적인 활동들뿐만 아니라 지배적인 세계관이 사회 전반적으로 재생산되는 방식을 훨씬 더 많이 이해할 필요가 있었다(Giroux, 1980: 228).

좀 더 구체적으로 말하자면, 헤게모니는 하나의 이데올로기적인 통제를 가리킨다. 그 안에서 학교, 가정, 대중 매체, 노동 조합 등 제반 기관들에 걸쳐 지배적 신념, 가치, 사회적 실천이 생산되고 분배된다. 지배적 이데올로기로서 헤게모니는 사회에서의 담론의 형식과 내용뿐만 아니라 상식의 의미와 한계를 정의하는 기능을 수행한다. 그것은 어떤 아이디어와 루틴(일상적으로 하는 일)을 자연적이고 보편적인 것이라고 상정함으로써 이를 수행한다. 헤게모니적 통제의 복잡성은 강조해야 할 중요한 점이다. 그것은 지배 계급이 다른 사람들에게 부과하는 의미와 아이디어들뿐만 아니라 일상생활의 질감과 리듬을 구성하는 살아가는 경험을 가리키기 때문이다(Giroux, 1980: 228).

Giroux에 따르면, 헤게모니가 학교 교육과정에서 어떻게 작용하는가를 분석하는 하나의 접근은 학교 교육의 네 가지 측면을 탐구하는 것이다. 이것은 (1) 사회적으로 정당한 것으로 보이는 문화의 선정, (2) 문화적 내용과 형식을 우월하거나 열등한 것으로 분류하는 데 사용하는 범주, (3) 학교와 교실의 관계의 선정과 정당화, (4) 서로 다른 사회 계층의 서로 다른 유형의 문화의 분배와 이에 대한 접근이다(Giroux, 1980: 233). 이런 탐구에서 헤게모니의 관점을 올바르게 사용하면, 지배의 씨앗이 어떻게 생산되는지뿐만 아니라, 그들이 어떻게 여러 형식의 저항, 비판, 사회적 행동을 통해 극복될 수 있는지를 이해하기 위한 이론적 토대를 제공한다고 말한다(Giroux, 1980: 233).

Giroux는 통제의 메커니즘을 조명하면서, 우리는 이데올로기 그 자체의 영역의 복잡성에 대한 더 나은 이해에 이를 수 있다고 말한다. 이 영역은 지배의 본질과 그것을 극복할 가능성 모두를 말한다. 대응 이론의 한계는 그것이 자본의 역할을 경시하였고, 사회 문화적 영역에서 다른 기관들의 역할을 무시하였다는 것이다. 이데올로기와 사회적 재생산에 대한 더욱더 종합적인 이론은 사회적 존재의 모든 주요 영역에 관계 지을 때 수립된다. Kellner(1978)는 다음과 같은 네 가지의 이데올로기의 영역을 보여 준다. (1) 경제적 영역, 즉 생산, 교환, 분배의 이데올로기, (2) 문화적 영역, 즉 문화, 가치, 과학, 기술공학, 대중 매체, 예술의 이데올로기, (3) 사회적 영역, 즉 사적인 영역, 가정, 교육, 사회 집단의 이데올로기, (4) 정치적 영역, 즉 국가, 민주주의, 시민권, 이데올로기, 법률 체제, 경찰, 군대의 이데올로기(Giroux, 1980: 233).

Giroux는 Marcuse(1964)가 이데올로기가 잘못된 가짜 의식이 아니라고 말한 것을 인용한다. 이는 개념의 형성에 대한 사회의 억압이고 경험의 구속이고 의미의 제한이라는 것이다(Marcuse 1964: 208: Giroux, 1980: 242 재인용). Giroux에 따르면, 여러 이데올로기 영역에 존재하는 모순은 학교 행정과 교육과정의 내용 및 형식에 대한 통제를 위한 싸움에서 자신들을 드러내는 경쟁적인 이데올로기들을 바라볼 때 분명해진다. 예를 들어, 중류 및 상류 계층의 여러 집단들 사이에서 학교는 매우 높은 수준의 정치적인 영역이 되었다. 한편으로, 두 계층의 기술공학적 지식인 집단은 과학자와 고급 기술자를 양성하는 교육과정을 강하게 지지한다. 다른 한편으로, 문화적 영역에서 일하는 지식인 집단은 교실에서 권위의 완화와 학생이 광역 교육과정에서 상대적 자유를 가지고 학습할 더 많은 기회를 요구하는 진보적 교육 양식을 지지한다(Bernstein, 1977: 114-200; Giroux, 1980: 233-234 재인용).

학교에 대한 갈등하는 요구는 또한 경쟁하는 민족, 종교, 인종 집단들 사이에서 발견할 수 있다. 현재의 미취업 대졸자의 과잉 공급은 사회적 요구와 교육이 여전히 신분 상승의 중요한 수단이라고 믿는 대중의 요구 사이의 모순을 조명한다. 이러한 모순에 대하여 중요한 사실은 그들이 학교와 같은 문화적 기관의 특징인 상대적 자율성을 조명한다는 것이다. 이러한 상대적 자율성으로 인하여 이데올로기 영역에서 재생산의 매개자 이상의 역할을 수행할 공간을 기관들이 확보한다(Giroux, 1980: 233-234).

Giroux는 문화적 헤게모니라는 개념에 토대를 두고 학교와 사회의 관계를 다룰 때, 대항 헤게모니 형성에 관련되는 이론의 정립이 가능하다고 말하였다. 즉 재생산 및 변혁 이론은 어떻게 지배적인 문화적 상징과 실천 활동들이 학교에서 등장하고 유지되는지에 대해 드러내는 일을 시도해야 한다고 말한다. 또한 일상의 교실 활동 수준에서 모순과 괴리가 어떻게 나타나는지, 종종 그들이 반대하는 재생산과 지배의 세력에 봉사하는 결과에 이르는지에 대해 분석하는 것이 필수이다. 마지막으로 그런 이론은 교실의 실천 활동의 조건을 보다 면밀하게 살펴볼 필요가 있다. 이는 사회적·정치적 재구성을 추진하는 데 도움을 줄 수 있는 교육적 대안을 촉진하기 위해 어떻게 모순을 실제적으로 다룰 수 있는지 평가하기 위한 것이다(Giroux, 1980: 236).

Giroux는 문화 재생산 영역에서 이론적인 작업은 학교에서 보완되어야 한다고 말한다. 그에 따르면, 맥락이 허용하는 한, 상호 관통하는 새롭고 탁월한 사고방식과 행위 방식에 토대를 둔 경험이 지속적으로 성장할 수 있도록 구체적인 사회적 만남을 위한 노력이 필요하다(Giroux, 1980: 242). 또한 Giroux는 급진적 교육학의 중심에는 계층 기반의 권력과 지배의 궁극적인 원천인 사회적·정치적·경제적 구조에서 변화를 추구하도록 사람들에게 권한을 부여한다는 목표가 있어야 한다고 주장하였다(Giroux, 1981a: 24).

한편, Wexler와 Whitson(1982)는 대항 헤게모니는 문화적 의도 측면이나 사회 조직적 하부 구조 측면에서 단지 반대(항의)가 아니다. 대항 헤게모니는 진정으로 다른 삶의 방식이라는 새로운 문화적 비전을 둘러싼 모든 요소들을 재조직하는 것을 의미한다(Wexler & Whitson, 1982: 41; Pinar et al., 2000: 251 재인용).

이러한 대항 헤게모니 형성은 범사회적으로 이루어질 수 있다. 이런 사회 변혁 운동은 피지배 계층, 저소득층, 소외 계층의 불리하고 열악한 경제적·문화적·사회적 상황을 드러내고 고발하고 문제 삼는 활동으로 시작하여 이들의 삶의 조건과 지위 개선을 위한 활동으로 전개될 수 있다. 교육 영역에서 지배적인 헤게모니에 따른 평등한 교육 기회의 제공은 모두에게 같은 기회를 제공하는 것이어서 여러 조건이 불리한 계층에게는 공평한 것으로 다가오지 않는다. 따라서 이렇게 불리한 계층을 위해서는 평등한 교육 기회의 제공을 넘어서서 그들이 처한 열악한 상황을 고려한 맞춤형 교육에 필요한 제도적 지원을 제공할 필요가 있다. 국내에서도 이미 이러한 제도적 지원을 제공하고 있다. 이러한 교육은, 예를 들어, 여러 다양한 문화의 가치를 존중하는 다문화교육, 장애인을 배려하는 특수 교육과 특수 통합 교육, 양성 평등 교육 등의 형태로 이루어지고 있다. 특히 다문화 교육은 중국, 베트남, 필리핀, 일본, 미국, 캄보디아, 대만, 태국, 몽골, 러시아 등 다양한 국적의 결혼 이민자들의 다문화 가정 자녀들을 위해 일반 학교의 일부 다문화 학급 및 다문화 가정 학생들만 다니는 다문화 학교에서 다문화 교육과정을 운영하고 있다. 이러한 학급 및 학교에서는 이중 언어 교육, 중도 입국 자녀 교육 등을 통해 공평한 교육 기회를 제공하기 위해 노력하고 있다.

5. Kincheloe의 포스트모더니즘 미디어 연구

Joe. L.
Kincheloe
(1950~2008)

Joe L. Kincheloe는 문화적인 영역에서 지배 헤게모니는 다양한 형태로 표현되고 있다고 비판한다. 그는 문화 연구(cultural studies)에 토대를 두고, 문화적 활동에 나타난 헤게모니의 행사를 비판적으로 다루었다. 문화적 활동으로서 영화, 연극, 오페라, 드라마, 음악, 미술 작품 등에서 전개되는 이야기나 메시지나 대화 속에 현 체제의 정당화 및 합리화에 관련된 내용과 지배 구조의 유지에 기여하는 내용들이 등장하고, 관객 및 시청자들이 관람하고, 시청한 내용에 감정 이입을 하면서 수용하는 과정에서 의식적으로나 무의

식적으로 헤게모니에 대한 동의를 하게 된다고 본다. 박물관과 미술관에서도 이와 비슷하게 지배 구조의 유지에 기여하는 유물 및 작품을 전시함으로써 문화적 불평등의 유지에 기여하게 된다.

다른 예를 들면, 제1차, 제2차 세계 대전에서 수많은 흑인 병사들이 참전하고 전사하였음에도 불구하고 과거에 제1차, 제2차 세계 대전을 다룬 영화에서는 흑인이 아예 등장하지 않았다. 이런 영화를 관람한 관객들은 역사적으로 흑인이 세계 대전에 참전하지 않은 것으로 생각하게 된다. 또한 인디언이 등장하는 영화에서는 백인과 인디언 사이의 전쟁과 분재의 원인이 인디언에게 있다는 이야기를 전개한 경우가 있다. 이는 그 영화 감독이 백인이기 때문에 나타나는 현상이라고 볼 수 있다. 그러나 인디언의 입장에서 백인은 자신들의 지역 사회에 침투한 외부인으로서 자신들의 토지와 각종 이익을 강탈한 침략자로 인식된다. 필자가 유학 시절에 40대의 한 인디언 대학생을 만난 적이 있는데, 그는 백인들이 이주해 왔을 때 백인들이 아메리카에 정착하도록 인디언들이 많은 도움을 주었다고 말하였다. 당시 백인이 신대륙이라고 말한 아메리카에는 풍토병이 있었고, 이로 인하여 이주해 온 백인의 1/3에서 절반 정도가 사망에 이르기도 하였다고 말하였다. 이때, 인디언들이 민간요법을 동원하여 많은 백인들의 질병 치료를 도왔다고 한다. 또한 새로운 기후와 토양을 가진 신대륙에 도착한 백인들에게는 식량이 필요하였는데, 인디언이 옥수수 재배 방법을 가르쳐주면서 연명하도록 도왔다고 한다. 이렇듯 인디언이 당시 백인에게는 생명의 은인이었던 것이다. 그러나 백인들은 점점 세력을 키워가면서 자신들의 이익을 위해 인디언들과 전쟁을 일으켜 영토를 빼앗고 이들을 축출하였다는 것이다. 이와 같이 역사적 사실을 올바로 전달하기보다 왜곡된 형태로 전달하면서 지배 구조의 유지에 기여하는 기제의 배경에는 백인이었던 영화

감독들이 백인의 관점에 따라 이런 영화들을 제작한 사실이 놓여 있다.

Kincheloe는 포스트모던 시대에 헤게모니가 미디어를 통해 행사되고 있음을 지적하면서 미디어 비평을 통해 미디어를 통한, 즉 영화, 광고에 대한 지배 계급의 교묘한 지배력 행사에 대해 비판한다. 그 대표적인 사례는 맥도날드에 대한 비판적 연구이다.

이러한 연구에 토대를 두고 Kincheloe는 미디어 연구가 교사들을 위한 비판적인 포스트모던 교육과정의 중심에 있다고 말하였다. 이 미디어 연구는 TV, 라디오, 대중음악, 컴퓨터 등의 효과를 분석할 뿐만 아니라, 기호학, 영화 분석, 문화 인류학 같은 포스트모던 연구 양식을 가르친다. 이런 분석은 세상에 대한 정보와 의견을 얻기 시작하는 초등학교에서부터 시작할 수 있다. 교사 교육과정은 미디어 분석가의 역할을 수행하도록 하는 준비 과정을 제공할 필요가 있다(Kincheloe, 1993: 91).

Kincheloe(1993)는 "TV를 통해 세상이 안방으로 들어오기보다, TV가 시청자를 유사-허구의 장소인 초현실성으로 초대한다"라고 말하는 Luke(1991: 14)를 인용한다(Kincheloe, 1993: 84). 초현실성의 문화는 새로운 유형의 의사소통을 만들어냈는데, 이는 "이미지의 집합으로서 시각적으로 보이는 겉모습, 징후만 추켜세운다"(McLaren, 1991: 145-146)라고 말한다(Kincheloe, 1993: 88). 이와 관련하여, Feuerbach는 이미 1843년에 *The Essence of Christianity*에서 "우리의 시대는 실제 사물 자체보다 이미지를, 원본보다 복사물을, 실재 자체보다 그것이 표현된 것을, 존재보다 밖으로 드러난 외모를 선호한다"라고 말하였다(Sontag, 1978: 153; Pinar et al., 2000: 472 재인용). 오늘날 세상에는 복사물만 있는 것 같다. Guy Debord(1990)에 따르면, "화려한 쇼의 사회(the society of the spectacle)"만 있는 것 같다. 이 사회에서는 역사와 사건들을 미디어가 만들어내고 방송을 중단하는 순간 역사와 사건들은 존재하지 않게 된다. 이미지의 기표(언어의 소리와 의미 중 소리)는 끊임없이 의미 없게 흘러가면서, 우리는 혼란에 빠지게 되고, 방향을 잃게 되고, 어찌할 줄 모르게 되고, Jameson이 말하듯이, "우리는 이런 포스트모던 공간 안에 우리 자신을 두게 되고 그 안에서 그것에 대한 인지적 지도를 그려간다"(Jameson, 1987: 33; Pinar et al., 2000: 472 재인용). 과거 교실에서 비디오 녹음기와 비디오 디스크 카세트, 그리고 오늘날 스마트폰을 포함하는 동영상 카메라, 유튜브 동영상, 각종 비대면 수업 및 회의를 위한 플랫폼 사용의 급증은 바로 이런 이미지에 대하여 인지적 지도를 그려가는 일에 대한 관심을 나타낸다고 볼 수 있으나, 이는 또한 그런 지도 그리기의 불가능성을 나타낼 수 있다(Pinar et al., 2000: 472).

Kincheloe는 초현실성의 존재에 대해 민감한 교사 교육 프로그램은 예비 교사가 정보의 본질에 대해 연구하도록 요구한다고 말하였다. 역사적으로 정보는 여러 양식에 담겨 있었다. 전자 이미지 이전에 정보는 연설, 집필, 인쇄물, 그림으로 나타낸 이미지를 통해 의사소통되었다. 우리의 사고는 정보를 전달하는 지배적인 담론(담화) 양식에 의해 부분적으로 형성되어 왔다. 사건들이 형성되고 역사가 흐르는 방식에 대해 이해하기 위해 우리는 정보의 형식(format)이 미치는 영향에 대해 이해해야 한다(Kincheloe, 1993: 92).

　　TV는 추상적이고 모호한 아이디어에 주목하지 않고 우리의 시선의 초점을 이미지에 두게 한다. George Bush(또는 Joseph Biden Jr.)가 지도자처럼 꼿꼿이 서서 미소를 지으며 군중에게 손을 흔드는 것이 쟁점이다. 통화 하향 침투설(trickle-down economics)의 문제가 아니다. 민주주의 사회의 교사와 시민을 양성하면서 초현실성의 인식론에서 이들을 보호하기 위하여 교사 교육과 학교 교육에서는 이러한 정보의 양식의 변화를 다룰 필요가 있다. 그러한 사회적 변화는 새로운 형식의 문해력을 요구한다. 이는 포스트모던 문해력이다. 우리가 학교에 취학하기 이전에 5,000시간이나 보내는 TV 시청, 1주일에 800개 또는 그 이상의 광고 시청(Postman, 1985: 4-8; Kincheloe, 1993: 92 재인용)의 효과를 읽을 줄 아는, 그리고 Fred Flintstone, Teenage Mutant Ninja Turtles, Tiny Toons, Captain M, Super Mario Brothers 등이 지배하는 문화적 지식의 효과를 읽을 줄 아는 문해력이다(Kincheloe, 1993: 92).

　　Kincheloe(1993: 92)에 따르면, 우리가 정보를 연구하면서, 우리는 불가피하게 미디어와 대중 문화가 교사와 학생의 의식을 형성하는 방식을 정면에서 직시해야 한다. Peter McLaren은 이런 맥락에서 우리에게 다음과 같은 것을 제안한다.

　　학생의 주체성, 꿈, 소망, 요구가 어떻게 미디어, 여가 활동, 가정과 같은 기관, 로큰롤(rock'n'roll), 뮤직 비디오와 같은 문화적 양식에 의해 형성되는가? 예를 들어, 의미의 경쟁적인 정치학 안에 새겨진 일상생활을 학생들은 어떤 실제적 윤리에 따라 살아가는가? 의미의 정치학은 경험의 문제화를 어떻게 구조화하는가? 신체의 수준에 침투하는 표현의 효과로 구성되는 학생의 주체성은 어떤가?(McLaren, 1991: 165)

가. 버거의 상징: 맥도날드와 문화 권력

Kincheloe(2002)는 「버거의 상징(*The Sign of the Burger*)」이라는 책에서 금빛 아치로 표현되는 미국 자본주의의 가장 뚜렷한 상징의 하나인 McDonald가 어떻게 사람들을 통제하고 헤게모니적 문화 권력을 휘두르는지를 심도 있게 다루었다. 저자는 자전적 테마를 취해 집필하였으며, 전 세계적으로 끊임없이 성장하는 맥도날드에 다양하게 반응하는 사람들의 방식을 깊이 있게 분석하였다(Kincheloe, 2002: back cover).

「버거의 상징」은 미국 문화의 권력을 설명하는 축약(약칭)으로서, 소비주의의 힘에 대한 상징으로서, 글로벌화된 경제에서 노동의 조건에 대한 지표로서, 그리고, 종종 좋거나 나쁘거나, 수천만의 문화를 정의하는 강력한 교육적 수단으로서 맥도날드가 어떻게 우리의 상상력을 포착하는지에 대해 검토한다. Kincheloe는 맥도날드의 성장은 여러 방식으로 그것이 우리의 글로벌 세계에서 점점 더 그 존재감이 확장되는 것을 수용하거나 항의하는 본질 모두를 결정할 것이라는 사실을 분명하게 드러낸다(Kincheloe, 2002: back cover).

나.「디즈니: 순수함과 거짓말」

Giroux(1999)는 「디즈니: 순수함과 거짓말」에서, 거대 다국적 기업 디즈니가 공공의 추억을 조장하고, 아이들을 소비자로 대상화하며 보수화한다는 데에 초점을 맞추고 대중 문화가 일상에 미치는 영향을 상세하게 설명했다. 아울러 순수와 오락을 내세워 지구촌 경제와 문화 교육에 막대한 영향력을 발휘하는 디즈니사의 현 위치를 소개했다(Giroux, 1999: back cover).

Giroux와 Pollock은 「디즈니: 순수함과 거짓말」의 개정판(2010)에서 월트 디즈니 회사의 문화 정치학을 업데이트하며, 계속 확장을 거듭하는 생산품, 서비스, 미디어 등이 어떻게 아동의 문화를 주로 상업적인 것으로 전환하는, 일종의 가르치는 기계와 같은 역할을 하는지에 대해 탐색한다. 거대 기업 디즈니는 21세기에 자유 시장을 강조하는 근본주의가 확대되어 가는 영향력과 또한 어떻게 강력한 기업들의 메시지가 글로벌한 맥락에서 이용되기도 했고 점점 더 저항을 받기도 했는지에 대해 이해하기 위해 여전히 중요한 연구 대상이다. 이 개정판에서는 새롭게 디즈니가 (소비자 문화에의 참여를 통해) 어린 아동들이 자신들의 정체성, 가치, 세계에 대한 지식을 형성하고 유지할 수단을 제공할 것을 약속하면서, 디즈니의 트윈스(8~12세)와 10대를 겨냥하는 마케팅 전략의 전환에 대해 논의한다. 이 개정판에서는 새롭게 '디즈니 왕국의 글로벌화'와 '디즈니와 군사화와 9 · 11 사태 이후 안전을 강화한 국가' 2개의 장이 추가되었다. 개인의 비판적 수용의 중요성을 광범위한 민주주의적인 국제 공동체와 연결하면서, 아동들에 미치는 디즈니의 영향을 확대하여 미국의 과대 기업으로서 디즈니의 정치적·경제적 차원에 대한 분석으로 확대한다(Giroux & Pollock, 2010: back cover).

　　Giroux와 Pollock(2010)은 개정판에서 교육적인 측면과 맥락적인 측면을 조명하면서 그리고 디즈니에 대한 다음의 질문들을 제기하면서 디즈니에 접근한다. (1) 공공의 기억, 국가적 정체성, 젠더 역할, 아동의 가치관의 형성에서 디즈니의 역할은 무엇인가? (2) 한 사람의 행위자로서 나는 누구이며 어떤 자질을 가지는가를 암시하는 일에서 디즈니가 하는 역할은 무엇인가? (3) 미국 문화와 전 세계에서 소비주의의 역할 결정에서 디즈니가 하는 역할은 무엇인가?(Giroux & Pollock, 2010: 12)

　　제1장에서는 유아(childhood)라는 개념을 둘러싸고 등장한 위기와 새로운 형식의 유아적 순수함의 형성에서 기업 문화가 수행하는 역할의 확대를 검토한다. 제2장에서는 최근의 TV쇼와 영화에서 어린 유아용 학습 자료를 생산함으로써 그리고 나이가 든 유아의 학교에 대한 태도에 영향을 미침으로써 교육에 미치는 영향의 확대에 대해 논의한다. 제3장에서는 1990년대 디즈니의 기업 측면과 문화 측면에서 영향력의 급격한 확대를 위한 초석을 제공한 만화 영화의 맥락과 그것에 대한 읽어내기에 대해 논의한다. 제4장에서는 미국에서 신자유주의 정책과 이데올로기의 확대와 2001년 9·11 사태 이후 국가 안전의 의제(과제)의 실행이라는 맥락 속에서 진행된 디즈니 기업의 활동에 대해 탐색한다. 제5장에서는 디즈니에 접근하는 글로벌한 맥락을 다룬다. 첫째, 디즈니 회장 Michael Eisner(1984~2005)와 Robert Iger(2005~현재)가 제시한 국제적 확장의 비전의 토대를 제공하는 시장 본질주의(market fundamentalism)를 다룬다. 둘째, 프랑스, 일본, 중국에서 디즈니랜드의 설립과 미국의 모델이 해외에서 변용된 방식을 다룬다. 셋째, 디즈니의 기업 정책과 문화적 영향, 특히 디즈니의 저임금 작업장과 노동 관련 문제에 대해 전 세계적으로 등장한 여러 집단의 저항을 다룬다(Giroux & Pollock, 2010: 12-14).

　　미국과 전 세계에서 디즈니의 압도적인 존재는 의미 획득과 제도적인 영향력을 둘러싼 투쟁의 중심에는 문화를 둘러싼 투쟁이 있다는 점을 상기하게 한다. 학습이 의미 있는 것, 비판적인 것, 해방적인 것이 되려면, 소비자 선택이라는 명령적 용어에 굴복하거나 이데올로기가 여러 문화적 담론에서 어떻게 작동하는지에 대한 문화적인 논의에 대한 방해나 금지에 굴복해서도 안 된다. 반대로, 비판적 학습은 사회적 책임, 공공의 책무성, 민주 시민 의식이라는 권위 부여적인 요구들(empowering demands)과 연결되어야 한다. 우리가 우리의 아동과 청소년을 어떻게 교육하는가 하는 것이 우리의 집단적인 미래와 밀접하게 연결되어 있다. 우리는 우리의 공적인 문화 영역에서 청소년에게 권위를 부여하는 내러티브를 유지해야 한다. 비상업적 공공의 문화가 공격을 받을 때, 우리는 성장하는 상업적인 영역을 직면하게 된다. 이 영역은 자아, 국가, 다양한 공공 영역을 비판적 학습과 시민 의식을 위한 중심으로 정의하고, 방어하고, 개혁하기 위해 청소년과 다른 사람들이 사용 가능한 어휘와 이미지를 극도로 제한한다. 우리 중 어느 누구도 서구 사회의 많은 지역을 휘두르고 있고, 일본, 인도, 중국과 같은 다른 나라들에 급속도로 그 영향력을 확대하고 있는 쾌락과 오락의 문화의 영향을 피할 수 없다. 이렇게 확산하는 문화 산업에 대해서 그들이 기쁨과 즐거움을 생산할 수 있는지만을 평가해서는 안 되고, 대신에 즐거움의 내러티브를 제공하되, 이와 동시에 민주적인 운동과 제도를 침해하지 않으면서 즐거움을 제공할 수 있는지를 평가해야 한다. 우리는 디즈니의 상상가들과 집행자들이 보여준 것처럼, 어린이들의 희망과 꿈을 광고주들과 기업의 통제를 받는 미디어의 이익을 위한 수단으로 삼는 국제 문화 산업을 필요로 하지 않는다(Giroux & Pollock, 2010: 15).

6. 잠재적 교육과정과 교사의 임무

Giroux(1978)는 전통적 교실에서 발견되는 잠재적 교육과정의 구조적 특징에는 다음과 같은 것이 있다고 말한다. 엄격하고 융통성 없는 시간 계획(스케줄), 불필요한 지연과 부정, 차별과 사회적 분류, 지배와 피지배의 위계적 관계, 교사의 임의적인 권력(권위) 행사와 평가, 학생 상호 간의 교육 경험이 파편화되고 분리되고 경쟁적인 점 등이다. Giroux는 이들을 제거하기 위해 교사의 관심과 노력이 필요하다고 말한다(Giroux, 1978: 149).

(1) 소외되는 학생이 없는 교실을 만들어야 한다. 모든 교실 활동에서 능동적이고 공동체(집단)적인 참여가 필요하다. 학생에게 공동체와 협동(협력)에 대한 존중과 함께 건강하고 균형 잡힌 개인주의의 중요성을 심어주어야 한다. 모든 측면의 의사소통에서 대인 간 신뢰, 온화함(따뜻함), 존중이 있어야 한다. 학생에게 선택의 중요성을 인식하게 해야 하고, 상황적 제약 속에서 이 선택에 따라 행위할 수 있다는 것을 인식하게 해야 한다.

(2) 잠재적 교육과정은 사고와 행위에서 주도성과 자발성을 방해한다. 교실에서의 활동은 벨소리와 부저 소리 체제에 따른 엄격한 시간 스케줄의 통제를 받는다. 이 경우, 미리 정해진 시간에 따른 시작과 종결이 있다. 학생의 관심에 따른 것이 아니다. 통제된 자기 진도가 대안이 될 수 있다. 이 경우, 자신, 동료, 그리고 학생들과 개별적으로 상호 작용할 수 있는 교사에게 평가받을 수 있다. 이때 교실 활동의 속도와 특성

을 시계가 결정하지 않는다(Giroux, 1978: 150).

(3) 트래킹, 즉 동질적인 학생 조직은 제거되어야 한다. 이질적인 조직이 학생 간의 융통성 있는 상호 작용을 위한 더 나은 기회를 제공한다. 앞서가는 학생이 동료 학생 교사의 역할을 할 수 있다. 자기 진도는 완전 학습 이론에 토대를 두고 있다. 트래킹을 제거하면 권력이 분산된다. 교사에게만 주어지던 권력이 동료 학생 교사가 지도력을 발휘하면서 이들에게 분산된다. 이 경우, 자신의 관심을 공유할 수 있다. 학생들은 조장과 다른 학생에게 도움을 받을 수 있다. 조장은 다른 학생이 필요한 도움을 확인하고 피드백을 제공할 수 있다. 교사는 조장이 다루기 어렵고 복잡한 문제를 다룰 수 있다. 자기 진도와 조장의 활용은 자신들의 학습(과제) 수행, 점수, 시간에 대해 스스로 통제하게 하므로 서로 경쟁하지 않는다(Giroux, 1978: 150-151).

(4) 권위와 점수 부여 문제와 관련하여, 전통적인 교실에서 사회적 관계는 교사의 권위에 토대를 두었다. 계약 점수 체제는 이를 제거할 수 있다. 이는 학생에게 점수의 부여에 대한 일정 부분의 통제를 가능하게 하고, 권위와 점수 사이의 대응을 약화한다. 점수 부여 기준이 무엇인지 학생에게 분명하게 전달한다(Giroux, 1978: 151).

(5) 집단적 대화가 필요하다. 협력(협동)과 친목의 규범이 경쟁과 개인주의를 상쇄한다. 학생에게 교수의 도제 제도의 기회를 제공한다. 상호 평가를 통해, 학생 토론에의 참여와 조장 활동을 통해, 학생들은 교수에 대한 직관적이고 모방적인 접근이 아니라 분석적이고 성문화된 접근이 중요하다는 것을 이해할 기회를 준다(Giroux, 1978: 151).

제5부

교육과정의 계획 및 실행

제 10 장

교육과정의 개발 및 설계

제1절 교육과정 개발의 유형

1. 중앙 집중적 교육과정 개발

한국과 일본은 중앙 집중적, 미국, 영국, 캐나다, 오스트레일리아, 독일 등은 지방 분권적 개발 체제를 따른다. 일반적으로 규모가 큰 교육과정 프로젝트는 중앙 집중적으로 개발한다. 중앙에서 임명한 교육과정 전문 기관이나 전문가 집단이 교육과정 개발(개정)의 필요성과 요구에 대해 설문 조사 등을 통해 깊이 있게 평가하고, 기초 연구를 충분히 실시한 토대 위에 진행한다. 이렇게 개발된 교육과정 개발(개정) 결과물은 여러 차례의 검토 과정을 거쳐 수정·보완된다. 개발 기관은 교육과정 최종 결과물을 학교에서 사용할 수 있도록 체계적인 절차에 따라 보급하고 홍보하며, 사용자들을 위한 교육과 연수와 훈련을 제공한다(Marsh, 1992: 124). 국내에서는 교육부가 최종 결과물로서의 교육과정을 전국의 모든 학교가 실행할 수 있도록 교육과정의 주요 내용에 대해 주로 교육부  교육청 ➜ 학교 순서로 전달하는 연수의 형태로 전달하고 보급하였다(김평국, 2003: 123-124). 이런 개발 방식의 장점과 단점을 살펴보면 다음과 같다.

가. Marsh의 설명

1) 장점

(가) 통일된 교육과정 운영을 가능하게 한다.

- 교육과정의 표준화를 증진한다.
- 희소 자원을 평등하게 할당하고 배분한다.

(나) 시간을 절약한다.

- 개별 학교의 세부적인 요구에 대한 분석을 하지 않는다.
- 관리가 효율적이고 쉽다.
- 시간, 에너지, 재원을 절약한다.

(다) 전문성을 집약할 수 있다.

- 전문가 집단을 활용한다.
- 충분한 재원을 공급하여 질 높은 자료를 개발한다.

(라) 학교와 교육부 사이에 밀착 결합(tight coupling)이 가능하다.

- 교육부는 개별 학교의 활동을 통제할 수 있다.
- 교육부는 학교가 정해진 목표에 도달하도록 요구할 수 있다(Marsh, 1992: 125).

2) 단점

(가) 교사에게 주도권을 거의 주지 않는다.

- 교사는 기술자에 불과하다.
- 교사가 개발에 참여하는 것을 허용하지 않는다.

(나) 자주 실행 계획이 부족하다.

- 학교 수준에서의 실행 전략에 충분한 관심을 기울이지 않는다.
- 교육부 관료는 실행의 추적에 관여하지 않는다.

(다) 표준화 수준을 높인다.

- 목표의 범위를 좁힌다.
- 학교는 차이점이 많기보다 공통점이 많다고 가정한다.

(라) 합리적인 모형에 의존한다.

- 학교 교직원은 중앙에서 개발된 정책을 실행하기 원할 것이라고 가정한다

(Marsh, 1992: 125-126).

나. 허경철 등의 설명

우리나라에서 과거에 중앙 집중식 · 주기적 · 전면적 · 일시적 개정의 특징을 보였던 국가 수준 교육과정 개정 방식에는 순기능적 측면과 역기능적 측면이 있었다. 이들에 대해 살펴보면 다음과 같다(허경철 등, 2003: 19-20).

1) 과거 개정 방식의 순기능적 측면

(가) 새로운 교육 혁신의 아이디어나 국가 교육 목표의 실현을 용이하게 전국화할 수 있다.

(나) 체계적이고 국가적인 노력에 의해 질 높은 교육과정을 설계할 수 있다.

(다) 교육과정과 학교 교육의 질 관리를 국가 수준에서 효율적으로 할 수 있다.

(라) 통일된 학교 교육 평가 기준으로 전국의 학교 수준을 균등하게 높일 수 있다.

(마) 지방 교육청, 학교, 교사의 교육과정 개발 노력을 절감할 수 있다.

(바) 교육과정 개정의 주요 원칙, 이념, 변화의 방향을 개정의 대상이 되는 교육과정의 모든 영역에 체계적으로 반영함으로써 조화로운 하나의 틀로 교육과정을 통합할 수 있다.

(사) 교사와 학생의 지역 이동을 용이하게 한다.

(아) 교육과정 결정 과정에서의 정치적 투쟁 과정이 일정한 기간 동안만 발생하게 함으로써 그렇지 않을 경우 발생할 수 있는 사회적 소모를 방지한다.

(자) 교육과정 결정 관련 정치 투쟁이 일부 영역(중앙 국가 수준에 관여할 수 있는 교육 관련 인사들) 안에서만 주로 발생하게 함으로써 그렇지 않을 경우 발생할 수 있는 사회적 소모를 방지한다.

(차) 각종 국가 수준의 시험 제도의 운영을 용이하게 한다(허경철 등, 2003: 19-20).

2) 과거 개정 방식의 역기능적 측면

(가) 중앙 집중식 개정(개발)은 지역, 학교, 학생의 특수성에 부합할 수 있는 다양한 교육과정의 개발과 시행을 어렵게 한다.

(나) 중앙에서 개발된 교육과정은 법규적인 권위 때문에 권위주의적인 맥락이 형

성되며 이에 따라 교육과정의 시행이 획일화되고 경직화된다.

(다) 중앙 집중식 교육과정 개발(정) 방식으로 인하여 교사는 교육과정 문제로부
터 소외되어 자신의 전문성 향상을 위한 기회를 상실하게 되며 교육의 여러
영역에서 수동적 자세가 발전되게 한다.

(라) 짧은 간격의 주기적 개정(제5, 6, 7차 개정의 경우)은 교사들로 하여금 빈번
하게 개정되는 새로운 교육과정에 계속적으로 적응하도록 요구함으로써 높
은 수준의 심리적 부담감을 유발한다. 교사들은 새 교육과정에 적응하기도
전에 또 다른 새 교육과정에 적응해야 되는 상황에 직면하게 된다.

(마) 전면적 개정은 개정이 필요하지 않은 부분에 대해서도 개정이 이루어지게 함
으로써 개정에 대한 냉소적인 태도를 형성하게 하며 교육과정의 누적적 · 점
진적 개선을 불가능하게 한다.

(바) 전면적 개정 그리고 총론 위주의 개정은 개정 대상 요소들의 특성을 고려하
지 않은 상황에서 획일적 개정을 강행하게 함으로써 교육과정의 효능성이 감
소되게 한다.

(사) 전면적 · 일시적 개정은 짧은 시간에 전 영역에 대한 개정 작업을 수행하도
록 함으로써 예산, 시간, 인력의 부족 사태를 야기한다. 이들의 부족은 교육
과정을 부실하게 개발할 수밖에 없는 수많은 원인들을 제공한다(허경철 등,
2003: 20-21).

2. 지방 분권적 교육과정 개발

지방 분권적 교육과정은 교육과정 개발이 중앙 정부에 의하여 이루어지는 것이
아니라 지방 정부에 의하여 이루어지는 방식을 말한다. 국가의 교육이 국가에 의하여
이루어지는 것이 아니라 지방에 분산되어 지방마다 고유하게 교육을 운영하게 되고
교육과정도 지방 정부, 좀 더 정확하게는 지방 교육 행정 기관에 의하여 개발, 운영되
는 방식이다. 이 방식에서는 국가 교육과정이 존재하지 않고, 여러 개의 다양한 지방
수준의 교육과정만이 존재한다. 분권형 개발의 장점은, 지역의 특수성이 고려된 다양
한 교육과정이 개발될 수 있고, 지역 단위의 교육 문제 해결의 자율 능력을 키울 수 있
으며, 지역 단위의 교육 인사들의 교육 전문성을 높일 수 있고, 교육과정 개발의 다양
한 접근 방법이 수용될 수 있으며, 선택적인 교육과정을 제공할 수 있다는 것이다(윤
현진 등, 2010: 79-80).

현재 우리나라의 교육과정은 국가 교육과정을 근간으로 지방 수준 교육과정을 보완한 일종의 절충형이라고 말할 수 있다. 절충형은 국가 교육과정(중앙 집중형)과 지방 수준 교육과정(지방 분권형)의 특징이 혼합된 개발 방식을 의미한다. 즉 기본적으로 국가 교육과정 체제를 유지하는 가운데 국가 교육과정의 특정 부분은 중앙 정부에서 관장하고, 어느 다른 부분은 지방 정부에서 담당하는 체제를 의미한다(윤현진 등, 2010: 80).

3. 학교 중심 교육과정 개발

지방 분권적 교육과정 개발 체제의 일부로 볼 수 있는 학교 중심 교육과정 개발을 강조하게 된 배경에는 1970년대에 OECD의 '교육 연구 및 혁신 연구소(Center for Educational Research and Innovation, CERI)'의 역할이 상당히 컸다. 교육 문제의 해결에 관하여 여러 해에 걸쳐 여러 나라 대표들이 참여한 몇 차례의 회의 끝에, '교육과정 개발 과정에 교사 참여의 필요성'을 강조하였다. CERI의 설립 이전에는 OECD가 교육과정의 R&D(Research & Development) 정책에 중점을 두고 있었으므로 이 문제를 다루지 않았다. CERI의 논의는 교사 참여를 전제로 이루어졌으며, 이에 따라 학교 중심 교육과정 개발자로 교사의 역할을 강조하게 되었다. 교육과정에서 교사의 역할을 간과해 온 종래의 문제를 지적하였던 CERI는 학교 중심 교육과정 개발의 성립을 촉진하였고, 1970년대에 새로운 교육과정 개발 형태로 주목받게 하였다(정영근, 2000: 307).

OECD CERI가 주도한 학교 중심 교육과정 개발에 관한 프로젝트에서 수많은 사례 연구들, 세미나들, 수많은 보고서들을 검토하며 광범위한 범위에 걸쳐 토론하고 논의하였는데, 이 과정에 깊이 있게 참여한 영국의 Skilbeck(1984)은 그 필요성을 다음과 같이 제시하였다.

가. Skillbeck의 설명

1. 교육과정 개발에서 학교의 자율성 증대에 대한 요구가 증가하였다. 이는 현대 사회에서 모든 공적 영역에 대한 통제와 관리에 대한 증가된 참여의 일부이다. 이는 대의적인 또는 정당한 관료주의 구조를 통하는 것뿐만 아니라, 직접적인 참여를 통한 의사 결정과 정책 결정의 민주화와 맥락을 같이한다. 지적이고 전문적인 자유에 대한 관심이 핵심을 차지하는 사회의 일부로서 학교는 이 운동에 참여하며, 적어도 학생, 학부모, 지역 사회 등 자신의 구성원들에게

지도력을 행사할 것이 기대된다(Skilbeck, 1984: 13).

2. 중앙에서 구성되고(참여가 없는), 교육과정 정책 또는 교육과정의 내용과 조직에 대한 법에 따른(법률적) 변화와 같은 하향식(중앙 집중적) 통제 모형은 불만족과 저항을 가져오거나, 제안된 변화의 배경이 되는 아이디어나 가치에 대한 무관심을 낳았다. 중앙 집중식 모형은 종합적 혁신으로서는 자원이 부족했고, 부적절하게 설계되었다. 그리고 그것의 제한된 영향은 대규모의 프로젝트 개발의 실패에 대한 광범위한(전적으로 정당화될 수 없다면) 신념을 낳았다. 이 주장은 심지어 중앙 정부가 대부분의 대규모 전후 교육 개혁을 강요하는 데 실패한 프랑스 같은 전통적으로 중앙 집중적인 체제에도 타당하게 적용된다(Skilbeck, 1984: 13).

3. 학교는 상호 역동적인 관계를 지닌 사람들로 구성된 사회적 기관이다. 학교는 살아 있는 하나의 조직으로서 그것의 목적인 어린 학생을 교육하는 것을 가능한 한 가장 탁월하게 달성할 수 있는 방식으로 그 활동과 업무를 조직하여 관리할 필요가 있다. 학교는 주변의 환경과 일방향이거나 단순하지 않은 복잡한 상호 작용을 하면서 아이디어, 인적 · 물적 자원을 교환한다. 학교는 사회 환경과 의사소통을 하면서 영향을 주기도 하고 받기도 한다. 사회 환경에 반응하는 것을 포함하여 자신의 임무 수행에는 자유, 기회, 능력, 자원이 필요하다. 만약에 우리가 자기 결정과 자기 주도라는 역할을 부여하지 않으면, 우리는 학교가 하나의 역동적인 교육의 중심적 장소가 되는 것을 기대할 수 없다. 교육과정은 학교 교육의 핵심적인 구조적 요소로 그것에 따라 학교의 교육적인 역동성(활력), 그것의 교육적인 사명의 성공적인 달성 여부가 결정된다(Skilbeck, 1984: 13-14).

4. 교육과정의 내용은 학습 경험으로 구성되며, 이를 계획하고, 자원을 공급하고, 구조화하고 조직하고, 운영하고, 측정하고 평가한다. 이 경험들을 우리가 문화라고 부르는 인류의 경험, 우리가 교과라고 부르는 지식의 구조, 일상생활의 주제와 토픽 등의 영역들을 광범위하고 결합된 기본적인 자원들에 의존하면서 조직해야 한다. 이 경험들을 조직하면서 개별 학습자의 요구에 대해 추론을 하거나 주장을 해야 한다. 여기에는 학습자들 각자에 대해 그리고 집단에 대해 깊이 있게 알고 이해할 것이 요구된다. 특정 학교의 학생들을 위한 교육과정의 계획과 설계는 학교가 가장 잘 수행해 낼 수 있다. 즉, 특정 프로그램이나 교과목에 관한 교수 · 학습 설계는 학교의 교육과정에 관한 핵심적

인 과제이다(Skilbeck, 1984: 14).

5. 예측하지 못한 상황이나 교수·학습 과정에서 나타나는 돌발적 사건들에 대응하기 위하여 교육과정을 변용하고, 수정하고, 조정할 필요성 때문에, 학교는 최소한 지역의 상황을 반영하여 교육과정을 재구성(조정)할 수 있는 권한을 가질 것이 요구된다. 교수·학습은 서로 다른 속도와 다양한 유형의 학습 과제, 자원과 장비 등을 다양하게 사용하는 방식을 비롯하여 다양한 유형의 개인 및 집단 활동을 포함하므로, 교육과정 관리의 융통성은 학교를 효율적으로 운영하기 위해 필수적이다. 이들은 교육과정의 최소한의 역할들이며, 학교가 지정된 책임에 따라 학습을 설계하고 구성하고 다양화하고 수정할 자유와 기회를 가질 때 더욱 효과적으로 수행될 수 있다. 이는 충족되어야 할 하나의 조건으로서, 예를 들어 외부에서 개발된 시험에 출제되는 교과 목록(examination syllabus)과 같은 것이 충족하기 어려운 것이다(Skilbeck, 1984: 14).

6. 자유롭고 책임감 있는 전문가로서 교사의 역할은 교육과정의 계획, 설계, 평가라는 중요한 측면들에 직접 참여할 수 있는 여지가 없으면 수행할 수 없다. 교사의 자아실현, 동기, 성취감은 교사의 전문적 삶의 중심이라고 할 수 있는 교육과정 의사 결정과 밀접하게 연결되어 있다. 이들은 교육에서 함양해야 할 중요한 자질로서 사회 전반적인 성숙, 자유, 지성에 기여한다(Skilbeck, 1984: 15).

7. 반성적으로 볼 때, 우리는 이제 1950년대에서 1970년대 사이에 현대의 교육과정 개발 운동에서 주도적인 역할을 수행하던 지역, 주, 국가 수준의 연구·개발 기관보다 학교를 더욱더 안정적이고 지속적인 기관으로 바라볼 수 있을 것 같다. 미국에서, 지역 연구소들이나 대학의 연구·개발 센터들 중에 남아 있는 것이 많지 않다. 교육 개혁을 관리하던 School Council은 무너졌다. 영국의 많은 전문 기관과 교사 센터들이 문을 닫았다. 오스트레일리아 교육과정 개발 센터의 독립성은 희석되었다. 다른 많은 국가 기관들이 재원 확보에 어려움을 겪고 있고, 심사를 받고 있거나, 단일 교과 안에서 학습 자료 개발에 집중하고 있다. 교육 체제가 교육과정의 모든 영역에 걸친 교육과정 개발을 교육 체제 전체 차원의 활동으로 유지하는 능력은 그 체제의 여러 서로 다른 하위 요소들이 함께 작용하여 발휘된다. 여기에는 교사 선발과 훈련, 교원 연수, 전문성 신장 활동, 잘 짜여진 국가 정책, 확보된 재정 자원 등이 포함된다. 그러나 우리는 교육과정 개발을 위한 가장 가치 있는 자원을 학교라는 기관 내부에서 발견할 수 있다. 구조적으로 (많은 조직적 변화가 있음에도) 그것은 안

정적이고 지속적이다. 하나의 공동체로서 학교는 높은 수준의 전문성을 지닌다. 상당한 인적 자원이 학교에 집중되어 있고 또한 학교를 통해 추가적으로 인적 자원을 동원할 수 있다(Skilbeck, 1984: 15).

이렇게 학교 중심 교육과정 개발을 강조하는 흐름 속에서 여러 국가의 정부와 교육학자들과 교사들이 관심을 보였으며, 그에 대한 연구가 이어졌다. 이렇게 학교 중심 교육과정의 개발 필요성이 강조된 이후 영국과 오스트레일리아에서는 적극적이고 순조롭게 수용되었다. 그러나 미국과 캐나다에서는 그 수용이 미미하였다. 서로 다른 여러 나라는 문화적인 차이로 인하여 그 수용을 촉진하기도 하고 방해하기도 하였다. 그 장점과 단점을 살펴보면 다음과 같다(Marsh, 1992: 130).

나. Marsh의 설명

1) 장점

- 하향식(중앙 집중식) 교육과정 모형은 학교에서 실행되지 않는다.
- 학교 중심 교육과정 개발은 학교의 자율성을 높인다.
- 학교는 사회 환경에 반응할 필요가 있다. 학교는 학교 업무를 결정하고 이끌어 가기 위해 자유, 기회, 책임, 자원을 필요로 한다.
- 학교는 교육과정을 계획하고 설계하며, 특정 프로그램의 교수·학습 활동을 구성하기 가장 좋은 기관이다.
- 교사의 자아실현, 동기, 성취감은 교육과정 의사 결정과 밀접하게 연결되어 있다. 이는 교사의 전문적인 삶의 핵심을 차지한다.
- 학교는 교육과정 개발에 대하여 지역이나 국가의 기관들보다 더 안정적이고 지속적인 기관이다(Marsh, 1992: 130-131).

2) 단점

- 교육과정을 위한 계획, 반성, 개발을 위한 시간이 부족하다.
- 지식, 이해, 기술 등 전문성이 부족하다.
- 자료 구입과 교사의 개발 시간 확보를 지원할 재정이 부족하다.
- 인사권을 가진 교육청과 학부모에 의한 외부 제약이 있다.
- 저항하는 사람들과 효과적인 지도력의 부족이라는 학교를 위협하는 풍토가 있다.

- 교육과정 정책(계획)과 실천 결정(실행) 모두가 교사에게 지워질 때, 교사는 전문성 신장과 대체 인력을 위한 상당한 정도의 추가 재원 없이 두 과제를 모두 수행하기 어렵다.
- 학교 중심 교육과정 개발에 관심이 없는 교사가 많다. 그들은 자신들의 역할을 외부에서 개발된 교육과정을 실행하는 것에 국한된 것으로 본다.
- 때때로 강력한 로비 집단이 교육부와 교육청에 압력을 가할 수 있다. 이로 인해 교육과정 폭이 좁을 수 있고, 편향적이거나 갱신되지 않을 수 있다(Marsh, 1992: 131).

제2절 교육과정 개발의 주체(수준)

1. 국가 수준의 교육과정 개발

우리나라의 국가 수준 교육과정이란 초 · 중등학교의 교육 목적과 목표 달성을 위해 초 · 중등교육법에 입각하여 교육부 장관이 결정, 고시하는 전국 공통의 일반적 기준을 의미한다. 이 기준에는 초 · 중등학교에서 편성 · 운영하여야 할 학교 교육과정의 교육 목표와 내용, 방법과 운영, 평가 등에 관한 국가 수준의 기준 및 지침이 제시되어 있다. 따라서 이는 전국의 모든 학교가 따라야 할 일반적인 기준 또는 지침이다.

초 · 중등교육법에 근거하여 고시되는 국가 수준 교육과정은 의도적인 제도 교육의 목표와 내용, 방법, 평가의 기준이 될 뿐만 아니라 교육의 지원과 관계되는 교육 행정 및 재정, 교원의 양성 · 수급 · 연수, 교과서 등의 교재 개발, 입시 제도, 교육 시설 · 설비 등에 대한 정책 수립과 집행의 근거가 되는 '교육의 기본 설계도'로서 기능하며, 학교 교육과정의 기준으로서 법적 구속력을 갖는다. 국가 수준 교육과정 기준에는 법적 구속력이 있지만 동시에 이 기준은 교육의 목적 달성에 필요한 교육적 기준이므로 국가 교육과정 기준을 지역 및 학교의 실정에 알맞게 운영하는 것 또한 매우 중요한 의미를 갖는다(교육부, 2017: 6).

가. 국가 교육과정의 개정

새로운 교육과정의 필요성에 따라 교육과정 개정이 발의된다. 교육과정 연구 · 개발(Research and Development) 전문 기관 또는 교육부가 지정한 위원회에서 연구 ·

개발하며, 여러 번에 걸친 공청회를 통해 교사를 포함하는 각계 인사들의 검토 의견을 수렴하고, 교육부가 심의, 고시하는 3원화 체제이다. 우리나라 국가 교육과정의 개정은 과거 제7차 교육과정 시기까지 주기적·전면적·일시적 개정의 특징을 지니고 있었다. 이에 대해 살펴보면 다음과 같다.

1) 과거의 우리나라 국가 수준 교육과정 개정 방식의 특징

가) 주기적 개정

주기적 개정은 개정 작업이 발생하는 시간과 관련된 개념 또는 용어로서, 이는 과거의 우리나라 교육과정 개정 방식의 하나의 특징이라고 볼 수 있다. 주기적 개정의 엄밀한 의미는 일정한(동일한) 시간의 간격을 정해 놓고 그러한 시간 간격에 따라 일정하게 교육과정을 개정하는 것을 말한다. 예컨대 5년을 주기로 잡았다면 5년마다 한 번씩 교육과정을 개정하는 것을 의미한다(허경철 등, 2003: 15).

그러나 주기적 개정의 다소 덜 엄밀한 수준의 의미는 시간의 간격이 반드시 동일하지 않더라도(서로 다르더라도) 교육과정 개정이 그러한 시간의 간격을 두고 반복적으로 이루어지는 것을 의미한다. 예컨대 제1차 개정은 10년, 제2차 개정은 9년, 제3차 개정은 8년 만에 이루어진 경우, 이러한 개정도 주기적 개정의 범주 속에 포함하는 것이다(허경철 등, 2003: 15).

우리나라의 경우 해방 이후 제5차 개정까지는 5년 주기가 아니었다. 제2차 개정은 제1차 개정 이후 9년 만에, 제3차 개정은 제2차 개정 이후 10년 만에, 제4차 개정은 제3차 개정 이후 8년 만에, 그리고 제5차 개정은 제4차 개정 이후 6년 만에 이루어졌다. 그러나 제6차 개정은 제5차 개정 이후 5년 만에 제7차 개정은 제6차 개정 이후 5년 만에 이루어졌다. 따라서 지난 10여 년간 교육과정 개정은 5년 주기로 이루어져 왔다고 볼 수 있다. 결국 제2차 개정 이후 제5차 개정까지는 엄밀한 의미에서 주기적 개정이라고 할 수는 없으나, 시간의 간격을 두고 이루어졌다는 의미에서 약한 의미의 주기적 개정이라고 본다(허경철 등, 2003: 15).

나) 전면적 개정

전면적 개정이란 주로 개정의 대상 범위에 관계되는 개념으로서 이 역시 우리나라 교육과정 개정 방식의 한 특징을 나타내는 용어라고 볼 수 있다. 전면적 개정이란 교육과정을 개정할 때 개정의 대상이 되는 모든 영역을 대상으로 하여 개정을 하는 방식으로서 '포괄적'·'총체적'·'전체적' 개정이라는 용어를 사용할 수도 있다. 즉 모든 학교 급, 모든 학년, 모든 교과, 그리고 교과의 경우 교과의 전 영역에 대하여 개정을 하는 것을 의미한다. 우리나라 교육과정 개정의 사례가 좋은 예가 될 수 있다. 우리의 경우 교육과정을 개정한다고 하면 유치원은 물론 초·중·고등학교를 포함한 모든 학교급, 고등학교의 경우는 일반계 고교는 물론 실업계, 특수 목적계, 기타계 고교를 포함한 모든 유형의 학교, 각 학교의 모든 학년, 모든 교과, 그리고 교과의 경우 일부 내용이 아니라 전체 내용을 모두 바꾸었다. 이러한 우리나라의 교육과정 개정 방식이 전면적 개정의 대표적인 예가 된다(허경철 등, 2003: 15-16).

다) 일시적 개정

일시적 개정은 교육과정을 개정하는 방식에서 시간과 관련된 개념으로서, 교육과정을 개정하되 일정한 시간 안에 한꺼번에 하는 것을 의미한다. 일시적 개정의 본래적 의미는 교육과정을 개정하되 개정의 대상이 되는 모든 영역에 대하여 '동시에', '한꺼번에', '일률적으로', 즉 일시에 개정을 시작하고 끝내는 것을 의미한다. 그러나 일시적 개정의 다소 약한 의미는 개정의 모든 대상을 동시에, 즉 같은 시간에 시작하고 끝내는 것이 아니라 '일정한 시간 안에' 개정을 한다는 것이다(허경철 등, 2003: 16).

예컨대, 초등학교 교육과정은 금년, 중학교는 내년, 고등학교는 내후년에 개정을 하거나, 일부 과목들은 금년, 또 다른 과목들은 내년에 개정을 하는 경우, 그리고 총론은 금년, 각론은 내년에 개정을 하는 경우를 의미한다. 이 경우 개정의 대상들에 대하여 개정이 동시에 이루어지는 것은 아니지만 2년 또는 3년이란 일정한 시간 내에 모든 개정이 다 이루어지게 된다. 이러한 개정 방식도 일시적 개정이란 개념 속에 포함되는 것이다.

이러한 '약한 의미의 일시적' 개정은 일정한 시간 안에 교육과정 개정의 대상들이 몇 개로 분할되어 순차적으로 이루어지기 때문에 '분할적'·'순차적'·'차시적' 개정이라는 의미도 부분적으로 포함하고 있다고 볼 수 있다. 또한 일정한 시간 안에 모두 개정을 한 후, 상당 기간 동안은 개정을 하지 않는다는 점에서 주기적 개정이 지니는 의미와 어느 정도 중복된다고 볼 수 있다. 그러나 일시적 개정은 주기적 개정의 한 단위적 성격을 지니는 것으로서 일시적 개정 방식이 반복되는 전 과정이 주기적 개정 방식이라는 점에서 이 두 개정 방식은 구분될 수 있다. 즉, 일정한 시간 안에 개정이 끝나면 그 후 상당 기간 동안은 개정 작업이 없다가 다시 어느 시점에서 일정 시간 개정이 이루어진 후 다시 중단되는 식의 과정이 반복되는 것이 주기적 개정이기 때문이다. 이러한 의미에서 주기적 개정은 일시적 개정 방식을 포괄하고 있는 개념이다(허경철 등, 2003: 16-17).

라) 중앙 집중적 개정

중앙 집중적 개정은 교육과정 개정의 권한 소재와 관련되는 개념으로서, 교육과 정 개정에 관한 모든 의사 결정의 권한이 중앙 정부(교육부)에 귀속되어 있어서 교육과 정 개정이 '국가 주도적'으로 이루어지는 개정 방식을 의미한다. 교육과정 개정 방식의 이러한 특징은 현재 우리나라 국가 수준 교육과정 개정 방식에서 전형적으로 나타나고 있다. 우리나라의 경우 교육부에서 교육과정 개정과 관련하여 결정하는 사항들을 제시 하면, 1) 개정 여부, 2) 개정 시기, 3) 개정 방향, 4) 개정 단계나 절차, 5) 개정을 위한 추 진 조직의 구성, 6) 추진 계획 및 추진 일정 수립, 7) 추진위, 연구위의 종류 구성, 자원 인사 선정, 추진위의 임무 설정, 8) 기초 연구 및 개발 업무 수행기관 선정, 기초 연구의 종류 및 내용 선정, 9) 교육과정 심의회의 구성 및 심의회 참여, 10) 교육과정의 심의, 수정, 최종 결정, 공고 등이다(윤병희, 1992: 6; 허경철 등, 2003: 17 재인용).

2) 현행 우리나라 국가 수준 교육과정 개정 방식의 특징

우리나라는 2007 개정 교육과정부터 시작하여 2009 개정 교육과정, 2015 개정 교육과정에 이르기까지 수시 개정 체제를 통해 국가 교육과정을 개정하였다.

가) 수시적 개정

수시적 개정은 개정이 필요하다고 판단될 때 언제나 개정을 하는 상황을 의미한 다. 따라서 수시적 개정은 개정을 할 필요가 있는데도 다음 개정의 차례까지 기다려 개정을 해야 하는 주기적 개정과 대비되는 개념이다. 또한 일정한 기간 내에 한꺼번에 개정이 이루어지는 일시적 개정 방식과도 대비되는 개념이다. 수시적 개정은 개정이 필요하다고 판단될 때마다 이루어지는 형식을 취하므로 이는 '지속적'·'계속적'·'항 시적'·'항상적'·'상시적' 개정의 의미를 내포한다. 논리적으로 볼 때 개정 행위를 지 속적·계속적·항시적·항상적·상시적으로 한다는 것은 불가능한 것이다. 개정의 행위를 잠시도 쉬지 않고 연속적으로 하는 일은 있을 수 없기 때문이다. 개정을 하면, 시행을 하고, 그 과정을 점검하여 문제점을 확인하고 그에 대한 개선점을 마련하는 과 정을 거쳐야만 개정의 계기가 마련되는 것이다. 그러므로 필요할 때마다 개정을 한다 는 것은 이러한 준비 절차를 지속적·항시적으로 한다는 것을 거의 전제로 하는 것이다. 그러한 의미에서 수시 개정은 지속적 · 계속적 · 항시적 개정이라는 의미를 내포하고 있는 것이다(허경철 등, 2003: 18-19).

나) 부분적 개정

부분적 개정은 전술한 전면적 개정과 대칭되는 개념으로서 문자 그대로 국가 교육과정을 전면적 · 전체적 · 총체적으로 개정하는 것이 아니라 개정이 필요한 부분에 대해서만 부분적으로, 교육과정의 전체가 아니라 필요한 일부에 대해서만 개정하는 것을 의미한다. 이러한 개정 방식은 필요한 일부 요소 또는 대상에 대해서만 이루어지고, 이러한 부분적 개정의 내용들이 누적될 때 결과적으로 전체 교육과정을 개정하게 되는 경우도 있기 때문에 '점진적' 개정이라는 의미와도 공유되는 부분이 있는 개념이라고 볼 수 있다(허경철 등, 2003: 17).

부분 개정이란 개정이 필요한 부분에 대해서만 개정을 하는 것이라는 식의 의미 규정은 대단히 명료한 듯하나, 부분을 정의해야 하는 단계에서 난관에 봉착한다. 교육과정 개정에서 어디까지가 전체이며, 어디까지가 부분인가를 정의하는 일이 명료하지 않기 때문이다. 예컨대, 총론의 일부를 개정하면 그것은 물론 부분 개정이다. 각론의 일부를 개정해도 부분 개정이다. 그러나 총론은 그대로인데 각론 전부를 개정하거나, 총론은 전부 개정하는데 각론은 그대로인 경우, 이런 경우도 부분 개정이라고 할 수 있는가? 그리고 각론의 전부는 아니라고 하더라도, 예를 들어 10개 교과 중에서 1~2개의 교과를 제외한 나머지 전체 교과의 내용을 개정하거나 고등학교를 제외한 나머지 전체 학교 급의 교육과정을 개정한 경우, 이런 개정도 부분 개정이라고 할 수 있는가? 즉, 부분 개정에서의 그 부분의 크기가 전체와 비슷할 정도로 큰 경우도 부분 개정이라고 해야 하는가?(허경철 등, 2003: 17-18)

순전히 논리적으로만 판단한다면 전체의 개정이 아닌 것은 그 크기에는 관계없이 모두 부분 개정인 것이다. 그러나 전체에 가까운 개정을 순전히 논리적으로만 따져 부분 개정이라고 주장한다면 이러한 주장은 상식적으로는 받아들이기 어렵다. 오히려 상식적으로는 전체의 50%를 기준으로 하여 그 이상의 개정은 전면 개정, 그 이하의 개정은 부분 개정이라고 판단하는 것이다. 그러나 이러한 판단에 모두가 동의하는 것은 물론 아니다. 그러므로 이러한 문제에 대하여 누구나 수긍할 수 있도록 명확한 대답을 하기는 어렵다. 따라서 이 문제에 대하여 어떤 명확한 기준을 제시하기보다는 이른바 '상식적' 판단에 따르는 것이 좋을 것 같다. 즉, 교육과정 개정에 참여하는 사람들의 대체적인 의견에 위임하는 것이 좋을 것 같다. 실제로 교육과정을 개정하게 되는 경우 그 개정이 전면 개정이냐 부분 개정이냐의 논란이 문제가 되는 경우는 거의 없을 것이라고 판단하기 때문이다(허경철 등, 2003: 17-18). 그런데 수시 개정 체제를 유지하면서도 2015 개정 교육과정은 부분적 개정이라기보다는 전면적 개정에 가까운 개정을 하였다.

나. 교육과정의 개정 절차

교육과정의 개정은 대체로 개정을 위한 발의, 발의 내용에 대한 심의 및 결정, 결정된 내용에 따른 개발, 개발된 내용에 대한 재심의와 수정과 보완, 고시, 그리고 시행 준비의 과정을 거친다. 교육과정 개정 발의에 관한 모든 권한은 법적으로 교육부 장관이 갖고 있다. 따라서 교육부 장관이 교육과정 개정의 필요성을 느껴야 비로소 새로운 교육과정 안을 발의하도록 하명하게 된다(허경철 등, 2003: 30). 이는 수시 개정 체제에서도 마찬가지이다.

다. 국가 교육과정 총론의 주요 내용

2015 개정 교육과정 고시문 서두에 제시된 총론의 주요 항목만 보면 다음과 같다.

1) 고시문
2) 총론 및 각론의 책자 안내(예시: 1. 초 · 중등학교 교육과정 총론은 【별책 1】과 같습니다.)
3) 부칙: 학년별 시행 세부 일정 등 안내, 이전 고시의 폐지 안내, 이 고시의 폐지, 개정 등의 조치 기한(2020. 2. 29.)
4) 참고: 이 문서를 열람할 수 있는 사이트 소개
5) 교육과정의 성격
6) 차례

라. 교과서의 개발과 공급

국가 교육과정이 개정된 이후 이를 바탕으로 교과용 도서(교과서+지도서)가 집필된다. 이들의 종류를 살펴보면 다음과 같다.

1) 국정 도서: 교육부가 저작권을 가진 교과용 도서이다. 교육부가 직접 저작하거나 위탁하여 저작하는 도서이다. 이에 따라 편찬 계획, 연구 · 개발, 심의, 발행과 공급에 이르기까지 교육부에서 책임지고 관장한다. 교육부 장관이 필요하다고 인정한 경우, 연구 기관 또는 대학 등에 위탁하여 편찬할 수 있는데, 최근에는 교육부가 직접 저작하기보다 대부분 과제를 발주하여 위탁하고 교육부가 심의하는 추세이다(홍후조, 2016: 386).

교과용 도서의 편찬, 검정, 인정, 가격 결정, 발행 등에 관한 사항을 심의하기 위하여 교육부에 각급 학교의 교과목 또는 도서별로 교과용 도서 심의회를 둔다. 각 심의회는 5인 이상으로 교수, 교사, 연구원, 행정가, 학부모, 시민 단체, 도서 발행 전문가, 물가 계산 전문가 중에서 교육부 장관이 위촉 또는 임명한다. 심의 위원들은 (1) 집필 세목 검토 및 심의, (2) 원고본 심의, (3) 개고본(중간 수정본) 심의, (4) 수정본 심의 등의 절차를 따른다(홍후조, 2016: 393).

국가 교육과정이 고시되면, 이에 따라 교과용 도서(학생용 교과서와 교사용 지도서) 개발 계획이 뒤따른다. 교과용 도서는 대체로 연구 · 개발진이 몇 개월에서 1년간 연구, 집필, 검토하고, 심의를 거쳐 현장 검토본이 완성되면, 이를 연구 학교에서 예비적으로 한 학기 또는 1년 동안 적용하고 검토한다. 연구 학교에서 검토된 교과용 도서는 다시 여러 차례의 수정, 보완, 윤문을 거쳐 최종본을 만들고 이에 대해 심의한다. 심의를 거쳐 최종본이 정본이 되면, 이를 인쇄하고 학교에 배포한다. 이렇게 교과용 도서의 연구·개발에서 학교에서 사용하기까지 약 3년의 기간이 소요된다(홍후조, 2016: 393).

2) 검정 도서: 교육부 장관의 검정을 받은 도서로, 출판사가 책임지고 제작하여 정부의 사용 승인을 받은 도서이다. 교과서 저작의 핵심 주체는 민간이나, 교과서의 저작에 교육부가 관여한다. 교육부는 검정 기준과 교과용 도서 집필상의 유의점 등을 미리 제시하고, 민간의 교재 발행사가 저작하고 교육부와 위탁 기관(한국교육과정평가원)이 심의(심사, 검정)한다. 심의 결과 교과용 도서로서 부적합한 경우 이를 탈락하게 하며, 심의를 통과하여 적합본으로 인정하더라도 부적합한 부분은 저작자로 하여금 수정·보완하게 한다는 점에서 교육부는 간접적으로 관여한다. 교육부가 민간의 교과서 저작 과정에 관여하고 때로는 수정을 요구한다는 측면에서 국정 도서와 유사한 측면이 있다(홍후조, 2016: 386-387).

3) 인정 도서: 국정 도서, 검정 도서가 없는 경우 또는 이를 사용하기 어렵거나 보충할 필요가 있는 보조 교재로 사용하기 위하여 '교육부 장관의 인정을 받은 도서'이며, 교육부의 관여가 가장 낮은 형태의 교과용 도서이다. 인정 도서 신청은 교육부 장관에게 하지만, 사실상 시·도 교육청(교육감), 정부 출연 연구 기관 등 위탁 기관에 그 신청·사용·인정이 위임된다. 교육부 장관이 정하여 고시하는 교과목에 대하여 인정 도서를 선정·사용하려는 학기가 시작되는 날의 6개월 전까지 교육부 장관에게 인정을 신청하여야 한다. 이는 교육부 등의 기준에 따라 민간에서 제작하면, 학교 또는 교사가 어느 정도 자유롭게 선택하는 방식인데, 그 질을 보증하기 어려워 2015 개정 교육과정 이후 검정과 유사한 심의를 거치게 되었다(홍후조, 2016: 387).

2. 지역 수준의 교육과정 개발

시·도 교육청 수준에서는 그 지역의 특수성과 학교의 실정, 학생의 실태, 학부모 및 지역 사회의 요구, 그리고 해당 지역과 학교의 교육 여건 등을 반영하면서 그 지역의 교육 중점 등을 설정하여 관내의 각급 학교에서 학교 교육과정을 편성·운영할 때의 준거로 각급 학교의 교육과정 편성·운영을 위한 지침을 작성하여 학교에 제시한다. 지역 수준의 교육과정 편성·운영 지침은 국가 기준과 학교 교육과정을 자연스럽게 이어주는 교량적 역할을 하게 되며, 장학 자료, 교수·학습 자료 및 지역 교재 개발의 기본 지침이 될 수 있다(교육부, 2017: 6-7).

2015 개정 교육과정은 학교 교육과정을 위한 교육청 수준의 지원에 관하여 명시함으로써, 이 항목들을 지역 수준의 시·도 교육청 교육과정 편성·운영 지침에 반영하여 안내하도록 하였다. 이 항목들은 다음과 같다.

가. 조사 연구와 자문 기능을 수행할 교육과정 위원회 조직, 운영, 참여 인사(교원, 교육 행정가, 교육학 전문가, 교과 교육 전문가, 학부모, 지역 사회 인사, 산업체 인사 등).

나. 학교가 새 학년도 시작에 앞서 교육과정 편성·운영에 관한 계획을 수립하도록 교육과정 편성·운영 자료를 개발·보급, 교원의 전보.

다. 교과와 창의적 체험 활동에 필요한 교과용 도서의 인정, 개발, 보급.

라. 학교가 지역 사회의 유관 기관과 적극적으로 연계·협력하도록 지원, 관내 학교가 활용할 수 있는 '지역 자원 목록'을 작성하여 제공.

마. 학생의 배정, 교원의 수급 및 순환, 학교 간 시설과 설비의 공동 활용, 자료의 공동 개발과 활용에 관하여 학교 간 및 교육 지원청 간의 협조 체제 구축.

바. 전·입학, 귀국 등에 따라 교과를 이수하지 못한 학생들이 해당 교과를 이수할 수 있도록 다양한 기회를 마련해 주고, 학생들이 지역 사회의 공공성 있는 사회 교육 시설을 통해 이수한 과정을 인정해 주는 방안.

사. 귀국자 및 다문화 가정 학생의 교육 경험의 특성과 배경을 고려하여 지원.

아. 특정 분야에서 탁월한 재능을 보이는 학생, 학습 부진 학생, 장애를 가진 학생들을 위한 교육 기회.

자. 교원 연수, 교육과정 컨설팅, 연구 학교 운영 및 연구회 활동 지원 등에 대한 계획.

차. 학교가 이 교육과정에 근거하여 학교 교육과정을 편성·운영할 수 있게 하는 행정적·재정적 지원.

1) 교육 시설, 설비, 자료 등을 정비하고 확충.

2) 복식 학급 운영 등 소규모 학교를 위해 교원의 배치, 학생의 교육받을 기회 확충.

3) 수준별 수업 지원, 기초 학력 향상과 학습 결손 보충이 가능하도록 '특별 보충 수업' 운영.

4) 지역 사회와 학교의 여건에 따라 초등학교 저학년 학생을 학교에서 돌볼

수 있는 기능.

5) 개별 학교의 희망과 여건을 반영하여 지역 내 학교 간 개설할 집중 과정 조정, 그 편성 · 운영. 특히 소수 학생을 위한 집중 과정을 개설할 학교 지정, 원활한 교육과정 편성 · 운영.

6) 인문학적 소양 및 통합적 읽기 능력 함양을 위해 독서 활동을 활성화.

카. 학교 교육과정의 질 관리

1) 학교 교육과정 운영 지원 실태 및 교육과정 편성 · 운영 실태 파악, 효과적인 교육과정의 운영과 개선 및 질 관리.

2) 학교의 교육과정 편성 · 운영에 대한 질 관리와 교육과정 편성 · 운영 체제의 적절성 및 실효성을 높이기 위하여 학업 성취도 평가, 학교 교육과정 평가 등을 실시하고 교육과정 개선.

3) 교육청 수준의 학교 교육과정 지원에 대한 자체 평가와 교육과정 운영 지원 실태에 대한 점검, 개선(교육부, 2015. 9. 23.: 31-33).

3. 학교 수준의 교육과정 개발

가. 학교 교육과정 편성 · 운영 원칙

2009 개정 교육과정의 총론에서는 학교 교육과정 편성 · 운영 원칙을 다음과 같이 제시하였다(교육과학기술부, 2010: 39).

> (1) 학교는 이 교육과정을 바탕으로 학교 실정에 알맞은 학교 교육과정을 편성 · 운영한다.
> (2) 학교는 학교 교육과정 편성 · 운영 계획을 바탕으로 학년 및 교과목별 교육과정을 편성할 수 있다.

이러한 학교 교육과정의 성격은 다음과 같이 정리할 수 있다.

첫째, 학교 교육과정은 국가 수준 교육과정 기준과 시 · 도 교육청의 교육과정 편성 · 운영 지침을 근거로 하여 지역의 특수성과 학교의 실정, 학생의 실태에 알맞게 학교별로 마련한 '당해 학교에서 구체적 실행을 위한 교육과정'이다.

둘째, 학교 교육과정은 학교가 수용하고 있는 학생에게 책임지고 실현하여야 할 교육 목표, 내용, 방법, 평가 등에 대한 구체적인 실행 교육 프로그램이고, 특색 있는 교육 설계도이며, 교육과정 운영을 위한 세부 시행 계획이다.

셋째, 학교 교육과정은 해당 학교의 교육 목표와 경영 철학, 전통, 특성 등이 치밀하게 반영되어 있고, 그 학교의 창의적이고 독특한 교육 내용, 방법과 특색 있는 운영 방안이 나타나 있어, 각 학교가 다양한 교육의 모습을 보일 수 있게 편성되어 있다(교육과학기술부, 2010: 39).

그리고 단위 학교에서 학교의 실정에 알맞게 교육과정을 편성·운영하는 것은 다음과 같은 교육적인 변화를 도모하려는 것이다.

첫째, 학교 교육에서 교육과정 중심, 교육 수요자 위주 교육을 추구한다는 것을 의미한다. 학교 교육과정은 교육 실천가가 국가 수준 교육과정과 시·도 교육청 편성·운영 지침을 기준으로 학생의 실태, 학교의 실정, 지역의 특성에 알맞게 조정, 보완하여 실천하기에 적합한 실행 교육과정이다. 따라서 교과서에 학습자를 철저하게 맞추어 가는 교과서 중심 체제와는 달리 학습자를 더 배려하고 존중할 수 있게 된다. 즉, 학습자 중심·교육 수요자 중심의 교육을 가능하게 한다고 볼 수 있다.

둘째, 학교의 경영 책임자인 교장과 수업 실천가인 교사가 교육 내용과 방법의 주인이 되고, 전문성을 확보함을 의미한다. 학교 교육과정 편성·운영의 주체는 교육이 구체적으로 실천되는 학교와 교원이라고 할 수 있다. 교원이 교과서를 교육 목표 달성을 위한 도구와 자료로 활용하는 수업의 주체가 되려면 학교 교육과정이 교육의 중심에 놓여 있어야 할 것이다. 다시 말해 교원의 연구와 노력으로 편성한 산출물이 바로 학교 교육과정인 것이다.

셋째, 지역 및 학교의 특성, 자율성, 창의성을 충분히 살려서 다양하고 개성 있는 교육을 실현한다는 것을 의미한다. 학습자의 개성, 능력, 소질, 흥미, 요구와 지역 및 학교의 특성, 학부모의 요구와 교사의 창의성 및 자율성 등을 충분히 반영하여 학교 교육과정이 편성·운영된다면 학생 중심의 교육이 더욱 내실 있게 실현될 수 있을 것이다(교육과학기술부, 2010: 39-40).

나. 학교 교육과정의 구성 체제

학교 교육과정을 어떤 체제로 구성할 것인지에 대해서는 기본적으로 해당 학교에 자율권과 재량권이 부여되어 있다. 국가 기준이나 시·도 교육청 지침 외에 또 다른 규제를 가하게 되면 학교 교육과정 운영의 획일화를 초래하게 되며, 이로 인하여 모든 학교의 교육과정이 특색 없이 경직화되고 형식화될 우려가 있다. 따라서 학교 교육과정은 학교 구성원의 교육적인 판단에 따라 재량권을 발휘하여 특색 있게 구성하여야 한다.

학교 교육과정의 작성 형태는 다양할 것이다. 그러나 무엇보다 학교 교육과정에는 학교장의 교육 철학과 학교 교육 목표, 당해 연도 교육의 중점이 드러나야 한다. 또한 교육과정의 편제와 시간 배당, 교과, 창의적 체험 활동의 학년 · 교과 · 영역별 교육 중점과 연간 지도, 평가, 운영 방식이나 실천 방안이 체계적이고 일관성 있게 제시되어야 당해 학교의 실정에 알맞은 교육 활동이 이루어질 수 있을 것이다.

학교 교육과정에 포함될 사항을 중심으로 다양한 편성 체제를 생각해 볼 수 있으나, 이는 어디까지나 지역 및 학교의 실정에 알맞게 학교에서 결정해야 한다. 학교 교육과정의 일반적인 구성 체제를 예시하면 **〈표 10-1〉**과 같다(교육과학기술부, 2010: 40-41).

〈표 10-1〉 **학교 교육과정의 구성 체제 예시**

Ⅰ. 학교 교육과정의 기저	3. 독서 지도 계획
1. 국가 및 시 · 도 교육의 방향	4. 생활 지도 계획
2. 학교 경영의 기본 계획	5. 방과 후 학교 운영 계획
3. 기초 조사 및 실태 분석	6. 기초 학력 책임 지도 운영 계획
4. 전년도 학교 교육과정 운영 결과 분석	7. 각종 위원회 운영 계획
Ⅱ. 학교 교육 목표	8. 계획별 목표 등 성과 관리
1. 학교 교육 목표	9. 예산 운영 계획
2. 교육 목표 구현 중점	10. 기타
3. 구현 중점별 세부 추진 계획	Ⅵ. 학교 교육과정의 평가
4. 특색 사업	1. 학생 평가
Ⅲ. 학교 교육과정 편성 · 운영 계획	2. 학교 교육과정 편성 · 운영 평가
1. 기본 방침	〈부록〉
2. 학교 교육과정 편성표(입학 연도별)	1. 학교 연혁
3. 연간 수업 일수 및 수업 시수 확보 계획	2. 학사 일정
Ⅳ. 학교 교육과정 운영의 실제	3. 교직원 일람
1. 교과	4. 교사별 교과 담당 시간
2. 창의적 체험 활동	5. 업무 분장표
Ⅴ. 학교 교육과정 운영 지원 계획	6. 교사 배치도
1. 교직원 조직 및 연수 계획	7. 각종 규정
2. 자율 장학 추진 계획	8. 기타

〈표 10-2〉 학교 교육과정의 편성·운영의 일반적인 절차

① 준비 단계	1. 학교 교육과정 위원회 조직·운영
	2. 기초 조사
② 편성 단계	3. 편성 계획
	4. 기본 방향 설정
	5. 학교 교육과정 시안 작성
	6. 시안 검토, 심의 확정
③ 운영 단계	7. 교과 운영
	8. 창의적 체험 활동 운영
	9. 범교과 학습 운영
	10. 운영 관련 기타 사항
④ 평가 단계	11. 학교 교육과정 평가와 개선

다. 학교 교육과정의 편성·운영 절차

학교 교육과정을 편성·운영하기 위한 절차는, ① 준비 단계, ② 편성 단계, ③ 운영 단계, ④ 평가 단계의 4단계로 나눌 수 있으며, 각 단계에서 수행해야 할 일반적인 절차를 예시하면 **〈표 10-2〉**와 같다(교육과학기술부, 2010: 42-43).

제3절 교육과정 개발 모형

1. Tyler의 합리적 교육과정 개발 모형

Tyler는 8년 연구에서의 평가 경험에 토대를 두고 전통적인 교육과 진보적인 교육 두 부류의 학교 교육과정의 운영 성과를 비교할 때 표준화된 지필 시험으로나, 어느 하나의 목표 달성 여부를 통해서는 공정하게 비교할 수 없다고 생각하였다. 이에 따라 각 부류의 교육과정 운영 성과는 각 부류의 교육 목표 달성 정도를 확인하여 이루어질 필요가 있다고 보았다. 이러한 Tyler의 논리는 교육과

Ralph W. Tyler
(1902~1994)

정 영역에서의 목표 설정, 내용 선정, 내용 조직, 평가라는 Tyler의 '합리적인' 교육과정 개발 원리로 나타났으며, 교육 평가 영역에서는 '목표 중심 평가 모형'으로 드러났다 (Aiken, 1942; 김재춘 등, 2006: 11 재인용).

8년 연구에서, 학교에 파견된 평가 요원들과 교사들은 학생들이 발전을 보여주길 희망하는 중요한 능력, 사고 전략, 관심, 태도를 명료화하기 위하여 협력하였다. Tyler 는 교사들이 초기에는 진부한 용어들부터 시작하였다고 회상하였다(Nowalski, 1983). 그러나 평가 요원들은 교사들이 충분하게 의식하지 않았던 목표들을 발견하기 위하여 표면 아래로 깊이 있게 탐색하여 갔다. 그 결과, 지식, 기능, 습관을 넘어 비판적 사고 양식, 비판적 해석 양식 등을 다루는 목표들을 도출하게 되었다. 교사들과 평가 요원 들은 이 목표들을 평가하는 혁신적인 방법들을 고안해 냈다. 목표 성취의 지표들에서 의 수행을 사용하여 교육과정을 수정(개정)하고 다른 영역에서 필요한 변화를 가져왔 다(Gredler, 1996: 5).

또한 8년 연구는 혁신적인 교육과정을 이수한 학생들 중 대학에 진학한 학생들 을 대상으로 후속 평가도 시행하였다. 이 학생들과 통제 집단 학생들의 비교 결과, 새 로운 교육과정을 이수한 학생들은 비교 대상보다 학업 면에서 비슷하거나 더 우수하 였다. 또한 그들은 동료들에 비하여 대학에서의 교과 외 활동에 더 많이 참여하였다. 그러나 8년 연구가 종료될 즈음에, 미국은 제2차 세계 대전에 참전하게 되었고, 이전 의 고등학교 프로그램을 둘러싼 쟁점들은 국가적인 관심을 받지 못하였다(Gredler, 1996: 5).

Tyler는 교육과정을 개발하기 위해 다음 네 가지 질문에 대한 논리적이고 계열적 인 대답이 필요하다고 보았다(Tyler, 1949: 1).

(1) 학교가 달성하고자 하는 교육 목표는 무엇인가?
(2) 이런 교육 목표를 달성할 수 있는 교육 경험은 어떤 것인가?
(3) 이런 교육 경험은 어떻게 효과적으로 조직할 수 있는가?
(4) 이런 교육 목표들의 성취 여부를 어떻게 평가할 수 있는가?

Tyler의 모형이 합리적인 절차를 따른다고 하여 합리적 모형, 평가를 우선적으로 강조하여 평가 중심 모형, 공정한 평가를 위해 목표 확인을 강조하여 목표 중심 모형 등으로 부른다.

가. 교육 목표의 수립

Tyler는 많은 교육 프로그램들이 목표를 분명하게 제시하지 않는다고 지적하면서 프로그램의 개발과 지속적인 개선을 위해서 목표가 중요하다고 말한다. 이 목표들은 학습 자료를 선정하고, 내용의 개요를 작성하고, 교수 절차를 개발하고, 평가를 준비하는 데 준거가 된다. 교육 프로그램의 모든 요소들은 이 교육 목표들을 달성하기 위한 수단이 된다(Tyler, 1949: 3).

이러한 목표를 추출하기 위한 원천으로 세 가지를 고려할 필요가 있다. (1) 학습자의 요구, 흥미, 관심사 등에 대한 연구를 통해 어떤 교육 기관이 학습자에게 가져오고자 하는 행동의 변화를 확인할 수 있다. (2) 현대 생활의 문제나 필요 및 활동에 대한 정보에 대해 조사할 수 있다. (3) 교육과정에 관한 보고서들에서 교과 전문가들이 전공 분야의 학문이 일반 교육의 목표 달성에 어떻게 이용될 수 있는지에 대한 암시를 주었다. 이렇게 목표에 대해 암시하는 부분을 읽고 구체적인 목표를 도출할 수 있다(Tyler, 1949: 5-33).

이렇게 추출한 목표들 중에서 중요한 사항을 목표로 선정하기 위하여 선별 작업이 필요하다. 첫째, 학교가 신봉하는 교육 철학 또는 사회 철학이나 가치관이 선별의 기준이 된다. 민주 사회의 교육 철학은 민주적인 가치를 강조한다. 둘째, 학습 심리에 관한 연구 결과를 담은 중요한 이론들이 교육 목표에 어떻게 관련되는지를 검토할 수 있다. 학습 심리에 대한 연구 결과는 학습의 과정, 학습 조건, 학습의 체제 등에 대해 시사점을 준다(Tyler, 1949: 33-43).

나. 학습 경험의 선정

Tyler에 따르면, 학습 경험은 학습자와 학습자가 처한 외적 환경의 상호 작용이다. 이는 Dewey의 경험에 대한 정의를 수용한 것이다. 정해진 목표를 달성하기 위해 어떤 구체적 경험을 교육 내용으로 채택할 것인지를 결정할 필요가 있다. 학습 경험을 선정하기 위하여 일반적 원칙을 적용할 수 있다. (1) 목표와 관련된 내용을 다룰 충분한 기회가 제공되어야 한다. (2) 학생들이 목표와 관련된 학습에서 만족을 느낄 수 있어야 한다. (3) 학생들의 현재 수준에서 경험이 가능한 것이어야 한다(학습 가능성). (4) 하나의 교육 목표를 달성하는 데 여러 다른 학습 경험을 활용할 수 있다(일목표 다경험). (5) 같은 학습 경험을 하였더라도 교육의 결과는 달라질 수 있다(일경험 다성과) (Tyler, 1949: 65-68).

Tyler는 교육 목표 달성에 유용한 학습 경험으로, (1) 사고 능력을 개발하는 데 필요한 학습 경험, (2) 정보 습득에 도움이 되는 학습 경험, (3) 사회성 함양에 도움이 되는 학습 경험, (4) 흥미를 계발하는 데 필요한 학습 경험 네 가지로 제시하였다(Tyler, 1949: 68-82).

다. 학습 경험의 조직

학습 경험을 효과적으로 조직하는 세 가지 기준은 계속성(반복성)(continuity), 계열성(연계성)(sequence), 통합성(integrity)이다. 예를 들어, 만약 사회과의 목표가 사회과에 관한 자료를 읽는 기술을 계발하는 것이면, 이런 기술을 연습하고 계발할 수 있는 기회가 계속해서 주어져야 한다. 만약 과학과의 목표가 에너지에 대한 개념을 학습하는 것이면 과학 교과의 여러 분야에서 자주 다루어져야 한다. 계속성이란 시간적ㆍ수직적인 조직에서 가장 중요한 기준이다(Tyler, 1949: 84-85).

계열성이란 계속성과 관련이 있으나 그 이상의 것이다. 학습 경험이 단계적으로 깊어지고 넓어져서 경험이 계속적으로 축적되는 것을 의미한다. 이 기준은 Dewey의 경험의 계속성의 원리를 수용한 것이다. 예를 들어, 사회과의 독서 기술 개발에서 계열성은 더욱 복잡한 사회과 관계 자료를 제공하고, 이러한 자료를 읽는 데 필요한 기술을 확대하고 분석을 깊이 하도록 한다. 자연 과학에서 에너지의 개념을 연결하기 위해서는 매 학년에서 다루는 에너지에 관한 내용이 학생들로 하여금 '에너지'라는 단어가 지니는 부수적인 의미를 더욱더 폭넓게 이해하도록 학습 경험을 단계적으로 넓히고 깊게 할 필요가 있다. 계열성도 시간적ㆍ수직적인 조직에 관련된다(Tyler, 1949: 85).[1]

통합성은 교육과정의 내용을 수평적으로 관련짓는 것이다. 예를 들어, 수학의 계산을 학습하는 경우 이 기능이 사회과나 과학과 학습, 물건을 살 때 등의 경우에 어떻게 활용될 수 있는지를 고려한다. 사회과의 개념 학습에서는 이 개념이 다른 교과에서의 학습과 어떻게 관련되며 학생들의 모습이나 기능 또는 태도에 어떻게 반영되는지를 보는 것이다. 이런 내용 조직은 학생들로 하여금 사물을 종합적으로 보게 하고 학습 내용과 행동을 통합하도록 한다. 통합성은 수평적이고 공간적인 관계를 말해 준다(Tyler, 1949: 85-86).

---

1) Bruner의 나선형 교육과정은 Tyler의 계속성과 계열성을 결합한 것으로 볼 수 있다.

라. 학습 경험의 평가

Tyler는 교육의 목적이 인간의 변화이므로 평가란 행동의 변화가 어느 정도 이루어지고 있는가를 판별하는 과정으로 보았다. 이 첫째 개념에는 평가는 학생들의 행동을 분석하는 것이고, 평가는 한 번 이상 이루어져야 한다는 것이 내포되어 있다. 수업 초기와 수업 후기의 평가, 그리고 장기적인 효과를 알아보기 위한 추수 연구(followup study)가 필요하다. 지필 평가로는 부족하므로, 관찰법, 면담법, 설문지법 등 다양한 방법을 사용할 필요가 있다(Tyler, 1949: 104-105).

평가 절차의 첫째 개념은 목표에서 시작하는데, 목표가 제시하는 행위가 이루어졌다는 증거를 찾는 것이다. 목표에 따른 학습 경험을 계획하기 위한 분석이 평가 절차를 계획하는 역할도 한다. 둘째 개념은 표집(sampling)이다. 학생이 배운 내용이나 작품의 일부만 표집하여 전체적인 실력을 유추한다. 그리고 다음 단계는 교육 목표에 담긴 학습 행위를 학생이 성취한 결과를 어떤 조건에서 표현할 기회를 줄 것인가이다. 그리고 이런 조건(시험 환경)에서 학생들의 행동을 기록할 수 있는 방법(평가 도구)을 찾을 필요가 있다. 다음에는 학생 행동 기록을 분석하는 데 사용할 용어나 단위를 결정한다. 그 후에 평가 방법(도구)의 세 가지 기준, 즉 객관도(objectivity), 신뢰도(reliability), 타당도(validity)에 따라 검토한다. 이러한 과정을 통해 학생 행동의 변화뿐만 아니라 교육과정의 장점과 단점을 확인하고 그 이유가 무엇인지 분석할 수 있다. 위의 네 단계에 따른 교육과정 개발은 계속적인 과정이고, 계획, 재개발, 재분석의 과정이다. 이런 과정을 통해 교육과정을 즉흥적이 아닌 체계적인 방법으로 개발할 수 있다(Tyler, 1949: 110-120).

2. Walker의 자연주의적 교육과정 개발 모형

Walker는 지도 교수 Eisner와 함께 캘리포니아주 LA에서 미술 교육과정 개발 과정에 참여하면서 개발 참여자들이 교육과정을 어떻게 개발해 나가는지 관찰하고 이를 기술하였다. Walker(1971a)는 이렇게 실제 교육과정 프로젝트에서 관찰된 현상을 토대로 구성한 자연주의적 (교육과정 개발) 모형(naturalistic

Decker F. Walker

model)을 제시하였다([그림 10-1] 참고). 이 모형의 세 요소는 교육과정의 강령(platform), 숙의, 그리고 그것의 설계(design)이다. 그가 교육과정 개발에서 따라야 할 절차를 제시하기보다 관찰 결과를 기술하였으므로 기술주의적 모형, 교육과정 개발 과

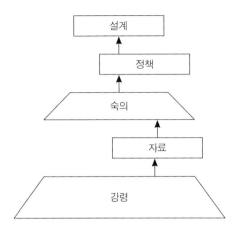

[그림 10-1] Walker의 자연주의적 개발(숙의) 모형(Walker, 1971: 58)

정에서 참여자들이 미리 정해진 절차를 따르지 않고 의견을 교환하는 숙의를 강조하였으므로 숙의 모형이라고도 부른다.

가. 강령(출발점)

Walker가 관찰한 미술 교육과정 개발 과정에 참여한 전문가들은 대학 교수, 교육행정가, 교사, 미술 전공자 등으로 구성되었다. 이들은 미술 교육에 대한 각자의 전문성을 지닌 사람들이라는 공통점을 지녔으나, 그들은 서로 다른 교육관이나 전문 지식을 가지고 서로 다른 위치에서 근무하는 사람들이었다. 따라서 하나의 공동 작품인 미술 교육과정을 개발하기 위하여 서로 간에 다른 의견을 교환하고 조율하는 과정이 필요하였다. Walker는 이처럼 교육과정 개발을 이끄는 교육과정 개발자의 신념과 가치체계를 '강령(platform)'이라고 말하였다. 그는 교육과정 개발 과정에서 여러 사안에 대하여 의사 결정을 하는데 이러한 의사 결정의 정당화의 토대가 되는 가정들을 강령의 구성 요소들로 보았고, 이들에는 관점(conceptions), 이론(theories), 목표(aims), 이미지(images), 절차(procedures)가 있다고 지적하였다(Walker, 1971: 53-57).

'관점'은 예를 들어, "누군가가 사물에 접근하는 방식이나 표현하지 않은 관점을 발견할 전략을 학습할 수 있다"라고 진술하는 신념은 "학습할 수 있는 것"에 대한 관점이다. '이론'은 어떤 존재하는 것들 사이의 관계에 대한 신념이다. 예를 들어, "교사는 교과에 대한 태도와 학습 그 자체에 대한 태도를 전달한다"라고 말하는 것은 "학습에 대한 태도의 발달"에 관한 이론이다. 교육적으로 바람직한 것, 교육에서 선하고 아름다운 것에 대한 신념은 '목표'이다. "우리는 교과를 가르치되 학생이 많은 지식을 얻는 것이 아니라 학생이 수학적으로 사고하고, 역사가처럼 바라보고, 지식 획득의 과정에 참여하도록 가르친다"라고 하는 말은 일반적인 용어로 목표를 진술하는 것이다. '이미지'는 어떤 바람직한 것을 가리키되, 어떤 존재하는 것(들)이 왜, 어떻게 바람직한지에 대한 설명을 하지 않고 나타내는 것이다. 영웅은 문화적 이미지이고, 탁월한 미술 작품이나 뛰어난 과학 이론도 그러하다. '절차'는 바람직한 행위나 의사 결정의 경로를 나타내되, 그것들이 왜, 어떻게 바람직한지에 대하여 언급하지 않는 것이다. "학습에 필요한 시간을 최소화하라"는 말은 절차를 표현한다. 이는 그 방법이 왜, 어떻게 좋은지 언급하지 않는 것이다(Walker, 1971: 56-57).

나. 숙의(과정)

Walker는 교육과정 영역의 개혁을 위하여 이론적 탐구(theoretic inquiry)와 함께 실제적 탐구(practical inquiry)를 강조한 Schwab(1969)의 설명을 수용하였다.

> 숙의는 목적과 수단을 모두 다루며, 그들이 상호 결정하는 관계를 지닌 것으로 다루어야 한다. (중략) 그것은 대안적인 해결책을 내놓아야 한다. 그것은 각 대안으로부터 나올 수 (중략) 있는 결과들을 추적하기 위하여 모든 노력을 다해야 한다. 그리고 그것은 대안들과 그들의 상대적인 비용과 결과들을 저울질하고, 그리고 옳은 대안은 없으므로 최선의 대안을 선택해야 한다.(Schwab, 1969: Walker, 1971: 52-53 재인용)

교육과정 설계자들은 강령에 토대를 두고 의사 결정을 해나가는데, 이런 의사 결정을 위해 신념과 정보를 사용하는 과정을 숙의(deliberation)라고 말하였다. 이 숙의의 주요 활동은 의사 결정 사안을 형성하는 것, 이런 사안의 대안적 선택을 고안하는 것, 의사 결정 사안과 대안들에 대한 찬반의 주장을 검토하는 것, 그리고 방어를 가장 잘할 수 있는 대안을 선택하는 것이라고 언급하였다(Walker, 1971: 54).

다. 설계(종결점)

Walker는 교육과정 개발자들에게는 학생에게 영향을 미칠 수 있는 교육과정 자료 그 자체보다도 교육과정 설계(design)가 더 중요하다고 말하였다. 교육과정 숙의 과정의 결과로 나타나는 설계는 이론적으로 중요한 결과물로서 설계된 대상(교육과정 자료)에 구체화된 추상적 관계의 집합이라고 말하였으며, 교육과정 설계를 상세화하는 하나의 방법은 그것을 생산하는 일련의 의사 결정들을 확인하는 것이라고 말하였다. 이러한 의사 결정들로 이루어진 설계에 토대를 두고 교사와 학생들이 사용할 교육과정 문서와 자료를 작성하게 된다(Walker, 1971: 52).

3. Taba의 교사 참여 교육과정 개발 모형

Tyler의 제자였던 Taba는 교육과정은 위에서 아래로 하달되는 것(하향식, 연역적 접근)이 아니라 교사 스스로 개발하는 것이라고 말하였다. 그리고 교사는 학교 전체의 교육과정 설계에 앞서 구체적인 교수·학습 단원을 설계하는 작업부터 시작할 것(상향식, 귀납적 접근)을 강조하여, 교육과정 개발의 풀뿌리 접근(grass roots approach)을 주장하였다. 이 모형은 교사의 교육과정 설계에 초점을 둔 미시적 접근으로서 5단계를 거친다(최호성, 2011: 165; 홍후조, 2016: 177-179).

가. 단원 구성

교사는 자신이 가르쳐야 할 학년 수준이나 교과 영역에서 어느 한 잠정적 단원을 계획한다. 이를 위해 다음과 같은 8개의 하위 단계를 거친다(이성호, 1994: 131-132). (1) 학습자 요구의 진단, (2) 목표의 진술, (3) 내용의 선정, (4) 내용의 조직, (5) 학습 경험의 선정, (6) 학습 활동의 조직, (7) 평가할 대상, 평가 방법 및 수단의 계획, (8) 균형성과 계열성의 점검.

나. 단원의 검증

이 단계에서는 하나 또는 그 이상의 학년 수준들과 다른 교과 영역들로 확장할 수 있는 단원을 창출하는 것을 목적으로 삼는다. 1단계에서는 자신의 학급이나 교과 영역을 중심으로 개발하였는데, 이제 다른 수준의 학년이나 교과 영역에 확대하여 적용해 보는 것이다. 이때 교수 가능성(teachability)과 타당성을 검증하면서 성취 수준의 상한선과 하한선을 결정한다.

다. 단원의 개선

단원의 검증 결과를 바탕으로 수정하고 보완하고 통합하여 모든 유형의 학급에 제공될 수 있는, 즉 보편화될 수 있는 단원을 개발한다. 이 단원들은 학생의 서로 다른 요구와 능력, 다양한 교육 자원(시설, 설비, 재정 등), 여러 교수 양식을 고려하여 여러 차례의 수정을 반복할 때에 더욱 광범위한 교실들에 적용될 수 있을 것이다.

라. 단원의 구조화

전 단계에서 개선한 여러 단원들의 틀(framework)을 세워 구조화하고 전체 교육과정의 범위가 적절한지 계열이 적절한지에 대해 검토한다. 이때 교육과정 전문가에게 그것이 정당화될 수 있는지에 대한 의견과 평가를 받는다.

마. 단원의 정착

새로운 단원들이 적절한 범위 안에서 적절하게 계열화되어 구조적 틀을 갖춘 전체 교육과정을 자신의 교실에 먼저 적용해 본다. 그 이후 이를 다른 학교에 보급하는데, 개발에 참여하지 않았던 다른 학교의 교사들을 위해 교육 행정가들이 개발의 취지와 구체적인 운영 방법에 대해 익힐 수 있도록 각종 연수와 교육을 제공할 필요가 있다.

4. Eisner의 예술적 교육과정 개발 모형

Eisner는 1960년대에 유행하던 행동 목표 진술에 대해 비판하면서, 교육과정 개발에 대한 예술적 접근을 강조하였다.

Elliot W. Eisner
(1933~2014)

가. 목표의 설정

Eisner는 목적, 목표, 학습 목표를 구체성의 정도에 따라 구분하였고, 그 우선순위에 대해서는 다양한 이해관계자의 의견을 종합하여 행정가와 교사들이 숙의하여 예술적으로 조정하는 과정이 필요하다고 말하였다. 또한 그는 행동적 목표(behavioral objectives), 문제 해결 목표(problem solving objectives), 표현적 결과(expressive outcomes)를 구별하였다(Eisner, 1994b: 134-136).

첫째, 행동적 목표가 적용될 수 있는 상황이 있으나 이는 제한적이다. 이에 따라 행동적 목표의 한계로 세 가지를 제시하였다. (1) 담론 자체에 한계가 있다. 인간 경험의 미묘함(예: 통찰력, 지각력, 통합성), 인간의 감정(예: 자긍심)에 대한 우리의 지식, 질적인 개념(예: 물의 맛)과 이해(예: 베토벤의 4중주)의 양식을 모호하지 않고 측정 가능한 행동적 목표로 나타내기 어렵다. (2) 기준의 적용과 판단하기의 구분에 관한 것이다. 기준은 27대 대통령이 누구인지 아는지 모르는지에 대한 것처럼 구체적으로 나타낼 수 있고 누구나 이를 차이 없게 적용할 수 있다. 그러나 학생의 에세이의 수사력, 학생 그림의 미학적 질, 토론에서 주장의 설득력, 학생의 지적인 스타일, 학생이 과학 실험에서 증거를 해석하는 방식, 역사적 자료를 해석하는 방식 등에 기준을 적용하기 어렵다. 그러나 기준과 별도로 질에 대한 판단은 가능하다. 통찰력과 논리적 주장 중 어느 것에 비중을 두는지, 학생의 그림, 에세이, 주장, 프로젝트를 그 이전의 것들과 어떻게 비교하는지에 대해 광범위한 지식에 바탕을 두고 복잡한 저울질 및 평가의 과정을 거쳐 설득력 있는 판단에 이를 수 있다(Eisner, 1994b: 113-115). (3) 사전에 목표를 진술하는 것이 합리적인 방식이라는 가정에 대한 것이다. 그러나 교실의 생활은 단순하지 않고 선형적이지도 않다. 그리고 목표는 항상 분명하게 진술되는 것은 아니며, 목적도 항상 정확하게 진술할 수 있는 것이 아니다. 우리 주변에는 목표가 무엇인지 분명하게 알지 못한 채 활동해야 할 상황이 많다. 긍정적인 결과를 가져오는 많은 활동들이 탐색이나 놀이의 형태를 띠는 경우가 많다. 오히려 그런 활동 이후에 목표나 규칙이 나타나기도 한다(Eisner, 1994b: 115).

둘째, 문제 해결 목표는 학생이, 예를 들어, 구내식당의 제한된 범위 내에서 음식의 질을 어떻게 높일 것인가와 같은 문제를 형성하거나 교사에게 받는다. 그리고 이 문제의 달성 여부를 결정할 기준을 정한다. 이에 비하여 해결 방식은 다양하다. 학생은 음식의 양을 늘리거나, 새로운 식자재를 발견하거나, 식당 직원과 협력할 학생 팀을 구성할 수 있다. 또는 학생이 자신들의 식당 시설을 별도로 세울 수 있다. 또는 지역의 중국 식당이나 이탈리아 식당에 주문할 수 있는 체제를 형성할 수 있다. 이렇게 다양한 해결의 형태와 양식들이 있다. 이 모든 것들에 대하여 학급에서 학생들이 비용, 효과 등에 대하여 토론할 수 있다. 행동적 목표의 경우 교사는 활동 이후 똑같은 행동을 요구할 것이다. 그러나 문제 해결 목표에 따르면 가능한 해결책을 사전에 알지 못한다는 것이다. 활동이 마무리된 이후에 해결책이 적절한지 확인할 수 있다. 문제 해결 목표는 창의성, 인지적 융통성, 지적인 탐색, 고등 사고 과정을 강조한다(Eisner, 1994b: 116-117).

셋째, 표현적 결과는 학생의 주도성과 경험을 강조한다. 목표는 사전에 설정된 것을 의미하므로 목표보다 결과라는 용어를 사용하는 것이 적절하다. 예를 들어, 우리는 영화관에 가기 전에 행동 목표를 진술하지 않고, 관람하면서 재미있거나 흥미로운 것을 접할 것으로 기대한다. 우리는 이미 영화에 대해 비평할 수많은 기준들을 가지고 있다. 표현적 결과의 질에 대한 평가는 복잡하다. 영화제에서 시상한 영화이거나, 유명한 감독이 만들었거나, 유명한 배우가 주연으로 등장하였거나, 이와 같은 이유로 가격이 비싸거나 등 여러 가지 분명하거나 암묵적인 광범위한 기준들을 동원한다. 마찬 가지로 교실에서도 목표가 항상 사전에 진술되어야 하는 것은 아니다. 미술 수업의 그리기 활동이나 체육 수업의 표현 활동에서 사전에 목표나 소재를 정하면 학생의 창의성 발현에 방해가 되므로 미리 목표를 제시하지 않고 활동 결과에 대해 의견을 나눌 수 있다. 또한, 예를 들어, 학부모들도 동물원 방문, 캠핑 활동, 저녁 이후 사이클링 등에 대해 사전에 목표를 설정하지 않는다. 그러나 활동하는 동안에 즐거움을 맛볼 수 있고, 활동 이후에 긍정적이고 바람직한 것들을 얻거나 발견하거나 확인할 수 있다 (Eisner, 1994b: 118-119).

나. 교육과정 내용 선정

목표는 그 자체로 이를 달성하는 데 필요한 내용을 말해 주지 않기 때문에 내용 선정은 매우 중요하다. 생물 교과를 예로 들면, 목표가 (1) 과학적 탐구 결과는 항상 잠정적이고, (2) 생명체는 생존하기 위해 환경에 의존한다는 것을 이해하게 하는 것이면, 생물학 안에서 도움이 될 다양한 내용을 확인하고, 생물학 이외의 영역에서 학생이 지닌 경험을 확인할 필요가 있다. 이때, 유기체와 환경의 관계를 예시하는, 예를 들어 단순한 식물에서 복잡한 인간의 행위에 이르기까지 다양한 내용을 선정할 수 있다. 또는 교육과정 개발자는 비슷한 원리가 비생명 현상에는 어떻게 작용하는지 예시하기 위해 도시나 국가와 같이 생물이 아닌 존재에 대한 비유를 만들 수 있다. 같은 내용이라도 도시 지역의 학생과 농촌 지역의 학생이 다르게 받아들일 수 있으므로 이들에게 의미 있는 내용을 선정할 필요가 있다(Eisner, 1994b: 136-138).

다. 학습 기회의 유형 개발

학생의 전인적 성장을 위해 다양하고 폭넓은 학습 기회를 제공하여 의미 있는 결과를 가져오는 것은 중요하다. 이를 위해 목표와 내용에 대해 교육적 상상력을 동원하여 변형하는 과정이 필요하다. 이 과정에서 교사의 전문성 범위 안에서 학생이 흥미를 느끼고 몰입할 수 있는 다양한 활동들을 창안할 필요가 있다. 예컨대, 학생이 생물학적 아이디어와 그것을 만들어낸 탐구 방법 사이의 관계를 이해하도록 하기 위해 학생에게 생물학 탐구 학습을 통해 실험 활동을 할 기회를 제공할 수 있다(Eisner, 1994b: 138-141).

라. 학습 기회의 조직

교육과정 계열에 관하여 계단형(staircase)과 거미줄형(spiderweb)의 이미지가 있다. 계단형은 교육 내용의 진도를 나가듯이 선형적으로 조직하는 것으로, 출발점 기능이 있고 도착점 역량이 있다. 거미줄형은 교육과정 개발자가 학생들에게 다양한 교육 결과가 나타날 수 있도록 발견적인 프로젝트, 학습 자료, 학습 활동을 제공하는 것이다. 이 모형에 암시되어 있는 것은 개별화된 교육이고 이는 교사의 창의성을 요구한다. 학생은 서로 다른 다양한 배경을 지니고 있으므로 이를 고려하여 학생이 몰입할 수 있는 프로젝트나 활동에 종사하게 할 필요가 있다. 따라서 학생이 관심을 가지고 성취하고자 하는 것을 확인하고 관심을 확대하며 문제를 해결하는 데 도움을 주는 자원을 제공할 필요가 있다. 이에 따라 학생이 결과적으로 얻는 학습 결과나 그것의 의미도 학생마다 다를 수 있음을 교사가 이해할 필요가 있다(Eisner, 1994b: 141-144).

마. 내용 영역의 조직

내용 영역의 조직에서 세 가지 방식을 고려할 수 있다. 첫째, 전통적인 교과 영역을 유지하는 것이다. 이는 교과 중심 교육과정과 학문 중심 교육과정에서 강조되는 것이다. 둘째, 이러한 교과 영역 사이의 경계를 낮출 수 있다. 이는 Bernstein(1971)이 언급한 '분류(classification)'에 관계된다. 대학에서의 학문 영역 간 차이를 강하게 내세우는 경우 경계가 강한 경우이다. 그러나 그 경계를 다소간 완화하여 내용 영역 간 경계가 약한 교육과정을 조직할 수 있다. 셋째, 사람들이 일상생활에서 접하는 문제들은 분과적인 지식으로 접근하기 어려운 것들이다. 따라서 하나의 학문에 적용되는 기준만으로 접근하지 않고 다양한 종류의 지식을 동원하여 일상의 실제적인 문제에 접근할 필요가 있다. 이를 고려하여 여러 교과 내용을 통합하여 조직하는 방식을 따를 수 있다. 이는 곧 통합 교육과정을 구성하는 것으로 다양한 유형의 통합 방식을 동원할 수 있다(Eisner, 1994b: 144-147).

바. 다양한 표상 양식 개발

일반적으로 학생들은 학습 내용을 문서나 구두로 접한다. 학생이 배운 것을 표현할 때에도 마찬가지로 글이나 구두로 한다. 그러나 이 외에도 다양한 표상 양식이 있다. 가을에 대해 아는 것을 나무에서의 화학적 변화를 담은 과학적 명제로 표현하기도 하고, 태양과 지구의 관계를 천문학적 명제로 표현하기도 하고, 가을의 낙엽이 불타는 냄새를 시적으로 표현하기도 하고, 버몬트주의 어떤 전경의 색깔을 시각적 이미지로 나타내기도 하고, 발아래에서 낙엽이 내는 소리를 청각적으로 나타내기도 한다. 또한 교실에서 한 학생이 짧은 이야기를 읽고 배우거나 경험한 것을 영화, 그림, 시 등으로 표현할 수 있다. 또는 한 학생이 영화를 보고, 자신의 반응을 짧은 이야기로 나타낼 수 있다(Eisner, 1994b: 147-149).

사. 다양한 평가 절차의 적용

평가는 학생이 한 단원을 마쳤을 때에만 일어나는 단순한 활동이 아니다. 목표, 내용, 활동, 계열, 표상 양식 등에 대한 결정 과정에서 선택지들을 고려하고 이들을 평가하고 선택하는 과정이 진행된다. 평가는 선택할 때의 관심, 복잡성, 종합성에 관계된다. 교육과정 개발 과정에서의 의사 결정에는 판단이 요구되고, 판단에는 선택지와 대안들에 대한 평가가 요구된다. 예를 들어, 교육 내용 자료의 평가를 위해서 연구 학교(hothouse)에서 그 초안을 시범적으로 학생들에게 적용할 수 있다. 이 과정에서 자료에 어떤 문제가 있는지, 중요한 것이 누락되지 않았는지, 특정 학년 학생에게 적절한지 등에 대해 검토한다. 이런 일련의 과정에서 어떤 대상에 대하여 질적인 측면에 대한 예술적 접근을 사용하여 검토하고 판단을 내릴 수 있는 '교육적 감식안(connoisseurship, 미묘하고 복잡하고 중요한 것을 지각하는 감상의 예술)'을 가지고 '교육 비평(criticism, 다른 사람이 작품을 더 깊게 지각할 수 있도록 언어로 드러내는 예술)'을 할 것을 강조하였다(Eisner, 1994b: 149-152, 215).

5. Wiggins와 McTighe의 역행 설계 모형

교육을 국가 발전을 위한 수단적 가치로 판단하는 미국의 정치인들이 국제 학력 비교에서 성적이 낮은 것을 문제로 삼으면서 학교가 학생의 학업 성취 결과에 책임을 져야 한다는 책무성 정책(No Child Left Behind Act)에 부응하여 등장한 것이 역행 설계(backward design) 모형이다(Wiggins & McTighe, 2005). 이는 1990년대의 성취 기준을 강조한 교육 정책과 2000년대 책무성 정책을 결합하여 바라는 결과를 목적으로 설정하는 단계부터 시작한다. 이는 Tyler 모형과 Bruner의 지식론을 종합한 것이다. Tyler가 8년 연구에서 서로 다른 교육과정을 운영하는 학교의 성과를 평가하기 위하여 각각의 학교가 설정한 목표를 먼저 확인하고자 하였던 방식과 크게 다르지 않다. 그리고 학습자들이 성취하기를 바라는 목적(결과)으로 영속적 이해(enduring understanding)를 강조하는데, 이는 Bruner의 학문 중심 교육과정에서 가져온 것이다. 영속적인 것은 학문의 중심을 차지하는 기본적이고 핵심적인 개념이나 원리로 시간이 흘러도 그 가치가 변하지 않는 것이다. Wiggins와 McTighe(2005)는 이해의 여섯 가지 측면에 관한 이론을 제시하였으며, 이들은 (1) 설명(explanation, 행위/사건/아이디어에 대한 정교하고 적절한 이론과 사례를 제시하는 것), (2) 해석(interpretation, 중요한 이야기 속에서 의미를 발견하는 것, 자신의 경험과 관심에 비추어 모호한 자료나 경험이나 현상에서 다양한 의미를 발견하는 것), (3) 적용(application, 알게 된 것을 다양하고 실제적인 맥락에서 효과적으로 사용하는 것), (4) 관점(perspective, 비판적 눈과 귀를 가지고 어떤 관점을 보고 듣는 것, 큰 그림을 보는 것), (5) 공감(empathy, 다른 사람들이 이상하고, 색다르고, 설득력이 부족하다고 보는 것에 대한 가치를 발견하는 것), (6) 자신에 대한 지식(self-knowledge, 우리의 이해를 형성하거나 방해하는 개인적 스타일, 편견, 투영, 마음의 습관을 지각하는 것)이다(Wiggins & McTighe, 2005: 82-104).

Tyler가 목표(평가) 중심 교육과정 개발 모형을 발표한 이후에도 현장의 교사들은 일반적으로 이 모형을 충실하게 따르기보다 내용 중심 설계와 활동 중심 설계 풍토에 익숙해 있었다. 이를 전통적인 설계 방식의 '쌍둥이 원죄(twin sins)'라고 불렀다(Wiggins & McTighe, 2005: 18).

내용 중심 설계에서는 특정 주제(예: 외국인 근로자의 불법 체류)를 정한 후에 자료(교과서와 관련 도서)를 선정하고, 이에 적절한 수업 방법(예: 소크라테스식 토의법)을 결정하고, 그 이후에 학생의 이해 정도를 확인하기 위하여 에세이나 퀴즈를 설계한다. 이는 흔히 교과서 진도 중심의 설계로 알려져 있다.

활동 중심 설계에서는 학생이 수행할 활동(예: 만들기, 답사, 쓰기 등 체험 활동)을 강조한다. 그러나 학생이 주도적으로 목적을 설정하고 활동을 진행하고 결과를 검토하고 성찰하는 과정에 토대를 두지 않을 때, 체험 학습은 자주 정신을 빼앗긴 활동에 그칠 수 있다. 이런 경우 목표나 목적이 상실되고 학생은 유의미한 교육적 경험을 하기 어렵다.

이러한 현장의 관행을 개선하기 위해 Wiggins와 McTighe(2005)는 '목적(목표)'을 염두에 두고 그것을 향해 나아가는 역행 설계 모형을 제시하면서 학생의 '이해(understanding)'라는 목적을 전면에 내세웠다. Wiggins와 McTighe는 역행 설계 모형을 아래와 같이 3단계로 제시하였다(Wiggins & McTighe, 2005: 16-19).

가. 1단계: 바라는 결과 결정

1단계에서는 바라는 결과를 결정한다(identify desired results). 학생이 알고, 이해하고, 할 수 있어야 하는 것은 무엇인가? 어떤 내용이 이해할 가치를 지니는가? 어떤 영속적 이해가 바람직한가? 1단계에서는 목표에 대해 숙고하고, 국가, 주, 교육구 수준의 내용 기준을 검토하고, 교육과정이 기대하는 바를 점검한다. 제한된 시간 안에 다룰 수 있는 내용에 제한이 있으므로 이들 중에서 선택해야 한다. 이 단계에서는 우선순위를 분명하게 결정해야 한다(Wiggins & McTighe, 2005: 17-18).

나. 2단계: 수용 가능한 증거 결정

2단계에서는 수용 가능한 증거를 결정한다(determine acceptable evidence). 학생이 바람직한 결과에 도달하였는지를 우리는 어떻게 알 수 있는가? 무엇을 학생의 이해와 능숙함의 증거로 받아들일 것인가? 역행 설계 모형은 단원이나 코스 설계에서 다루는 내용이나 일련의 학습 활동이 아닌, 바람직한 학습이 이루어졌는지를 기록하고 입증하는 데 필요한 평가 증거 수집에 대해 숙고할 것을 제안한다. 이 접근에서 교사나 교육과정 개발자는 특정 단원이나 수업의 설계에 앞서 '평가자(assessor)'처럼 사고한다. 그래서 학생이 바라는 이해에 도달하였는지를 어떻게 결정할지에 대해 먼저 숙고한다. 이 증거는 학습 활동 종료 이후 시험이나 과제에 국한되지 않고 관찰과 대화 자료, 학생의 자기 평가 등을 모두 포함한다(Wiggins & McTighe, 2005: 18-19).

다. 3단계: 학습 경험과 수업 계획

3단계에서는 학습 경험과 수업을 계획한다(plan learning experiences and instruction). 바라는 결과와 이해의 증거를 염두에 두고 가장 적합한 교수·학습 활동들을 설계한다. 학생이 효과적으로 활동을 수행하고 바라는 결과에 도달하기 위하여 어떤 지식(사실, 개념, 원리)과 기술(과정, 절차, 전략)이 필요한가? 어떤 활동을 통해 그런 지식과 기술을 습득하게 할 것인가? 수행 목표에 비추어 무엇을 가르치고 코칭할 것이며, 어떻게 잘 가르칠 것인가? 이 목표들을 달성하기 위하여 어떤 자료와 자원이 가장 적절한가?(Wiggins & McTighe, 2005: 18-19)

제11장

교육 목표

1. 교육 목적과 교육 목표

교육 목적(educational purposes)은 교육이 지향하는 기본적인 방향으로서, 비교적 포괄적이고 궁극적이며 일반적인 동시에 이상적인 것을 나타낸다. 이에 비하여 교육 목표는 구체적이고 세부적인 방향을 가리킨다. 교육 목표는 일반적인 목표(goals)와 구체적인 목표(objectives) 또는 상위 개념과 하위 개념으로 구분된다. 일반적인 목표는 이를 달성하는 데 장기간 소요되는 비교적 질적인 성격을 지니는 것이다. 구체적 목표는 현실적인 행동적 목표로서 측정과 관찰이 가능한 것으로 비교적 양적인 성격을 지닌다(홍후조, 2004: 276).

아래의 2015 교육과정이 추구하는 인간상은 이상적 · 포괄적 · 궁극적인 성격을 지니는 교육 목적의 진술의 예에 해당한다.

가. 전인적 성장을 바탕으로 자아정체성을 확립하고 자신의 진로와 삶을 개척하는 자주적인 사람

나. 기초 능력의 바탕 위에 다양한 발상과 도전으로 새로운 것을 창출하는 창의적인 사람

다. 문화적 소양과 다원적 가치에 대한 이해를 바탕으로 인류 문화를 향유하고 그

발전에 기여하는 교양 있는 사람

라. 공동체 의식을 가지고 세계와 소통하는 민주 시민으로서 배려와 나눔을 실천하는 더불어 사는 사람(교육부, 2015. 9. 23.: 3)

2. 교육 목표의 적절성 판단 기준(요건)

홍후조(2016: 290)는 잘 진술된 교육 목표가 다음 7가지의 특성을 띠어야 한다고 보았다.

가. 타당성: 교육 목표는 학습자, 사회, 교과 측면에서 추구하는 보편적이고 중요한 가치와 일관성이 있어야 한다.

나. 포괄성: 교육 목표는 학습자, 사회, 교과 측면에 포함되는 대상과 현상 및 그 요구를 대부분 포괄해야 한다.

다. 배타성: 교육 목표는 진술된 항목들 사이에 상호 중복과 충돌이 없어야 한다.

라. 위계성: 교육 목표는 추상적이고 일반적인 소수의 목표에서 구체적이고 특수한 다수의 목표까지 상하 전후의 계열적 관계가 있어야 한다.

마. 의사소통성: 교육 목표를 설정한 사람들과 이를 접하거나 실천에 옮기는 사람들 사이에 같은 의미로 해석할 수 있어야 한다.

바. 실천 가능성: 교육 목표는 학교 현장에 적용하여 실천할 수 있어야 한다.

사. 실현 가능성: 교육 목표는 의도하는 바를 성과로 달성할 수 있어야 한다.

3. 교육 목표의 상세화

교육 목표를 일반적이고 추상적인 것에서 특수하고 구체적인 것으로 단계적으로 상세하게 제시할 때, 학교 급별 목표, 교과 목표, 학년 목표, 단원 목표, 수업 목표로 구분하여 제시할 수 있다.

가. 학교 급별 교육 목표

2015 개정 국가 교육과정에서는 초등학교의 교육 목표를 다음과 같이 제시하였다(교육부, 2015. 9. 23.: 5).

1) 자신의 소중함을 알고 건강한 생활 습관을 기르며, 풍부한 학습 경험을 통해 자

신의 꿈을 키운다.

2) 학습과 생활에서 문제를 발견하고 해결하는 기초 능력을 기르고, 이를 새롭게 경험할 수 있는 상상력을 키운다.

3) 다양한 문화 활동을 즐기고 자연과 생활 속에서 아름다움과 행복을 느낄 수 있는 심성을 기른다.

4) 규칙과 질서를 지키고 협동 정신을 바탕으로 서로 돕고 배려하는 태도를 기른다.

나. 교과 교육 목표

2015 개정 국가 교육과정에서는 각 교과별로 교육 목표를 제시하였는데, 국어과의 교육 목표를 예로 들면 다음과 같다(교육부, 2015. 9. 23.: 86).

1) 다양한 유형의 담화, 글, 작품을 정확하고 비판적으로 이해하고 효과적이고 창의적으로 표현하며 소통하는 데 필요한 기능을 익힌다.

2) 듣기 · 말하기, 읽기, 쓰기 활동 및 문법 탐구와 문학 향유에 도움이 되는 기본 지식을 갖춘다.

3) 국어의 가치와 국어 능력의 중요성을 인식하고 주체적으로 국어 생활을 하는 태도를 기른다

다. 학년 목표

학년 목표는 국가 수준 교육과정에서는 제시하지 않았다. 이는 초 · 중 · 고등학교 각급 학교 교육 목표와 교과 교육 목표를 바탕으로 하여 진술할 수 있다. 예를 들어, 초등학교 2학년의 수학과 교육 목표는 한편으로 '초등학교 교육 목표'를 바탕으로 하면서, 좀 더 직접적으로는 '수학과 교육 목표'를 분석하여 진술할 수 있다(홍후조, 2004: 289). 초등학교 2학년 수학과의 학년 목표를 예로 들면 다음과 같다(서울 ○○ 초등학교 교육과정 문서).

1) 100까지의 수를 바탕으로 덧셈과 뺄셈을 익숙하게 할 수 있다.

2) 기본적인 평면 도형의 구성 요소를 파악하고, 입체 모양을 구성할 수 있다.

3) 1cm와 1m의 관계를 이해하며, 간단한 미지항의 값을 구할 수 있다.

4) 곱셈 구구를 이해하고 익숙하게 할 수 있으며, 규칙을 찾을 수 있다.

라. 단원 목표

원칙적으로 단원 목표의 설정이나 단원 수준에서의 수업 지도는 교사의 판단에 따라 적절하게 '재구성'할 수 있는 영역이다. 교사가 교과의 학문적 계열성을 벗어나지 않는 범위 내에서 학생들의 능력 수준이나 요구, 지역 사회의 조건 등을 고려하여 적절히 조정하거나 재구성하도록 허용하고 있을 뿐만 아니라 오히려 권장하였다. 이러한 원칙성 때문에 '교육과정'에서는 단원의 목표를 상세하게 제시하지 않고 있다. 그러나 교육부는 교사들의 편의와 교육의 질적 수준 유지를 위하여 '교사용 지도서'에 이를 상세히 제시해 주고 있다(홍후조, 2004: 290).

마. 통합형 단원 목표의 예

국가 교육과정에서는 각 교과별로 교육 목표를 제시하였으나 특히 초등학생의 경우 사고의 발달 단계가 낮고 생활은 대체로 통합적으로 이루어지므로 개별 교과 지식에서는 자신과의 관련성을 발견하기 어려운 문제가 있다. 따라서 학생들의 생활 경험을 존중하면서 학습 효과를 높이기 위해 여러 교과 간에 서로 관련성이 높은 내용 등을 통합하여 교수 · 학습 활동을 전개할 수 있다. 이를 위해서는 교사가 단원을 설계할 때, 통합형 목표를 진술하여 제시할 수 있다. 아래는 예비 교사들이 이러한 통합형 단원 목표를 진술한 예시이다.

1) 〈사회-미술〉 우리 고장의 지리적 특성을 학습한 후 찰흙이나 지점토를 이용해 우리 고장의 지리를 표현할 수 있다.
2) 〈과학-실과〉 개나리를 관찰한 후 컴퓨터의 그림판으로 그릴 수 있다.
3) 〈사회-과학-실과〉 장영실에 대하여 공부하고 그가 개발한 해시계를 만들어 그것을 보는 법을 익히고 그림자와 태양 고도의 관계를 이해한다.
4) 〈실과-영어〉 요리 실습을 해본 후, 그 과정과 느낌을 영어로 작성하여 발표할 수 있다.

바. 성취 기준

교수 · 학습 및 평가에서의 실질적인 근거로서 각 교과목에서 학생들이 학습을 통해 성취해야 할 지식, 기능, 태도의 능력과 특성을 진술한 것이다. 교육과정의 학교 현장 적합성과 활용도를 제고하는 차원에서 학생 입장에서 무엇을 공부하고 성취해야

---

 ① 네 자리 이하의 수

 [2수01-01] 0과 100까지의 수 개념을 이해하고, 수를 세고 읽고 쓸 수 있다.

 [2수01-02] 일, 십, 백, 천의 자릿값과 위치적 기수법을 이해하고, 네 자리 이하의 수를 읽고 쓸 수 있다.

 [2수01-03] 네 자리 이하의 수의 범위에서 수의 계열을 이해하고, 수의 크기를 비교할 수 있다.

 [2수01-04] 하나의 수를 두 수로 분해하고 두 수를 하나의 수로 합성하는 활동을 통하여 수 감각을 기른다.

[그림 11-1] 초등학교 1~2학년 수학과 수와 연산 영역 성취 기준 예시

하는지, 교사 입장에서 무엇을 가르치고 평가해야 하는지에 관한 실질적인 지침이다 (박순경 등, 2013). 이는 국가 수준 각 교과별 교육과정에서 확인할 수 있다. 예를 들어, 수학과의 초등학교 1~2학년을 위한 '수와 연산' 영역에서 '① 네 자리 이하의 수'에 해당하는 성취 기준은 **[그림 11-1]**과 같다(교육부, 2015. 9. 23.: 213)

사. 수업 목표의 진술

1) 수업 목표 진술의 조건

수업 목표의 진술에서는 가능한 한 다음과 같은 조건이 충족될 필요가 있다(홍후조, 2016: 342). 그러나 이는 모든 교과 모든 수업에 적용되는 것이 아니므로 관련되는 수업에 어떤 것이 적용될 수 있는지에 대해서는 주의를 기울일 필요가 있다. Eisner (1994b)는 행동적 목표를 적용할 상황에 한계가 있음을 지적하면서 문제 해결 목표와 표현적 학습 결과를 구분하여 제시하였다. 이 중 표현적 학습 결과는 미술과와 같은 경우 사전에 수업 목표를 진술하는 것이 창의적인 발상에 방해가 되므로 수업 활동 이전에 구체적으로 제시하는 것을 지양한다.

첫째, 수업 목표는 교사의 행동이 아닌 학생의 행동으로 진술하여야 한다.

둘째, 수업 목표는 수업 시간이나 학습 단원이 끝났을 때 나타날 수 있는 학생의 변화된 행동과 관련지어 진술하여야 한다.

셋째, 수업 목표는 학습 내용과 기대되는 학생의 행동을 동시에 진술하여야 한다.

넷째, 수업 목표의 진술에서 기르고자 하거나 변화를 추구하는 학습 능력에 따라 진술되는 동사의 형태가 달라야 한다(수업 목표의 분류 참고).

다섯째, 수업 목표는 학생들의 학습 행위를 나타내는 장면과 조건에 따라 일반 동사의 형태로 바꾸어 진술하여야 한다. 이때 암시적 동사(예: 믿는다, 인식한

다)보다는 명시적 동사(예: 암송한다, 비교한다)를 사용하는 것이 좋다.

여섯째, 수업 목표에는 학습되어야 할 준거가 제시되어야 한다.

2) 수업 목표 진술의 방법

행동적 수업 목표의 진술 방법에는 Tyler, Mager, Gagné, Gronlund의 방법 등 몇 가지가 있다(홍후조, 2016: 343-344).

(가) Tyler의 진술 방법: 학생(학습자)은 단리법을 이용하여 일정 금액의 이자(학습 내용 또는 자료)를 계산할 수 있다(행동).

(나) Mager의 진술방법: 30개로 구성된 화학 원소의 목록을 제시했을 때(상황 및 조건) 학생(학습자)은 최소한 25개의 원자가(준거)를 상기해서 쓸 수 있다 (도착점 행동).

(다) Gagné의 진술 방법: 배터리, 소켓, 전구, 전선 등을 제시했을 때(상황), 배터리와 소켓(도구)에 전선을 연결하여 전구에 불이 들어오는가를 확인해 봄으로써(행동), 전기 회로를 만들 수 있다(학습 능력).

(라) Gronlund의 진술 방법: 일반적 목표와 명세적 목표를 구분하여 먼저 일반적 목표를 진술하고, 그것에 기초를 두고 명세적 목표를 진술하였다.

　　예시: 임진왜란에 관련된 중요한 역사적 사실을 알 수 있다(일반적 수업 목표).

　　　　　임진왜란 발발 당시의 국내 상황을 열거할 수 있다(명세적 수업 목표).

아. 수업 목표의 분류(I)

Benjamin Bloom
(1913~1999)

Bloom 등(1956)은 교육자들이 학습 목표를 설계하기 위해 사용할 수 있는 체계를 제공하기 위해 교육 목표 분류학을 개발하였다. 이는 교육과정 및 교육 평가를 다루는 모든 교사, 행정가, 전문가, 연구자들에게 도움을 주려는 의도를 가진 것이었다(Bloom et al., 1956: 1). 이들은 학습 목표를 인지적 영역, 정의적 영역, 심동적 영역으로 나누었고, 인지적 영역을 하위 수준으로 분류한 체계를 제시하였다. 정의적 영역과 심동적 영역의 분류 체계는 그 이후 다른 연구들이 제시하였다.

1) 인지적 영역

그들은 인지적(cognitive) 영역을 복잡성 정도 또는 곤란도의 정도에 따라(인지적으로 가장 단순한, 또는 쉬운) (1) 지식(knowledge) 수준부터 (2) 이해(comprehension), (3) 적용(application), (4) 분석(analysis), (5) 종합(synthesis), (인지적으로 가장 복잡한, 또는 어려운) (6) 평가(evaluation)에 이르기까지 6단계로 분류하였다.

Tanner와 Tanner(1975)는 여기에 문제 해결(problem solving)과 창의력(creativity)을 추가하였다. Anderson 등(2001)은 Bloom 등(1956)의 분류학의 한계를 극복하고자 이를 개정한 교육 목표 분류학을 제시하였다. 그들은 1차원적인 분류학을 2차원적인 분류학으로 개정하였는데, 이는 Tyler의 2원적 목표 진술 방식을 수용한 것이다. (가) 인지과정은 (1) 기억하다(memorize), 이해하다(understand), 적용하다(apply), 분석하다(analyze), 평가하다(evaluate), 창안하다(create)로 분류하였으며, (나) 지식 영역은 (1) 사실적 지식, (2) 개념적 지식, (3) 절차적 지식, (4) 메타 인지 지식으로 분류하였다([그림 11-2] 참고).

2) 정의적 영역

Krathwohl 등(1964)은 정의적(affective) 영역의 학습 목표를 분류하였다. 이들은 외적 현상이나 다른 사람의 아이디어와 가치 등을 개인이 수용할 때 내면화하는 원리(principle of internalization)에 따라 가치 체계를 낮은 단계부터 높은 단계로 분류하였다. 이 5단계들은 위계적이며, 높은 단계는 낮은 단계의 특성을 모두 포함한다. 이들은 가장 낮은 (1) 수용(receiving)부터 (2) 반응(responding), (3) 가치화(valuing), (4) 조직화(organization), 가장 높은 (5) 성격화(characterization)에 이르기까지 분류하였다. 높

지식 차원	인지 과정 차원					
	1. 기억하다	2. 이해하다	3. 적용하다	4. 분석하다	5. 평가하다	6. 창안하다
A 사실적 지식						
B 개념적 지식						
C 절차적 지식						
D 메타 인지 지식						

[그림 11-2] Anderson 등(2001)의 교육 목표 신분류학

은 단계일수록 다른 사람의 느낌, 태도, 가치에 좌우되지 않고 더 많은 자신의 개입, 헌신, 자신에 대한 의존이 일어나면서 자신의 결정이나 가치관을 따른다(Borich, 2011: 96-100: 김영천, 2009: 145-146).

3) 심동적 영역

Simpson(1966)은 단순한 수준에서 숙달된 수준까지 심동적(psycho-motor) 영역의 학습 목표를 분류하였다. 즉, (1) 지각(perception), (2) 태세(set), (3) 유도된(guided) 반응, (4) 기계화(mechanism), (5) 복합적 외현 반응(complex overt response)으로 분류하였다. Harrow(1972)는 심동적 영역의 학습 목표를, (1) 반사적 운동(reflexive movement), (2) 초보적 기초 동작(basic-fundamental movements), (3) 운동 지각 능력(perceptual abilities), (4) 신체적 기능(physical abilities), (5) 숙련된 운동 기능(skilled movements), (6) 동작적 의사소통(non-discursive communication)의 6단계로 분류하였다(김영천, 2009: 145-146).

자. 수업 목표의 분류(II)

Robert J. Marzano

Marzano(2000)는 Bloom 등(1956)과 이를 개정한 Anderson 등(2001)의 한계를 지적하면서 새로운 분류 체계인 교육 목표 신분류학을 제시하였다.

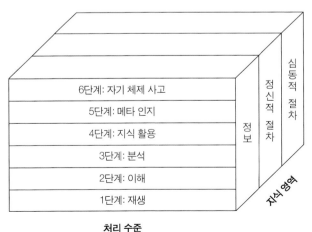

[그림 11-3]   Marzano의 교육 목표 신분류학의 모형(김영천, 2009: 182).

1) 지식 영역

이 영역은 정보(information), 정신적 절차(mental procedure), 심동적 절차(psychomotor procedure)로 분류된다.

2) 처리 수준

이는 세 가지 사고 체제(인지, 초인지, 자기 체제)에 토대를 둔 것으로 재생(retrieval), 이해(comprehension), 분석(analysis), 지식 활용(knowledge utilization), 메타인지(metacognition), 자기 체제 사고(self-system thinking)로 분류된다.

지식 영역과 처리 수준의 결합에 따른 학습 목표와 과제의 예를 들면 다음과 같다(김영천, 2009: 192-213).

(가) 재생은 장기 기억에서 작용 기억으로 지식을 활성화하고 전이하는 것으로, 재생 과제의 예를 들면 **〈표 11-1〉**과 같다.

〈표 11-1〉 재생 수준 과제의 예

		정보
세부 항목	재생	우리가 공부한 시냅스라는 용어를 기술하시오.
아이디어 조직	재생	우리는 "모든 생명은 생명으로부터 시작되고 고유한 유기체를 생산한다"라는 일반화의 예시를 공부했다. 학습한 내용 중에서 예를 두 가지 제시하시오.
		정신적 절차
기능	재생	등고선 지도가 유용하게 쓰이는 상황은?
	실행	우리 학교 주변을 나타낸 등고선 지도가 있다. 지도가 이 지역에 대해 알려 주는 정보를 기술하시오.
	과정	워드프로세서 프로그램이 매우 유용하게 사용되는 상황을 말하시오.
	실행	책상 위에 편지 복사본이 있다. 워드프로세서 프로그램으로 편지를 타이핑하고 저장하여 편지지에 인쇄하시오.
		심동적 절차
기능	재생	우리는 힘줄을 당기는 적절한 기술을 연습했다. 이 기술이 유용하게 사용되는 상황은?
	실행	힘줄 근육을 당기는 적절한 방법을 보여주시오.
과정	재생	격렬한 운동 전 워밍업을 해야 하는 중요한 이유를 기술하시오.

〈표 11-2〉 이해 수준에서 종합 과제의 예

정보	
세부 항목	알라모에서 일어난 사건 중 결과에 결정적인 영향을 미친 사건을 제시하시오.
아이디어 조직	강가의 대합조개의 수와 강가에 용해되어 있는 탄산염의 양의 관계를 기술하시오. 이런 관계에 영향을 미치는 요소는 무엇이며, 어떻게 영향을 미치는가?
정신적 절차	
기능	막대그래프를 읽는 순서를 기술하시오.
과정	워드프로세서를 이용하여 편지글을 타이핑하고 저장하여 인쇄하는 단계를 기술하시오. 이 과정의 요소들은 다른 것들과 어떤 관련이 있는가?
심동적 절차	
기능	백핸드를 하는 가장 적절한 방법을 기술하시오. 훌륭한 백핸드를 할 수 있는 중요한 요소는 무엇인가?
과정	서브를 되받아치는 과정에 포함된 기술과 전략을 설명하시오. 이런 기술과 전략은 다른 것과 어떻게 상호 작용하는가?

(나) 이해는 획득한 정보를 장기 기억에 저장하기 위해 핵심 정보가 남을 수 있도록 변환하는 것으로, 종합과 표상의 두 가지가 있다. 이 중 종합(synthesis) 과제의 예를 들면 〈표 11-2〉와 같다.

(다) 분석은 학습자가 이해한 대로 지식을 정교화하여 합리적으로 확장하는 것으로 대조, 분류, 오류 분석, 일반화, 명세화의 다섯 가지가 있다. 이 중 대조(matching) 과제의 예를 들면 〈표 11-3〉과 같다.

〈표 11-3〉 분석 수준에서 대조 과제의 예

정보	
세부 항목	게티스버그 전투와 아틀랜타 전투가 어떻게 유사하고 다른지 확인하시오.
아이디어 조직	민주주의 정치인과 공산주의 정치인의 특징을 공부하고 있다. 두 정치인의 특징이 어떻게 유사하고 다른지 확인하시오.
정신적 절차	
기능	정치적 지도를 읽는 것과 등고선 지도를 읽는 것은 어떻게 유사하고 다른지 기술하시오.
과정	수채화를 그리는 과정과 유화를 그리는 과정이 어떻게 유사하며 다른지 기술하시오.

(계속)

〈표 11-3〉 분석 수준에서 대조 과제의 예 (계속)

심동적 절차	
기능	백핸드 팃(tit)을 치는 과정과 포핸드 팃(tit)을 치는 과정이 어떻게 유사하며 다른지 기술하시오.
과정	서브를 받아치는 과정과 네트를 차지하는 것이 어떻게 유사하고 다른지 기술하시오.

〈표 11-4〉 지식 활용 수준에서 의사 결정 목표와 과제의 예

정보	
세부 항목	명세적으로 결정하기 위해 자신의 세부 항목의 지식을 활용할 수 있다.
아이디어 조직	명세적으로 결정하기 위하여 자신의 일반화나 원리에 대한 지식을 활용한다.
정신적 절차	
기능	명세적으로 결정하기 위하여 정신적 기능에 대한 자신의 기능이나 지식을 활용할 수 있다.
과정	명세적으로 결정하기 위하여 정신적 과정에 대한 자신의 기능이나 지식을 활용할 수 있다.
심동적 절차	
기능	앞차기, 옆차기에는 강하지만 휘둘러차기가 약한 상대에게 사용할 최상의 킥은 무엇인가?
과정	테니스에서 강한 상대에 맞서 1점을 얻기 위해 가장 의존하는 것은 어느 것인가? (1) 서브를 받아치는 능력, (2) 발리하는 능력, (3) 네트플레이하는 능력

(라) 지식 활용은 학습자가 특수한 임무를 수행할 때 적용하는 것으로, 예를 들면, 베르누이 원리를 활용하여 새롭게 설계한 우주선의 이륙의 임무를 수행하는 것으로, 의사 결정, 문제 해결, 실험 탐구, 조사 보고의 네 가지가 있다. 이 중 의사 결정 과제의 예를 들면 **〈표 11-4〉**와 같다.

(마) 메타 인지는 모든 사고에 대해 감시하고 평가하는데, 목표 설정, 과정 점검, 명료성 점검, 정확성 점검의 네 가지가 있다. 이 중 목표 설정의 목표와 과제의 예를 들면 **〈표 11-5〉**와 같다.

(바) 자기 체제 사고는 동기 및 주의를 결정하는 태도, 신념, 감정 사이의 상호 작용으로, 특히 자신에게 주어진 과제를 할지 말지를 결정하는 것이다. 여기에는 중요성 검사, 효능감 검사, 정서적 반응 검사, 전체적 동기 검사가 있다. 이 중 중요성 검사 과제의 예를 들면 **〈표 11-6〉**과 같다.

〈표 11-5〉   메타 인지 수준에서 목표 설정 과제의 예

정보	
세부 항목	Kosovo의 1999년 전투에 대해 이해하기 위해 여러분이 가질 수 있는 목표는 무엇인가?
아이디어 조직	학생은 명세적 일반화의 원리에 대한 이해를 위해 목표를 설정하고 계획할 수 있다.

정신적 절차	
기능	명세적인 정신적 기능을 위해 자신의 역량을 고려하여 목표를 설정하고 계획할 수 있다.
과정	명세적인 정신적 과정을 위해 자신의 역량을 고려하여 목표를 설정하고 계획할 수 있다.

심동적 절차	
기능	백핸드 샷의 기능에 대해 여러분이 가질 수 있는 목표는 무엇인가? 이 목표를 달성하기 위해 무엇을 해야 하는가?
과정	농구에서의 수비 능력에 대해 세울 수 있는 목표는 무엇인가? 이 목표를 어떻게 달성할 것인가?

〈표 11-6〉   자기 체제 사고 수준에서 중요성 검사 과제의 예

정보	
세부 항목	1963년 존 에프 케네디의 암살을 둘러싼 사건에 대한 지식이 얼마나 중요하다고 생각하는가? 왜 그렇게 생각하며, 그 사고는 얼마나 논리적인가?
아이디어 조직	베르누이의 원리를 이해하는 것이 왜 얼마나 중요하다고 믿는가? 이것을 왜 믿으며, 그 사고는 얼마나 타당한가?

정신적 절차	
기능	등고선 지도를 읽을 수 있는 것은 얼마나 중요하다고 생각하는가? 왜 그렇게 생각하며 그 사고는 얼마나 논리적인가?
과정	WordPerfect를 사용할 수 있는 것이 얼마나 중요하다고 생각하는가? 왜 그렇게 생각하며, 그 사고는 얼마나 타당한가?

심동적 절차	
기능	건 근육을 효과적으로 펼 수 있는 것이 얼마나 중요하다고 생각하는가? 왜 그렇게 생각하며, 그 사고는 얼마나 타당한가?
과정	농구에서 효과적으로 수비할 수 있는 것이 얼마나 중요하다고 생각하는가? 왜 그렇게 생각하며, 그 사고는 얼마나 타당한가?

제 12장

교육 내용

제1절 교육 내용의 선정 기준

Herbert Spencer가 1861년 "어떤 지식이 가장 가치 있는가?"라는 질문을 제기한 이후 여러 교육학자들이 교육 내용의 선정 기준에 관심을 가지고 연구를 하였다. 이들은 교과 지식 중에서 가치 있는 것의 기준을 모색하기도 하였고, Dewey가 경험을 교육과정으로 제시한 이후에는 교과 지식뿐만 아니라 경험도 교육 내용으로 보고 이를 포함하는 교육 내용의 선정 기준에 대하여 연구하였다.

Beck 등(1960: 197-200)은 초등학교 수준의 교과 내용과 교과서의 개발 노력의 결과로 확인한 교육 내용의 선정 기준을 다음과 같이 정리하였다. 이들은 과거에 강조된 기준들이지만 연구에 토대를 둔 것으로서 오늘날에도 적용 가능한 것들이다. 그러나 오늘날 그 적용 여부에 대해서는 새롭게 판단할 필요가 있다.

1. Beck 등(1960)의 기준

가. 사용 빈도

성인의 삶에서 가장 유용한(frequency of use) 지식, 기술, 태도, 능력에 우선적인 강조를 두어야 한다. 교육 내용을 가르칠 시기(발달 단계)는 개별 학생이 지식, 기술, 태도 등을 학습할 능력에 토대를 두고 결정할 수 있다. 여러 학자들이 읽기 어휘와 수학 등의 영역에서 연구를 수행하고 그에 토대를 두고 교과서를 집필하였다.

나. 중대성

중요한 상황에서 가장 유용한 지식, 기술, 태도, 능력에 우선적인 강조를 두어야 한다(cruciality). 이는 사용 빈도가 낮아도 그러하다. 인공호흡이 그러한 예이다. 민주주의 사회에서는 민주주의의 보존이 가장 중요하다.

다. 시간, 장소, 사용의 보편성

오랜 기간 동안 어떤 사회 집단에게 유용하였던 지식, 기술, 태도, 능력이 최근 유용하게 된 것들보다 더 큰 가치를 지닌다고 볼 수 있다. 또한 지리적으로 더 광범위한 지역에서 유용한 것들이 일부 지역에서 유용한 것들보다 더 큰 가치를 지닌다. 예를 들어, 전국에서 사용되는 교과서의 경우, 일부 지역의 어휘들은 적절하지 않다. 비슷하게 광범위한 직업과 광범위한 상황에서 사용되는 것들이 중요하다. 다른 예를 들어, 공기 온도와 습도에 관한 원리는 인간의 복지를 포함하여 매우 광범위하게 적용된다.

라. 효율성(시간 대비 결과)

Rice(1893)의 연구에 따르면, 학교마다 철자 공부에 투자하는 시간이 달랐는데, 매일 1시간, 45분, 30분, 15분을 투자한 학교들의 학생들을 대상으로 시험을 보게 한 후에 학교 간에는 별 차이가 없다는 것을 발견하였다. Rice와 다른 연구자들의 연구는 효율적으로 가르칠 때 하루 15분 정도면 충분하다는 원리의 정립에 기여하였다.

마. 곤란도

가치 있는 지식, 기술, 태도, 능력이나 학습하기 어려운 것들로서 학교 밖에서는 배우지 않는 것들을 학교에서 가르칠 내용으로 강조할 필요가 있다.

바. 교육적 희소성

국가 구성원들에게 필요하지만 부족한 지식, 기술, 태도, 능력에 강조점을 두어야 한다(Beck et al., 1960: 197-200).

2. 최호성(2011)의 기준

최호성(2011: 228-230)은 Brady(1992), Miller와 Seller(1990), Pring(1984), Tyler (1949)의 교육 내용 선정 원리에 대한 주장들을 비교한 후 이들을 종합하고, 철학적 준거, 심리적 준거, 실행적 준거로 구분하여 아래와 같이 제시하였다.

가. 철학적 준거

이는 내용 자체의 속성에 관련되는 것으로 내재적 준거라 할 수 있다.

1) 교육 목표와의 일관성

교육 내용은 교육 목표와 논리적 일관성을 유지해야 한다.

2) 타당성과 진실성

학교가 가르치는 교육과정 내용은 참이고 진실된 것이어야 한다. 최초로 선정할 때뿐만 아니라, 그 이후에도 주기적으로 타당성(validity)과 진실성(authenticity)을 따져야 한다.

3) 중요성 또는 의의성

학교는 단순한 사실적 정보 수준의 사소한 내용을 선정하기보다 기본 개념이나 원리를 파악하는 데 직접 도움을 줄 수 있을 정도로 비중 있고 중요한 것(significance)을 선정해야 한다.

4) 균형성

교육 내용은 전인 교육의 이상 실현에 기여해야 한다. 즉 학생의 인지적 영역, 정의적 영역, 신체 운동 영역의 고른 발달을 촉진하면서(balance) 학생의 자아실현에 도움을 주어야 한다. 또한 전인적 발달을 촉진하기 위해서 내용들이 최대한 상호 관련되고 통합되어야 한다.

나. 심리적 준거

이는 학습심리학 이론에 토대를 둔 학습 가능성과 학생에게 미치는 학습 효과에 관련된다.

5) 흥미도

교육의 모든 과정에서 학습의 흥미는 그 효과를 높이기 위해 매우 중요하다. 학생의 흥미에 부응하는 것은 학생의 고유한 개별성을 존중하는 것이다. 이는 특히 경험 중심 교육과정에서 강조하는 것이기도 하지만, 최근에는 교과 중심 교육과정에서도 학습 효과를 높이기 위하여 학생의 내용에 대한 흥미를 강조한다.

6) 학습 가능성

현재까지 전 세계적으로 많은 국가에서 수많은 교육과정 개혁이 이루어졌는데 그 성공을 판단하는 핵심적 기준은 "학생이 의도한 학습 향상을 달성하였는가?"였다. 교육 내용이 타당하고 배울 가치가 있더라도, 학생의 다양한 학습 양식, 준비도, 성취 수준, 발달 단계 등을 고려하여 학생이 학습하고 소화할 수 있어야 한다. 또한 학업 능력이 우수하거나 부족한 학생 중 일부에 초점을 두지 않고 전체 학생에게 적절한 것이어야 한다.

다. 사회적 준거

학교와 사회는 밀접하게 관련되어 있으므로, 학생이 학교에서 배우는 내용이 사회적으로 유용하고 쓸모 있어야 한다는 기준이다.

7) 사회적 유용성

개인의 입장에서는 직업을 구하고 그 분야에서 전문성을 발휘하는 데 도움을 줄 수 있어야 한다. 그리고 사회의 입장에서 이상적인 미래 사회의 건설에 기여하도록 사회의 유지와 변혁에 도움을 줄 수 있어야 한다.

라. 실행적 준거

이는 수업에서 내용을 전달하는 과정에 관련된다.

8) 실행 가능성

교육과정 설계자는 내용 외적인 조건 또는 지원 체제로 볼 수 있는 시간, 인적·물적 자원, 법규, 재정, 행정 체제 등에 대해 고려할 필요가 있다. 이러한 요소들이 제약 조건으로 작용할 수 있으므로 이들이 제약하기보다 촉진할 수 있는 조건인지 또는 그러한 조건으로 변경할 수 있는지 확인할 필요가 있다.

3. 홍후조(2016)의 기준

홍후조(2016: 329-332)는 이경섭(1999), 김인식과 최호성(1996), 김대현과 김석우(2000)의 내용 선정 기준을 참고로 삼아 사회, 개인, 교과의 세 가지 요소를 고려하여 교과의 일반적 교육 내용 선정 기준을 다음과 같이 제시하였다.

가. 사회(공동체) 관련 기준

1) 사회적 적절성

이는 교육 내용이 사회적으로 적절해야(relevant) 함을 의미한다. 이는 해당 사회의 전통과 규범에 어긋나지 않아야 하되, 그 사회의 전통은 유지하고 결함은 개선할 수 있는 것이어야 한다. 이는 상대적으로 사회의 지속 가능성과 안정에 중요한 정도를 의미한다. 우리 사회의 정치 체제에 부합하도록 자유 민주 정치를 옹호하고 발전을 도모하는 것이어야 하고 시민의 자율성과 권리를 신장하고 책임과 의무를 다하게 하는 것일 필요가 있다. 경제적으로는 자유시장 경제를 옹호하고 직업인으로서 자유와 책무를 다하게 하며 사회 생활인의 복리 발전을 도모하며, 문화적으로는 교양의 증진에 적절한 것이어야 한다.

2) 사회적 유용성

교육 내용이 사회적으로 유용해야(useful) 함을 의미한다. 사회적 적합성이 정치적 측면에서 보수적 적응을 강조하는 반면, 사회적 유용성은 경제적 측면에서 발전적 변화를 강조한다. 교과 중심 교육과정을 강조하는 사람들은 학생들이 장차 직무 수행 상황과 다른 성인 활동에서 학습한 지식을 활용할 수 있게 해주는 정도에 초점을 둔다. 사회적 기능 중심 교육과정을 강조하는 사람들은 일상생활 및 직업적 직무 수행에 유용한 것을 강조한다. 사회 문제 중심 교육과정을 강조하는 사람들은 현재의 생활과 사회적 · 정치적 문제 해결과 쟁점 해소에 적용될 수 있는 것을 강조한다.

3) 사회적 긴급성

각 사회는 항상 안정과 안녕의 상태에만 머물지 않는다. 만성적이든 간헐적이든 정치, 경제, 사회 문화, 윤리적 위기에 직면한다. 각종 안전 사고, 유행병이나 병리 현상의 만연, 이웃 나라와 갈등, 국방의 위기 등에 직면하면서 이런 위기의 극복에 도움이 되는 교육의 필요성을 절감하곤 한다. 이에 부응하여 학교에서는 자주 '계기 교육'을 실시하곤 한다. 주변국의 빈번한 침략, 자연 재난 등 만성적 위기에 대한 대응은 그 나라 교육의 일부가 된다.

나. 학습자(개인) 관련 기준

4) 개인적 유의미성

교육 내용이 학습자의 요구에 맞게 그들에게 유의미(meaningful)해야 한다. 교육 내용은 학습자의 개인차, 적성, 흥미, 관심, 요구에 부응하며, 학업 및 직업 진로를 열어주어야 한다. 학습자에게 유의미한 내용은 학습자로 하여금 자기 정체성을 발견하고 유지하며 자신의 생활에서 여러 영역에 대한 의미를 발견해 가는 것을 돕는다. 또한 자신의 인간적인 잠재 가능성을 확인하고 이의 발전을 통해 자아실현을 돕는다.

5) 개인적 효용성

이런 교육 내용은 개인이 사회적 요구를 충족하고 이에 기여하는 사회적 역할을 다하며 주변 사람들로부터 인정을 받는 것을 의미한다. 개인의 전인적 성장을 넘어, 정치적으로 참여하여 권리와 의무를 다하는 시민, 경제적으로 능력 있는 직업인, 성인으로서 가정을 꾸려가고 자녀를 양육하는 역할을 다하는 사람, 자신의 취미와 여가를 즐기며 이웃과 조화롭게 살아가는 생활인이 되는 데 도움을 주어야 한다.

다. 교과(학문) 관련 기준

6) 학문적 타당성

이는 최호성(2011)의 '타당성(validity)과 진실성(authenticity)'에 해당하는 것으로, 선정된 내용의 신빙성이다. 지식과 정보가 폭발적으로 증가하는 시대에는 과거에 선정된 내용이 얼마 지나지 않아 시대에 뒤진 것이 되거나 오류를 지닌 것으로 판명될 수 있다. 예를 들어, 천동설과 지동설, 불확정성의 원리에서처럼 거시적 물리학 지식이 미시적 세계에서 작동하지 않을 수 있다.

포스트모던 시대에는 어떤 지식이 진리인지 판단하는 기준 자체가 변하였다. 예를 들어, 과거에 서구의 판단 기준에 따라 그 외 지역의 세계관, 가치관, 문화관, 지식관을 바라보고 판단한 것은 서구인들의 세계관, 가치관, 문화관, 그리고 이들의 바탕이 되었던 인식론에 문제가 있었기 때문이며, 이에 따라 다른 많은 지역의 민족들을 침략하고 식민지로 삼고 피해를 입혔다고 본다. 이에 따라 새로운 기준이 등장하면서 서구의 지식 판단 기준에 변화가 나타났고, 과거의 기준을 오류로 보고 이를 수정하는 학술적 활동이 전개되고 있다.

7) 학문적 효용성

이는 최호성(2011)의 '중요성 또는 의의성(significance)'에 관련되는 것으로, 교육 내용이 교육과정의 전반적인 목적 달성에 필요한 기본적인 아이디어, 개념, 원리, 일반화 등에 대해서뿐만 아니라 학습 능력, 기술, 과정, 태도의 발전에 기여하는 정도에 비추어 선정될 필요가 있다. 논리적 정합성, 경험적 실증성, 기술적 효용성, 사회적 합의성, 개인적 덕성, 국제적 교류성, 예술적 심미성, 신체적 건강성 등에 공헌하는 내용이어야 한다.

라. 교육 관련 기준

8) 교육(실행) 가능성

이는 최호성(2011)의 '실행 가능성'에 관련되는 것으로, 교수 · 학습 가능성, 인적 · 물적 자원, 시설과 설비, 재정, 정치 · 사회적 분위기, 현행 법규 등을 고려하여 선정되어야 한다. 이런 조건은 현재 학교가 속한 국가와 사회의 맥락과 여건을 고려하여 선정하는 것을 의미한다. 그리고 다른 사회 기관에서 달성 가능한 것이 아니라 학교가 사회에서 부여받은 고유한 역할을 수행하는 데 적합한 내용이어야 한다.

제2절 교육 내용 조직의 기준

교육 내용 선정 기준에 따라 선정된 교육 내용은 교과와 교과 외 활동이 적절한 균형을 이루도록 그 범위를 정하고 조직하되, 수평적 · 수직적으로 조직할 수 있다.

1. 수평적 조직: 같은 시간대에 내용 배치

가. 범위

범위(scope)는 폭이나 너비(breath)나 깊이를 의미하며, 내용의 횡적 조직에서 고려할 원리이다. 이는 특정한 시점에서 학생들이 배워야 할 내용이 무엇이고, 그것을 얼마나 깊이 있게 배워야 하는가를 학교 급, 학년, 교과, 단원에 따라 결정하는 것을 의미한다. 교육 내용의 폭을 넓히면, 제한된 시간에 각 내용에 할애할 시간이 줄어들어 피상적으로 다룰 수 있다. 반면에 교육 내용의 폭을 좁히면 각 내용에 대해 깊이 있게 학습할 수 있다(김재춘 등, 2017: 212; 홍후조, 2004: 316).

교과와 관련된 내용은, 인문학, 자연 과학, 사회 과학을 포함하고, 자연 과학은 물리, 화학, 생물, 지구과학을 포함하며, 생물은 동물, 식물, 인체 생물학을 포함하는 범위를 정할 수 있다. 또한 학생들이 한 학년 동안 배우는 교과의 수와 교과 외 활동을 범위로 볼 수 있다(홍후조, 2004: 316). 초등학교 1~2학년의 내용 범위는 국어, 수학, 바른 생활, 슬기로운 생활, 즐거운 생활, 창의적 체험 활동(안전한 생활 포함)이다.

나. 통합성

통합성(integration)은 여러 가지 개념, 기능, 가치들을 서로 밀접하게 관련지을 수 있도록 하여 시너지 효과를 가져오게 하는 것이다. 궁극적인 통합은 학생의 내부에서 일어난다고 보는데, 이 과정을 촉진하기 위해 조직할 수 있다는 것이다. 한 교사가 여러 교과를 가르치는 초등학교의 경우에 개별 교사가 통합할 수도 있고, 동학년 교사 간 숙의를 통해 통합할 수도 있다. 중등학교의 경우에는 교사들 간의 협력에 의해 이루어질 수 있으나 초등에 비하여 현실적으로 제약이 많은 편이다(홍후조, 2004: 317).

통합의 형태는 비슷한 논리 구조를 갖는 교과끼리의 통합에서부터 특정 문제 중심으로 전 교과를 유기적으로 관련짓는 형태에 이르기까지 매우 다양하다. Drake(2007)는 통합의 정도에 따라 다음 네 가지를 소개하였다. (1) 결합(융합, fusion)은 어떤 교과에 다른 무엇인가를 추가하여 결합(융합)하는 것이다. 예를 들어, 읽기 교과에 역사를 결합(융합)하는 것이다. (2) 다교과(다학문적, multidisciplinary) 통합은 교과의 구분은 유지하되 의도적으로 이들을 연결 짓는 것이다. 예를 들어, 초등학교에서는 '지역 사회' 단원을 학습하면서 사회과 센터, 국어과 센터, 예술 센터, 수학 센터, 과학 센터를 순회할 수 있다. (3) 교과 간(간학문적, interdisciplinary) 통합은 교과 간 연결을 좀 더 분명하게 하는 것이다. 예를 들어, 공통 주제, 쟁점, 문제를 중심으로 교육과정을 통합하되, 여러 교과를 가로지르는 (교과 간, 간학문적) 개념과 기술을 강조한다. 예를 들어, 갈등이나 변화와 같은 항구적 개념 또는 큰 아이디어들을 중심으로 단원을 조직하거나, 일반적인 연구 방법이나 기술을 중심으로 단원을 조직할 수 있다. (4) 탈교과(탈학문적, transdisciplinary) 통합은 교과나 공통 개념이나 기술에서 시작하지 않고 실제 생활의 맥락이나 학생의 관심에서 시작하되 학생에게 관련성이 높은 것을 가장 중요하게 여긴다. 예를 들어, 학생이 글로벌한 문제나 과제(예: 무주택, 10대 알코올 남용 등)를 선택하여 연구를 진행하고, 웹페이지를 만들고, 서비스 학습 프로젝트를 설계하고, 여러 현장을 방문하면서 실행한 후에 지역 사회 심사 위원들의 심사를 받는다(Drake, 2007: 31-41).

국내에는 주제 중심의 다교과(학문) 통합이나 프로젝트나 문제 중심의 교과 간(간학문적) 통합 또는 탈교과(탈학문적) 통합이 많이 소개되었다. 초등학교 1, 2학년을 위한 통합 교과의 경우, 제5차 교육과정에서는 바른생활, 슬기로운 생활, 즐거운 생활을 주제를 중심으로 교과를 엮어 다교과 통합의 형태를 띠었으나, 슬기로운 생활의 경우 제6차 이래로 개념과 탐구 방법(활동)을 중심으로 묶어 교과 간(간학문적) 통합으로 변하였다(김대현, 김석우, 2017: 166). 2009 개정, 2015 개정 교육과정에서는 바른 생활, 슬기로운 생활, 즐거운 생활의 통합 정도를 더욱 강화하여 학교, 봄, 가족, 여름, 이웃(마을), 가을, (우리)나라, 겨울 등 세 통합 교과에서 8개 영역(대주제)의 공통된 주제를 중심에 둔 교과 간 통합으로 발전하였다(교육과학기술부, 2011; 교육부, 2015. 9. 23.). 그리고 여러 교과를 가로지르는 종합적이고 통합적인 학습 주제를 중심에 둔 범교과 학습의 경우도 교과 간 통합의 예로 볼 수 있다.

2. 수직적 조직: 시간의 연속성을 토대로 조직

가. 계속성

계속성(continuity)은 특정 주제나 개념(예: 에너지)이나 기술을 학생이 일정한 간격을 두고 반복해서 배우도록 배열하는 것이다. 동일한 개념이나 원리의 학습 또는 어떤 기술의 훈련이나 계발을 위한 기회를 학년이 올라가면서 여러 번에 걸쳐 제공하는 것이다(Tyler, 1949: 84-85).

나. 계열성

계열성(sequence)은 학생의 누적적 · 지속적 학습을 돕기 위해 교과 지식이나 경험을 종적으로 조직할 때 고려할 원리이다. 이는 학습자가 어떤 내용을 먼저 배우고 뒤에 배우는가를 학교 급, 학년, 학기, 월, 주, 차시별로 결정하는 것이다. 예를 들어, 한 자리 수의 곱셈을 배운 뒤 두 자리 수의 곱셈을 배우듯이 어떤 주제나 개념이나 기술을 반복하면서 이전 것을 토대로 한 단계 더 나아가는 것이다(김대현과 김석우, 2017: 157-160; 김재춘 등, 2017: 213; 홍후조, 2004: 316-317).

1) Smith, Stanley와 Shores(1950: 316-341)는 계열성의 원리로, (1) 간단한 것에서 복잡한 것으로, (2) 선행 학습 조건을 차례대로 밝혀가기, (3) 전체에서 부분으로, (4) 시간 계열 등 네 가지를 제시하였다(홍후조, 2004: 316).

2) Leonard(1953)는 시간 순서, 논리 순서, 곤란도(difficulty), 공간 확대법, 아동의 발달 단계를 제시하였다(홍후조, 2004: 316).

3) Armstrong(1989: 78-80)은 (1) 시간 계열법(과거에서 현재와 같이 시간적 순서로 구성하는 방법), (2) 주제 구성법(여러 주제를 어느 한 가지 상위 주제를 중심으로 하위 주제들의 순서를 정하는 방법), (3) 확대법(부분에서 전체로 나가는 방법), (4) 축소법(전체에서 부분으로 나가는 방법)을 제시하였다(홍후조, 2004: 316-317).

4) Bruner(1960)는 특정 개념이나 아이디어를 계속적으로 제시하되 그것들이 나선형적으로 심화되고, 확대되는 조직 원리를 제시하였다(김재춘 등, 2017: 213).

다. 수직적 연계성

수직적 연계성(vertical articulation)은 특정 학습의 종결점이 다음 학습의 출발점과 잘 맞물리도록 조직하는 원리이다. 예를 들어, 초등학교 고학년에서 중학교 저학년 사이, 중학교 고학년에서 고등학교 저학년 사이, 1학년 말기와 2학년 초기 사이, 2학년 말기와 3학년 초기 사이, 단원의 내용 사이를 연계하는 방법이 있다(김대현, 김석우, 2017: 160-162).

제3절 교육 내용의 재구성

제6차 교육과정에서 '교과서 중심의 학교 교육'에서 '교육과정 중심의 학교 교육'으로의 전환을 강조하면서, 그 지침 중의 하나로 교육 내용 재구성을 제시하였다. 이는 제7차 교육과정에도 이어졌는데, 김평국(2004)은 이러한 교육 내용 재구성을 위해 일선 초등학교에서 교사들이 실제로 교과(교과서) 내용을 어떻게 재구성하여 운영하는지에 대해 관찰하고 면담한 결과를 정리하여 다음과 같이 여섯 가지 유형으로 구분하여 제시하였다. 이는 당시에 나타난 현상을 기술한 것으로 재구성을 어떻게 하는 것이 바람직한지에 대한 판단은 별도로 이루어질 필요가 있다.

1. 전개 순서 변경

교사들은 여러 교과의 수업에서, 계절이나 절기 등을 고려하여 단원의 순서를 바꾸거나 한 단원 내에서 내용 전개 순서를 바꾸어 재구성하였다. 도덕과, 과학과, 체육과의 예를 들면 아래와 같다(김평국, 2004: 139).

가. 도덕과: 국가 민족 생활의 일부를 6·25 즈음하여 6월에 지도하였다.
나. 과학과: 교실에서 강낭콩의 한살이가 지난 후에 관련 단원을 지도하였다.
다. 체육과: 수영, 스키, 스케이트 등을 계절에 맞게 지도하였다.

2. 내용 생략

교사들은 학생의 수준에 맞추기 위하여 또는 시간이 부족하여 또는 교과 전문 지식이나 기능이 부족하여 단원이나 단원 내의 일부 내용을 생략하였다. 아래는 체육과,

음악과, 미술과를 지도할 때 내용을 추가한 사례이다(김평국, 2004: 139-140).

    가. 체육과: 표현 활동을 배우지도 않았고 연수도 받지 않았고 자료 구하기도 힘들어 생략하였다.

    나. 음악과: 여러 경기 민요의 녹음 자료를 구하기 힘들어 지도하지 않았다.

    다. 미술과: 계획한 활동이 끝나지 않았을 때 감상 활동을 생략하거나, 시간 부족으로 표현 활동을 멈추고 완성된 작품 중심으로 감상 활동을 하였다.

3. 내용 추가

초등학교 교사들은 단원 내용의 특성에 따라 교과서에 없으나 교사가 필요하다고 생각하는 내용을 추가하였다. 다음은 국어과, 사회과, 수학과를 지도할 때 나타난 내용 추가의 사례이다(김평국, 2004: 140).

    가. 국어과: 흥미를 끌 신문 자료나 문학 작품 등을 추가한다. 설득의 경우, 논쟁이 되고 있는 주제에 관한 신문 자료를 찾아 내용을 재구성하거나 문학의 원전을 찾아 읽고 수업을 진행하였다.

    나. 사회과: 기존 교과서 내용에 지역 사회의 조사와 관련된 내용을 추가하였다. 이때, 사회과 내용의 과다와 내용의 어려움 그리고 자료와 시설의 부족 등으로 인하여 조별 학습이나 과제의 형태로 부과하였다.

    다. 수학과: 신문이나 인터넷에서 자료를 구해 사용하였다. 덧셈을 학생이 원하는 물건을 살 경우로 바꾸어 설명하였다.

4. 내용 축약

교사들은 아동의 수준에 맞추기 위하여 교과서 내용의 일부를 축약하였다. 다음은 수학과, 미술과 수업에서 나타난 내용 축약의 사례이다(김평국, 2004: 140-141).

    가. 수학과: 학생의 수준에 맞게 교과서의 방법을 바꾸거나 내용을 축약하였다.

    나. 미술과: 표현 활동 내용 중 일부를 단순화하여 학생 수준에 맞게 제시하였다. 학생들의 만들기 수준이 높아서 만들기 활동을 단순화하여 제시하였다.

5. 내용 대체

교사들은 학생의 수준이나 흥미, 실생활과의 연계성 등을 고려하여 단원 내용의 일부를 교과서 이외의 내용으로 대체하였다. 다음은 과학, 실과, 음악, 영어 수업에서의 내용 대체 사례이다(김평국, 2004: 141).

가. 과학과: 생활 주변의 소재를 확보하여 대체하였다. 수수깡 대신 등뼈의 느낌을 주기 위해 철사를 사용하였다.

나. 실과: 재봉틀 대신 손바느질, 십자수, 수예 등으로 대체하였다.

다. 음악과: 지도서 리듬 악기 대신 오르프 리듬 악기를 활용하였다. 학생들이 가락 악기를 다루지 못하므로 리듬 악기로 대체하였다.

라. 영어과: 학생들이 지루해하므로 교과서 내용은 일부만 가르치고 나머지는 생각나는 대로 바꾸어서 가르쳤다.

6. 타 교과와 통합

일부 교사들은 단원 내용의 특성을 고려하여 다른 교과의 학습 내용과 통합하여 지도하였다. 다음은 미술과와 관련된 사례이다(김평국, 2004: 142).

가. 미술과와 과학과: 과학과와 통합하여 상상화 그리기를 하였다.

나. 미술과와 국어과: 읽기와 연계하여 이야기를 그림으로 표현하였다.

다. 미술과와 사회과: 사회과의 민속놀이와 연계한 장신구를 만들었다.

제 13 장

단원 설계

제1절 단원 설계에 필요한 요소

1. 교육 목표

단원 목표를 진술하기 위해 국가 교육과정 및 해설서, 시·도 교육과정 편성 운영 지침, 교육 지원청의 실천 중심 장학 자료, 학교 교육과정 등을 참고한다. 교육 목표는 단원 설계에 구조적인 틀을 제공하므로 효과적인 단원 설계에 매우 중요하다. 이는 또 한 상위 교육과정 문서가 제시하는 국가적·사회적으로 중요하게 여기면서 학생이 획 득하기를 기대하는 가치 및 태도, 기술, 지식 등을 단원 설계에 연결하는 것이기도 하 다(Borich, 2011: 112).

2. 학생 특성

단원 설계에서 교사들은 평가, 학급 경영, 교육과정 등 다른 것보다 학생의 특성 을 고려하는 데 쏟는 시간의 비율이 평균 43%로 가장 높은 것으로 타나났다(Clark & Peterson, 1984; Marzano, Pickering & Pollock, 2004). 학생들은 학습 능력, 선행 성취 수준, 학습 의욕, 자아 개념, 학습 양식, 성격 유형, 가정 환경 등에서 개인차를 나타낸다. 이러한 '창문(windows)'을 통해 학습들의 특별한 요구를 확인하여 단원 설계에 반영한다. 학습자를 고려하는 설계에서는 의식적으로 먼저 학습자의 독특한 능력과 경험을 고려하는 것에서 시작하는데, 이를 통해 교사는 그들의 현재 이해 수준에 부합하고 특별한 학습 요구에 부응할 수 있는 학습 내용, 학습 자료, 목표, 교수 방법 등을 선정할 수 있게 된다. 또한 이 지식을 통해 교사는 수업의 여러 다양한 토픽들을 조직하고, 선정하고, 계열화하고, 시간을 할당하게 된다(Borich, 2011: 112).

3. 교육 내용

교사는 학년 수준에 따라 가르쳐야 할 교과 내용에 대한 자신의 지식을 단원 설계에 반영한다. 교사는 자신이 가르쳐야 할 교과 내용의 학습에 이미 많은 시간과 노력을 투자하였다. 그동안에 교과서 집필자, 교사들, 교과 전문가들이 가르쳐야 할 교과 영역의 개념들을 어떻게 조직하였는지에 대한 중요한 정보를 이미 획득하였다. 이런 정보에는 학습 내용의 부분들은 전체와 어떻게 연결되어 있는지, 교과 내용들의 우선순위는 어떠한지, 한 토픽에서 다음 토픽으로 어떻게 전이가 이루어지는지, 어떤 주제가 중요하고, 어떤 주제가 덜 중요한지에 대한 것이 포함된다. 총론 및 각론의 교육과정 전문가들이 설계하여 작성한 국가 및 지역 교육과정의 내용 조직에 대하여 의식적으로 성찰함으로써 교사는 학생들의 학습이 더 쉬워지게 하고, 체계적으로 이루어지게 하고, 오래 기억하는 것과 미래에 사용하는 것에 더 도움을 줄 수 있다. 교사가 이러한 문서에서 내용의 조직에 대한 정보를 이끌어내는 것은 교육 내용의 선정, 계열화, 시간 할당에 큰 도움을 준다(Borich, 2011: 112).

4. 교수 방법에 대한 이해

교사는 교수법에 관한 자신의 지식을 단원 설계에 반영한다. 이때 교사는 효과적인 교수를 위한 핵심적 행위들인 전달의 명료성, 다양한 교수법의 적용, 학습 과제에 집중하는 효율적인 시간 활용, 학생의 과제 집중, 학생의 학습 내용 이해 및 과제의 성취 속도의 다섯 가지, 지원적인 행위들인 학생의 아이디어와 반응의 활용, 학습 활동 전후에 요약하는 구조화, 학습 내용과 학습 과정에 관한 발문, 한 학생의 답변을 자신 또는 다른 학생이 더 상세하게 하기, 교사의 열정 등 다섯 가지를 실행할 수 있게 해주는 다양한 교수 전략에 대해 숙고한다. 이와 함께 새로운 내용을 전달하는 적절한 속도, 프리젠테이션 양식(설명 대 집단 토론), 학생 조직(소집단, 전체 학급, 개별 학습),

학급 경영(손들기, 큰 소리로 발표하기)에 관하여 결정한다(Borich, 2011: 112).

Shulman(1992)은 교사가 교육 목표, 학습자, 교과 내용, 교수법에 대한 지식을 얻을 수 있는 원천으로 다음 네 가지를 제시하였다. (1) 교실 비디오 시청하기, 교실 참관, 교육 실습 등과 같은 실제적 경험, (2) 더 성공적인 교사와 덜 성공적인 교사에 관한 사례 연구 결과 읽기, (3) 중요한 교육 목표 및 성취 기준, 그리고 교수에 대하여 사고하기 위한 패러다임에 관한 전문 서적 읽기, (4) 교과 내용과 교수법에 관한 경험적 연구 결과 읽기(Borich, 2011: 113).

5. 암묵적 지식

초임 교사는 4년 동안 힘써 노력하여 교육 내용과 교육 방법에 대한 지식을 획득하였으나 이는 시작에 불과하다. 이렇게 교육대학에서 배운 지식은 대학에서 받은 훈련과 학교 현장에서의 경험의 상호 작용 속에서 점점 변해 간다. 이런 변화의 결과를 '반성적(성찰적) 실천(reflective practice)'이라고 부른다. 이는 교사들이 매일매일의 경험에서 얻은 암묵적(묵시적) 지식(tacit knowledge) 또는 개인적 지식의 영향을 받는다(Canning, 1991; Gill, 2000; Polanyi, 1958; York-Barr 등, 2006).

암묵적(묵시적) 지식은 교실에서 효과적으로 잘 진행되는 것에 대한 교사들의 반성이고, 오랜 시간에 걸쳐 그리고 개인적 경험을 통해 발견한 것을 나타낸다. 다른 교사의 관찰, 학생들과의 상호 작용, 단원 설계, 평가와 채점과 같은 매일 매일의 경험을 통해 묵시적 지식을 축적할 것이고, 교재나 형식적인 훈련에서 배운 대로 교사들의 행위를 효과적으로 이끌어나갈 새로운 행위 방식에 대해 성찰할 것이다. 이러한 암묵적 지식에 대해 성찰할 때, 교사들은 단원을 좀 더 다양하고 융통성 있게 만들 것이므로 교사들의 계획과 의사 결정의 질을 높이게 될 것이다. 이를 통해 교사들은 단원 및 수업 설계의 발전을 가져올 수 있도록 단원을 개선하고 정교화하게 될 것이다. 암묵적 지식은 교사들의 계획을 보다 더 유연하게 하고 반복이 자주 나타나지 않게 하고 오랜 기간에 걸쳐 교사들의 교수 스타일에 신선한 통찰력을 제공해 줄 것이다(Borich, 2011: 113).

제2절 수직적 단원 설계와 수평적 단원 설계

1. 수직적(분과형/학문적) 단원 설계

이는 교과 내에서 가르칠 내용을 단계적으로 배열하여 선행 수업과 후속 수업에서 다룰 내용을 순서대로 설계하는 방법이다. 이를 그림의 형식으로 나타낼 수도 있고, 서술식으로 나타낼 수도 있다. (1) 수업 활동의 체계를 나타내기 위하여, (가) 단원의 일반적인 목표, (나) 중간 단계 목표, (다) 개별 수업의 목표의 세 가지 수준으로 나누어 표현할 수 있다. 다음에 (2) 수업 활동의 계열을 나타낼 수 있는데, (가) 수업 간의 계열이 뚜렷한 단원 설계, (나) 수업 간의 계열이 없는 단원 설계, (3) 수업 간의 계열이 부분적으로 있는 단원 설계로 구분하여 나타낼 수 있다(Borich, 2011: 118-122).

2. 수평적(교과 중심 통합형/간학문적) 단원 설계

이는 서로 다른 지식 영역을 체계적으로 연결하기 위하여 주제, 토픽, 문제 중심으로 단원을 종합적으로 설계하는 방법이다. 최근 연구에 따르면, 주제 통합 학습은 고등 사고 능력을 기를 수 있는 매우 효과적인 방법이다(Erickson, 2006; National Research Council, 2001; Richmond & Striley, 1994; Roblyer, 2005; Shavelson & Baxter, 1992; Borich, 2011: 123 재인용-).

간학문적 단원의 목표는 어느 한 교과에 한정되지 않고 여러 교과 영역에 걸쳐 지식 체계를 통합하고 그 내용들 간의 관계를 이해할 수 있는 기회를 주는 것이다(Martin, 1995; Martinello & Cook, 2000; Roberts & Kellough, 2006; Borich, 2011: 123 재인용). 예를 들어, Roberts와 Kellough(2006)는 한 교사의 중학교 학생들을 위한 통합 단원을 설계하였는데, 이 단원에서 학생들은 어린 소년의 이야기를 읽는다. 이 소년은 시간을 가로질러 하나의 환상적인 행성으로 여행을 떠난다. 소년은 새로운 문화에 적응하려고 노력하면서, 고독, 외로움, 소외, 감금을 경험한다. 학생들이 읽은 내용에 토대를 두고 이 이야기를 여러 다른 교과들, 즉 영어, 표현 예술, 과학, 사회, 추가적인 연구 등 몇 개의 교과에 연결하였다. 이를 효과적으로 학습하기 위해 조별 활동과 개별 활동이 함께 진행될 수 있다. 이는 학생들이 교사의 도움을 받아 비판적으로 분석하고, 추론하고, 예측하고, 그리고 자신의 학습 과정을 성찰할 수 있는 기회 등을 많이 제공한다(Borich, 2011: 123-125).

예를 들어, '황금 시대(gold rush)'라는 주제는 여러 교과에서 발견되는 하위 주제들을 묶는 상위 주제이다(Borich, 2011: 127-129). 따라서 '황금 시대'라는 상위 주제를 중심으로 이에 연결되는 여러 하위 주제들을 시간적으로 동시에 학습함으로써 하위 주제들 상호 간의 관련성을 확인하면서 시너지 효과를 가져올 수 있다. 그렇지만, 이 하위 주제들은 기존의 교과 내용에서 추출한 것으로서, 엄밀히 말하여 학습자의 교과라기보다는 교육자의 교과로 볼 수 있다. 즉, 하위 주제들은 학생의 경험에서 시작되는 주제들이라기보다는 교과 내용 개발자들이 학생의 관심, 능력, 발달 수준 등을 고려하되 학생들이 학습 과정을 거친 이후에 도달하기를 기대하면서 미리 개발한 것들이다. 이렇게 교육자들이 개발한 교과는 출발점이 아니라 도착점이므로 출발점을 위한 과정이 별도로 요구된다. 즉, 교육자의 주도로 선정된 주제의 학습은 그것이 분과형이든 통합형이든 교과 중심 교육과정의 일부로 그 효과를 높이기 위한 운영에 해당한다고 볼 수 있다.

3. 교과 중심 통합형 단원 예시

교과 중심으로 통합한(수평적/간학문적) 단원의 예로, 대학원생이 석사 학위 논문의 일부로 설계한 단원의 주제망을 그림으로 표현한 사례를 **[그림 13-1]**과 같이 나타낼 수 있다.

제3절 경험 중심 통합형(수평적/간학문적) 단원 설계 실습

교과 중심 통합형 단원 설계와 달리, 경험 중심 통합 단원 설계에는 출발점부터 학생의 참여가 필수적이다. 이를 위해 학습할 하위 주제 및 상위 주제를 교육자가 단독으로 선정하기보다 학생들과 함께 선정 가능한 다양한 주제들을 나열해 보면서 의견 조정과 수렴 과정을 거쳐 상위 주제 및 하위 주제를 선정할 필요가 있다.

경험 중심 통합 단원 주제를 선정하는 경우, 생활 밀착형 상위 주제와 하위 주제는 자유 연상에 의하여 찾아낼 수 있다. 따라서 이 상위 주제와 하위 주제는 반드시 기존 교과의 단원 주제나 내용이 아닐 수 있다.

1. 주제 선정

경험 중심 통합 단원 주제, 즉 학생의 생활 밀착형 주제는 학생이 생활 속에서 경

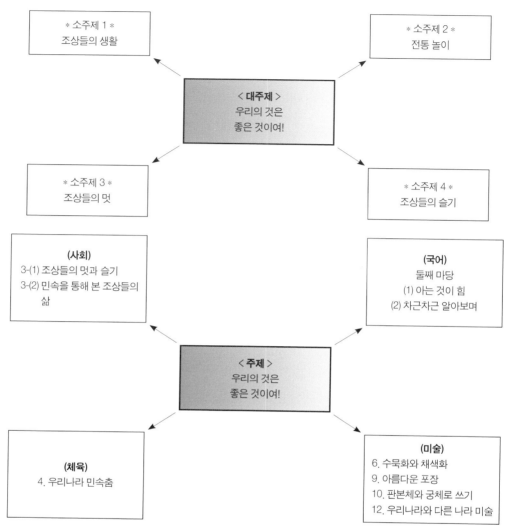

[그림 13-1] 주제 중심 통합 학습을 위한 주제망 예시(최문정, 2008)

험하는 다양한 상황에서 발굴해 낼 수 있다. 이러한 주제의 예를 들면, (1) 지하철, (2) 밥(우리가 먹는 밥은 어디서 오는 것일까?), (3) 공룡이 멸망한 이유, (4) 시계, (5) 아프리카 연극, (6) 씨름, (7) 비 등이 있을 수 있는데, 학습자의 생활에서 묻어 나오는 것들을 교사가 예비로 선정하고 교사와 학생이 상의하여 결정할 수 있다.

✿ 주제 선정을 위한 기본 원칙

가. 학습자의 교과에서 교육자의 교과로의 발전을 이룰 수 있는 주제를 선정한다.

나. 이는 학생 경험의 점진적인 조직을 위한 주제를 선정하는 것을 말한다.

다. 이를 위해 초등학생의 생활 주변에서 관심을 가질 수 있는 밀착형 주제를 선정한다.

라. 현재 사용 중인 교과서에 제시된 단원 제목을 상위 주제로 사용하지 않는다.

마. 약 20차시 이내의 범위를 한 단원으로 보고, 이 단원 범위 내에서 학습할 수 있는 주제를 선정한다.

2. 주제 선정의 배경

초등학생들의 발달 수준과 능력, 경험, 관심, 학습 가능성 등을 고려하여 주제를 선정하게 된 배경을 진술한다. 교사 자신의 초등학교 시절을 떠올리거나 현재까지 만난 초등학생과의 상호 작용 속에서 발견했던 관심사를 생각하면서 진술할 수 있다.

3. 주제의 예시

가. "우리가 먹는 밥은 어디서 오는 것일까?"(5학년)는 초등학생이 매일매일의 생활에서 접하는 친근한 주제로서 생활과의 관련성이 높아 관심을 유발하기 쉽다.

나. '시계'(2학년)는 초등학생들의 생활에 밀착된 주제로, 생활과의 관련성이 높아 관심을 유발하기 쉽다. 하위 주제로 시간, 시계 종류, 시계 만들기를 제시하였다. 시간과 관련하여 효율적 시간 분배를 다루고 있어 이 주제를 학습한 이후 일상생활에 적용할 수 있다. 시계의 종류에 대해 알아보고 가능한 범위 내에서 시계 만들기를 시도하였다. 이 시계는 제작 이후 시계 그 자체로 활용하기는 어려울 것이다. 그러나 자신이 원하는 시계에 대하여 디자인을 해보는 데 더 큰 의의가 있다고 볼 수 있다.

다. '공룡이 멸망한 이유'(4학년)는 초등학생들이 공룡이라는 동물을 직접 접해 보지는 않았으나, 박물관이나 영화나 TV 등 일상생활에서 많이 접해 본 주제로서 자신의 의식주와 같은 일상생활과의 관련은 낮으나 지적 호기심을 자극하는 주제로서 관심을 유발하기 쉽다.

라. '청동기'는 초등학생들이 교과서에서 접할 수 있는 주제이지만, 학생에 따라 생활과의 관련성이 높지 않아 관심을 유발하기 어려울 수도 있고, 그 시대의 생활상에 관심이 있는 학생의 경우 관심을 유발할 수도 있다.

마. '전라도 식물 여행'은 하위 주제로 축제, 상징 꽃, 상징 나무, 나무 구조, 꽃의

구조를 제시하였는데, 이는 한 단원이라는 시간적 범위 내에서 다루기 어려울 정도로 광범위하다. 보통 상징 꽃이나 상징 나무는 행정 기관에서 결정한 것으로서 학생들이 참여한 적이 없으며, 초등학생이 '상징'을 생활 속에서 경험하고 즐기는 경우를 발견하기는 쉽지 않다. 이보다 더 학생의 구체적인 생활에 접근할 수 있는 하위 주제들을 선정할 필요가 있어 보인다.

4. 주제망 그리기

교사가 예비로 선정한 주제를 상위 주제로 삼고 그 하위 주제들을 그림의 형식, 즉 주제망으로 나타낼 수 있다. 교사와 학생이 상의하여 주제를 선정한 이후에는 학생 전체 집단 또는 학생이 조를 나누어 주도적으로 그 주제망을 작성한다. 주제망 그리기의 기본 원칙은 다음과 같다.

가. 주제망은 마인드맵을 그리는 방식으로 작성해 나간다.

나. 상위 주제에서 가지를 그려 하위 주제와 연결한다.

다. 상위 주제에서 가지를 하위 주제로 연결하면서 성급하게 관련 교과와 연결하지 않는다.

라. 첫 단계에서는 브레인스토밍을 하듯이 상위 주제와 하위 주제들을 연결한다.

마. 다음 단계에서 학생들의 발달 수준과 능력, 경험, 관심, 학습 가능성 등을 고려하여 하위 주제들이 상위 주제와 밀접하게 관련을 맺고 있는지를 판단하면서 수정·보완해 나간다.

5. 통합 단원 목표 진술의 기본 원칙

주제망을 그린 이후에 이를 토대로 단원 목표를 진술할 수 있다. 이때 상위 주제와 하위 주제에 해당하는 목표를 각각 진술할 수 있다. 이를 위해 아래의 기본 원칙에 따라 진술할 수 있다.

가. '~한다'로 표현하지 않고 '~할 수 있다'로 표현한다.

나. 단원 활동이 끝난 이후의 시점에 학생이 할 수 있는 일을 제시한다.

다. 단원에 속하는 모든 차시의 목표를 제시하지 않고 단원을 대표하는 목표를 제시한다.

라. 단원 목표를 지식, 기능, 태도 영역으로 나누어 진술하되, 각각 1~2개의 단원

목표를 제시한다.

마. 기능 영역의 목표는 전신(몸 전체)을 이용하여 달성할 수 있는 것을 제시한다. 아래는 기능 영역 목표의 예시이다.

1) 지렛대의 원리를 이용하여 물시계를 제작할 수 있다.

2) 비만을 예방, 치료하는 데 도움이 되는 음식을 만들 수 있다.

3) 바다에서 안전 사고가 났을 때 대처하는 모습을 상황극으로 만들 수 있다.

4) 물의 순환 모형을 만들 수 있다.

5) 노동요에 맞춰 가면을 만들어 쓰고 춤을 출 수 있다.

6) 방울토마토를 키우고 관찰하며 관찰 일지를 작성할 수 있다.

7) 시계의 구조를 파악하여 시계를 만들 수 있다.

8) 손, 다리, 허리 등의 신체 부위를 이용하여 씨름 기술을 익힐 수 있다.

6. 교수 · 학습 활동 진술의 기본 원칙

통합 단원 목표를 진술한 이후에 이를 달성할 교수 · 학습 활동을 진술할 수 있다. 이를 위해 아래의 기본 원칙에 따라 진술할 수 있다.

가. '~하기'로 표현하지 않고 '~한다'로 표현한다.

나. 단원 활동 중에 학생들이 참여하는 활동을 제시한다.

다. 단원 목표의 달성을 위한 교수 · 학습 활동을 제시한다.

라. 단원에 속하는 모든 차시의 목표를 제시하지 않고 단원을 대표하는 교수 · 학습 활동을 다섯 가지 내외로 제시한다.

참고문헌

강준만(2007). **선샤인 논술사전: 대학입시와 취업 논술에 필요한 핵심 논술 상식**. 서울: 인물과 사상사.

교육과학기술부(2008). **초등학교 교육과정 해설: 총론, 재량활동**. 서울: 교육과학기술부.

교육과학기술부(2009. 12. 23.). **초 · 중등학교 교육과정 총론**. 교육과학기술부 제2009-41호. 서울: 교육과학기술부.

교육과학기술부(2010). **초등학교 교육과정 해설**. 서울: 교육인적자원부.

교육과학기술부(2011. 08.). **바른 생활, 슬기로운 생활, 즐거운 생활 교육과정**. 교육과학기술부 고시 제2011-361 [별책 15]. 서울: 교육과학기술부.

교육대학교직과교재편찬위원회(1998). **(신간) 교육과정과 수업**. 서울: 교육출판사.

교육부(1992. 9. 30.). **국민학교 교육과정**, 교육부 고시 제1992-16호. 서울: 교육부.

교육부(1997. 12. 30.). **초등학교 교육과정**. 교육부 고시 제1997-15호. 서울: 교육부.

교육부(1998). **초등학교 교육과정 해설 II: 우리들은 1학년, 바른 생활, 슬기로운 생활, 즐거운 생활, 특별활동**. 서울: 교육부.

교육부(2015. 9. 23.). **초등학교 교육과정**. 교육부 고시 제2015-74호 [별책 2]. 세종: 교육부.

교육부(2016). **2015 개정 교육과정 총론 해설: 초등학교**. 세종: 교육부.

교육부(2017). **2015 개정 교육과정 창의적 체험활동(안전한 생활 포함) 해설: 초등학교**. 세종: 교육부.

교육인적자원부(2007. 2. 28.). **초 · 중등학교 교육과정**. 교육인적자원부 고시 제2007-79호 [별책 1]. 서울: 교육인적자원부.

김경자(2004). **학교교육론**. 서울: 교육과학사.

김경자, 강태중, 강현석, 구정화, 김대현, 김두정, 김이경, 김인석, 김창원, 박경미, 박순경, 박창언, 소경희, 송진웅, 이경진, 이광우, 이승미, 장명희, 최상훈, 최진영, 허숙, 허경철, 홍원표, 황규호, 홍은숙(2015). **문 · 이과 통합형 교육과정 총론 시안 개발 연구**. 국가교육과정개정연구위원회.

김대현, 김석우(2000). **교육과정 및 교육평가**(개정판). 서울: 학지사.

김대현, 김석우(2017). **교육과정 및 교육평가**(4판). 서울: 학지사.

김대현, 김석우(2020). **교육과정 및 교육평가**(5판). 서울: 학지사.

김대현, 왕경순, 이경화, 이은화(1999). **프로젝트 학습의 운영**. 서울: 학지사.

김성열, 고창규(2000). '교실 붕괴'와 교육정책: '교실 붕괴' 담론 분석을 중심으로. **교육인류학 연구, 3**(2), 153-191.

김수천(2003). **교육과정과 교과**(개정판). 서울: 교육과학사.

김영천(2009). **교육과정 I**. 서울: 아카데미프레스.

김인식, 최호성(1996). **최신 교육과정 및 평가**. 서울: 교육과학사.

김재춘(2005). **듀이의 교육과정 조직 원리로서 경험의 점진적 조직**

김재춘, 부재율, 소경희, 양길석(2017). **(예비 · 현직 교사를 위한) 교육과정과 교육평가**. 서울: 교육과학사.

김재홍 역(2017). **아리스토텔레스 정치학**. 서울: 도서출판 길. Aristoteles, Politika.

김종서(1985). 제8장 잠재적 교육과정. 김종서, 이영덕, 이홍우 공저, **교육과정**(pp. 235-269). 서울: 한국방송통신대학교 출판부.

김평국(2003). 교육과정 적용을 위한 새로운 교원 연수 모형으로서의 해석적 교원 연수 모형. **교육과정연구, 21**(2), 123-143.

김평국(2004). 초등학교 교사들의 교과 내용 재구성 실태와 그 활성화 방안. **교육과정연구**, **22**(2), 135-161.

김평국(2019). 루터의 종교 개혁과 대중 교육의 기원에 대한 재고찰. **도덕교육연구**, **31**(2), 89-111.

김평국, 김미라, 왕지선, 정나라 역(2020). **인지적 코칭: 자기주도 지도자와 학습자의 양성**. 서울: 아카데미프레스. Costa, A. L., Garmston, R. J., Hayes, C., & Ellison, J. (2015). *Cognitive coaching: Developing self-directed leaders and learners*. Lanham, MD: Rowman & Littlefield.

김호권(1974). 잠재적 교육과정. 김종서 외 3인 편, **교육과정의 발전적 지향**. 서울: 서울특별시 교육위원회.

김호권, 이돈희, 이홍우(1981). **현대교육과정론**. 서울: 교육출판사.

매일신보(1945. 9. 18.). 일반 명령 제4호 '신조선의 조선인을 위한 신교육 방침'. 서울: 미군정청.

매일신보(1945. 9. 22.). 당면한 교육 방침. 서울: 미군정청.

매일신보(1945. 9. 30.). 중등학교 교과과정 결정. 서울: 미군정청.

문교부(1954. 4. 20.). 국민 학교 교육과정 시간 배당 기준표. **국민 학교, 중학교, 고등학교 및 사범학교 교육과정 시간 배당 기준령**. 문교부령 제35호. 별표1. 문교부.

문교부(1963. 2. 15.). **국민 학교 교육과정**. 문교부령 제119호. 별책. 문교부.

문교부(1973. 2. 14). **국민 학교 교육과정**. 문교부령 제310호. 별책 1. 문교부.

문교부(1981. 12. 31.). **국민 학교 교육과정**. 문교부 고시 제442호. 별책 2. 문교부.

문교부(1987. 6. 30.). **국민 학교 교육 과정**. 제5차 교육과정, 문교부 고시 제87-9호. 문교부.

문교부(1990). **편수 자료 I: 교육과정 변천 및 편수 일반**. 서울: 대한 교과서 주식회사.

박순경, 백경선, 이근호, 한혜정, 이승미, 이원춘(2013). **2009 개정 교육과정에 따른 초 · 중학교 성취 기준 개발 연구: 총론**. 연구보고 CRC 2013-2. 서울: 한국교육과정평가원.

박윤배, 김경식(2002). 학교교육 주체들이 지각하는 교실 붕괴 현상의 원인. **교육사회학연구**, **12**(3), 101-120.

박채형, 조상연(2020). 교과에 관한 선험적 정당화 논의의 재음미. **통합교육과정연구**, **14**(3), 59-79.

서울대학교 교육연구소(2011). **교육학용어사전**. 서울: 하우동설.

성경희, 김평국, 박정, 정구향, 차우규, 강대현, 최승현, 곽영순, 유정애, 이경언, 박소영, 최진황, 류상희, 이규호(2003). **제7차 교육과정의 현장 운영 실태 분석(I): 초등학교 교과 교육과정을 중심으로(총론)**. 연구보고 RRC 2003-3-1. 서울: 한국교육과정평가원.

소경희(1997). 현대 교육과정 이론에 대한 인식론적 고찰. **교육과정연구**, **15**(1), 241-266.

송진영(2008). **초등학교 1학년 프로젝트 학습 과정 탐구**. 석사학위 논문, 경인교육대학교.

유봉호(1992). **한국교육과정사 연구**. 서울: 교학연구사.

윤병희 등(1992). **우리나라 교육과정 개정의 총체적 분석: 정책과 설계를 중심으로**. 한국교육과정학회 교육과정연구회 1992년도 연차학술대회 발표논문 · 토론집.

윤은주, 이진희 역(2019). **프로젝트 접근법**. 서울: 아카데미프레스. Katz, L. G., Chard, S. C., & Kogan, Y. (2014). *Engaging children's minds: The project approach*. Santa Barbara, CA: Praeger.

윤현진, 주형미, 문영주, 추병완(2010). **국가 교육과정 개정 체제 변화에 따른 교과서 정책 개선 방안 연구**. 연구보고 RRC 2010-16. 서울: 한국교육과정평가원.

이건만(2006). 문화적 계급 지배와 교육 불평등: Pierre Bourdieu 문화재생산이론의 음미. **교육사회학연구**, **16**(2), 111-139.

이경섭(1999). **교육과정쟁점연구**. 서울: 교육과학사.

이경순(2015). **학습자 중심 교육을 통한 초등학생의 경험적 성장에 관한 비교 연구: 4학년과 1학년의 프로젝트학습을 중심으로**. 석사학위 논문, 경인교육대학교.

이근호(2006). 현상학과 교육과정 재개념화 운동. **교육과정연구**, **24**(2), 1-25.

이돈희(1992). **교육정의론**. 서울: 고려원.

이상주(1974). 의사결정의 관점에서 본 교육과정. **교육과정 연구의 과제**. 교육과정연구회 보고서.

이성호(1994). **교육과정: 개발 전략과 절차**. 서울: 문음사.

이성호(1995). **교육과정과 평가**. 서울: 양서원.

이원희, 박승배, 조영남, 권혁일, 황윤한, 김영천, 허숙, 박천환, 박영무, 한승희, 조주연, 조재식(2005). **교육과정과 수업**. 서울: 교육과학사.

이원희, 박영무, 오경종, 허숙, 박천환, 한승희, 장성모, 조주연, 황윤한, 박승배, 조영남, 김영천, 권혁일, 조재식(2006). **교육과정과 수업**(2판). 서울: 교육과학사.

이홍우(1985). 제6장 학문과 교과. 김종서, 이영덕, 이홍우 공저, **교육과정** (pp. 159-198). 서울: 한국방송통신대학교 출판부.

이홍우(1986). **교육과정탐구**. 서울: 박영사.

이홍우(1989). 형식도야이론의 매력과 함정. (서울대학교 사범대학 교육학과) **교육이론**, **4**(1), 25-42.

이홍우(1991) 지식 중심 교육과정의 재조명. 이영덕 (편). **인간 교육을 위한 교육과정과 수업의 탐구** (pp. 41-68). 서울: 교육과학사.

이홍우(2009). **교육의 개념**. 서울: 문음사.

이홍우(2017). **교육과정 이론**. 경기 파주: 교육과학사.

이홍우, 김종건, 박재문, 신차균, 류한구, 황인창, 장성모, 홍은숙 역(1984). **윤리학과 교육**. 서울: 교육과학사. Peters, R. S. (1966). *Ethics and education*. London: George Allen & Unwin Ltd.

이홍우, 박재문, 류한구 역(1994). **서양교육사**. 서울: 교육과학사. Boyd, W. (1921). *The Western history of education*. London: Adam and Charles Black.

이환 역(2014). **국가론: 이상 국가를 찾아가는 끝없는 여정**. 서울: 돋을새김. Platon. *Politeia*.

이환기(1995). **헤르바르트의 심리학과 교육 이론 연구**. 박사학위 논문, 서울대학교.

장인실, 한혜정, 김인식, 강현석, 손민호, 최호성, 김평국, 이광우, 정영근, 이흔정, 정미경, 허창수 역(2007), **교육과정: 기초 · 원리 · 쟁점**. 서울: 학지사. Ornstein, A. C., & Hunkins, F. P. (2004). *Curriculum: Foundations, principles, and issues*. Boston, MA: Pearson Education.

정영근(2000). SBCD(School Based Curriculum Development)에 따른 교육과정 개발 방법의 고찰. **교육과정연구**, **18**(2), 297-322.

(주)두산(2000). **doopedia**. (주) 두산.

천병희 역(2010). **정치학**. 아리스토텔레스. 경기 고양: 도서출판 숲. Aristoteles, *Politika*.

최문정(2008). **주제 중심 통합 학습 프로그램이 아동의 학습 동기에 미치는 영향**. 석사학위 논문, 경인교육대학교.

최호성(2011). **교육과정 및 평가: 이해와 응용**. 서울: 교육과학사.

한국문학평론가협회(2006). **문학비평용어사전**. 상·하. 경기 고양: 국학자료원.

한기언(1983). **교육사**. 서울: 법문사.

한은자(1976). **R. S. Peters 교육목표관의 분석**. 석사학위 논문, 이화여자대학교.

함종규(1983). **한국 교육과정 변천사 연구**(전편). 서울: 이화여자대학교 출판부.

황선이(2020). **'지역사회' 프로젝트 학습에서 초등학생의 변화 탐구**. 석사학위 논문, 경인교육대학교.

허경철, 이근님, 박순경, 나귀수, 이광우, 이미숙, 손민호, 이희영(2003). **국가 수준 교육과정 개정 방식에 관한 연구**. 연구보고 RRC 2003-1. 서울: 한국교육과정평가원.

홍치모(1983). **종교개혁사**(5판). 성광출판사.

홍후조(2004). **교육과정의 이해와 개발**. 서울: 문음사.

홍후조(2016). **알기 쉬운 교육과정**. 서울: 학지사.

Abelson, P. (1906). *The seven liberal arts: A study in medieval culture*. New York: Teachers' College, Columbia University.

Aiken, W. M. (1942). *The story of the eight-year study: with the conclusions and recommendations*. New York: Harper & Brothers. 김재춘, 박소영 역(2006). **(중등학교 교육과정 개선을 위한) 8년 연구 이야기**. 서울: 교육과학사.

Alberty, H. B., & Alberty, E. J. (1962). *Reorganizing the high school curriculum* (3rd ed.). New York: Macmillan Company.

Alsubaie, M. A. (2015). Hidden Curriculum as One of Current Issue of Curriculum. *Journal of Education and Practice*, 6(33), 125-128.

Anderson, L. W., Krathwohl, D. R., Airasian, P. W., Quikshank, K. A., Mayer, R. E., Pintrich, P. R., Raths, J., & Wittrock, M. C. (2001). *A taxonomy for learning, teaching, and assessment: A revision of Bloom's taxonomy of educational objectives*. Pearson Education.

Anheier, H. K., Gerhards, J., & Remo, F. P. (1995). Forms of capital and social structure in cultural field: Examining Bourdieu's social topology. *American Journal of Sociology*, *100*, 859-903.

Anyon, J. (1980). Social class and the hidden curriculum of work. *The Journal of Education*, *162*(1), 67-92.

Apple, M. (1979). *Ideology and curriculum*. Boston: Routledge & Kegan Paul.

Apple, M. (1996). *Cultural politics and education*. New York: Teachers College Press.

Arnold, A. V. (1945. 9. 29.). *Ordinance No. 6* (군정청 법령 제6호 '교육의 조치'). Seoul: Korea, Headquarters, United Army Forces in Korea, Office of Military Governor. 국가교육과정정보센터(NCIC). Retrieved 2021.

09. 20., http://ncic.re.kr/mobile.dwn.ogf.inventoryList.do.

Arnold, A. V. (1945. 10. 21.). 352 (MGEDC). *Explanation of and Directive on Schools*. (학무 통첩 352호 '학교에 대한 설명과 지시'). Seoul: Korea, Headquarters, United Army Forces in Korea, Office of Military Governor. 국가교육과정정보센터(NCIC). Retrieved 2021. 09. 20., http://ncic.re.kr/mobile. dwn.ogf.inventoryList.do.

Atkin, J. M., & House, E. R. (1981). The federal role in curriculum development, 1950-80. *Educational Evaluation and Policy Analysis*, *3*, 5-36.

Bantock, G. H. (1980). *Studies in the history of educational theory*. Vol. 1, 2. London: George Allen and Unwin.

Beatley, B. (1932). The Committee on College Entrance Requirements. *Junior-Senior High School Clearing House*, *6*(6), 345-348.

Beauchamp, G. A. (1982). Curriculum theory: Meaning, development, and use. *Theory into Practice*, *21*(1), 23-27.

Beck, R. H., Cook, W. W., & Kearney, N. C. (1960). *Curriculum in the modern elementary school* (2nd ed.). New York: Prentice-Hall.

Benavot, A. (1983). The rise and decline of vocational education. *Sociology of Education*, *56*(2), 63-76.

Bennet, W. J. (1984). To reclaim a legacy: Text of report on humanities in education. *Chronicle of Higher Education*, *28*, 16-21.

Bennett, W. J. (1988). *James Madison Elementary School: A curriculum for American students*. Washington, D.C.: U.S. Department of Education.

Bernstein, B. (1971). On the classification and framing of educational knowledge. In M. Young (Ed.), *Knowledge and content*. London: Collier-Macmillan.

Bernstein, B. (1977). *Class, codes and control: Vol. III: Towards a theory of educational transmissions* (2nd ed.). Boston and London: Routledge and Kegan Paul.

Bloom, B. S. (1972). Innocence in education. *The School Review*, *80*(3), 333-352.

Bloom, B. S. (Ed.), Englehart, M. D., Furst, E. J., Hill, W. H., & Krathwohl, D. R. (1956). *Taxonomy of educational objectives: Handbook I: Cognitive domain*. New York: David Mckay.

Bloom, A. D. (1987). *The closing of American mind*. New York: Simon & Schuster.

Bobbitt, F. (1918). *The curriculum*. New York: Houghton & Mifflin.

Borich, G. D. (2011). *Effective teaching methods: Research-based practice* (7th ed.). New York: Pearson.

Bowles, S., & Gintis, H. (1976). *Schooling in capitalist America*. New York: Basic Books.

Bourdieu, P. (1984). *Distinction: A social critique of the judgement of taste*. 최종철 역(1995). **구별짓기: 취향의 사회학**. 서울: 새물결.

Bourdieu, P. (1991). *Language and symbolic power*. 정일준 역(1997). **상징폭력과 문화 재생산**. 서울: 새물결.

Bourdieu, P., & Passeron, J. C. (1977). *Reproduction in education, society, and culture*. 이상호 역(2000). **재생산: 교육체계이론을 위한 요소들**. 서울: 동문선.

Boyd, W. (1921). *The Western history of education*. 이홍우, 박재문, 류한구 역(1994). **서양교육사**. 서울: 교육과학사.

Brady, L. (1992). *Curriculum development* (4th. ed.). Sydney: Prentice Hall.

Briggs, T. H. (1920). *The junior high school*. Boston: Houghton-Mifflin Company.

Bruner, J. S. (1960). *The process of education*. New York: Vintage Books.

Bruner, J. S. (1966). *Toward a theory of instruction*. Cambridge, MA: The Belknap Press of Harvard University Press.

Bruner, J. S. (1971). "The process of education" revisited. *Phi Delta Kappan*, *52*(1), 18-22

Bruner, J. S. (2001) *The culture of education*. Cambridge, MA: Harvard University Press.

Campbell, C. (1982). A Dubious Distinction? An Inquiry into the Value and Use of Merton's Concepts of Manifest and Latent Function. *American Sociological Review*, *47*(1), 29-44.

Campbell, E. Q. (1970). On What Is Learned in School by Robert Dreeben. *Sociology of Education*, *43*(2), 205-210.

Canning, C. (1991). What teachers say about reflection. *Educational Leadership*, *48*(6), 69-87.

Caswell, H. L., & Foshay, A. W. (1957). *Education in the elementary school* (3rd ed.). New York: American Book Company.

Clark, C., & Peterson, P. (1984). Teachers' thought processes. In M. R. Wittrock (Ed.), *Handbook of research on teaching* (3rd ed., pp. 255-296). Upper Saddle River, NJ: Merril/Prentice Hall.

Cornbleth, C. (1984). Beyond hidden curriculum. *Journal of Curriculum Studies*, *16*(1), 29-36.

Counts, G. S. (1932). *Dare the schools build a new social order?* New York: John Day Co.

Cremin, L. A. (1961). *The transformation of the school.* New York: Knopf.

Cremin, L. A. (1975). Curriculum-making in the United States. In W. Pinar (Ed.), *Curriculum theorizing: The Reconceptualists.* Berkely, CA: McCutchan.

Cuypers, S. E. (2012). R. S. Peters' 'The justification of education' revisited. *Ethics and Education*, *7*(1), 3-17.

Day, J., & Kingsley, J. L. (1829). Original papers in relation to a course of liberal education. *American Journal of Science and Arts*, *15*, 297-351.

Debord, G. (1990). *Comments on the society of the spectacle.* New York: Verso.

Descartes, R. (1644). Principles of philosophy. In *The philosophical works of Descartes*, vol 1. (E. Haldane & G. R. T. Ross 1931 번역). Cambridge: The University Press.

Dewey, J. (1896). The university school. *University [of Chicago] Record*, *1*, 417-419.

Dewey, J. (1897). The university elementary school: History and character. *University [of Chicago] Record*, *2*, 72-75.

Dewey, J. (1899). *Lectures in the philosophy of education, 1899.* R. D. Archambault (Ed.). New York: Random House, 1966.

Dewey, J. (1902a). *The child and the curriculum.* Chicago: The University of Chicago Press. 박철홍역(2002). **아동과 교육과정**. 서울: 문음사.

Dewey, J. (1902b). Interpretation of savage mind. *The Psychological Review*, *9*, 217-230.

Dewey, J. (1916). *Democracy and education: An introduction to the philosophy of education.* New York: Macmillan. 이홍우 역(2016). **존 듀이 민주주의와 교육**(개정증보판). 파주: 교육과학사.

Dewey, J. (1929). Individuality and experience. In J. Dewey, A. C. Barnes, L. Buermeyer, M. Mullen & V. De Mazia, *Art and education: A collection of essays* (3rd ed., 1978, pp. 32-40). Merion, PA: The Barnes Foundation Press.

Dewey, J. (1938). *Experience and education.* The Kappa Delta Pi Lecture Series. New York: Collier/Macmillan. 박철홍 역(2002). **경험과 교육**. 서울: 문음사.

Drake, S. M. (2007). *Creating standards-based integrated curriculum: Aligning curriculum, content, assessment, and instruction* (2nd ed.). Thousand Oaks, CA: Corwin Press.

Dreeben, R. (1967). The contribution of schooling to the learning of norms. *Harvard Educational Review*, *37*(2), 211-237.

Dreeben, R. (1968). *On what is learned in school.* Reading, MA: Addison-Wesley.

Eisner, E. W. (1994a). *Cognition and curriculum reconsidered* (2nd ed.). New York: Teachers College Press.

Eisner, E. W. (1994b). *The educational imagination: On the design and evaluation of school programs* (3rd ed.). New York: Macmillan College Publishing Company.

Erickson, H. (2006). *Concept-based curriculum and instruction for the thinking classroom.* Thousand Oaks, CA: Corwin.

Fawcett, H. (1938). *The nature of proof* (Thirteenth Yearbook, National Council of Teachers of Mathematics). New York: Teachers College, Columbia University.

Foshay, A. W. (1970). How fare the disciplines? *Phi Delta Kappan*, *51*, 349-352.

Gill, J. (2000). *The tacit mode: Michael Polanyi's postmodern philosophy.* Albany, NY: SUNY Press.

Giroux, H. A. (1978). Developing educational programs: Overcoming the hidden curriculum. *Clearing House*, *78*(52), 148-151.

Giroux, H. A. (1980). Beyond the Correspondence Theory: Notes on the Dynamics of Educational Reproduction and Transformation. *Curriculum Inquiry*, *10*(3), 225-247.

Giroux, H. A. (1981a). Hegemony, resistance, and the paradox of educational reform. *Interchange*, *12*(2-3), 3-26.

Giroux, H. A. (1981b). Schooling and the Myth of Objectivity: Stalking the Politics of the Hidden Curriculum. *McGill Journal of Education*, *16*(3), 282-304.

Giroux, H. A. (1983). *Theory and resistance in education: A pedagogy for the opposition.* South Hadley, MA: Bergin & Garvey.

Giroux, H. A. (1999). *The mouse that roared: Disney and the end of innocence.* Lanham, MD: Rowman & Littlefield. 성기완(2001). **디즈니: 순수함과 거짓말**. 서울: 아침이슬.

Giroux, H., & Pollock, G. (2010). *The mouse that roared: Disney and the end of innocence* (2nd ed.). Lanham, MD: New York: Rowman & Littlefield.

Goodlad, J. I., & Su, Z. (1992). Organization and the curriculum. In P. Jackson (Ed.), *Handbook of research on curriculum* (pp. 327-344). New York: Macmillan.

Gramsci, A. (1971). *Selections from prison notebooks*. Edited and translated by Quinten Hoare and Geoffrey Smith. New York: International Publishers.

Gredler, M. E. (1996). *Program evaluation*. Englewood Cliffs, New Jersey: Prentice Hall, Inc.

Green, M. (1971). Curriculum and consciousness. *Teachers College Record*, *73*(2), 253-269.

Group IV (1900) *Unpublished material*. Columbia University, Teachers College Collection, February 3, 1900.

Group V (1900). *Unpublished material*. Columbia University, Teachers College Collection, 4/5-01.

Grumet, M. (1980). Autobiography and reconceptualization. *Journal of Curriculum Theorizing*, *2*(2), 155-158.

Hall, G. S. (1895). Child Study. *The Journal of Proceedings and Addresses of the National Education Association, Session of the Year 1894*. 173-179.

Hall, G. S. (1904). *Adolescence: Its psychology and its relations to physiology, anthropology, sociology, sex, crime, religion and education* (Vol 2). New York: D. Appleton and Company.

Hamilton, D. (1989). *Toward a theory of schooling*. London: Falmer.

Hamilton, D. (1990). *Curriculum history*. Geelong, Victoria, Australia: Deakin University Press.

Hamilton, S. F. (1980). Experiential Learning Programs for Youth. *American Journal of Education*, *88*(2), 179-215.

Hann, A. (1961). *Elementary school curriculum: Theory and research*. Boston: Allyn and Bacon.

Harris, W. T. (1897). My pedagogical creed. *The School Journal*, *54*, 813.

Harvard University, Committee on the Objectives of a General Education in a Free Society (1949). *General education in a free society*. Cambridge, MA: Harvard University Press.

Hicks, W. V., Houston, W. R., Cheney, B. D., & Marquard, R. L. (1970). *The new elementary school curriculum*. New York: Van Nostrand Reinhold.

Hirsh, E. D. Jr. (1987). *Cultural literacy*. Boston: Houghton Mifflin.

Hirst, P. H. (1974). Liberal education and the nature of knowledge. In P. Hirst, *Knowledge and the curriculum: A collection of philosophical papers*, Vol 12. (pp. 30-53). New York: Routledge.

Hirst, P. H. (1993). Education, knowledge and practices. In R. Barrow & P. White (Eds.), *Beyond liberal education* (pp. 184-199). London: Routledge.

Hobbes, T. (1630). A short track on first principles. In R. S. Peters (Ed.). (1962), *Hobbes: Body, man, and citizen*. New York: Collier.

Hopkins, L. T. (1941). *Interaction: The democratic process*. Boston: D. C. Heath and Company.

Housel, D. J. (2012). *The industrial revolution*. Huntington Beach, CA: Teacher Created Materials, Inc.

Illich, I. (1970). *Deschooling society*. New York: Harper and Row.

Jackson, P. W. (1968). *Life in classroom*. New York: Holt, Rinehart & Winston, Inc.

Jackson, P. W. (1992). Conceptions of curriculum and curriculum specialists. In P. Jackson (Ed.), *Handbook of research on curriculum* (pp. 3-40). New York: Macmillan.

James, W. (1890). *The principles of psychology*. Vol 1. New York: H. Holt.

Jameson, F. (1987). Regarding postmodernism: A conversation with Fredric Jameson. *Social Text*, 29-55.

Jansson, L. (1983). Mental training: Thinking rehearsal and its use. In W. Maxwell (Ed.), *Thinking: The expanding frontier*. Philadelphia: Franklin Institute.

Johnson, M. Jr. (1967). Definitions and models in curriculum theory. *Educational Theory*, *17*(2), 127-140.

Johnson, M. Jr. (1977). *Intentionality in education*. Albany, NY: Center for Curriculum Research & Services.

Katz, L. G., & Chard, S. C. (1989). *Engaging children's minds: The project approach*. Norwood, NJ: Ablex.

Katz, L. G., Chard, S. C., & Kogan, Y. (2014). *Engaging children's minds: The project approach* (3rd ed.). Santa Barbara, CA: Praeger.

Kellner, D. (1978). Ideology, marxism and advanced capitalism. *Socialist Review*, *8*(6), 30-65.

Kilpatrick, W. H. (1918). The project method. *Teachers College Record*, *19*(4), 319-335.

Kilpatrick, W. H. (1925). *Foundations of method: Informal talks on teaching*. New York: Macmillan.

Kincheloe, J. L. (1993). *Toward a critical politics of teacher thinking: mapping the postmodern*. Westport, CT:

Bergin & Garvey.

Kincheloe, J. L. (2002). *The sign of the burger: McDonald's and the culture of power*. Philadelphia, PA: Temple University Press. 성기완(2004). **버거의 상징: 맥도날드와 문화 권력**. 서울: 아침이슬.

King, A. R., & Brownell, J. A. (1966). *The curriculum and the disciplines of knowledge*. New York: Wiley.

Kliebard, H. M. (1995). *The struggle for the American curriculum, 1893-1958* (2nd ed.). New York: Routlesge.

Knoll, M. (2014). Project method. In C. D. Phillips (Ed.). *Encyclopedia of educational theory and philosophy* (pp. 665-669). Thousand Oaks, CA: SAGE.

Kohlberg, L. (1981). *Essays on moral development*. San Francisco, CA: Harper & Row.

Kolesnik, W. B. (1962). *Mental discipline in modern education* (pp. 30-61). Madison, WI: University of Wisconsin Press.

Krathwohl, D. R., Bloom, B. S., & Masia, B. B. (1964). *Taxonomy of educational objectives: Handbook II: Affective domain*. New York: David Mckay.

Kubesh, K., McNeil, N., & Bellotto, K. (2008). *The industrial revolution*. HOCPP 1271. Koloma, MI: In the Hands of a Child.

Leonard, J. P. (1953). *Developing the secondary school curriculum*. New York: Holt, Rinehart, and Winston.

Lincoln, Y. S., & Guba, E. G. (1985). *Naturalistic inquiry*. Newbury Park, CA: SAGE Publications, Inc.

Luke, T. (1991). Touring hyperreality: Critical theory confronts informational society. In P. Wexler, *Critical theory now*. New York: Falmer.

Lynch, K. (1989). *The hidden curriculum: Reproduction in education: A reappraisal*. New York: The Falmer Press.

McLaren, P. (1989). *Life in schools: An introduction to critical pedagogy in the foundations of education*. New Yok: Longman.

McLaren, P. (1991). Schooling and the postmodern body: critical pedagogy and the politics of enfleshment. In H. Giroux (Ed.), *Postmodernism, feminism, and cultural politics: Redrawing educational boundaries*. Albany, NY: State University of New York.

Mansilla, V. B., & Lenoir, Y. (2010). Interdisciplinarity in United States schools: Past, Present, and Future. *Issues in Integrative Studies, 28*, 1-27.

Marcuse, H. (1964). *One dimensional man*. Boston: Beacon.

Marsh, C. J. (1992). *Key concepts for understanding curriculum*. New York: The Falmer Press.

Martin, J. R. (1994). *Changing the Educational Landscape: Philosophy, Women, and Curriculum*. New York: Routledge.

Martin, P. (1995). Creating lesson blocks: A multi-discipline team effort. *Schools in the Middle, 5*(11), 22-24.

Martinello, M., & Cook, G. (2000). *Interdisciplinary inquiry in teaching and learning* (2nd ed.). Upper Saddle River, NJ: Merrill/Prentice Hall.

Marzano, R. (2000). *Designing a new taxonomy of educational objectives*. Thousand Oaks, CA: Corwin Press.

Marzano, R., Pickering, J., & Pollock, J. (2004). *Classroom instruction that works: Research-based strategies for increasing student achievement*. Alexandria, VA: Association for Supervision and Curriculum Development.

Mayhew, K. C., & Edwards, A. C. (1936). *The Dewey School: The laboratory school of the University of Chicago, 1896-1903*. New York: D. Appleton-Century.

Menninger, W. C. (1950). Mental health in our schools. *Educational Leadership, 7*, 510-523.

Merton, R. K. (1957). *Social Theory and Social Structure*. Revised and Enlarged Edition. New York: Free Press.

Merton, R. K. (1968). *Social Theory and Social Structure*. Revised and Enlarged Edition. New York: Free Press.

Miller, Jerry L. L. (1969). Dreeben: On what is learned in school (Book Review). *Social Forces, 47*(4), Periodicals Archive Online, 501.

Miller, J. P., & Seller, W. (1990). *Curriculum, perspectives and practice*. Toronto: Copp Clark Pitman.

Mulcahy, D. G. (2003). Jane Roland Martin and Paul Hirst on Liberal Education: A Reassessment. *Journal of Thought, 38*(1), 19-30.

Mulcahy, D. G. (2002). *Knowledge, gender, and schooling: The feminist educational thought of Jane Roland Martin*. Westport, CT: Bergin & Garvey.

National Education Association (NEA) (1895). *Report of the Committee of Fifteen on Elementary Education*. [Chaired by W. Harris.] New York: American Book Company.

National Research Council (2001). *Knowing what students know: The science and design of educational assessment*. Washington, DC: National Academies Press.

Nowalski, J. R. (1983). On educational evaluation: A conversation with Ralph Tyler. *Educational Leadership*, *40*(8), 24-29.

Oakeshott, M. (1962). The voice of poetry in the conversation of mankind. In M. Oakeshott, *Rationalism in politics and other essays* (pp. 197-247). London: Methuen.

Parkay, F. W., & Hass, G. (2000). *Curriculum planning: a contemporary approach* (7th ed.). Boston: Allyn and Bacon.

Peters, R. S. (1965). Must an education have an aim? In W. K. Frankena, *Philosophy of education*. New York: Macmillan.

Peters, R. S. (1966). *Ethics and education*. London: George Allen & Unwin Ltd.

Peters, R. S. (1972). Education and the educated man. In R. F. Dearden, P. H. Hirst, & R. S. Peters (Eds.), *Education and the development of reason* (pp. 3-18). London: Routledge & Kegan Paul.

Peters, R. S. (Ed.). (1973). The justification of education. In *Education and the education of teachers* (pp. 86-118). London: Routledge & Kegan Paul.

Peters, R. S. (1983). Philosophy of education. In P. H. Hirst (Ed.), *Educational theory and its foundation disciplines* (pp. 30-61). London: Routledge & Kegan Paul.

Piaget, J. (1977). *The development of thought: The equilibrium of cognitive structures*. [Trans. by A. Rosin]. New York: Viking.

Pinar, W., & Grumet, M. (1976). *Toward a poor curriculum*. Dubuque, IA: Kendal/Hunt.

Pinar, W., Reynolds, W. M., Slattery, P., & Taubman, P. M. (2000). *Understanding curriculum: An introduction to the study of historical and contemporary curriculum discourses*. New York: Peter Lang.

Pinar, W., Reynolds, W. M., Slattery, P., & Taubman, P. M. (2000). *Understanding curriculum: An introduction to the study of historical and contemporary curriculum discourses*. New York: Peter Lang.

Polanyi, M (1958). *Personal knowledge*. Chicago: University of Chicago Press.

Posner, G. J. (1982). A cognitive science conception of curriculum and instruction. *Journal of Curriculum Studies*, *14*(4), 343-351.

Posner, G. J. (1995). *Analyzing the curriculum* (2nd ed.). New York: McGraw-Hill, Inc.

Postman, N. (1985). Critical thinking in an electronic era. *Phi Kappa Phi Journal*, *65*, 4-8.

Pring, R. (1984). *Personal and social education in the curriculum: Concepts and contents*. London: Hodder and Stoughton.

Ragan, W. B. (1960). *Modern elementary curriculum*. New York: Holt, Rinehart, and Winston.

Ravitch, D. (1985). *The schools we deserve: Reflections on the education crisis in our lives*. New York: Basic Books.

Reimer, E. (1971). *School is dead: An essay on alternatives in education*. Harmondsworth, Middlesex, United Kingdom: Penguin Books.

Rice, J. M. (1893). *The public-school system of the United States*. New York: The Century Company.

Richmond, G., & Striley, J. (1994). An integrated approach. *The Science Teacher*, *61*(7), 42-45.

Rico, G. (1976). *Metaphors and knowing: Analysis, synthesis, rationale*. Unpublished doctoral dissertation, Stanford University, Stanford, CA.

Roberts, P., & Kellough, R. (2006). *A guide for developing interdisciplinary thematic units* (3rd ed.). Upper Saddle River, NJ: Merrill/Prentice Hall.

Roblyer, M. (2005). *Integrating educational technology into teaching*. Upper Saddle River, NJ: Merrill/Prentice Hall.

Ross, D. (1972). *G. Stanley Hall: The psychologist as prophet*. Chicago: The University of Chicago Press.

Rousseau, J. J. (1962). Emile. In W. Boyd (Ed.), *The Emile of Jean Jacques Rousseau*. New York: Teachers College Press.

Rugg, H. O. (1916). *The experimental determination of mental discipline in school studies*. Baltimore: Warwick & York.

Russell, W. F. (1952). The caravan goes on. *Teachers College Record*, *54*, 6-7.

Saylor, J. G., & Alexander, W. M. (1958). *Planning curriculum for better teaching and learning* (5th printing). NY:

Rinehart & Company.

Saylor, J. G., & Alexander, W. M. (1966). *Curriculum planning for modern schools*. New York: Holt, Rinehart & Winston.

Saylor, J. G., Alexander, W. M., & Lewis, A. J. (1981). *Curriculum planning for better teaching and learning*. New York: Holt, Rinehart & Winston. (Previous editions by Saylor & Alexander, 1974, 1966, and 1954 under similar titles.)

Schubert, W. H. (1986). *Curriculum: Perspective, paradigm, and possibility*. New York: Macmillan Pub. Co.

Schwab, J. J. (1969). The practical: A language for curriculum. *School Review*, *78*(1), 1-23.

Scrapbook IV (1900). *Unpublished material*. Columbia University, Teachers College Collection, September 1899-June 1990.

Shavelson, R. J., & Baxter, G. P. (1992). What we've learned about assessing hands-on science. *Educational Leadership*, *49*(8), 20-25.

Shulman, L. S. (1987). Knowledge and teaching: Foundations of the new reform. *Harvard Educational Review*, *7*(1), 1-22.

Shulman, L. S. (1992). Toward a pedagogy of cases. In J. H. Shulman (Ed.), *Case methods in teacher education* (pp. 72-92). New York: Teachers College Press.

Simpson, E. J. (1966). *The classification of educational objectives, psychomotor domain*. Rockville, ML: United States Department of Education, Education Research Information Center. ERIC Document Reproduction Service, ED 010368.

Sizer, T. R. (1973). *Places for learning, places for joy: Speculations on American school reform*. Cambridge, MA: Harvard University Press.

Skillbeck, M. (1984). *School-based curriculum development*. London: Harper & Row Ltd.

Smith, S. C., Stanley, W. O., & Shores, J. H. (1950). *Fundamentals of curriculum development* (Revised ed.). New York: World Book Company.

Smith, E. R., & Tyler, R. W. (1942). *Appraising and recording student progress*. New York: Harper & Brothers.

Snyder, J., Bolin, F., & Zumwalt, K.(1992). Curriculum implementation. In P. Jackson (Ed.), *Handbook of research on curriculum* (pp. 402-435). New York: Macmillan.

Sontag, S. (1978). *On photography*. New York: Farrar, Strauss & Giroux.

Spaulding, F. T. (1938). *High school and life*. McGraw-Hill Book Company, Inc.

Spencer, H. (1894). What knowledge is of most worth? In H. Spencer, *Education: Intellectual, moral, and physical by Herbert Spencer* (pp. 11-92) (Reading-Circle edition.). Syracuse, NY: C. W. Bardeen Publisher.

Stambler, M. (1968 Summer). The effect of compulsory education and child labor laws on high school attendance in New York City, 1898-1917. *History of Education Quarterly* (Cambridge University Press), *8*(2), 189-214.

Stanley, W. B. (1992). *Curriculum for utopia: Social reconstructionism and critical pedagogy in the postmodern era*. New York: SUNY Press.

Tanner, D., & Tanner, L. N. (1975). *Curriculum development: Theory into practice*. New York: Collier Macmillan.

Tanner, D., & Tanner, L. N. (1990). *History of the school curriculum*. New York: Macmillan.

Tanner, D., & Tanner, L. (2007). *Curriculum development: Theory into practice* (4th ed.). Upper Saddle River, NJ: Pearson Education, Inc.

Taylor, P. H. (1970). *How teachers plan their courses*. London: The National Foundation for Educational Research in England and Wales.

Thorndike, E. L. (1913). *Educational psychology, Vol. 2: The psychology of learning*. New York: Columbia University, Teachers College.

Thorndike, E. L. (1924). Mental discipline in high school studies. *The Journal of Educational Psychology*, *15*, 1-22, 83-98.

Thorndike, E. L., & Woodworth, R. S. (1901). The influence of improvement of one mental function upon the efficiency of other functions. *The Psychological Review*, *8*, 247-261, 384-395, 553-564.

Turbayne, C. M. (1962). *The myth of metaphor*. New Haven: Yale University Press.

Tyler, R. W. (1949). *The basic principles of curriculum and instruction*. Chicago: The University of Chicago Press.

University Primary School (1896). *Unpublished material*. Columbia University, Teachers College Collection, March

6, 1896.

Walker, D. F. (1971). A Naturalistic Model for Curriculum Development. *The School Review*, 80(1), 51-65.

Wexler, P., & Whitson, J. (1982). Hegemony and education. *Psychology and Social Theory*, 3(1), 31-42.

Whitehead, A. N. (1929). *The aims of education and other essays*. New York: The Macmillan Company.

Wiggins, G., & McTighe, J. (2005). *Understanding by design* (Expanded 2nd ed.). Alexandria, VA: The Association for Supervision and Curriculum Development.

Williams, R. (1976). Base and superstructure in Marxist cultural theory. In R. Dale, G. Esland & M. MacDonald (Eds.), *Schooling and capitalism: A sociological reader*. London: Routledge & Kegan Paul.

Wolff, C. F. (1740). *Psychologia rationalis: methodo scientifica pertractata ... cognitionem profutura proponuntur*. Francofurti: Lipsiae.

Wynne, J. P. (1963). *Theories of education: An introduction to the foundations of education*. New York: Harper & Row.

York-Barr, J., Sommers, W., Ghere, G., & Montie, J. (2006). *Reflective practice to improve schools: An action guide for educators*. Thousand Oaks, CA: Corwin.

Zacharias, J. R., & White, S. (1964). The requirements for major curriculum revision. In R. W. Heath (Ed.), *The new curricula*. New York: Harper & Row.

찾아보기

[ㅅ]

[ㅇ]

[ㅎ]

[숫자]

[영문]

저자 소개

김평국

- 경인교육대학교 교육학과 교수(2005~현재)
  - 교육과정, 수업 혁신, 교사 전문성 신장 등 영역에서 학부 및 대학원 학생들을 가르쳐 왔다.
- 한국교육과정평가원 전문연구원(2003~2004)
  - 국가 교육과정의 연구 및 개발 영역에서 활동해 왔다.
- Pennsylvania State University 박사 후 과정(2002)
- Pennsylvania State University 박사(2001) 교육과정 전공
- 서울대학교 사범대학 박사 수료(1995)
- 서울대학교 사범대학 석사(1989)
- 서울대학교 사범대학 학사(1986)

[주요 저 · 역서 및 논문]

- 김평국 외 공역(2020). **인지적 코칭: 자기 주도 지도자와 학습자의 양성**. 서울: 아카데미프레스.
- 김평국 · 한국교육과정학회 공저(2017). **교육과정학 용어 대사전**. 서울: 학지사.
- 최욱 외 공역(2014). **질적 연구 핸드북**. 경기 파주: 아카데미프레스.
- 장인실 외 공역(2007). **교육과정: 기초, 원리, 쟁점**. 서울: 학지사.
- 김영천 외 공저(2006). **After Tyler: 교육과정 이론화 1970년-2000년**. 서울: 문음사.
- 교육과정 재구성, 교사 전문성 신장 등 영역의 국외 및 국내 학술 논문 다수.

교육과정의 실제와 이론

학생 중심 초등 전문가 양성

발 행 일 | 2022년 1월 10일 초판 1쇄 발행
저　　자 | 김평국
발 행 인 | 구본하
발 행 처 | (주)아카데미프레스
주　　소 | 서울시 마포구 월드컵북로5길 33 동아빌딩 2층
전　　화 | (02)3144-3765
팩　　스 | (02)3142-3766
웹사이트 | www.academypress.co.kr
이 메 일 | info@academypress.co.kr
등록 번호 | 제2018-000184호
I S B N | 979-11-91791-11-2

값 20,000원